Sacerdote

C000157333

# Land und Leute

*Langenscheidts Sachwörterbücher*

*Sacerdote, A*

**Land und Leute in Italien**

*Langenscheidts Sachwörterbücher*

*Inktank publishing, 2018*

*www.inktank-publishing.com*

*ISBN/EAN: 9783747773956*

Methode Toussaint-Langenscheidt

# Langenscheidts
# Sachwörterbücher

## Land und Leute
in

## Italien

Zusammengestellt

von

## A. Sacerdote

Eingetragene Schutzmarke

BERLIN-SCHÖNEBERG
Langenscheidtsche Verlagsbuchhandlung
(Prof. G. Langenscheidt)

# Vorwort.

Wer ein fremdes Land besucht, will:

1. verstehen, was er hört;
2. sagen können, was er denkt;
3. Land und Leute insoweit kennen, als dies notwendig ist, um von seinem Aufenthalte dort den richtigen Nutzen zu ziehen, Verstöße gegen Sitte und Gepflogenheiten zu vermeiden, und um in sprachlicher Beziehung jene Eigenarten des Landes berücksichtigen zu können, deren Kenntnis zum Verständnis und zur richtigen Anwendung sehr vieler Ausdrücke ꝛc. unbedingt erforderlich ist.

Selten, wohl niemals wird der ein fremdes Land besuchende Deutsche die Landessprache so beherrschen, die fremden Landesbräuche so kennen, daß er nicht häufig in der einen oder anderen Beziehung in Verlegenheit geriete.

In solchen Fällen schnell aus der Not zu helfen, ist die Aufgabe der Langenscheidtschen Sach- und Taschenwörterbücher, die, um abgerundet, übersichtlich und verhältnismäßig vollständig zu sein, für die italienische Sprache in drei einzelne, den angedeuteten verschiedenen Erfordernissen besonders dienende Teile zerlegt werden mußten.

Dem ersten Zwecke: Verstehen, was man hört ꝛc., — soll das italienisch-deutsche Taschen-

5

wörterbuch) in Fällen der Not nach Möglichkeit
förderlich sein; es unterscheidet sich von allen ähn=
lichen Erscheinungen u. a. durch die durchgängige
genaue Angabe der Aussprache nach dem
Toussaint=Langenscheidtschen System, das im Punkte
der Genauigkeit und darum Richtigkeit von keinem
andern, dem gleichen Zwecke dienenden Verfahren
erreicht wird.

Die zweite Aufgabe: Sagen, was man
denkt, — unterstützt das deutsch=italienische Taschen=
wörterbuch, soweit ein Miniaturlexikon dies vermag.

Dem dritten Erforderniß: Kenntnis der vom
deutschen Brauche abweichenden fremden Landes=
sitten, — dient vorliegendes kleines Werkchen
„Land und Leute in Italien".

Dieser dritte Teil der Langenscheidtschen Samm=
lung soll dem nach Italien gehenden Deutschen,
beziehungsweise jedem Fremden dort, der Deutsch
versteht, in lexikalischer Form möglichst das bieten,
was er sich sonst nur durch längeren Aufenthalt
im Lande mühsam, zum Teil unter Zahlung bittern
Lehrgeldes, hinsichtlich der von anderen Ländern
sich unterscheidenden Sitten und Gewohnheiten
aneignen muß. Der Besitzer des Werkchens soll
— nachdem er sein Buch gelesen — gewissermaßen
schon bei seiner Ankunft in Italien zu Hause
sein und so aus seinem dortigen Aufenthalt einen
weit größeren Nutzen ziehen können als solche,
die ohne eine derartige Kenntnis italienischer Sitten
und Gepflogenheiten hingehen und die — bleiben
sie nicht sehr lange dort — ziemlich ebenso klug
wiederkommen wie sie hingegangen sind: außer
einigen Sehenswürdigkeiten (das Gasthofleben ist in

der ganzen Welt jetzt fast gleich) haben sie vom Land und seinem Volke wenig oder nichts kennen gelernt. Das Buch soll dem Fremden eben das zeigen, was er meist nicht sieht, aber kennen muß, um sich über Land und Leute ein Urteil zu bilden. Er soll das Erforderlichste von dem wissen, was anders ist als bei uns.

Das sprachliche Gebiet ist nur da gestreift worden, wo es sich um jene Kenntnis der Sache handelt, ohne welche der dafür übliche Ausdruck absolut unverständlich sein würde; ferner, wo es auf ganz bestimmte Phrasen und Schlagwörter ankommt, die — will der Fremde nicht auffallen oder lächerlich erscheinen — für gewisse Fälle angewandt werden müssen.

Dieses Werkchen soll die üblichen, mit den Sehenswürdigkeiten usw. sich beschäftigenden Reisehandbücher nicht ersetzen, vielmehr neben diesen gebraucht werden und als eine Ergänzung derselben dienen. Jedem Gebildeten, der mit Verstand und Nutzen reisen will und sich näher damit bekannt macht, wird es als geradezu unentbehrlich erscheinen.

Die hier gegebenen Mitteilungen sind teils aus eigener Anschauung geschöpft, teils aus den besten und neuesten Werken über Italien. Wir nennen besonders P. D. Fischers „Italien und die Italiener" und Viktor Hehns „Italien". Außerdem wurden folgende Schriften benutzt:

Almanacco Italiano 1906. (Florenz, Bemporad.)
Baedeker: Italien.
H. Barth: Est! Est! Est!
Frank: Aus dem Vatikan.
Herzog: Realenzyklopädie für protestantische Theologie.

Ihm: Römische Kulturbilder.
Italia nostra. (Florenz, Bemporad.)
C. Justinus: Italienischer Salat.
W. Kaden: Volkstümliches aus Italien.
A. Kellner: Alltägliches aus Neapel. — Hesperische Bilderbogen.
N. Kleinpaul: Das Trinkgeld in Italien.
Meyers Konversationslexikon.
S. Münz: Italienische Reminiszenzen.
Pitrè: Biblioteca delle tradizioni popolari.
H. Nissen: Italienische Landeskunde.
Schneider: Italien in geographischen Bildern.
Wetzer: Kirchenlexikon.
Berliner Lokalanzeiger.
Deutsche Zeitung.
Kölnische Volkszeitung.
Morgenpost.
Neue Welt (liter. Beil. des Vorwärts).
Vossische Zeitung.

An jeden Benutzer des Werkes ergeht schließlich die freundliche Bitte, im Interesse der für unsere internationalen Beziehungen höchst wichtigen Sache der Verlagshandlung gütigst alle Wünsche und Vorschläge, Notizen 2c. mitteilen zu wollen, welche zur Vervollkommnung des Werkes dienen können. Der sorgfältigsten Berücksichtigung und Prüfung jedes Vorschlages und unseres lebhaftesten Dankes wolle sich jeder Einsender im voraus versichert halten.

Berlin-Schöneberg.

A. Sacerdote.

# Sachlich geordnete Übersicht

der im Werke enthaltenen Artikel.

---

## I. Land und Bevölkerung.

**Areal und Bevölkerung** (f. auch Naturbilder): Ausländer. Berge. Bevölkerung. Castelli Romani. Ciociari. Teutsche in Italien. Deutsche Sprachinseln in Italien. Teutsche Sprachreste in Italien. Flagge. Geologische Beschaffenheit. Gewässer. Provinzen. Regioni.

## II. Staat, Regierung und Gesetze
### (f. auch Volkswirtschaft).

**1. Behörden:** Aggiunto giudiziario. Ambasciate. Amtsrichter. Assessoren. Beamtentum. Botschaften. Bürgermeister. Conciliatore. Consiglio di Stato. Consiglio provinciale. Consiglio Comunale. Corte dei Conti. Gemeinderat. Gerichtsschreiber. Gesandtschaften. Giunta. Magistrat. Ministerium. Onorevole. Polizei. Präfekt. Pretore. Procuratore del re. Provinzialrat. Schiedsrichter. Schutzmann. Sindaco. Staatsanwalt. Staatsrat.

**2. Gesetze und Rechtspflege:** Altertümergesetze. Amtsgericht. Anmeldungen. Appellhöfe. Arrestlokal. Aufgebot. Ausfuhr von Kunstgegenständen. Ehescheidung. Gerichtsverhandlungen. Gerichtswesen. Geschworene. Ge-

X

fundien. Mais. Mezzadria. Reisbau. Runkelrübe.
Schafzucht. Seidenraupenzucht. Viehzucht. Weiden. Weinbau. Weizen. Wiesen. Ziegenzucht. Zuckerrübe.

4. **Handel:** Auktionen. Auskunftsstellen. Handel zwischen Deutschland und Italien. Handeln. Handelshochschulen. Handelskammern. Hausierhandel. Markthallen. Quittungen. Pfund. Stazioni enotecniche. Stellenvermittelungsbureau. Stempelmarken und Stempelpapier.

5. **Industrie:** Asphalt. Auskunftsstellen. Baumwollindustrie. Bergbau. Elektrische Triebkraft. Glasfabrik. Hanfspinnerei. Hausindustrie. Leinenspinnerei. Majolika. Maschinenfabrikation. Papierfabrik. Schwefelbau. Seidenindustrie. Steinkohle. Strohflechterei. Textilindustrie. Wasserkraft. Weiße Kohlen. Wollenindustrie. Zuckerfabrikation.

6. **Banken:** Affidavit. Banche popolari. Cambio. Kreditgenossenschaften. Postsparkassen. Sparkassen. Volksbanken.

7. **Geld- und Maßwesen:** Banknoten. Centesimo. Frank. Libbra. Meile. Münzfuß. Pfund. Scudo. Taler.

## XI. Verkehrseinrichtungen.

1. **Öffentlicher Verkehr:** Abort. Adreßbuch. Anschlagsäule. Anzeigen. Apotheke. Bäder. Bedürfnisanstalt. Divieto d'affissione. Droschke. Gondel. Guardia medica. Kursbuch. Markthalle. Passage. Schlitten. Stundenzählung. Tabakhändler.

2. **Landstraßen:** Binnenwasserstraßen. Kommunalstraßen. Nationalstraßen. Provinzialstraßen. Wasserstraßen.

3. **Eisenbahnen:** Abfahrtszeiten. Abonnementsbilletts. Abreise. Aufenthalt. Aufgabestelle. Bahnhof. Billettkontrolle. Eisenbahntarif. Fahrkarten. Fahrkartenunterbrechung. Reisezeit. Rundreisebillett. Schlafwagen. Zollrevision.

## XII. Sport.

Automobil. Ballspiel. Buchmacher. Fahrrad. Fuchs=
jagd. Fußball. Lawn-tennis. Pallacorda. Rad=
fahrsport. Regata. Rudersport. Schlittschuhlaufen.
Sport. Tennis. Turnen. Velozipedfahren. Vogelsang.

## XIII. Sprachliches.

Abend. Abkürzungen. Adieu. Adresse. Almosen.
Ambasciate. Anrede. Aufgabestelle. Aufenthalt. Auf=
zug. Befehlen. Bestellen. Boicottare. Bravo! Cava=
liere. Ciao. Commendatore. Droschke. Eilig. Feuer.
Frau. Gefällig. Gnade. Hier. Hoch. Libbra. Limonata. Minestra. Neujahr. Onorevole. Pfund. Riposo. Vuole?

# A.

**Aale** (anguilla, -ăngwĭl-lă) **und Aalzucht.** Italien gehört neben Holland und Schleswig-Holstein zu den Ländern, wo am meisten Aalzucht getrieben wird. Welt-bekannt sind z. B. die anguille di Comacchio, die Italien jährlich in großer Menge ausführt. Der Aal spielt sogar in den Volksgebräuchen eine große Rolle, indem er am Heiligen Abend auf keinem römischen und neapolitanischen Tische fehlen darf. Ja, selbst in den modernen gesellschaftlichen Bestrebungen soll der Aal ein wichtiger Faktor sein: die Venetianer betrachten nämlich den Aal als ein unfehlbares Mittel gegen den — Al-koholismus. Warum und auf Grund welcher Erfahrungen, weiß man nicht. Was nun den Aalfang und die Aalzucht an-belangt, so gründet sich der eine ebenso wie die andere auf die Lebensweise der Aale, auf ihre Wanderlust und besonders auf ihre Einwanderungen vom Meere in die Flüsse. Um den jungen Aalen das Aufsteigen in die Flüsse zu erleichtern, baut man **Aalbrutleitern,** d. h. aus rohen Brettern zusammengenagelte gerade oder winkelig gebogene Rinnen, welche mit einer Neigung von 1:5 bis 1:8 aus dem Oberwasser in das Unterwasser der Mühlen reichen. Die Rinnen sind mit niedrigen Querleisten benagelt, um das Abrutschen von Kies und kleinen Steinen, mit welchen man den Boden bedeckt, zu verhindern, und so gelagert, daß nur wenig Wasser durch sie herabfließt. Vor dem unteren trichterförmig erweiterten Ende wird Reisig befestigt. Diese Vorrichtungen werden von der aufsteigenden Aal-brut bereitwillig benutzt, welche an großen Wehren ein unübersteigliches Hindernis finden würde. Am voll-kommensten entwickelt sind die Anlagen zur Aalzucht in

Land und Leute in Italien.                                    1

den Lagunen von Comacchio an der Pomündung. Ein
System von Schleusen und Kanälen wird dort im Früh=
jahr der einziehenden jungen Aalbrut geöffnet, und dieses
System begünstigt im Herbst den Fang der fünf bis sechs
Jahre alten Aale, welche sich zur Auswanderung anschicken.
Die jährliche Ernte in Comacchio kann auf eine Million
Kilogramm veranschlagt werden. Man fängt den Aal mit
Netzen und Reusen, seltener mit der Angel, und tötet ihn
am besten durch Abtrennen des Kopfes. Die sehr lange
anhaltende Reflextätigkeit des Rückenmarkes, infolge deren
sich die Stücke des toten Aals lebhaft winden, wird sofort
beendigt, wenn man eine Stricknadel in das Rückgrat stößt.

Abend (la sera, mit Rücksicht auf die Vorkommnisse
an demselben: la serata). Guten Abend! buona sera!
(oft mit dem Zusatze signora, signore ꝛc.). Jemand
einen guten Abend wünschen dare la buona sera a
qualcuno. — Vergl. auch den Art. Gruß.

Abendessen s. den Art. Mahlzeiten.

Aberglaube. Es ist seltsam, wieviele abergläubische
Gebräuche selbst der aufgeklärte nördliche Teil Italiens
noch aufzuweisen hat. Mancher Aberglaube ist nun nicht
nur in Italien, sondern in der ganzen Welt gang und
gäbe, wie z. B. die Scheu, am Freitag irgend etwas Ent=
scheidendes zu unternehmen. An diesem Tage wird keine
Reise angetreten, keine Hochzeit gefeiert. Ja, in manchen
Gegenden Italiens gesellt sich zu dem Freitag auch der
Dienstag.

> Nè di Venere,[1] nè di Marte[2]
> non si sposa, nè si parte.
>
> (Weder am Freitag, noch am Dienstag wird geheiratet
> oder gereist.)

Es ist sogar festgestellt worden, daß nicht nur die Eisen=
bahnen, sondern auch die Omnibusse und Straßenbahnen
am Freitag eine geringere Einnahme haben als an
anderen Tagen. Auch die Furcht vor der Zahl 13 ist
noch immer sehr verbreitet, so daß in fast keinem Hotel
ein Zimmer 13 vorhanden ist. Eine üble Vorbedeutung
liegt auch darin, wenn man Salz verschüttet. Ein un=

---

[1] Venere für Venerdì = Freitag.
[2] Marte für Martedì = Dienstag.

glückliches Ereignis, gewöhnlich ein Todesfall, folgt, wenn
eine Fledermaus ins Fenster fliegt; gleichfalls, wenn ein
Vogel mit seinem Schnabel ans Fenster klopft. Das ist
gerade das Gegenteil von dem, was uns das hübsche
Heysche Gedicht lehrt:

An das Fenster klopft es: pick, pick, pick,
Mach' mir doch auf einen Augenblick.

Wenn man nun solchen Kundgebungen des Aberglaubens
in fast allen Ländern begegnet, so hat er doch ganz be=
sonders tiefe Wurzeln in Süditalien gefaßt; ja er ist —
man kann wohl sagen — für das süditalienische Volk eine
halbe Religion, die diese oder jene ganze Religion nun schon
viele Jahrhunderte überdauert hat, auch die letzte über=
dauern und dann — der Grundstein zu einer neuen sein
wird. Zwar hatte das Christentum die alten Heiden=
götter verdrängt, aber der alte pantheistische Glaube, dessen
Mysterien und Symbole sich auf den Naturdienst bezogen,
wo alles lebte, wo die gesamte Erscheinungswelt, Baum,
Strauch und Wasser, Stein und Blume von einer Seele
durchzittert ward, war Tausende von Jahren älter, wirkte
mächtiger auf die Phantasie des Ackerbau und Viehzucht
treibenden Volkes und war demgemäß mehr nach dessen Ge=
schmack als jeder andere. Pantheismus war der schöne
Glaube Griechenlands und Italiens. Die christliche Kirche
nannte ihn Aberglaube und trieb die „bösen Geister" wie
Nachtgevögel vor sich her. Götter wurden zu Dämonen der
Unterwelt, Göttinnen zu Hexen. Die Ärmsten wanderten
aus ihren rosenbekränzten Tempeln ins Exil, bargen sich
in den verlassenen Katakomben, flohen die großen Städte,
zogen sich in die Höhlen der Berge, in das Innere der
Inseln, in Waldeinsamkeit und — in die Herzen und Hirne
weltferner naiver Menschenkinder zurück. Als Schatten
aus der alten Götterwelt leben sie dort noch heute, aber
nicht mehr ausschließlich, der moderne Verkehr erlaubt
ihnen auch in die Großstädte zu kommen, ja selbst in
den Ministerpalästen zu verkehren. Als Ewiger Jude
huscht uns der antike Aberglaube tagtäglich über den Weg.
Zeigt er uns einmal sein Gesicht, so müssen wir staunen,
wie jugendlich dies geblieben; schön ist es freilich nicht. In
San Pantaleo in Sardinien ist z. B. Paragraph auf Para=
graph alles Ernstes verboten, nach dem Avemaria Wasser

1*

oder Kehricht vors Haus zu werfen, um die Toten, die
antiken Herren des Hauses, die beim Einbruch der Nacht
in ihre alten Wohnungen zum Schlafen kommen, nicht zu
beschmutzen. Ernstlich verboten ist weiter, zur Nachtzeit die
Zimmer zu fegen, um die Seelen der Abgeschiedenen, die
um diese Stunde schon „drinnen sind", nicht mit Staub zu
umhüllen. Verboten ist ferner, beim Schlafengehen irgendein
Hindernis im Wege stehen zu lassen, über das die Toten,
die zur Buße ins Haus gekommen sind, fallen könnten.
Streng verboten ist es, mit Sporen an den Stiefeln in
die Ställe zu gehen, denn der Sporn, ein Gegenstand
schlechter Vorbedeutung (malaugurio), würde eine Seuche
hervorrufen. Verboten ist fremden Personen, der Käse-
bereitung beizuwohnen; es würde die Ware verderben.
Verboten ist, mit einer Fahne, sei es auch eine geweihte,
in der Nähe einer Herde vorüberzugehen, denn in wenigen
Tagen müßte alles Vieh fallen. Und hundert andere
Fälle von Aberglauben könnte man noch anführen. Hier
aber sei nur noch der Amulette, des bösen Blickes und des
Gesundbetens gedacht, worüber unter Amulett, Jettatura
und Medizinischer Aberglaube ausführlicher berichtet wird.

**Abfahrtszeichen.** Das Abrufen der Reisenden aus
den Wartesälen, das Ausrufen der Stationsnamen und
der Aufenthaltsdauer ist bei den italienischen Eisenbahnen
meistens nur auf Hauptstationen üblich; auf kleineren
Stationen wird in der Regel nur durch einmaliges
Läuten die Abfahrt des Zuges gemeldet. Die Abfahrt
wird vom Zugführer angeordnet, welcher durch den Ruf:
partenza! oder: in vettura, signori! zum Einsteigen
auffordert und gleich darauf das Signal mit einer Pfeife
gibt. Eine Benutzung der Dampfpfeife der Lokomotive,
welche einen dumpfen und tiefen, aber trotzdem sehr
weitschallenden Ton von sich gibt, findet bei der
Abfahrt und beim Rangieren der Eisenbahnwagen zum
Zeichen des Bremsens statt; auch kommt sie während
der Fahrt zu gewissen Signalen, z. B. bei dem Passieren
von Brücken, Tunnels usw. und bei drohender Gefahr
zur Anwendung. — Vergl. außerdem den Art. Eisenbahnzüge.

**Abgeordnetenhaus** (la Ca'mera dei Deputati).
Die italienische Deputiertenkammer besteht aus 508 Mit-

gliedern, die durch direkte Wahlen gewählt werden. Zu=
tritt in die Camera dei Deputati erhält der Fremde
durch ein schriftliches Gesuch an den Quästor (questo're)
oder noch am ehesten durch Verwendung eines Ab=
geordneten oder durch seine Botschaft. — Vergl. auch den
Art. Parlament.

**Abiturientenexamen** s. den Art. Sekundärunterricht.

**Abkürzung** (abbreviazione). Als allgemeine Regel
für Abkürzungen gilt, daß mit Auslassung der mittleren
Buchstaben das Wort durch die Anfangs= und Endbuch=
staben gekennzeichnet wird und oft statt kleiner Anfangs=
buchstaben große gesetzt werden, z. B. $F^{lli}$ = fratelli
(Gebrüder), $V^{va}$ = vedova (Witwe) usw. Wir lassen
die gewöhnlichsten Abkürzungen folgen:

*a.* = antimeridiane — vormittags.

*a.* = arrivo — Ankunft.

*A. C.* = Avanti Cristo — vor Christi Geburt.

*acc.* = accelerato — in Italien ein Mittelding
zwischen Personen= und Schnellzug.

*aff^{mo}* = affezionatissimo — wohlgeneigt.

*ag.* = agosto — August.

*A. I.* = Alta Italia — Oberitalien.

*a. m.* = antimeridiane — vormittags.

*apr.* = aprile — April.

*av.* = avanti — vor.

*Avv.* = avvocato — Rechtsanwalt.

*B.* = Beato — selig.

*Barr^{a}* = barriera — Barriere.

*B. V.* = Beata Vergine — Heilige Jungfrau.

*Cap.* = capitolo — Kapitel.

*Cav.* = cavaliere — Kavalier.

*cent^{mi}* = centesimi — Centimes.

*cfr.* = confronta — vergleiche.

*Ch. Qu.* = chilometri quadrati — Quadratkilometer.

*chiar^{mo}* = chiarissimo — hochwohlgeboren.

*Chil.* = chilo'metro — Kilometer.

*Cl.* = classe — Klasse.

*Comm.* = commendatore — Komtur.

*c. s.* = come sopra — wie oben.

*D.* = Don — Don.

*D. C.* = Dopo Cristo — nach Christi Geburt.

*D. D. D.* = Dà, dona, dedica—gibt, schenkt, widmet.
*devot^{mo}* = devotissimo — sehr ergeben.
*dic.* = dicembre — Dezember.
*dir.* = diretto — direkt, Schnellzug.
*Dott.* = Dottore — Doktor.
*Dr.* = Dottore — Doktor.
*E.* = est — Osten.
*ecc.* = eccetera — und so weiter.
*E. V.* = era volgare — christliche Zeitrechnung.
*F.* = ferrovia — Eisenbahn.
*F.* = fece — machte.
*F.* = femminile — weiblich.
*febbr.* = febbraio — Februar.
*f. f.* = facente funzione — Stellvertreter.
*fr.* = franco — frei.
*G. C.* = Gesù Cristo — Jesus Christus.
*genn.* = gennaio — Januar.
*gentil^{mo}* = gentilissimo — sehr gnädig.
*G. M.* = guardia medica — Sanitätswache.
*id.* = idem.
*ill^{mo}* = illustrissimo — hochverehrt.
*Ing.* = ingegnere — Ingenieur.
*K^o* und *Kg.* = chilogrammo — Kilogramm.
*L. (it.)* = lire (italiano) — Lire.
*l.* = linea — Linie.
*L. L. A. A.* = Le loro Altezze — Ihre Hoheiten.
*L. L. M. M.* = Le loro Maestà — Ihre Majestäten.
*m.* = martire — Märtyrer.
*m.* = mare — Meer.
*m.* = maschile — männlich.
*m.* = metro — Meter.
*m.* = miglio — Meile.
*m.* = monte — Berg.
*m.* = morto — gestorben.
*m. c.* = metro cubo — Kubikmeter.
*M^o* = Maestro — Meister.
*Mons.* = Monsignore — Hochwürden.
*M. Q.* = metro quadrato — Quadratmeter.
*M. R.* = Molto reverendo — hochehrwürdig.
*MS.* = Manoscritto — Manuskript.
*M. V.* = Maria Vergine — Jungfrau Maria.

*M. V.* = Maestà Vostra — Ew. Majeſtät.

*n.* = nato — geboren.

*n.* = nord — Nord.

*n.* = numero — Nummer.

*N. A.* = nostro Autore — unſer Autor.

*N. B.* = nota bene — wohl zu merfen!

*N. D.* = Nostra Donna.

*N. D. R.* = Nota della Redazione — Anmerkung der Redaktion.

*N. E.* = nord-est — Nordoſten.

*N. N.* = Non nominato — ungenannt.

*Nº* = numero — Nummer.

*N. O.* = nord-ovest — Nordweſt(en).

*nov.* = novembre — November.

*N. S.* = Nostro Signore — Unſer Herr (Gott oder Chriſtus).

*N. T.* = Nuovo Testamento — Neues Teſtament.

*O.* = ovest — Weſten.

*obbligatᵐᵒ* = obbligatissimo — ergebenſter.

*omn.* = omnibus — Perſonenzug.

*on.* = onorevole — ehrenwert.

*ott.* = ottobre — Oktober.

*p.* = pomeridiane — nachmittags.

*p.* = partenza — Abfahrt.

*p.* = pagina — Seite.

*Pᵗᵃ* = Porta — Tor.

*p. a.* = per auguri — um Glück zu wünſchen.

*pag.* = pagina — Seite.

*p. c.* = per congratulazione — um zu gratulieren.

*p. c.* = per condoglianza — um ſein Beileid zu bezeigen.

*p. c.* = per congedarsi — um Abſchied zu nehmen.

*p. e.* = per esempio — z. B.

*p. es.* = per esempio — z. B.

*p. f.* = per favore — aus Gefälligkeit.

*P. M.* = Pontefice Massimo — Papſt.

*P. M.* = Pubblico Ministero — Staatsanwalt.

*p. m.* = pomeridiane — nachmittags.

*pᵒ* = primo — erſter.

*pᵒ* = piano — Stockwerk.

*P. P.* = pianissimo — ſehr leiſe.

*P. P.* = participio passato — Mittelwort der Vergangenheit.

*P. P.* = posa piano — Vorsicht! zerbrechlich!

*P. P.* = Padri — Väter (von Ordensgeistlichen).

*P. P.* = Posero — setzten.

*P. S.* = poscritto — Nachschrift.

*P. S.* = pubblica sicurezza—öffentliche Sicherheit.

*preg<sup>mo</sup>* = pregiatissimo — hochverehrter.

*prof.* = Professore — Professor.

*R.* = repubblica — Republik.

*R.* = Re — König.

*R.* = reale — königlich.

*R.* = regio — königlich.

*R.* = reverendo — Ehrwürden.

*R. A.* = Rete Adriatica — Adriatische Eisenbahn (=Gesellschaft).

*R. M.* = Rete Mediterranea — Mittelmeer-Eisenbahn(=Gesellschaft).

*S.* = santo — heilig.

*S.* = sud — Süden.

*S. A.* = Sua Altezza — Seine Hoheit.

*S. E.* = Sua Eccellenza — Seine Exzellenz.

*S. E.* = Sua Eminenza — Seine Eminenz.

*S. E.* = sud-est — Südosten.

*segu.* = seguenti — folgende.

*S. Em.* = Sua Eminenza — Seine Eminenz.

*sett.* = settembre — September.

*Sig.* = Signore — Herr.

*Sig<sup>a</sup>* = Signora — Frau.

*S. M.* = Santa Maria — heilige Maria.

*S. M.* = Sua Maestà — Seine Majestät.

*S. M. S.* = società di mutuo soccorso — Hilfsverein.

*S. P. M.* = sue proprie mani — eigenhändig.

*S. O.* = sud-ovest — Südwesten.

*S. R. M.* = sue riverite mani — eigenhändig.

*S. S.* = Santissimo — Allerheiligstes.

*S. S.* = Sua Santità — Seine Heiligkeit.

*S. S.* = Santa Sede — Heiliger Stuhl.

*S. U.* = Stati Uniti — Vereinigte Staaten.

*S. V.* = Signoria Vostra — Ew. Hochwohlgeboren.

*T.* = tomo — Band.
*Tip.* = tipografia — Druckerei.
*T^ie.* = tenente — Leutnant.
*Uff.* = ufficiale — Offizier.
*V.* = vedi — siehe.
*V.* = verso — Vers.
*V.* = vergine — Jungfrau.
*V.* = volume — Band.
*V. A.* = Vostra Altezza — Eure Hoheit.
*V. E.* = Vostra Eccellenza — Eure Erzellenz.
*V. E.* = Vittorio Emanuele — Viktor Emanuel.
*V. M.* = Vostra Maestà — Eure Majestät.
*V. S.* = Vostra Santità — Eure Heiligkeit.
*V. S.* = Vostra Signoria — Ew. Hochwohlgeboren.
*vol.* = volume — Band.
*V. T.* = vecchio testamento — Altes Testament.
*V^va* = vedova — Witwe.

**Abonnementsbilletts** (biglietti d' abbonamento) auf der Eisenbahn werden je nach den Bestimmungen der betreffenden Bahnen für die I., II. und III. Wagenklasse auf einen, drei, sechs und zwölf Monate ausgegeben. Dieses biglietto d'abbonamento muß man stets mit sich führen und auf Verlangen vorzeigen. Hat man es vergessen und wird kontrolliert, so hat man auf der Endstation bzw. im Wagenabteil gegen Quittung den gewöhnlichen Betrag der Fahrt zu erlegen.

**Abort** s. den Art. Bedürfnisanstalt.

**abschälen.** Zum Zerschneiden und Schälen des Obstes bedient man sich beim Dessert eines besonderen Messers, schneidet die Frucht in vier Teile und schält von unten nach oben, nicht rund um die Frucht herum. Es gehört auch zum guten Ton, die zu schälende Frucht auf eine zu diesem Zwecke bestimmte Gabel zu spießen und so abzuschälen. Nur die Birnen wird der Feinschmecker sich hüten zu schälen, weil er weiß, daß er ihnen mit der Schale einen guten Teil ihres Saftes entzieht. So sagt das italienische Sprichwort: ‹Pela la pesca all'amico, la pera al nemico.› Bekannt ist auch die Geschichte Ludwigs XVIII., dem der Sohn eines bei Hofe wohlgelittenen Pächters zwei prachtvolle riesige Birnen überbringt. Der gutmütige König gibt dem Jungen eine ab und beißt kräftig in die andere hinein. Wie groß ist aber sein Erstaunen, als er sieht, wie der kleine Bauernbursche sorgfältig sein Birne abschält. „Was machst du denn da, dummer Junge, du verdirbst dir um nichts und wieder nichts die herrliche Frucht." „Das weiß ich recht gut, Sire; aber als ich hierher ging, habe ich die eine in die Mistjauche fallen lassen und, wahrhaftig, ich weiß nicht mehr, welche."

**Abschiednehmen** s. den Art. Gruß.

**Abreise** (partenza). Auf dem Bahnhofe (stazione) angekommen, übergebe man sein Gepäck (bagaglio) einem Kofferträger (facchino), welcher gewöhnlich fragen wird: Dove va, signore? (Wohin, mein Herr?), worauf man den Namen der Station nennt. Man gehe an die Kasse (sportello) und löse sein Billett, halte das dazu erforderliche Geld bereit, gebrauche so wenig Worte wie möglich, etwa: un biglietto di prima classe per Roma (andata e ritorno) = ein einfaches (oder Retour-) Billett erster Klasse nach Rom. Dann folge man dem facchino nach der Gepäckaufgabe (spedizione bagagli). — Auf den Bahnhöfen unterlasse man betreffs des Einsteigens alle längeren, höflichen Fragen, wie z. B.: Ist dies der Zug nach ...? È questo il treno per ...? oder: Kann ich hier einsteigen? Posso salire qui? Man nenne dem längs des Zuges hingehenden Schaffner einfach die Station und Klasse des Billetts. Er wird dann ebenso kurz antworten (sì; il prossimo treno oder dergl.). Man fasse sich bei dem sehr lebhaften Verkehr kurz, wenn man sich verständlich machen will. Zur Orientierung sind sowohl an den Stationsgebäuden wie an der gegenüberliegenden Bahnsteighalle, an Laternen, Bänken und wo es sonst angeht, die Namen der Stationen angeschrieben. Durch die große Menge von Plakaten, welche die Wände aller Bahnhöfe buntfarbig schmücken, ist es indessen nicht immer ganz leicht, den Namen der Station sofort zu erkennen, und da auch das Ausrufen der Namen dem Fremdling anfangs wenig nützen dürfte, so ist es zu empfehlen, nie ohne eine Eisenbahnkarte zu reisen. Das Überschreiten der Geleise seitens des Publikums ist streng untersagt. Die zwei an der Außenseite der Hauptgeleise sich gegenüberliegenden hohen Bahnsteige sind über= oder unterirdisch miteinander verbunden. In der Regel befindet sich auf dem dem Stationsgebäude gegen= überliegenden Bahnsteig nur eine Halle. Jeder Reisende, welcher einen Wagen besteigt oder verläßt, oder zu besteigen oder zu verlassen versucht, während der Zug in Bewegung ist, verfällt in eine Geldstrafe.

**Accademia** (af-fádä'm'ä) **dei Lincei.** Die Acca- demia dei Lincei in Rom, begründet 1603, von Bedeu= tung seit 1609, später mehrmals erloschen und wieder ins Leben gerufen, erfuhr erst 1870 seit der Vereinigung Roms mit Italien einen neuen Aufschwung. Diese erneuerte Reale Accademia dei Lincei wurde in zwei Abteilungen geteilt, die eine für die medizinischen, mathematischen und Natur= wissenschaften, die andere für die philosophischen, geschicht= lichen und philologischen Fächer. 1878 stiftete König Humbert für jede Abteilung einen Preis von 10000 Lire. 1883 erhielt die Accademia dei Lincei von der italie= nischen Regierung die offizielle Anerkennung als Akademie der Wissenschaften und siedelte in den Palazzo Corsini über, dessen bisheriger Besitzer ihr bedeutende Sammlungen zuwandte.

**Accattonaggio** s. die Art. Bettelei und Elend.

**Akzise** an den Bahnhöfen und an den Toren der Städte. Die stereotype Frage der Zollbeamten lautet: (Non ha) niente a daziare? Haben Sie nichts Steuer= bares bei sich? Vergl. auch den Art. Dazio comunale.

**Ackerbau.** Nächst Rußland und Skandinavien gilt Italien für dasjenige europäische Land, welches die größte unbebaute Fläche hat. Außerdem wird der Ackerbau in Italien vielfach noch jetzt nach Methoden und mit Werk= zeugen betrieben, die anderwärts als gänzlich veraltet gelten und die irreführende Ansichten über die Ertrags= fähigkeit des Bodens hervorgerufen haben. Noch jetzt hält es der italienische Bauer in vielen Gegenden für über= flüssig, das zum Körnerbau bestimmte Land zu düngen; er nimmt an, daß die im Fruchtwechsel alle drei oder vier Jahre eintretende Brache ausreicht, um den Acker ausruhen zu lassen und ihm neue Kraft zuzuführen. Bei dem geringen Rindviehbestande und den vielfach ganz ungenügenden Ställen reicht der natürliche Dünger häufig nur eben aus für die Wein= und Baumpflanzungen, die

Garten= und Gemüsekulturen. Die Verwendung von Kunst=
dünger ist zwar im Steigen begriffen, bleibt aber hinter
der anderer Länder weit zurück. Mit Bedauern sieht man
an vielen Orten den italienischen Landarbeiter sich eines
hölzernen, altväterischen Pfluges bedienen, der den Boden,
statt ihn aufzupflügen, kaum ritzt, und der deshalb in
die Kreuz und Quere geführt wird, ohne doch zu einem
genügenden Schollenbruch oder gar zu der totalen Um=
wendung des Bodens zu gelangen, die wir mit unseren
tiefgehenden Pflugscharen erzielen. Die landwirtschaftliche
Verwaltung Italiens hat sich die Verbreitung guter Pflüge
und sonstiger landwirtschaftlicher Maschinen zu einer be=
sonderen Aufgabe gestellt; sie sucht durch die landwirt=
schaftlichen Vereine, durch Ausstellungen, durch die Errich=
tung von Maschinenstationen auf dies Ziel hinzuwirken,
aber der Erfolg ist bis jetzt kein durchschlagender, da ihre
Bemühungen vielfach an dem Festhalten des einmal Her=
gebrachten und auch an dem Mangel an Mitteln scheitern.
— Angesichts der Ergebnisse, die bei rationeller Boden=
bestellung und bei ausreichender Düngung auch in
italienischen Wirtschaften mit Intensivbetrieb gemacht
werden, darf es als ein Vorurteil bezeichnet werden,
wenn, wie dies vielfach geschieht, von Erschöpfung des
italienischen Bodens gesprochen wird. Der Boden ist
nicht erschöpft, sondern ungenügend kultiviert. Noch heute
gilt, was schon vor achtzehnhundert Jahren ein einsichts=
voller Kritiker der italienischen Landwirtschaft ausge=
sprochen hat: Non fatigatione et senio sed nostra
inertia minus benigne nobis arva respondent.
Die Ansicht, daß Südeuropa abgewirtschaftet und keiner
Verjüngung fähig sei, kann gegenwärtig, namentlich nach
den Forschungen Theobald Fischers, die den obigen
Ausspruch von Columella glänzend bestätigen, über=
haupt als endgültig widerlegt betrachtet werden. Dem
Weizen= wie dem gesamten Körnerbau kommt die Milde
des Klimas zustatten. Der reichliche Sonnenschein läßt
die Feldfrüchte schneller reifen als in nördlicheren Ländern.
Die Ernte des Wintergetreides kann durchschnittlich
bereits im Juni beendet werden, so daß ausreichende
Zeit für eine zweite Fruchtfolge übrig bleibt, bei der
mit Vorteil verschiedene Industriepflanzen und Gemüse

angebaut werden. Annus fructificat, non tellus. — Nächst dem Weizen nimmt der Mais die bedeutendste Stelle im Körnerbau ein. Seine Anbaufläche, die fast vier Neuntel des Weizenbodens beträgt, ist beinahe doppelt so groß wie die der übrigen Körnerfrüchte, Hafer, Gerste, Roggen und Reis zusammengenommen. — Unter allen europäischen Ländern ist Italien das einzige, welches den Reisbau in namhaftem Umfange betreibt. Seit dem sechzehnten Jahrhundert dort ein= gebürgert, hat sich diese Kultur in der wasserreichen Po= Ebene in nicht unbedeutendem Grade ausgedehnt und erhalten. Außerhalb Piemonts und der Lombardei kommen für den Reisbau nur noch einige Distrikte des Venetianischen sowie die sumpfigen Ebenen um Bologna und Ravenna in Betracht. In Mittel= und Unteritalien wird Reis so gut wie gar nicht gebaut. In manchen Teilen Italiens war sein Anbau sogar wegen der ge= sundheitsgefährlichen Ausdünstungen der stets unter Wasser stehenden Reisfelder landesgesetzlich verboten. Hingegen ist kein geringerer als Camillo Cavour einer der eifrigsten Förderer der Reiskultur gewesen. Auf dem von ihm erworbenen und zu höchster Blüte ge= brachten Gute Leri in der baumlosen Ebene von Vercelli hat man den Begründer des italienischen Einheitsstaates in seinen kargen Mußestunden oft, den breiten Strohhut auf dem Kopf, in den feuchten Reisfeldern herumgehen sehen, wie ihn ein in der Nationalgalerie von Rom auf= gestelltes Gemälde von Carlo Pittara der Nachwelt überliefert hat. — Nächst dem Körnerbau nehmen Wiesen und Weiden den größten Teil des anbaufähigen Bodens in Italien in Anspruch. Nun ist freilich der Unterschied im Grade des Anbaues und im Erträgnis beim Wiesen= und Weideland noch stärker als beim Ackerboden. Denn während die nur im Sommer zugänglichen steinigen und mageren Berg= weiden auf der Höhe der Apenninen oder in Sardinien und Sizilien nur kärgliche Nahrung für wandernde Schafherden hervorbringen, sind die künstlich bewässerten Wiesen der Po=Ebene noch heute der Gipfelpunkt in= tensiven und einträglichen Futterbaues. Von diesen Wiesen, die auf sechs=, sieben=, ja neunmaligen Schnitt eine Heuernte von 150 Zentnern und darüber hinaus

auf den Hettar gewähren, gilt das lombardische Sprich=
wort: Chi ha prato, ha tutto; auf ihnen kommen die
Vorzüge der alten Kultur, des reichen Bodens und des
italienischen Sonnenscheins in vollstem Maße zur Geltung.
(Fischer.) — Vergl. auch die Art. Agrumi, Landarbeiter,
Landbevölkerung, Weinbau.

   Ackerbau in Sizilien f. den Art. Siziliens Erwerbs=
verhältnisse.

   Ackerbaukunde in der Volksschule. In den letzten
Jahren hat sich, hervorgerufen durch die vom Minister
Guido Baccelli ausgegebene Parole: Torniamo ai campi!
eine lebhafte Bewegung dafür kundgegeben, die Grund=
begriffe der praktischen Ackerbaukunde in den Lehrplan
der Volksschule aufzunehmen. Zu diesem Zwecke sind durch
Schenkungen von Gemeinden, Schulfreunden, nicht selten
auch der Lehrer selbst bis jetzt etwa fünftausend Volksschulen
auf einem Stückchen Land für Ackerbau= und Gartenunterricht
ausgebildet worden. Vergl. auch den Art. Fest der Bäume.

   Abel. Der italienische Adel erfreut sich zwar keiner
Bevorzugung im Staats= oder im Militärdienst; ihm
wird aber zweifellos trotz der auch in die gesellschaftlichen
Sitten tief eingedrungenen Gleichberechtigung aller Stände
im allgemeinen eine besondere soziale Stellung bereit=
willig eingeräumt, die weniger auf Besitz und Herkunft,
als auf dem Respekt, mit dem der Italiener an den
Erinnerungen seiner Vergangenheit hängt, beruht. Die
eigenartige Entwickelung des italienischen Adelswesens
steht nämlich in erheblichem Gegensatz zu derjenigen anderer
Länder. Während in diesen der Schwerpunkt der Adelsmacht
hauptsächlich außerhalb der Städte und in einem gegen=
sätzlichen Verhältnis zu denselben bestand, finden wir in
Italien schon früh den Adel in engster Verbindung mit
den zahlreichen in hoher Blüte stehenden Städten des
Landes, zum größten Teil aus der Bürgerschaft der=
selben hervorgehend und innerhalb ihrer Ringmauern in
Palästen hausend, deren riesige, oft zinnengekrönte und
mit Türmen bewehrte Mauern noch heute Kunde geben von
dem Ansehen und der Macht ihrer einstigen Besitzer. Das
Mäcenatentum, das die edlen Geschlechter von Toscana,
Venedig, Genua und Rom Jahrhunderte hindurch aus=
geübt haben, hat sich nicht auf die Hauptsitze der künst=

lerifchen Tätigkeit beschränkt. Eine Unsumme von wohl-
tätigen Stiftungen aller Art führt sich auf adlige Dona-
toren zurück. An der Verwaltung der kommunalen Interessen
hat sich der Adel stets mit Eifer und Hingebung betätigt.
Noch jetzt gibt es kaum einen Gemeinde= oder Provinzialrat, keinen landwirtschaftlichen Verein, in dessen Vorstand
und unter dessen Mitgliedern der Ortsadel nicht vertreten
wäre. Mit Vorliebe sieht auch die demokratische Bevölkerung
der Großstädte an der Spitze der Gemeindeverwaltung den
Sprößling eines Geschlechts, das seit Jahrhunderten mit
den geschichtlichen Erinnerungen verflochten ist.

Adieu! (addi'o). In Italien sagt man addio nur
zu Verwandten, Freunden usw., mit denen man sich duzt.
— Vergl. auch die Art. Gruß und ciao.

Adressen s. den Art. Briefadressen.

Adreßbücher. Jede große italienische Stadt hat ein
Adreßbuch, welches Guida oder Annuario oder Libro
degli indirizzi heißt.

Advokaten. — Das Land der Advokaten! Kennst du
das Land, wo die Prozesse blühen? Das Land, in dem
der sechste Teil der Bevölkerung zum Gericht gehört und
die übrigen fünf Sechstel ihr Leben damit zubringen, zu
prozessieren, in dem die Gerichte von morgens bis abends
nicht leer werden? Ferdinand Nunziante wirft in der
„Revue“ diese Fragen auf, und er bezeichnet Neapel, «la
bella Napoli», als dieses gelobte Land der Advokaten.
Das war es schon seit alter Zeit. Zahllos sind die Namen
der berühmten Advokaten, die aus früheren Jahrhunderten
überliefert werden. Und daß Neapel in der Gegenwart
diesen traurigen Vorzug nicht verloren hat, zeigen besser
als alle Schilderungen einige Zahlen, die der Verfasser
zusammenstellt. Heute gehören zu dem Gerichtswesen in
Neapel 1298 Advokaten und 2608 Anwälte und Staats-
anwälte; dazu kommen die Gerichtsbeamten, die Friedens-
richter, die Kanzlisten, die Gerichtsdiener, die Notare und
ihre Schreiber und Kopisten, die «paglietta» (Winkel-
advokaten), die in dem Volksschauspiel eine so große Rolle
spielen, usw. usw., deren Gesamtzahl man ohne Übertreibung
auf 4000 ansetzen kann, und so beträgt die Zahl aller
Männer des Gesetzes in Neapel gegen 8000, was für eine
Stadt von 600000 Einwohnern gewiß eine recht respek-

table Ziffer ist. Dabei ist nicht zu befürchten, daß die
Zahl der Advokaten bald abnimmt. Im Gegenteil, wenn
es so weiter geht, wird ihre Zahl bald verdoppelt sein,
da die Universität in jedem Jahre neue Scharen von jungen
Juristen liefert. Die Universität Neapel, die besuchteste in
Italien, zählte im Jahre 1902/03 6200 Studenten, von
denen 1647 der juristischen Fakultät angehörten. Im
selben Jahre hatte Bologna nur 383, Palermo 487, Genua
524 Studenten der Jurisprudenz. Der Beruf wird also
bald so überfüllt sein, daß die Advokaten nur noch gegen=
einander Prozesse zu führen haben werden. Ihr Einkommen
ist schon bedeutend herabgegangen, und wenn man auch
noch etwa zwanzig Advokaten nennen kann, die große Reich=
tümer bei der Ausübung ihres Berufes gesammelt haben,
so verdient die große Mehrzahl doch nur spärlich den
Lebensunterhalt, und manche leben in äußerster Not. Es
gibt Advokaten, die die Robe abgelegt haben und Eisenbahn=
schaffner geworden sind. Dagegen hat sich die soziale
Stellung der Advokaten in der neapolitanischen Gesellschaft
ständig gehoben. Das Publikum folgt den Verhandlungen
vor Gericht mit einem leidenschaftlichen Interesse, von dem
wir uns kaum eine Vorstellung machen können. Wenn
einer der großen Verteidiger spricht, so drängt sich das
Publikum herzu, und der Saal ist zum Ersticken voll. Die
Plaidoyers dauern bisweilen vier oder fünf Tage, die
Redner sprechen mit einem wunderbaren Schwung, mit
einer hinreißenden Leidenschaft, sie verwirren die Richter
und setzen die Freisprechung ihrer Klienten durch, indem
sie die Geschworenen zum Weinen bringen. Man erzählt
folgende Anekdote: In einem Mordprozeß hatte der An=
geklagte sein Verbrechen eingestanden, das überdies auch
durch erdrückende Zeugenbeweise klargestellt wurde. Der
Staatsanwalt hatte anscheinend leichtes Spiel, und alle
Welt hielt die Verurteilung für sicher. Trotzdem ließen
sich die Geschworenen von der feurigen Beredsamkeit eines
Advokaten soweit fortreißen, daß sie alle Schuldfragen
verneinten. Als der Präsident die Freisprechung des
Angeklagten verkündete, schloß er seine Rede also: „Mein
Herr, Sie sind frei. Aber nun müßte ich Ihnen eigent=
lich einen neuen Prozeß anhängen, da Sie sich erlaubt
haben, die Justiz irrezuführen und uns allerlei Possen

zu erzählen, indem Sie sich eines Verbrechens schuldig
bekannten, das Sie gar nicht begangen haben!" — Vergl.
auch den Art. Rechtsanwälte.

**Affidavit.** Anfangs der neunziger Jahre machte
Italien eine schwere ökonomische Krisis durch. Der
öffentliche Kredit war aufs schwerste erschüttert. Handel
und Verkehr stockten. Das Goldagio war bis auf
16 Prozent angeschwollen. Da sich der Mißbrauch ein-
geschlichen hatte, daß italienische Renteninhaber ihre
Coupons zur Einlösung in Gold ins Ausland verschickten,
wurde das Affidavit eingeführt, das die Feststellung der
wirklich im Besitz von Ausländern befindlichen Renten-
titel ermöglicht. Diese ebenso einfache als wirksame
Maßregel hatte zur Folge, daß, während 1893 von den
Januarcoupons 17 Millionen im Inlande, 81 Millionen
im Auslande eingelöst worden waren, 1894 im Inlande
63,5 Millionen, im Auslande nur 34 Millionen zur
Zahlung präsentiert wurden.

**aggiunto** (giudiziario) s. den Art. Assessoren.

**Agrumi.** Die Zucht der Agrumi (Orangen,
Zitronen, cedri), ohne die wir uns „das Land, wo die
Zitronen blühen", kaum vorstellen können, ist zwar verhältnismäßig neuen Datums, hat aber in Italien eine
sehr beträchtliche Ausdehnung erlangt und bildet an der
Riviera, in Campanien, den Südspitzen der Halbinsel
sowie auf Sizilien einen wichtigen Zweig der Landwirtschaft. Durch die verbesserten Transportmittel hat
sich das Absatzgebiet der Südfrüchte erweitert und damit
die Nachfrage vermehrt. Trotz der starken Konkurrenz,
die den italienischen Apfelsinen durch spanische, klein-
asiatische und syrische Früchte, jetzt auch durch Amerika
gemacht wird, ist die Agrumizucht Italiens in steigender
Vermehrung begriffen; die Zahl der Bäume ist im
letzten Vierteljahrhundert von 10 Millionen auf 16 bis
17 Millionen, also um zwei Drittel gestiegen. Die Jahres-
ernte der Agrumi ist auf durchschnittlich $3^1/_2$ Milliarden
Früchte angegeben. Sie liefern einen Export, der mindestens 30 Millionen Lire für Früchte und 10 Millionen
für Essenzen und Öle einbringt. Auch das Ertägnis
dieses Zweiges könnte durch die Fabrikation von Kon-

Land und Leute in Italien.                                    2

ſerven, namentlich der in England ſo beliebten Gelees und Marmeladen, nicht unweſentlich erhöht werden.

**Akademie** ſ. den Art. Accademia dei Lincei.

**Akademiſche Grade.** An den italieniſchen Univerſitäten werden folgende Titel verliehen: Dottore in lettere (Doktor der Literatur), Dottore in filosofia (Doktor der Philoſophie), Dottore in scienze naturali (Doktor der Naturwiſſenſchaften), Dottore in medicina (Doktor der Medizin), Dottore in legge (Doktor der Jura), Dottore in matematica (Doktor der Mathematik), Ingegnere (Jngenieur). — Vergl. den Art. Univerſitäten.

**Alberghi** (álbá'rgi) ſ. den Art. Hotels.

**Albero di Cuccagna** ſ. den Art. Cuccagna.

**Alkoholismus** ſ. die Artikel Betrunkener und Enthaltſamkeit.

**Allerſeelentag.** Nicht ohne tiefe Bedeutung verſetzt die katholiſche Kirche dieſes Feſt in die Zeit des Herbſtes, wo die Sonnenſtrahlen matter werden, wo das Blau des Himmels zu erbleichen beginnt, die trüben Wolken Nebel und kalte Regenſchauer verkündigen, wo die Blätter fallen, die Blumen ihre Häupter neigen, die Tage kürzer werden und der Menſch in ſchwermütiges Nachſinnen über die Vergänglichkeit alles Schönen auf Erden ſich zu verſenken geneigt iſt. Der 1. November iſt dem feierlichen Gedächtnis aller Heiligen, der 2. dem Andenken der verſtorbenen Lieben geweiht. Wenn die Kirche dem Tanz, der Freude und allem Taumel der Faſtnacht plötzlich und gleichſam um die beſtimmte Mitternachtsſtunde ein Ende macht und am andern Morgen den Gläubigen das Zeichen des Kreuzes mit Aſche und Staub, dieſem ebenſo poetiſchen als erſchreckenden und vernichtenden Symbole der Auflöſung, auf die Stirn drückt, ſo iſt es im herbſtlichen November vielmehr die leitende Hand und das unwandelbare Geſetz der Natur ſelbſt, die uns an das, was wir Menſchen ſind und was wir ſein werden, erinnern ſollen. Da wandeln alſo an dieſem Tage die Menſchen ernſt und zugleich wehmütig und milde geſtimmt auf die zahlloſen Friedhöfe hinaus, welche ihre Lieben umſchließen. Die Vergänglichkeit, der Tod iſt das Symbol, dem ſie in dieſem Augenblicke folgen, dem ſie huldigen. Da ſchweigen die häßlichen Leidenſchaften,

Haß, Neid, Rachsucht, wenigstens auf Augenblicke, und die besseren Gefühle, Liebe, Dankbarkeit, aufrichtige Anerkennung dessen, was ein Toter uns war, keimen in der Seele und verwandeln dieselbe. — Italien ist das Land, wo der Tod am wenigsten häßlich ist. Da schmückt man vorzugsweise die Leiche mit Blumen und Kränzen; man legt sie in Gräber, die mit grünem Laub und mit Blumen geschmückt sind; Symbole des Friedens, der ewigen Glückseligkeit zieren den ganzen Leichenzug. Hat hier und dort der Tod eine zarte Kindesgestalt geknickt, so begleiten nicht selten jugendliche Altersgenossen, als Engel gekleidet, zierlich in verschiedenen Stellungen um den Sarg gruppiert, die verstorbene Spielgenossin zur letzten Ruhestätte. In Italien trägt daher das Allerseelenfest verhältnismäßig weniger Melancholie und Trauer zur Schau als anderswo. Auch ist dem Ganzen durch die gesetzliche Vorschrift, die Friedhöfe in angemessener Entfernung von der Ortschaft zu errichten, viel Düsteres und Niederdrückendes genommen. Ein anderes ist es, in freier schattiger Umgebung mit dem Ausblick in Gottes weite und herrliche Natur, als zwischen finstern Kirchenmauern oder Grabeskreuzen und grauen Todesdenkmälern aller Art den abgeschiedenen Lieben ein Andenken zu weihen. Besuchen wir z. B. den Campo Santo zu Neapel am Allerseelentage. Die üppige Natur hat mit verschwenderischer Pracht und mit reichstem Laub- und Blumenschmucke die großartigen und kunstreichen wie die einfachen und anspruchslosen Gräber überkleidet; hierzu fügt an diesem Tage die Bevölkerung aller Stände noch Blumen, Girlanden und Kränze in großer Fülle. Alle Portale des großen, majestätischen und hinsichtlich seiner Lage vielleicht schönsten Friedhofes in Europa stehen weit geöffnet. Equipagen folgen auf Equipagen, Fiaker auf Fiaker, und zahllos ergießen sich vom frühen Morgen bis in den späten Abend die Menschenströme aus allen Vierteln der volkreichen Residenz, den reichen und den armen, in die weite Stadt der Leichenmonumente. Schwarz und dunkel gekleidet wogt die Menge die Terrassen des großartigen Campo Santo auf und ab, schweigend und ernst spendet sie ihre Immortellenkränze und Blumen auf den Gräbern derer, die sie geliebt und verehrt hat,

2*

und betet knieend auf diesen Gräbern. Zahlreiche Gruppen umknien nicht selten die größeren, gesondert gebauten Grabesabteilungen, welche diejenigen Leichen enthalten, die von der verheerenden Geißel der Cholera weggerafft wurden. Unordnung, Unziemlichkeiten u. dgl. kommen un= geachtet der großen Menschenmenge nirgends vor, jeder ist sich des heiligen, edlen Zweckes seines Ganges vollkommen bewußt. Kommt endlich der Abend heran, dann beleuchten Fackeln, Pechkränze und Laternen den weiten Friedhof. In den Gängen wandeln, freilich minder zahlreich als bei Tage und namentlich am Morgen, noch immer Besucher beiderlei Geschlechts. Einzelne Gräber erscheinen besonders beleuchtet, während an anderen nur matte Lämpchen und Laternen schimmern, welche diejenigen, die sich etwa im Drange der Geschäfte verspätet, mitgebracht und entweder an den Boden gesetzt oder an irgend einem Gitter befestigt haben. Erst am späten Abend wandeln die letzten Besucher still und ernst heim zur Stadt. Das Geräusch, das sonst allabendlich die Genußsucht einer Residenz von fast einer halben Million Einwohner zu erregen pflegt, schweigt an diesem Abend entweder gänzlich, oder es läßt sich nur in vereinzelten Lauten, gewiß aber immer in ehrerbietiger Entfernung von dem Ruheplatz der Dahingeschiedenen vernehmen. (Schneider.)

**Almosen** (elemo'sina). Um ein Almosen bitten chiedere l'elemosina. Von seiten der Bettler geschieht dies meist mit den Worten: «Per carità, signore; la carità, signore; un soldo, signore usw. — Vergl. auch den Art. Bettler.

**Alpenjäger** (Alpini). Die Alpenjäger sind zwar auch in Regimenter und Bataillone (22) eingeteilt; die eigentliche taktische Einheit dieser Grenzhüter der Alpen bilden aber die 75 Kompagnien. Sie sind die einzige Waffe, die sich durchaus territorial ergänzt und die in ihren Heimats= bezirken garnisoniert. Hierin wie in dem ganzen mili= tärischen Zuschnitt scheinen die österreichischen Kaiserjäger als Vorbild gedient zu haben, die von 1848 bis 1866 oft genug Gelegenheit hatten, dem italienischen Gegner die Vorzüge einer volkstümlichen und ortskundigen Ge= birgstruppe einzuprägen. So sind denn die Alpini, 1872 zuerst mit einigen Kompagnien ins Leben gerufen, zu einer Spezialwaffe erwachsen, der die Obhut der zahlreichen Alpenübergänge nach Frankreich, der Schweiz und Österreich anvertraut ist. Man findet sie in kleinen Garnisonen, sowohl in den zahlreichen Sperrforts, welche die größeren Alpenstraßen decken, als allenthalben in den malerischen Gebirgsorten, die sich bis an den Anfang der Übergänge hinaufziehen. Wer aus den Tiroler Dolomiten, etwa vom Ruvolan oder vom Misurinasee kommend, die italienische Grenze überschreitet oder wer vom Tonalepaß aus in die Valle Camonica hinabgeht, kann mit einiger Sicherheit darauf rechnen, im nächsten Nachtquartier von den Hörnern der beim Tagesgrauen zur Übung aus= rückenden Alpini geweckt zu werden. Wenn er den Heimkehrenden begegnet, wird er die schlanken, schmucken Jägersleute mit ihren klugen, kühnen Gesichtern nicht ungern an sich vorbeiziehen sehen. Sie tragen eine blaue Tunika mit grünen Aufschlägen, graue Beinkleider, Schnürschuhe und Ledergamaschen; als Kopfbedeckung dient ein schwarzer Rundhut mit hochaufgerichteter Adler= feder an der Seite. Noch haben sie, als jüngste Friedens= truppe, außer einigen Unglückstagen in Afrika keine Gelegenheit gehabt, ihre kriegerische Tüchtigkeit zu be= weisen. Ihrem Auftreten nach aber möchte man glauben, daß sie im Ernstfalle ihrem Wahlspruch: Qui non si passa! (Kein Durchgang!) Nachdruck zu geben ver= stehen werden. (Fischer.)

**Altertümergesetz** s. die Artikel Ausfuhr von Kunst= gegenständen, Ausgrabungen, Pflege der Kunstdenkmäler, Photographische Nachbildungen von Kunstdenkmälern.

**Ambasciate** s. den Art. Gesandtschaften.

**Amtsgericht** s. den Art. Gerichtswesen.

**Amtsrichter** s. die Art. Gerichtswesen, Richter.

**Amulett** (amuleto). Als Schutzmittel gegen Krank= heiten werden im ganzen Süden nur Amulette benutzt. Da gibt es hunderte von Arten, und ein Herr Bellucci hat eine Sammlung von 7000 italienischen Amuletten für die Pariser Ausstellung von 1889 zusammengebracht. Das mag ihm schwer genug geworden sein, denn die Besitzer (Weiber, Hirten, Winzer, Bauern, Schiffer) trennen sich nur äußerst ungern von ihrem Schatze. Leichter zu erwerben sind die gewöhnlichen Schutzmittel: zerbrochene Hufeisen,

auf der Landstraße gefunden, Salzkristalle, Hörnchen aus
Knochen, Koralle, Elfenbein, Spindelwirbel, rote Bändchen
gegen den bösen Blick; schwer aber wird es gelingen,
einen Campagnolen zu überreden, sein Säckchen herzu-
geben mit dem Kopfe einer Viper, die an einem Freitage
eines natürlichen Todes gestorben ist und die vortreffliche
Dienste bei Halsentzündungen leistet. Unbezahlbar sind
ferner Haifischzähne, Wolfshaare, Stücke von Aërolithen,
Kalksplitter, durch Blitz von den Mauern geschlagen, Steine,
die eine mit Wunderkraft ausgerüstete Hand berührte,
Kerzen, die zuletzt das erdfahle Gesicht einer in ihren
Sünden dahingefahrenen Hexe beleuchtet, u. a. Ein Jaspis,
der, in der Tasche getragen, die Menstruation regelte, war
in einer Bauernfamilie in Paceco, sizilianische Provinz
Trapani, durch fünf, sechs Generationen testamentarisch
vererbt worden, und die Weiber der Verwandtschaft liehen
ihn aus in Fällen, wo man seiner bedurfte. Giuseppe
Pitré, der berühmte und unermüdliche Forscher auf dem
Gebiete der Volksseele, konnte nur wenige Amulette käuflich
erwerben: einen Wildschweinszahn, Fischchen aus Perl-
mutter, Dornen von Agaven, Krebsscheren und Korallen-
hörnchen. Er machte einen vergeblichen Versuch, einem
Hirten eine unbedeutende Bronzemünze abzukaufen, die
dieser in ein schmutziges Säckchen eingenäht trug. Dieser
Talisman half dem armen Teufel unfehlbar, wenn er
vom Fieber gepackt wurde. Er hatte ihn von einem
Mönch gekauft, dem die Beschwörungsformeln gegen die
Malaria bekannt waren, die er eine nach der andern
der Münze einhauchte und an dieser mit starkem Kreuzband festband.                                    (Raben.)

**Analphabeten.** Im Kirchenstaat hatte es für unpassend gegolten, daß Mädchen aus einfacher Familie
lesen und schreiben lernten. „Was sollen sie damit?" be-
kam man noch in den sechziger Jahren dort zu hören; „sie
schreiben ja doch nur Liebesbriefe!" In Süditalien,
namentlich auf Sizilien, gab es bis 1860 ganze Provinzen, in denen unter hundert Einwohnern neunzig, ja
fünfundneunzig des Lesens und des Schreibens gänzlich
unkundig waren. Noch im Jahre 1871 wurden bei der
amtlichen Volkszählung in Sizilien 87 Prozent der Gesamtbevölkerung als Analphabeten ermittelt, so daß man

schwerlich fehlgreift, wenn man annimmt, daß noch da=
mals auf dem Lande die Kenntnis des Lesens und
Schreibens eine sehr seltene Ausnahme bildete. Im
allgemeinen wurden vor 1881 auf dem Lande und in
den kleinen Städten, abgesehen von den wenigen reichen
Familien, nur diejenigen Kinder unterichtet, die für den
geistlichen Stand bestimmt waren. Für das geeinte
Italien war es daher eine der wichtigsten Aufgaben, hier
Wandel zu schaffen, und seit 1877 ist im ganzen Reiche
der obligatorische Elementarunterricht eingeführt worden.
(Vergl. auch den Art. Volksschulen.) Das Ergebnis der
Anstrengungen des neuen Reiches war wichtig: unter
hundert Brautleuten waren Analphabeten im Jahre 1861:
69,46 Prozent, im Jahre 1897: 44,55 Prozent. Von
hundert Rekruten konnten bei ihrer Aushebung zum Land=
heer weder lesen noch schreiben im Jahre 1861: 64 Prozent,
im Jahre 1896: 36,65 Prozent. Bei den zur Marine
Ausgehobenen haben diese Ziffern im Jahre 1871 68,52
Prozent, im Jahre 1897 47,87 Prozent betragen. Nach
diesen Anzeichen zu urteilen, hat sich unter den Erwach=
senen die Zahl der Analphabeten in Italien seit 1861 um
etwas mehr als ein Drittel verringert. Dies Ergebnis läßt
sicherlich noch sehr viel zu wünschen übrig, und es gibt der
andauernden Tätigkeit der italienischen Volksschulleitung
nach wie vor noch schwere Aufgaben zu überwinden;
aber es stellt einen kräftigen Fortschritt dar und ist nicht
so trostlos entmutigend, wie man nach den skeptischen
Stimmen mancher Beurteiler annehmen müßte. (Fischer.)

**Anarchisten.** Es fehlt in Italien nicht an Parteien
und an Männern, welche die niederen Klassen allgemein
aufreizen. Schon früh haben die Anarchisten in Italien
Fuß zu fassen gesucht. Bakunin selbst hat den Verband
der internationalen Anarchistenpartei in Italien eingeführt
und im offenen Gegensatz zu Mazzinis Lehren auszubreiten
unternommen. Die von ihm und seinen Anhängern ins
Leben gerufene anarchistische Presse, die sich in den siebziger
Jahren in italienischen Arbeiterkreisen Gehör und Anhang
zu verschaffen bemühte, läßt schon in den Titeln erkennen,
weß Geistes Kind sie war. Indessen weder dem Comu-
nardo, noch dem Satana, dem Ateo oder der Canaglia
war ein langes Leben beschieden. Sie scheiterten meist an

dem Umſtande, daß die Kreiſe, an die ſich ihre Hetzrufe hauptſächlich richteten, Analphabeten waren. Zu weitgehendem Einfluß haben es die Apoſtel des Anarchismus in Italien auch bei mündlichem Agitieren nicht gebracht. Wohl aber haben ihre Lehren in den Seelen einzelner Eingang gefunden und wilde Entſchlüſſe gezeitigt, die in grauenerregenden Taten ſich kundgegeben haben. Der Mörder Carnots und der Mordbube, der die Kaiſerin von Öſterreich niederſtieß, waren italieniſche Anarchiſten, welche die Doktrin ihrer Verführer mit ſüdländiſcher Meſſerfertigkeit in die Praxis überſetzten. Deshalb war es nicht ohne innere Berechtigung, daß die italieniſche Regierung die Initiative zu internationalen Beratungen über ein gemeinſames Vorgehen gegen die gemeinſchädliche Rotte ergriff, die freilich ohne greifbares Ergebnis geblieben ſind und nicht verhütet haben, daß bald darauf König Humbert ebenfalls von einem italieniſchen Anarchiſten ermordet wurde.

**Annoncenweſen.** Das italieniſche Annoncenweſen muß im ganzen weniger entwickelt genannt werden als das deutſche. Nichts da von allen den vielbogigen Annoncenbeilagen, deren ſich die geleſenſten deutſchen Zeitungen erfreuen; es iſt gewöhnlich nur «la quarta pagina», welche der Publizität gewidmet iſt. Die Zeitungsadminiſtration ſelbſt pflegt ſich mit Annahme der Annoncen nicht zu befaſſen, ſie zieht es vor, dieſelben in Generalpacht abzugeben. Je nach der Größe des Blattes hat dasſelbe einen Spezialpächter oder übergibt dieſe Regie an eines der allgemeinen Publizitätsinſtitute. Unter «Reclame nel corpo del giornale» ſind von der Redaktion ſelbſt ſtiliſierte Annoncen zu verſtehen, welche ihren Platz mitten unter den politiſchen oder Lokalnachrichten finden. Im eigentlichen Inſeratenteil finden wir hauptſächlich die großen Rieſenmagazine vertreten, welche Publizität um jeden Preis machen müſſen, die ſogenannten Spezialitäten, d. h. beſonders präparierte Medikamente der Apotheker, die Börſengründungen, einige „Erfindungen", welche die Zukunft zu erobern ſuchen, und — mit möglichſter Raumerſparnis — Geldgeſchäfte, Hausverkäufe, Heiratsgeſuche, — das iſt alles. Gerade das, was die Maſſe in den deutſchen Zeitungen macht, die Beteiligung des Mittelſtandes, fehlt in den italieniſchen Blättern vollſtändig.

**Anmelden.** Ankommende Fremde werden bei der Polizei nicht angemeldet. Die Gasthofbesitzer allein tragen ihre Gäste in ihr Buch ein, welches von Polizeibeamten nachgesehen wird.

**Anrede.** Im Gespräch mit den Gebildeten gebrauche man immer das Fürwort «Lei» mit der dritten Person Sing. und mit mehreren Personen das Fürwort «Loro» mit der dritten Person Plur.; Kellnern, Kutschern usw. gegenüber nur «voi». Das Fürwort «voi» wird sehr oft (besonders in Süditalien) auch in den besten Klassen, unter Journalisten, Künstlern, Schauspielern usw. gebraucht. Ebenso wird bisweilen den Kellnern, Kutschern usw. gegenüber die Anredeform «tu» gebraucht. Das eine wie das andere ist aber nicht zu empfehlen. Was die Anrede anbelangt, so lautet sie gewöhnlich einfach: Signore, Signora, Signorina. Nach ihren Standesbezeichnungen werden die Adligen und nach ihren Berufstiteln nur Professoren, Rechtsanwälte, Ärzte, Ingenieure und Offiziere angeredet; z. B. Buon giorno, signor professore; Come sta, signor conte? Signora baronessa, la riverisco. In einigermaßen vertrautem Umgange darf jedoch das Wort signore wegfallen, z. B. Buon giorno, ingegnere; Che ne dice Lei, baronessa? Buona sera, capitano! Staatsbeamte werden niemals nach ihrem Titel angeredet; man wird also niemals sagen: Buon giorno, signor capo-divisione; Buona sera, signor consigliere d'appello. Fast alle Beamten besitzen aber irgendeinen Orden. Sie werden deshalb immer nach dem Range der von ihnen besessenen Auszeichnung angeredet; so z. B. Buon giorno, cavaliere (s. dfs.), Buona sera, commendatore (s. dfs.). Für die höchsten Würdenträger gibt es dann besondere Titel, von denen wir hier die wichtigsten folgen lassen:

Für den König: Maestà! Sire!

Für die Königin: Maestà!

Für Mitglieder des königlichen Hauses: Altezza! Altezza reale!

Für Mitglieder des hohen Adels: Eccellenza!

Für Minister, Unterstaatssekretäre, Präsidenten des Appellhofes, Botschafter: Eccellenza!

Für den Papst: Santità! Santissimo Padre!

Für Kardinäle: Eminenza!
Für Bischöfe und sonstige Prälaten: Monsignore!
Für Senatoren und Landtagsabgeordnete: Onorevole!
Vergl. auch den Art. Briefanrede.

**Anschlagsäulen** gibt es in Italien nicht. Höchstens
sieht man in den großen Städten einige Anschlags=
bretter. Ich habe aber darüber nicht ins klare kommen
können, ob jede Mauer dem Zettelankleben zur Verfü=
gung steht. Es scheint mir fast so, denn man begegnet
in ganz Italien unzähligemale den mit Schablone auf=
gedruckten Worten: Divięto d'Affissione — Anschlag
hier verboten, so daß man fast glauben sollte, es sei
erlaubt, wo dieses Verbot fehlt. Und in der Tat, während
der Wahlperiode sehen italienische Städte aus, wie wenn
sie die Masern oder den Fleckthyphus hätten; denn bis in
den ersten Stock der Häuser hinauf leuchten die weißen,
roten, grünen, blauen und gelben Zettel, oft mit ellen=
langen Buchstaben der verschiedenen Kandidaten, so daß
es schließlich „dem Stimmvieh" vor den Augen flimmert
und jeder in die Urne wirft, was er gerade zuletzt in der
Hand hat. (Aus Justinus' „Italienischer Salat".) — Vergl. auch
den Art. Wahlen.

**Anschluß** (eines Bahnzuges) = coincidenza.

**Ansichtspostkarte** (cartoli'na illustra'ta). Es braucht
wohl nicht gesagt zu werden, daß auch die Italiener dem
Ansichtspostkartenkultus mit großer Leidenschaft huldigen.
Interessant ist es aber für jeden Deutschen, zu erfahren,
daß fast alle Postkarten mit Ansichten von Florenz,
Venedig, Rom, Neapel usw. in Deutschland hergestellt
werden.

**Anstoßen der Gläser** (toccare) bei Tische ebenso
wie das gegenseitige Gesundheittrinken ist in Italien
nicht so üblich wie in Deutschland. Es wird angestoßen
bei einem Toast oder wenn man anfängt zu trinken,
wobei man dem Gastgeber bzw. dem Gaste ‹alla Sua
salute› zuruft. Die Sitte aber, mit jedem Gast an=
zustoßen oder bei größeren Tischgesellschaften von einem
zu dem andern Ende des Tisches zuzunicken und zuzu=
trinken, ist in Italien völlig unbekannt. — Vergl. auch
Art. Brindisi.

**Antipasto** (Vorspeise). Der antipasto besteht aus Anschovis, Oliven, Trüffeln, Salami, Räucherzunge, Kaviar, kalten Pastetchen und anderen schönen Dingen, die den Appetit reizen. — Vergl. auch die Art. Principii, Vorspeise.

**Sankt Antonius-Tag** (Sant' Antonio) in Rom und in Neapel. Seit undenklichen Zeiten ist Sankt Antonius vom Volke zum Schutzheiligen der Tiere proklamiert. Alle Bilder zeigen ihn inmitten einer Schar von Haustieren, die die unterwürfigsten Mienen zur Schau tragen. Sein Fest wird in Rom vom 17. bis 23. Januar begangen, und zwar ist dies nicht nur ein Fest für die Kirche und den Heiligen, sondern auch für die viel geplagten und gepeinigten Haustiere in Rom, die in diesen Tagen gereinigt, gepflegt, mit allen möglichen Kosenamen anstatt der üblichen Kutscherflüche belegt, geschmückt und schließlich vom Priester gesegnet werden. Das originelle Kirchenfest der Segnung der Tiere versammelte früher ganz gewaltige Menschenmassen vor der Antoniuskirche; denn es gab viel zu sehen. Die Kirche war von unzähligen Kerzen beleuchtet, und der Aufzug der Pferde der päpstlichen Posten mit den schön uniformierten Postillionen, der weißen Maultiere des Papstes, der Equipagen des päpstlichen Hofes und des Patriziats gab ein buntes Bild. Die besondere Bewunderung der Menge pflegte der Aufzug des brasilianischen Gesandten zu erregen, dessen Kaiser, einer alten portugiesischen Tradition folgend, Sant'Antonio in Rom besonders verehren ließ. Seitdem die Kirche des Heiligen in den Besitz des italienischen Staates übergegangen und das daranstoßende Kloster in ein Hospital verwandelt ist, wird das Antoniusfest in und vor Sant'Eusebio an der Piazza Vittorio Emanuele begangen, die mitten im Volksquartier liegt. Wenn auch der Andrang nicht mehr so groß ist wie in alten Zeiten, so bietet das Fest noch des Originellen in Hülle und Fülle. Des Morgens findet in der schön geschmückten Kirche, in der das Bild des hl. Antonius von Kerzen bestrahlt ist, eine feierliche Messe statt, dann nimmt ein Priester im weißen Chorhemd mit zwei ebenso gekleideten Chorknaben an einem Tische unter einem der Gewölbebogen der Kirche Platz, und die Segnung der Tiere beginnt. Zuerst erschien

ein altes Mütterchen mit ihrem Schoßhund, eine auf=
geputzte Dame mit ihrem Papagei, ein Dienstmädchen
mit einem Kanarienvogel im Bauer, ein Knabe mit
einem Spatzen, von dem er dem Priester schluchzend er=
zählte, daß Tierchen verweigere die Nahrung, Santo
Antonio müsse es vor dem Tode erretten, er gäbe gern
seinen Sparpfennig oder wolle eine Kerze weihen, wie
die Dame mit dem Papagei. Und jedesmal erhob sich
der Priester, legte die Stola an und sprach den Segen
über die Schützlinge Sant'Antonius, die Gottes Geschöpfe
wie die Menschen sind. Da hörte man Schreien und
Pferdegetrappel. Der Priester begab sich mit dem Weih=
wedel auf die Loggia, wir folgten ihm. Ein seltsamer
Anblick tat sich vor uns auf. Eine jubelnde Menschen=
menge begleitete eine Schar berittener Campagnolen, die
sich in „Schwadronsfront" vor der Kirche aufstellten.
Die Reiter trugen bunte Sträuße an den Hüten, die sie
fromm in die Hand nahmen, ihr Vorreiter führte ein
Riesenbild des heiligen Antonius wie einen Schild am
rechten Arm, die Pferde und Maultiere waren über und
über mit farbigen Papierblumen geschmückt und ihre
Leiber mit nachgeahmten Hundert= und Tausend=Lire=
scheinen beklebt, die sich unter dem Segen des Heiligen
wahrscheinlich in ebensoviele echte verwandeln sollten.
Schwerfälligen Schrittes, in langen Schaftstiefeln stieg
einer der Reiter nun zur Kirche empor, stellte eine
prunkvolle Riesenkerze vor dem Altar des Heiligen auf
und bestieg wieder sein Pferd; der Priester tat die Stola
um, sprach mit lauter Stimme den Segen über Tier
und Menschen und besprengte alle mit Weihwasser. Dann
kamen Vetturini und Herrschaftskutscher und verlangten
für ihre Pferde den Segen, Hirten mit Schafen und
Ziegen, und das Bild blieb von jetzt ab das gleiche.

In Neapel werden am Sankt Antonius=Tage beim
Einbrechen der Dunkelheit auf vielen Plätzen und Straßen,
mit Vorliebe an den Ecken der Kreuzwege, große Feuer
angezündet. Ein Autodafé! Alles alte Gerümpel, was
im Laufe des Jahres so zusammenkommt, muß daran
glauben. Was an wackelbeinigen Tischen, an verkrachten
Stühlen, alten Kisten, zerschlagenen Fässern, an Papierkorb=
inhalt, zerdrückten Waschkörben, Strohsackfüllsel, zerbroche=

44

nem Lattenwerk und sonstigem verbrennbaren nutzlosen
Kram in der Gasse, bei der Nachbarschaft erhältlich ist,
wird zum Scheiterhaufen geschichtet. Bis an die zweiten
Stockwerke der hohen Häuser züngeln die Flammen, sprühen
die Funken in den Nachthimmel hinein. Wie glühende
Hochofenwände heben sich die taghell erleuchteten Reihen
der Gebäude vom großen Dunkel grell ab.

Anzeige (schriftliche oder gedruckte Mitteilung eines
Familienereignisses) heißt partecipazione (pärtꜩtschī-
pätꜩiꝍ'nꜩ), z. B. partecipazione di matrimonio usw. Hat
man eine solche erhalten, so erfordert der gute Ton, daß
man innerhalb der nächsten acht Tage dem Absender seine
Karte schickt, wenn man mit letzterem nicht so intim ist,
daß man ihm einen Besuch macht. Eine bloße Karte
genügt auch, wenn man die Anzeige von einer bevor=
stehenden Heirat erhält, ohne darin aufgefordert zu sein,
der Trauung beizuwohnen. — Vergl. auch den Art. Fami=
lienanzeigen.

Anzug. Für jeden, der zur guten Gesellschaft gezählt
sein will, ist es in Italien geraten, streng auf seine
Kleidung zu achten, ebenso auf Untadelhaftigkeit der
Wäsche, Krawatte, der Kopfbedeckung usw. Auch der
Fremde, der in feineren Gesellschaftskreisen verkehrt,
widme in dieser Beziehung seinem Selbst die entschiedenste
Aufmerksamkeit und sei versichert, daß eher ein Zuwenig als
ein Zuviel geeignet ist, ihn wegen mangelnden «comme
il faut» als nicht genügend «chic» zu charakterisieren.
Wir lassen hier einige Bezeichnungen von Bekleidungsgegen=
ständen der Herrentoilette folgen. Unser Rock (hinten Knöpfe
und Taschen) ist italienisch: un tait; unser Jackett (hinten
ohne Knöpfe, die Taschen an den Seiten) ist: una giacca;
unser Gehrock (länger als der Rock, mit zwei Reihen
Knöpfen, vorn übergeschlagen, im Winter in dieser Form
auch als Überrock gebräuchlich) ist: la redingote oder
lo stifelius oder: il soprabito; der Gesellschaftsfrack:
abito nero oder: il frack oder: la marsina. Der
Paletot oder Überzieher ist: il soprabito oder: il
pastrano oder: il paltò; ein Überzieher für das Früh=
jahr, den Herbst: un soprabito da mezza stagione; der
sogenannte Kaisermantel ist: un ulster. Die Klasse der
Modeherrchen, jetzt zerbinotti genannt, ist sehr zahlreich;

sie tragen natürlich immer nur ganz neue Röcke und
Hosen. Der zerbinotto verwendet seine größte Sorgfalt
auf die Krawatte; er besitzt natürlich Krawatten in allen
nur erdenklichen Gestalten und Farben; sein lächerlicher
Ehrgeiz ist aber nicht eher befriedigt, bis unter dem
bauschigen Seidentüchlein, das die Halsregionen schmückt,
eine brillantene Vorsteckcnadel thront und ein Siegelring,
womöglich mit einem erbsengroßen Rubin, den Zeigefinger
umspannt. In der Hand schwingt das Herrchen einen
silberbeschlagenen, feinen Rohrstock, und aus der Brust=
tasche des Rockes sieht verstohlen, wenn auch nur einen
halben Zoll, das scharlachrote Seidentuch hervor. Bei
dem schönen Geschlecht herrscht eine gewisse Vorliebe für
helle Farben. Die Abendtoilette aber ist selbst im Sommer
meist dunkler. Auffallende Toiletten tragen meist nur
solche Personen, die auf den Namen „Damen" Anspruch
machen, ohne irgend zur guten Gesellschaft zu gehören.
Zum vollständigen Gesellschaftsanzuge der Herren ge=
hören Frack, weiße Halsbinde und weiße Handschuhe.
Ob man bei einer Einladung zum pranzo in Frack
und weißer Binde zu erscheinen hat, hängt von den
Umständen ab; bei Einladungen zu Abendgesellschaften
wird der Anzug meist bezeichnet; ist dies nicht der Fall,
so lege man stets Frack und weiße Binde an; dies fällt
nie auf, wohl aber das Gegenteil; bei diesen Gesell=
schaften und wenn getanzt wird, werden Handschuhe zum
Frack angezogen, aber nicht bei Einladungen zu einem
späten dinner. Den Hut legt man bei Abend=
gesellschaften natürlich ab, wenn man nicht einen
Klapphut hat. Zu Morgenbesuchen und Morgengesell=
schaften wird niemals der Gesellschaftsanzug angelegt;
Herren nehmen bei Morgenbesuchen den Hut mit ins
Zimmer.

     **Apotheke** (una farmacia); **Apotheker** (un farmacista).
Das Wort speziale ist veraltet und wird nur in ver=
ächtlichem Sinne gebraucht. Es existiert in Italien
keine Arzneitaxe, weshalb der Apotheker wie jeder andere
Kaufmann für seine Ware einen beliebigen Preis ver=
langen kann. Dem Publikum steht es frei, diesen Preis
nicht zu bewilligen und anderwärts zu kaufen. Der
Fremde achte darauf, falls er sich überteuert glaubt.

Zur Verabfolgung von giftigen Substanzen bedarf es eines ärztlichen Scheines.

Es existieren in den großen italienischen Städten deutsche, englische und amerikanische Apotheken. Wer also ein Rezept aus Deutschland mitbringt, wird gut tun, solches in einer deutschen Apotheke anfertigen zu lassen. Bemerkenswert ist noch, daß man in den italienischen Apotheken mit der größten Bereitwilligkeit und meist kostenfrei bei plötzlichem Unwohlsein oder Unglücksfällen Hilfe findet. Von der Polizei werden Verunglückte stets zuerst in eine Apotheke gebracht. — Vergl. auch den Art. Sanitätswache.

**Appellhöfe** (corti d'appello) s. den Artikel Gerichtswesen.

**Arbeiter.** Gegenüber den Kraftgestalten, die man in vielen Bezirken Norddeutschlands, in Westfalen, Mecklenburg und Pommern, in den friesischen und holsteinischen Marschen, vielfach aber auch in Bayern im Landbau tätig sieht, erscheinen die italienischen Arbeiter klein, schmächtig und von schwächerer Körperkraft. Allein sie entwickeln eine Ausdauer und eine Zähigkeit, auch bei schweren Feld- und Erdarbeiten, die man ihnen auf den ersten Blick hin kaum zutrauen würde. Dabei erweisen sie sich abgehärtet gegen die Witterung; sie arbeiten in glühender Sonnenhitze und wissen Kälte in einem Maße zu ertragen, das die Nordländer in Staunen setzt. Der italienische Arbeiter kann aber trotz alledem in dem modernen Produktionsregime nur erst wenig leisten. Das beobachten wir allerorts — wie Prof. Sombart schreibt — in jedem Industriezweige, der kapitalistisch betrieben wird. Ein paar Zahlen zum Beweise. Schulze-Gaevernitz stellt auf S. 121 seines Buches die Anzahl der Arbeiter zusammen, die in den verschiedenen Ländern nötig sind, um 1000 Spindeln in der Baumwollindustrie zu bedienen. Das sind anfangs der 1880er Jahre in Bombay 25, im Elsaß 9,5, in Deutschland 8—9, in England (1887) 3. Er führt auch Italien mit 13 auf; das ist aber nach meinen Berechnungen noch eine viel zu günstige Ziffer. Nach der neuen Enquete kamen auf 1000 Baumwollspindeln: in der Provinz Torino 17, Brescia 17,5, Bergamo 20, Alessandria 22, Novara 24, Genova und

Udine gar 31. In diesen Zahlen drückt sich also eine
Leistungsfähigkeit des italienischen Spinners aus, wie sie
etwa der indische heut besitzt (25), der deutsche vor dreißig
Jahren besaß (1861 = 20). Es versteht sich, daß die geringe
Leistungsfähigkeit auch in der niederen Technik der Anlage
ihren Grund hat, beide stehen eben in Wechselwirkung.
In der Biellefer Wollspinnerei brauchten 1000 Spindeln
gar 43 Arbeiter zu ihrer Bedienung. Und in anderen
modernen Industriezweigen beobachten wir dieselbe In=
feriorität des italienischen Arbeiters. Während der deutsche
Kohlenbergmann jährlich ca. 300 t Kohle liefert, fördert
der italienische nur 130 t zu Tage; der italienische Ar=
beiter in den Eisenhütten produziert jährlich 24 t, selbst
schon der oberschlesische 34 t. Dieser geringeren Leistungs=
fähigkeit des industriellen Arbeiters in Italien, wie sie
in den mitgeteilten, leicht vermehrbaren Zahlen zum Aus=
druck kommt, widerspricht auch keineswegs die andere oft
gemachte Beobachtung, daß der italienische Arbeiter in der
Stadt wie namentlich auf dem Lande fleißig, ja in manchen
Branchen, wie zum Beispiel den Erdarbeiten, dem nordischen
Arbeiter in seinen Leistungen überlegen sei. Überall, wo
er als isolierter Arbeiter sich betätigen kann, kommt er zu
voller Geltung; was ihm aber noch fehlt, ist eben die
Qualifikation zum Arbeiten im gesellschaftlichen, auf Teil=
arbeit beruhenden Betriebe. Ein anderes ist es, kunstvolle
Schnitzereien anfertigen oder sein eigen Stückchen Land
mit seinem Schweiße düngen, als in der automatischen
Fabrik hochqualifizierte Teilfunktionen erfüllen.

**Arbeiterbewegung.** Die politische Arbeiterbewegung
hat in Italien schon kräftig Wurzel geschlagen. Sie ist
gerade in allerletzter Zeit, wie die gesamte proletarische
Bewegung, in rascheres Wachstum gekommen. Der So=
zialismus in Italien ist so alt wie die sozialistischen
Ideen, die namentlich durch die „Internationale" auch
nach der Halbinsel verpflanzt wurden; seine Wirksamkeit
war aber Jahrzehnte hindurch auf die Unterstützung einiger
Revolten, auf die Herausgabe von Zeitungen, auf Dis=
kussionen in Klubs und Konventikeln beschränkt. Von
einer volkstümlichen Agitation konnte keine Rede sein.
Die unteren Klassen, soweit sie überhaupt politisch inter=
essiert, waren noch durchgehends kleinbürgerlich=radikal.

Erst in den letzten Jahren hat der Radikalismus in den Massen an Boden verloren und vor dem proletarischen Sozialismus zurückweichen müssen; Arbeiterbewegung und Sozialismus sind nunmehr in Italien wie in anderen Ländern eins. Bezeichnend für die italienischen Verhältnisse ist die Tatsache, daß sich für diese Arbeiterbewegung vornehmlich unter dem ländlichen Proletariat ein äußerst fruchtbarer Boden bietet. Dies ist nicht nur im Süden der Fall, wo der Druck des Latifundienwesens am schwersten auf dem Landvolk lastet, sondern auch im Venezianischen, in den Provinzen der Emilia und der Romagna, wo die Zersplitterung des Grundbesitzes viele Tausende von kleinen ländlichen Eigentümern zu Tagelöhnern werden läßt und wo wegen rückständiger Steuern von höchst geringfügigem Betrage alljährlich zahlreiche Kleinbesitzungen versteigert werden. Eine andere Eigentümlichkeit dieser Arbeiterbewegung ist die, daß es auch unter den Gebildeten eine starke Strömung gibt, die sich nicht nur für die sich entfaltende proletarische Bewegung interessiert, sondern ihr auch ein weitgehendes Wohlwollen entgegenbringt, wenn sie nicht gar selbst sich an ihr beteiligt. So sehen wir eine stattliche Zahl von Gelehrten, ja selbst Universitätsprofessoren — ich spreche nicht von den volkswirtschaftlichen Fachleuten — die in proletarischen Versammlungen zugunsten der Arbeiterbewegung sprechen, die selbst als Arbeiterkandidaten aufgestellt werden und in der proletarisch-sozialistischen Presse das Wort ergreifen. In der proletarischen Bewegung selbst aber ist der Prozentsatz und damit der Einfluß der mitwirkenden „gebildeten" Kreise so stark, daß schon eine Gegenströmung hervorgetreten ist, die jene Elemente zurückgedrängt wissen will. Unter der italienischen Studentenschaft endlich finden wir die Ideen des Sozialismus ebenfalls in einem Umfange verbreitet, der uns befremdet (nach Sombart und Fischer).

**Arbeiterorganisation.** Jede Darstellung der italienischen Arbeiterorganisation muß von den auch im Auslande oft genannten Unterstützungsvereinen (Società di mutuo soccorso - hätschätä' bi mü'tüo sok-to'rä) ihren Ausgangspunkt nehmen. Diese haben in der Tat eine große Bedeutung für das gesamte italienische Volksleben und

Land und Leute in Italien.                            3

werden sie auch für die eigentliche Arbeiterbewegung bekommen; unter den Formen neuzeitlichen Genossenschafts-
wesens im weiteren Sinne gebührt ihnen jedenfalls die
Anerkennung zeitlicher Priorität. Die Società di mutuo
soccorso dürften ihren Entstehungsgründen wie ihren
Zielen nach am ehesten mit den englischen Friendly
Societies in Vergleich gestellt werden. Ihre Mitglieder
stammen vorwiegend aus den niederen Volksschichten; neben
diesen zählen sie jedoch viele Mitglieder aus der Mittel-
klasse und selbst aus den oberen Ständen, deren finanzielle
Beihilfe und Teilnahme an der Verwaltung besonders bei
den kleineren ein nicht zu unterschätzendes Moment bildet.
Hauptsächlichster Zweck der Gesellschaften ist: die Mitglieder
gegen die Vermögensnachteile zu versichern, die aus
Krankheit, Todesfall, zeitlicher Arbeitslosigkeit usw. sich ergeben. In den letzten Jahren aber haben die Società
di mutuo soccorso ihre Tätigkeit auch auf das genossen-
schaftliche Gebiet, namentlich durch die Errichtung von
Konsumvereinen (cooperative; s. ds.) aller Art, ausgedehnt. Vielfach werden auch Vorschüsse von ihnen
gewährt. Diese Gesellschaften haben Italien mit einem
dichten Netz genossenschaftlicher Gliederungen überzogen,
die eine wichtige Stelle in der sozialen Entwickelung
Italiens einnehmen; denn sie gehören zu den Einrichtungen, denen es am frühesten gelungen ist, das Mißtrauen und die Abneigung gegen gemeinsame Tätigkeit
zu überwinden, die in dem italienischen Volkscharakter tief
eingewurzelt sind. Jetzt trifft man allenthalben, auch in
den entlegensten Örtchen, Schilder an, die das Vorhandensein einer und wohl auch mehrerer Società di
mutuo soccorso anzeigen, oft über sehr bescheidenen
Geschäften, in denen der Konsumverein der Gesellschaft
sein Warenlager hält, nicht selten begrenzt auf bestimmte
Berufskreise oder Gesellschaftsklassen, wie z. B. auf pen-
sionierte Beamte.

Außer den Società di mutuo soccorso haben
in Italien unter den niederen Klassen eine weite Verbreitung auch die politischen Vereine. Es sind das
Klubs, die zwischen Geselligkeit und Politik nicht
immer scharf die Grenze einhalten. Alle diese Brüderschaften kommen jedoch wesentlich nur für die politische

Organisation des italienischen Proletariats in Frage, für die gewerkschaftliche Organisation haben sie nur nebensäch= liche Bedeutung.

Diese letztere nun im engeren, d. h. proletarischen Sinne als Kampfesorganisation finden wir heute in Italien schon sehr entwickelt. Die eigentlichen Gewerk= vereine — mit trade=unionistischem Charakter — nennen sich Leghe di resistenza oder sindacati operai. Ihrer sind in den letzten Jahren, in denen sie überhaupt höher zu gehen begannen, mehrere neu ins Leben gerufen, wie z. B. der Gewerkverein der Metallarbeiter Mailands, der Buch= drucker, der Angestellten der Eisenbahnen, der Zigarren= arbeiterinnen, der Bäcker usw. Diese Leghe di resi= stenza sind ebenso wie die deutschen Gewerkvereine Verbindungen von Lohnarbeitern eines bestimmten Ge= werbes (Gewerks) zur Förderung ihrer gesamten wirt= schaftlichen und sozialen Interessen, insbesondere zur Her= beiführung möglichst günstiger Arbeitsbedingungen. Sie wollen durch kräftigen Zusammenschluß die Stellung der Arbeiter den Arbeitgebern gegenüber wie überhaupt auf dem Arbeitsmarkt verbessern und auf diesem Wege Vorteile erringen, wie sie der für sich allein stehende Arbeiter nicht erzielen kann. Ihr Bestreben ist zunächst auf eine an= gemessene Regelung von Arbeitslohn, Arbeitszeit und Ar= beitsart gerichtet. Diese suchen die Gewerkschaften durch ört= liche und zeitliche Regelung des Arbeitsangebotes, Arbeits= nachweises und Gewährung von Unterstützungen für den Fall der Arbeitslosigkeit, der Krankheit, der Invalidität, des Todes und der im Interesse der Arbeiterschaft nötigen Auswanderung zu verwirklichen. Das Angebot von Ar= beitskräften kann durch die Gewerkschaft beeinflußt werden, wenn an Zentralstellen über den Stand des Arbeits= marktes regelmäßig Bericht erstattet und für einen Aus= gleich von örtlichem Überfluß und Mangel gesorgt wird, dann, wenn im Kampfe mit Arbeitgebern bei beabsichtigten Streiks diese für ein größeres Gebiet planmäßig organi= siert werden. Die Organe der Gesellschaft können hier zunächst gütliche Vermittelungsversuche anstellen und schon durch das moralische Gewicht der geschlossenen Macht, sowie durch den Druck einer bevorstehenden allgemeinen Arbeits= einstellung günstige Erfolge erzielen. Kommt es nach

3*

Prüfung des Falles zum Streit, so kann die Widerstands=
kraft der Arbeiter durch die von anderen Orten und
Vereinen her gewährten Unterstützungen, dann durch die
eigenen angesammelten Mittel erhöht werden. Weiter
kann das Angebot wenigstens je für ein einzelnes Ge=
werbe beeinflußt werden, wenn es die Gewerkschaften ver=
stehen, eine Beschränkung der Anzahl der aufzunehmenden
Lehrlinge durchzusetzen und ungelernte Arbeiter fern zu
halten. Die Mittel für ihre Ausgaben beschaffen sich die
Gewerkschaften durch Eintrittsgelder, regelmäßige Wochen=
beiträge und außerordentliche Auflagen.

Eben aus dem Bestreben, die Lage der Arbeiter auf
dem Arbeitsmarkt zu verbessern, sind neben den Gewerk=
vereinen in mehreren italienischen Städten die Camere
del lavoro (Arbeitskammern) entstanden, die ebensosehr
als Symptom wie als Förderungsmittel der aufstrebenden
gewerkschaftlichen Bewegung in Italien angesehen werden
dürfen. Diese Arbeitskammern — die eben ein Arbeits=
nachweisamt sein wollen — verfolgen den Zweck der Ver=
tretung der gesamten Interessen der Arbeiterschaft, vor
allem aber bezwecken sie, den „Mittelsmann" zu umgehen
und Arbeitnehmer und Arbeitgeber in direkte Verbindung
miteinander zu setzen. Die Hilfe des Instituts dürfen alle
italienischen und auswärtigen Arbeitnehmer und Arbeit=
geber in Anspruch nehmen. Auch Frauen dürfen Mitglieder
der Camere del lavoro sein und bilden dann entweder
eine Sezione mista (gemischte Abteilung) zusammen mit
ihren männlichen Berufsgenossen oder aber ihre eigenen,
Sezioni femminili genannten Abteilungen. Obwohl
selbständige Organe der Lohnarbeiterschaft, werden sehr
oft den Camere del lavoro von den Gemeinden
namhafte Unterstützungen gewährt. Trotzdem aber sind
sie keiner Bevormundung unterworfen. (Nach Sombart
und Fischer). — Vergl. auch die Art. Arbeiterbewegung,
Cooperative.

**Arbeitervereine** s. den Art. Arbeiterorganisation.
**Arbeitskammern** s. den Art. Arbeiterorganisation.
**Arbeitslohn.** Der Arbeitslohn ist in Italien auch
für Fabrikarbeit weitaus geringer als in anderen In=
dustrieländern. Auch lassen sich die italienischen Arbeiter
in Ausbeutung ihrer Kräfte durch Länge der Arbeitszeit,

mangelnde Sonntagsruhe, Frauen- und Kinderarbeit
u. dgl. m. manches bieten, was anderwärts durch Sitte
und Gesetz verwehrt ist. In der Kleinheit der Löhne und
der Länge der Arbeitszeit suchen viele Unternehmer in
Italien, nach der treffenden Bemerkung eines Sozial-
schriftstellers, geradezu einen Ausgleich für die Ungunst
anderer Verhältnisse, die ihnen den Wettbewerb mit dem
Auslande erschweren. Die Anstelligkeit, die Fingerfertig-
keit und die Behendigkeit des Italieners machen ihn für
Verwendung in Fabrikbetrieben körperlich wohl geeignet;
seine Bedürfnislosigkeit und seine Nüchternheit verleihen
ihm sogar Vorzüge vor ausländischen Arbeitern. Andererseits aber widerstrebt die Eintönigkeit der Fabrikarbeit
seinem regen Geiste ebensosehr, wie sich sein Tem-
perament gegen die Disziplin der Fabrikordnung sträubt.
Daher bleibt die Leistung des italienischen Fabrikarbeiters
hinter der englischer und deutscher Arbeiter zur Zeit noch
weit zurück. Vergl. d. Art. Tagelöhne und die vorhergehenden Art.

**Arbeitsnachweis** s. den Art. Arbeiterorganisation.

**Archäologisches Institut** (Deutsches). Für die Erforschung der römischen Altertümer bildet das vor mehr als
sechzig Jahren unter deutscher Führung und unter Mitwirkung italienischer, französischer und britischer Kunstfreunde
und Gelehrten begründete Archäologische Institut noch
immer einen wissenschaftlich tätigen hochgeschätzten Mittelpunkt. Seit Jahren zu einer deutschen Reichsanstalt geworden, vereinigt das Institut in dem gastlichen Saal der
Casa Tarpeia auf der Höhe des Kapitols bei seinen öffentlichen Sitzungen nach wie vor die Angehörigen verschiedener Nationen zu gemeinsamer Friedensarbeit; abwechselnd
mit deutschen, tragen italienische Archäologen die Ergebnisse ihrer Forschungen vor. Durch die historischen Institute, die von Preußen, Österreich-Ungarn, Frankreich u. a.
für die Erforschung und Herausgabe der Urkundenschätze
Roms errichtet worden sind, hat die ständige internationale
Kolonie der Wissenschaft in Rom einen willkommenen
Zuwachs erhalten.

**Areal und Bevölkerung.** Das Königreich Italien umfaßt
nach der neueren Ausmessung des militär-geographischen
Instituts 286 589 qkm (5204,7 Qu.-Meilen), wovon

236402 qkm auf das Festland und 50187 qkm auf
die Inseln kommen. Die Bevölkerung belief sich 1871
auf 26801154 und nach der Volkszählung vom 31. De=
zember 1881 auf 28459628 Einwohner; Ende 1892
wurde sie auf 30535848, Ende 1893 auf 30724897
Seelen und Ende 1900 auf 32475253 berechnet.
Die Bevölkerungszunahme beträgt jährlich durchschnitt=
lich 0,62 Prozent. (Vergl. den Art. Bevölkerung.)
Italien ist im ganzen dicht bevölkert, indem nach der
Zählung 1881: 99, nach der Berechnung 1892: 107 Be=
wohner auf das Quadratkilometer kommen; doch zeigen
die Landschaften und noch mehr die einzelnen Provinzen,
welche jene umfassen, große Unterschiede hinsichtlich ihrer
relativen Bevölkerung. Die Extreme bilden die Landschaft
Campanien mit 175 (189) und die Insel Sardinien mit
29 (31), unter den Provinzen einerseits Neapel mit 1149
(1231), andererseits Sassari mit 26 (27) und Grosseto
mit 25 (27) Einwohnern auf 1 qkm. Sehr dicht bevölkert
sind auch die Landschaften Ligurien und die Lombardei.
Von der Gesamtbevölkerung leben 72,7 Prozent in zusam=
menhängenden Wohnplätzen beisammen und 27,3 Prozent
auf dem Lande zerstreut. Die Bevölkerung Italiens erleidet
alljährlich durch Auswanderung einen nicht unbeträcht=
lichen Verlust, der 1892: 223667, — 1893: 246751 —
1901: 533245 Personen betragen hat. Die größte Zahl
von Auswanderern kommt aus Venetien, Piemont, Cam=
panien, Kalabrien und der Lombardei. Für ungefähr
die Hälfte der Auswanderer waren europäische Länder das
Reiseziel (Frankreich, Österreich, Schweiz, Deutschland u. a.).
Unter den außereuropäischen Ländern übten Brasilien,
die Vereinigten Staaten, Argentinien und Uruguay die
größte Anziehungskraft aus. — Vergl. auch den Art. Aus=
wanderer.

**Arm** (braccio — brä't-schö). Jemandem seinen Arm
anbieten offrire il braccio a qualcuno. Ein Herr
bietet einer Dame den rechten Arm.

**Armeekorps.** Das italienische stehende Heer besteht
aus 12 Armeekorps, deren Generalkommandos ihre Sitze
haben in Turin: I, Alessandria: II, Mailand: III, Genua:
IV, Verona: V, Bologna: VI, Ancona: VII, Florenz:
VIII, Rom: IX, Neapel: X, Bari: XI und Palermo:

XII. Zu jedem Armeekorps gehören bei Kriegsformation:
2 Divisionen mit 4 Brigaden Infanterie (die Brigade zu
2 Regimentern) und 1 Abteilung Artillerie; 1 Regiment
Bersaglieri, 1 Regiment Kavallerie, 1 Regiment Feld=
artillerie, sowie die zu den Divisionen und dem Korps
gehörigen Genie=, Sanitäts= und Verpflegungskompagnien.
Aus den nicht den Armeekorps zugeteilten 12 Kavallerie=
regimentern sollen im Kriege 3 Kavalleriedivisionen for=
miert werden; ebenso stehen die Alpenjäger, die Gebirgs=,
die Küsten= und die Festungsartillerie im Kriege nicht im
Korpsverbande. Im Frieden sind sämtliche Truppen auf
die 12 Armeekorps in ungleicher, durch die Erfordernisse
der Mobilmachung und den Charakter des Landes be=
dingter Weise verteilt. Dem IX. Armeekorps (Rom) ist
das Militärkommando der Insel Sardinien als 3. Divi=
sion unterstellt.

**Armenpflege.** In allen großen italienischen Städten
herrscht bei den unteren Schichten noch immer ein Elend,
das geradezu haarsträubend ist. Und dieses Elend wird
nur um so viel greller beleuchtet durch den unermeßlichen
Reichtum und durch den strahlenden Glanz der „oberen
Zehntausend". Zwischen den Besitzlosen und den
Reichen befindet sich freilich ein wohlhabender Mittel=
stand; aber er ist verhältnismäßig klein, obgleich er, wie
die italienische Statistik nachzuweisen sucht, im Wachsen be=
griffen ist. Das gesamte Armenwesen ist unter die Direktion
des Ministero degli Interni gestellt. Dieser Zen=
tralbehörde liegt ob: die Organisation der Armenbehörden,
die Ergänzung der Gesetzgebung, die Aufsicht über die
laufende Armenverwaltung, die Verwaltungsgerichts=
barkeit, die Vorbereitung und Herbeiführung von Ver=
besserungen im Armenwesen. —

Die Grundsätze, welche das italienische Armenwesen
beherrschen, bestehen darin, daß jedermann, einerlei welches
die Ursache seiner Hilfsbedürftigkeit sein mag, vor der
äußersten Not geschützt sein soll, daß die öffentliche Unter=
stützung auf das Mindestmaß dessen beschränkt bleiben muß,
was zum Lebensunterhalt unbedingt erforderlich ist und
die Lage des Unterstützten sich in keiner Weise besser ge=
staltet als diejenige des ärmsten selbständigen Arbeiters,
und endlich, daß mit der Unterstützung für den Empfänger

Nachteile verbunden sein müssen, welche denselben ver-
anlassen, soweit es in seinen Kräften steht, für seine Zukunft
selbst Vorsorge zu treffen. Völlige Mittellosigkeit ist Voraus-
setzung der Unterstützung. Abgesehen von der Unterstützung
zur Bezahlung von Schulgeldern zieht der Empfang einer
öffentlichen Unterstützung den Verlust des öffentlichen
Wahlrechts für das Parlament sowohl wie für die engere
Gemeindevertretung nach sich.

Die Armenhilfe umfaßt zwei Hauptgruppen: Anstaltspflege und Hausunterstützung. Im einzelnen versieht
die Anstaltspflege die Unterstützung in den Krankenanstalten
und in den Schulen. Alle anderen Unterstützungen gelten
als Hausunterstützung. Letztere Art der Unterstützung darf
an arbeitsfähige Personen nur in Ausnahmefällen oder
unter gewissen Einschränkungen gewährt werden. Die
Verteilung und Auszahlung der Unterstützungen geschieht
an vorher festgestellten Orten und Tagen regelmäßig
wöchentlich. Diese Unterstützung außerhalb der Armen-
anstalten kann in Geld oder in Lebensmitteln gegeben
werden. Besondere Arten der Hausunterstützung sind
Bezahlung von Schulgeldern für arme Kinder sowie Unter-
bringung von Kindern in Armenschulen. Im Zusammen-
hange hiermit steht der Ausgabeposten für solche Kinder,
welche anstatt in Armenschulen geschickt zu werden, zu fremden
Leuten in Pflege gegeben werden. Eine erhebliche Stelle
nimmt die ärztliche Behandlung armer Personen außerhalb
des Krankenhauses sowie die Verabreichung von Medizin usw.
an dieselben ein. Die Tendenz im italienischen Armenwesen läuft im wesentlichen nun darauf hinaus, die
Hausunterstützung, soweit sie in direkten Geldspenden gereicht wird, auf das möglichste Mindestmaß einzuschränken
und an Stelle dieser Art der Unterstützung das Krankenhaus zu setzen. Im Krankenhaus herrscht strenge Zucht,
und wegen dieser Strenge ist der Gedanke an das Krankenhaus dem Volke so verhaßt, daß es sehr ungern dorthin
geht. — Vergl. den Art. Wohltätigkeit.

**Arrestlokal.** Das Arrestlokal neben einer Wache, in welches
die Verhafteten vorläufig gesteckt werden, heißt guardina.
Mettere qualcuno in guardina jemanden einstecken.

**Artillerie.** Die Artillerie hat in Italien in den
achtziger Jahren eine außerordentlich namhafte Ver-

stärkung erfahren und bildet jetzt in allen ihren Gattungen, der Feld=, der Festungs= und der Küstenartillerie, eine tüchtige und leistungsfähige Waffe. Die Feldartillerie umfaßt 24 Regimenter, zu denen noch 1 Regiment reitende und 1 Regiment Gebirgsartillerie hinzutreten. Das Feldartillerieregiment besteht aus 2 Abteilungen von je 4 Batterien, die im Frieden 4, im Kriege 6 Geschütze zählen. Jedes Armeekorps wird daher im Kriege 96 Geschütze ins Feld führen. Die Regimenter 1—12, welche die Korpsartillerie zu bilden bestimmt sind, sind ausschließlich mit 9=cm=Kanonen, die anderen (13—24), welche als Divisionsartillerie zu dienen haben, zur Hälfte mit 9=cm=, zur Hälfte mit 7=cm=Geschützen ausgerüstet. Das Regiment reitender Artillerie hat 3 Abteilungen mit je 2 Batterien, die ausschließlich 7=cm=Geschütze führen. Mit denselben Geschützen ist die Gebirgsartillerie bewaffnet, die in 3 Abteilungen 15 Batterien zählt.

Da sich im Kriege die Geschützzahl der Feldartillerie um die Hälfte (statt 4 auf die Batterie 6) vermehrt und überdies der Fuhrpark des Regiments sich beträchlich vergrößert, so ist der Abstand zwischen dem Friedens= und dem Kriegsstande bei dieser Waffe besonders stark. Das Regiment Divisionsartillerie, dessen Istärke sich im Frieden auf 951 Mann mit 428 Pferden beläuft, soll in Kriegsstärke 2302 Mann und 1964 Pferde zählen; noch stärker ist die Vermehrung bei der Korpsartillerie. Die Beschaffung so zahlreicher Pferde dürfte keine leichte Aufgabe bei einer allgemeinen Mobilmachung bilden.

Die Festungs= und Küstenartillerie ist in 22 Bataillone von zusammen 78 Kompagnien eingeteilt. Zur Herstellung eines kriegstüchtigen Parks von Belagerungs= und Festungsgeschützen sind in den achtziger Jahren wiederholt bedeutende Summen bewilligt worden. — Die Artillerie trägt dunkelblaue Tuniken und gleichfarbige Beinkleider mit gelben Aufschlägen, eine kleidsame Uniform, die den stattlichen, ausgesuchten Mannschaften der Feldartillerie vortrefflich steht. Die Feldartilleristen sind mit Säbeln und Revolvern, die Fußartilleristen mit Repetiergewehren und Seitengewehren bewaffnet. Die Bespannung der Geschütze und Fuhrwerke zeigt sich bei Übungsmärschen und Paraden über alle Erwartung gut. Doch ist nach dem Urteil von Fachleuten das Futter nicht ausreichend und das Pferdegeschirr zu schwer.      (Fischer.)

**Artischocke** (carciofo — kártschō'fō), eines der in Italien beliebtesten Gemüse. Artischocken werden in Italien meist in Öl gebacken oder als Salat oder auch zusammen mit Rührei gegessen. — Vergl. die Art. carciofolata, frittata.

**Ärztehonorar** (onorario del medico). Man erkundige sich vorher nach dem Preise, den ein Arzt für seine Bemühungen verlangt. Besucht und konsultiert man den Arzt in seiner Wohnung, so pflegt das Honorar für Ärzte ersten Ranges 20 Frs. zu betragen, für jüngere Ärzte 10 Frs., für den Hausarzt 3—5 Frs. Vor dem Verlassen des Konsultationszimmers legt man das Honorar in diskreter Weise auf das Kamingesims oder den Schreibtisch des Arztes. Ein Besuch desselben in der Wohnung des Patienten wird doppelt so hoch gerechnet. Manche Ärzte schicken zu bestimmten Zeiten an alle ihre Klienten einen Nachweis über ihre Besuche, andere nicht; im ersteren Falle schickt man ihnen sofort den Betrag der Rechnung zu; im zweiten Falle übersendet man zu Ende des Jahres seinem Arzte die Summe, die man für angemessen hält.

**Asphalt.** Siziliens vulkanischer Boden birgt außer Schwefel in den Gruben der Provinz Syrakus auch Asphalt, der von ausländischen Gesellschaften ausgebeutet und im Werte von jährlich etwa einer Million nach Berlin, Hamburg, London und Newyork ausgeführt wird.

**Assessoren** (aggiunti) s. den Art. Gerichtswesen.

**Audienzen** beim Papste. Auf Grund der Empfehlung des betreffenden Diözesanbischofs, des heimatlichen Gesandten beim Heiligen Stuhl oder eines hohen römischen Prälaten ist es nicht schwer, durch den päpstlichen Oberhofmeister (Maggiordomo — mäd-Goidō'mö) eine Audienz zu erhalten. Mit dessen Erlaubnisschein durchschreitet man im Vatikan eine lange Flucht von Sälen, wo dem Range nach erst päpstliche Gendarmen, dann die Guardia (gwä'rdiá) Palatina, Svizzera und Nobile Wache halten, schließlich die weltlichen und geistlichen Geheimkämmerer den zur Audienz zugelassenen oder befohlenen Ankömmling empfangen und in den Vorsaal geleiten, wo die Audienzbewerber sich versammeln und von dem dienstthuenden Geheimkämmerer einzeln beim Papst eingeführt werden, der je nachdem im Thronsaale oder in seinem Arbeitszimmer empfängt. Nach vatikanischer Hofetikette erscheint man vor dem Papste stets in schwarzem Frack mit weißer Krawatte, ohne Hut und Handschuhe, die im Vorsaal abgelegt werden, um im Knien beim Fuß= und Handkusse nicht hinderlich zu sein. Geistliche erscheinen in Soutane oder Reverende, Ordens= personen in der Tracht ihres Ordens. Damen erscheinen in schwarzem Kleid mit einem schwarzen Spitzen= schleier auf dem Kopf und ohne Handschuhe. Der Papst empfängt nur regierende Fürsten im Thronsaale stehend, alle anderen Personen ohne Unterschied des Ranges stets sitzend, lädt sie nach dem Fußkusse zum Aufstehen, unter Umständen auch zum Sitzen ein. Am Ende der Audienz reicht er die Hand zum Kusse und erteilt den Knienden den Segen. Beim Weggange von der Audienz wird man der Reihe nach von dem Hofstaate zu der zuteil ge= wordenen Ehre in zeremoniöser Weise beglückwünscht und am folgenden Tage von der päpstlichen Dienerschaft auf= gesucht, die ihre Trinkgelder (mancia — mä'ntschä) in Empfang zu nehmen kommt. (Frant.)

**Aufenthalt** (fermata) auf den Bahnhöfen. Drei Minuten Aufenthalt tre minuti di fermata. Wie lange Aufenthalt? Quanto c'è di fermata? oder Quanto tempo si ferma?

**Aufgabestelle** (für Gepäck): Deposito bagagli; s. die Art. Bahnhof, Gepäck.

**Aufgebot** (le pubblicazioni — pūb-blikätßiō'ni). Für die standesamtliche Eheschließung den Zivilakt hat man zu beschaffen: a) seinen Geburtsschein, b) die Einwilligung der Eltern, wenn diese noch leben, im Falle der Verwaisung den Totenschein derselben. Ein Militär hat außerdem die Er= laubnis des Kriegsministers beizubringen, die jedoch nur erteilt wird, wenn die Braut eine bestimmte Mitgift nach= weisen kann. Nach Einreichung dieser Schriftstücke bei dem Standesamt des Wohnortes jedes der Verlobten werden diese an beiden Orten drei Wochen lang aufgeboten. Das Aufgebot in der Kirche erfolgt auf eine Bescheinigung des Standesamtes, daß alle notwendigen Papiere bei= gebracht sind, an drei hintereinander folgenden Sonn= tagen; in dringenden Fällen kann jedoch Befreiung von dem Aufgebot der letzten zwei Sonntage erwirkt werden.

**Aufzug** (Fahrstuhl [ascensore - äschenßo´re]). Aufzüge findet man in jedem Hotel und in jedem modernen Palast.

**Auktionen** (aste pubbliche) sind Einrichtungen, die man am besten meidet, denn die Bezeichnung „Auktion" ist in der Regel der reine Schwindel. Gewöhnlich wird sie in einem kleinen Laden veranstaltet, dessen Schaufenster, um das Innere zu verdunkeln, mit allerlei auffälligen Gegenständen gefüllt sind. Der Unternehmer und seine Helfershelfer treiben scheinbar ein lebhaftes Bieten auf die Artikel, bis ein unerfahrener Passant sich zum Eintreten verleiten läßt und plötzlich mit einem wertlosen Gegenstande zu einem fabelhaften Preise hängen bleibt. Bei rechtmäßigen Auktionen wird das Geschäft natürlich anders gehandhabt; aber bei kleinen Verkäufen dieser Art wird man ebenfalls schwerlich seine Rechnung finden. Ein Haufe unter sich verbundener Trödler sucht zu verhindern, daß ein nicht zu ihrer Zunft gehöriger Kauflustiger einen Gegenstand erhält, oder treibt ihn bis zum höchstmöglichen Preise hinauf. Nach beendeter Auktion versteigern die Trödler die erworbenen Gegenstände unter sich noch einmal und teilen dann den Nutzen. Neulinge, die im Wege der Auktion verkaufen wollen, sollten einen erfahrenen Freund zur Überwachung des ganzen Herganges bestellen oder einen Preis festsetzen, unter welchem nicht verkauft werden darf. Will man kaufen, so möge man sich einem der Trödler anvertrauen und diesen beauftragen, bis zu einem bestimmten Preise zu bieten. Der zu verkaufende Artikel wird gezeigt, unter Anwendung aller Arten von Kunstgriffen angepriesen und zu einem hohen Preise angeboten, welcher allmählich ermäßigt wird, bis einer der Umstehenden ihn für billig genug hält, um ein gutes Geschäft beim Kauf zu machen.

In den Docks (Lagerhäusern, Entrepots) werden von Zeit zu Zeit Versteigerungen der dort lagernden Waren en gros vorgenommen, welche eine große Zahl von Käufern anziehen und die Lagerhäuser zum eigentlichen Mittelpunkte des Verkehrs machen. Bezüglich der Form, in welcher die Versteigerungen vorgenommen werden, gilt der Grundsatz, so wenig Förmlichkeiten als möglich platzgreifen zu lassen und jedes Einschreiten des Gerichts gänzlich auszuschließen, um den raschen und billigen Verkauf der Waren unter Be-

seitigung aller Hemmnisse und unnötigen Kosten zu er=
möglichen. In Italien wird dies ganze Geschäft vom
Makler besorgt. Will nämlich ein Warenbesitzer seine Waren
zur Versteigerung bringen, so beauftragt er einen Makler
mit Vornahme derselben. Dieser trifft dann alle nötigen
Vorbereitungen, ohne daß der Kaufmann sich weiter um
die Sache zu kümmern hat. Er teilt die Ware in Lose,
entnimmt die Proben, sorgt für die Bekanntmachung und
führt nach vollzogenem Verkauf den Erlös an den Bankier
des Kaufmanns ab.

**Ausfuhr von Kunstgegenständen, Handschriften usw.**
In dem Streben, die Kunstschätze dem Lande zu erhalten,
geht man in Italien sehr weit, vielleicht zu weit; die
neuen Gesetze, zu denen die Regierung vom Parlament
förmlich gedrängt wurde, machen den Besitz von Kunst=
werken fraglich und fast gefährlich. Belästigende Ge=
setze der verschiedensten Art, welche die Veräußerung
von Kunstsachen nach dem Auslande erschweren, gab es
auch früher schon — wir erinnern nur an die berüchtigte
Legge Pacca aus dem XVII. Jahrhundert! —; der
Gedanke, ein einheitliches Gesetz an ihre Stelle zu setzen,
war daher ein glücklicher. Italien hat nunmehr sein
neues einheitliches „Ausfuhrgesetz" für Kunstsachen, wert=
volle Handschriften, Wiegendrucke usw., welches als wichtigste
Bestimmung die Forderung enthält, daß jedes Kunstwerk,
das aus Eigenbesitz nach dem Auslande verkauft werden
soll, für den Kaufpreis von dem italienischen Staat über=
nommen werden kann. Jeder Besitzer eines Gemäldes,
einer Handschrift, eines Wiegendruckes 2c. ist also verpflichtet,
falls er dieselben nach dem Auslande verkaufen will, sie
zuerst dem italienischen Staat anzubieten oder von den
Staatsbehörden die Erlaubnis zu erwirken, sie verkaufen
zu dürfen. Daß die Regierung auf diese Weise hervor=
ragende Kunstwerke, Handschriften usw. in italienischem
Privatbesitz, die sonst ins Ausland gehen würden, an sich
zu bringen sucht, ist sicher nur zu billigen. Das Parlament
hat aber auch den einzigen Paragraphen, der das Eigen=
tum an Kunstwerken schützt, aufgehoben, indem es die Ver=
pflichtung der Übernahme verkaufter Altertümer durch
den Staat, falls dieser die Ausfuhrerlaubnis verweigert,
rundweg aufhebt. Hinfort kann daher die Ausfuhr und

der Verkauf einfach verboten werden, auch wenn der Staat
nicht kauft! Die Regierung läßt vielmehr solche Stücke auf
das „Inventar" setzen, und ihr gesetzwidriger Verkauf
wird mit sehr hoher Geldstrafe und sogar mit Gefängnis
bedroht.

Natürlich öffnet das nur dem Betrug und der heim=
lichen Ausfuhr Tür und Tor. Zwar wird den Be=
amten der Dogana zur heiligen Pflicht gemacht, sorg=
fältig die Ausfuhr zu überwachen, vor allem darauf zu
sehen, daß die Kisten nicht etwa doppelte Böden haben,
daß bei der Ausfuhr von Bildern nicht zwei bemalte Lein=
wandstücke übereinander genagelt sind usw. Jährlich aber
werden wer weiß wieviele Bilder, Handschriften und
Wiegendrucke nach dem Auslande verkauft. — Gesetzesbestim=
mungen über das Recht der Ausgrabungen und die photo=
graphische Nachbildung s. unter Ausgrabungen und Pho=
tographische Nachbildungen von Kunstdenkmälern.

**Ausgrabungen.** Das Recht zu archäologischen Aus=
grabungen (scavi — skā'wi) ist nach dem neuen italie=
nischen Altertümergesetz ein sehr beschränktes. Wenn ein
Bürger auf seinem Grundstück oder mit Erlaubnis des
Eigentümers auf fremdem Grundstück eine Ausgrabung
machen will, dann hat er ja freilich manchen Bogen
Stempelpapier zu verschreiben und die schriftliche Erlaubnis
sich auch unterstempeln zu lassen, aber er kann doch, wenn
er Erfolg hat und nicht noch andere Interessen dazwischen=
kommen, darauf rechnen, daß er von dem Ertrag drei
Viertel und der Staat nur ein Viertel behält. Aber wie wird
es gehalten, wenn ein Fremder oder ein fremdes Institut
Ausgrabungen zur Aufklärung irgendwelcher wissen=
schaftlichen Frage unternimmt? Darüber geben § 371
bis 374 Auskunft. Natürlich bedarf es zunächst des
Stempelpapiers (denn ohne Stempel darf man in Italien
selbst kaum Liebesbriefe schreiben), in diesem Falle
für 1 Fr., auf dem man dem Ministerium genau
angibt, wo und wie lange Zeit man graben will.
Natürlich muß man auch die Einwilligung des Eigen=
tümers beibringen. Nachdem nun das Ministerium
das Gutachten des betreffenden Ausgrabungsdirektors
und der Zentraldirektion eingeholt hat, entscheidet
es über Annahme oder Ablehnung des Antrags, bestimmt,

in welcher Weise ausgegraben werden soll, ordnet die
Überwachung an usw. Was aber bei den Ausgrabungen
gefunden wird, muß an eine öffentliche Sammlung
des Königreichs abgeliefert werden, deren Bestimmung
vom Ministerium abhängt; d. h. da der Eigentümer des
Bodens auf drei Viertel des Ertrages ohne weiteres An-
recht hat, ist der Fremde oder das fremde Institut, das
die Ausgrabungen anstellt, gehalten, diese drei Viertel,
die es selbst ausgegraben hat, dem gesetzmäßigen Eigentümer abzukaufen, um sie dem Staate zur Verfügung zu
stellen. Wenn ein fremdes Institut, z. B. eine der
archäologischen Schulen, deren es jetzt eine ganze Zahl
in Rom gibt, Ausgrabungen anstellen will, so handelt
es sich sicher nicht um den Gewinn von Altertümern,
sondern um die Lösung wissenschaftlicher Fragen. Werden
dabei aber bedeutende Kunstwerke gefunden, dann entsteht
den Ausgrabern pekuniärer Schaden, da sie nun verpflichtet sind, diese dem ursprünglichen Eigentümer des
Bodens abzukaufen, um sie dem italienischen Staate zur
Verfügung zu stellen.            (Bossische Zeitung.)

**Auskunft** (informazione). Auf der Straße erhält
man über den einzuschlagenden Weg am sichersten und
besten Auskunft von der Guardia municipale (gu̓árdiᵃ
mŭnĭtschĭ̆pā'lĕ — dem städtischen Schutzmann). Es gehört
dieses Auskunftgeben zu seinen amtlichen Dienstobliegenheiten, so daß man ein Recht auf das Anfragen hat. Man
grüße, beginne mit Scusi, bediene sich der kürzesten Form,
z. B.: ‹Scusi, dov' è la via Garibaldi?› Der Beamte
antwortet gleichfalls in kürzester Art, z. B.: ‹La terza
a destra› oder: ‹Sempre diritto› oder er deutet mit
dem Finger: ‹Laggiù›.

**Auskunftstellen** (agenzie d' informazioni — ăgĕntsī'ᵃ
dĭnformätsĭ̆'nĭ). Diese berüchtigten Agenturen machen es sich
zur Aufgabe, die Geheimnisse ganzer Familien aufzuspüren
und zu ihrem Nutzen auszubeuten. Ein sehr ergiebiges
Feld ihrer Tätigkeit ist die Überwachung von Ehefrauen
im Auftrage ihrer Männer und umgekehrt. Jede Auskunftstelle besitzt ein förmliches Archiv von Berichten,
wahren und falschen, über eine möglichst große Zahl
von Familien und Menschen. Natürlich wird kein
Mittel unversucht gelassen, um dieselben zusammen-

zubringen, denn ohne ein solches Archiv kann die Aus=
kunftstelle überhaupt nicht arbeiten. Je reicher und
ausgiebiger dasselbe versehen ist, desto umfassender und
einträglicher sind ihre Geschäfte. Sie steht auch mit
anderen Auskunftstellen und besonders mit Gesinde=
vermietern in geschäftlicher Verbindung. Letztere bringen
Leute als Dienstboten unter, welche der Auskunftstelle
als Zuträger und Auskundschafter der Familien dienen.
Diese Dienstboten haben die Aufgabe, unangenehme Er=
eignisse und Tatsachen auszukundschaften, welche der Fa=
milie schaden können, wenn sie öffentlich bekannt werden.
Die Familien erfahren dann plötzlich durch die Auskunft=
stelle, daß jemand darum weiß und Gebrauch davon machen
will. Sie erkaufen um schweres Geld die erwünschte Ver=
schwiegenheit. Besonders oft ist der also untergebrachte
Dienstbote damit beauftragt, einen der beiden Ehegatten
auszukundschaften, ohne daß die Frau oder der Mann
etwas davon weiß. Da den Auskunftstellen nur ein
Zweck vorschwebt, Geld, viel Geld zu erlangen, so ist es
nichts Seltenes, daß sie von beiden Ehegatten sich Geld
geben lassen. Dem Kaufmannsstande werden die Auskunft=
stellen dadurch gefährlich, daß sie mit Gelddarleihern,
Wucherern und Winkelanwälten in Verbindung stehen.
Sie erlangen durch dieselben Kenntnis von den geschäft=
lichen Angelegenheiten der Kaufleute und Fabrikanten,
und da es darunter immer sehr viele Dinge gibt, die ohne
Nachteil nicht offenkundig werden dürfen, so erpressen die
Auskunftstellen Schweigegelder. Sie wissen, daß ihre Opfer
sich nicht öffentlich darüber beklagen können, ohne sich
selbst bloßzustellen. Die Auskunftstellen werden meistens
von früheren Polizeibeamten geleitet, und sie unterhalten
rege Verbindungen mit den Polizeibehörden und den Poli=
zisten. Von letzteren stehen manche in ihrem Solde, um
sich einen meist ziemlich bescheidenen Nebenverdienst zu
verschaffen. Merkwürdigerweise werden diese Geschäfte
amtlich anerkannt und sogar als kaufmännische Betriebe
behandelt. Im Grunde genommen verdanken sie ihren
Fortbestand nur der Nachsicht der Polizeipräfektur. Ohne
die Mitwirkung von in Dienst stehenden, wenn auch nur
niederen Polizeibeamten wären die Auskunftstellen gar
nicht imstande, Auskunft zu erteilen.

**Ausländer.** Nach den bis jetzt bekannten Ergeb=
nissen der Volkszählung rechnet man 37 706 Ausländer,
die ständigen Sitz in Italien haben. Dieselben verteilen
sich, wie folgt: 9069 Schweizer, 7979 Österreicher,
5736 Deutsche, 5029 Franzosen, 3771 Engländer, 825 Süd=
amerikaner, 613 von der Republik San Marino,
606 Russen, 554 Spanier, 511 Argentinier, 436 Belgier,
410 Griechen, 379 Ungarn, 323 Türken, 216 Brasilianer
usw. Überdies befanden sich vorübergehend noch 23 709
Fremde in Italien. Vgl. d. Art. Deutsche in Italien.

**Äußeres der Italiener.** Die Sonne, die leichte Kost
und der Wein tragen sicherlich viel dazu bei, dem Italiener
jene natürliche Grazie der äußeren Erscheinung, jenes Eben=
maß der Glieder, jene Anmut der Gebärden zu verleihen,
die immer aufs neue die Freude und die Bewunderung des
Ausländers erwecken. Sie sind allen Klassen der Be=
völkerung in einem Maße eigen, das man nirgendwo an=
trifft und das sich neben den klimatischen Bedingungen
sicherlich auch auf die alte Kultur zurückführten läßt. Der
Lastträger und der feine Stutzer, der Droschkenkutscher und
der Kavalier, der eigenhändig sein Tilbury oder sein
Gig lenkt, der Gemüsehändler und der Parlamentarier:
alle nehmen, unbewußt oder nicht, in den Ruhepausen
ihrer Arbeit, in der ruhigen Unterhaltung oder im Affekt
Stellungen an, die einem Maler oder Bildhauer alsbald
zum Modell dienen könnten. (Nach Fischer.)
Der Deutsche, der Italien betritt und den Italiener
sprechen, handeln, in Ruhe und im Geschäft sich darstellen
sieht, erhält durchaus den Eindruck einer ganzen und
unmittelbaren Existenz, deren Äußerungen sich in natür=
lichem Flusse notwendig und leicht vollziehen, sowohl
geistig als leiblich. Die Gesamterscheinung ist edel;
alles eigentlich Rohe ist getilgt und tritt nie, auch in
unbewachten Augenblicken nicht, wieder hervor. Das ita=
lienische Knochengerüst ist fein; reines Gleichgewicht trägt
jeden Teil; elektrisch, blitzartig zuckt jede Lebensregung,
jede Gemütsbewegung durch das Nervennetz und die
Muskelfasern. Hier ist die Heimat schöner Gesangstimmen,
ein Zeichen edler Organisation. Die Rede ist taktvoll,
das Verständnis schnell, das Benehmen angemessen, Hal=
tung und Anstand angeboren, ungesuchte Würde. Der

Geringste aus dem Volke braucht Wendungen, bewegt sich in Formen, faßt sich mit einer Geistesgegenwart, die überraschen. In Italien stellt sich der Bettler selbst als ein König im Elend dar; nachlässig hingegossen sitzt in reinen Skulpturlinien das Mädchen auf dem abgebroche= nen Säulenstück am Wege; sinnend richtet sich der klare Blick des am Stabe gebeugten Hirtenjünglings in die Ferne; in einfältiger Majestät schreitet die Frau mit dem Säug= ling im Korbe auf dem Haupte; trotzig steht der junge Bursche da, beide Hände in den Gürtel gesteckt — lauter herrliche Heldengestalten, Bilder aus dem Altertum und seiner Kunst. In keinem Lande wissen die Frauen des Volkes ihr Haar so reizend, mit so edler Einfachheit aufzustecken wie in Italien, nirgends der Mann den Mantel umzuwerfen wie hier. Man sehe dort die Gruppe Männer auf dem Markte, tief verhüllt, mit spitzen Hüten auf dem Haupte, ernst und schwarz, halblaut Worte austauschend — ob es nicht Römer des Forums sein könnten, ehrfurchtgebietende Senatoren, Republikaner in der Verschwörung? (Nach Hehn.) — Vergl. die Artikel Charakter, Faulheit und Selbstgefühl.

**Austern** (ostriche o'strikä). Der erste Herbstmonat mit einem R bringt zwei Erscheinungen hervor, welche sich prächtig einander ergänzen und viel zum Behagen des „Kennerviertels" des menschlichen Geschlechtes beitragen. Es sind dies: die Traube und die Auster.

> „Das Brot heißt Auster, das der Reiche bricht;
> Im Blut der Rebe perlt für ihn das Wasser —"

singt ein demokratischer deutscher Dichter. Für Italien ist die Angabe nicht ganz zutreffend. Austern und Weine sind in Italien verhältnismäßig billig. In Italien, wo die Austernversendung schon den Warenpreis er= höht, schwankt der Preis je nach der Güte der Sorte von 60 Ct. bis zu 2 L. 50 Ct. für das Dutzend. In den Restaurants erhöht sich natürlich der Preis um etwas. Der Verkauf der Austern macht sich ohne große Mühe; eine günstige Straßenecke oder ein etwas breiterer Bürger= steig vor dem Lokal eines Weinhändlers, eine Bank, worauf die Schaltiere in Körben aufgestapelt sind, eine Frau dahinter mit einem starken Messer, — das ist der ganze Verkaufsapparat.

66

**Auswanderer.** Die italienischen Arbeiter, die man überall in den anderen europäischen Staaten antrifft, sind meistens Lombarden, Venezianer, Abruzzesen oder Kalabresen. Nur in Marseille dürfte die große italienische Arbeiterkolonie beinahe zur Hälfte aus Piemontesen und Neapolitanern bestehen. Andererseits ist Tunis bei den Sizilianern beliebt, und die italienischen Ansiedelungen der Levante sind von den Anwohnern des Adriatischen Meeres bevorzugt. So sehr willkommen auch einerseits die billigere Dienstleistung ist, die Klagen ob der Überflutung durch die Italiener häufen sich allenthalben. Nicht nur in den benachbarten Grenzländern der apenninischen Halbinsel, auch in Deutschland, Belgien und England gärte es bereits und kam es zu bedauerlichen Reibungen zwischen Italienern und der einheimischen Arbeiterbevölkerung. Der Italiener, mäßig lebend und auch in seinen Lohnansprüchen bescheidener, ist den Arbeitgebern sehr willkommen.

Die stärkste Auswanderung, die einen erschrecklichen Umfang annimmt, findet nach Amerika statt. Dabei gibt es in dem gesegneten Italien noch große Landstrecken längs des Adriatischen Meeres und im Innern der südlichen Provinzen, die unbebaut liegen. Auch der Agro Romano, die Gegend der Maremmen und Pontinischen Sümpfe, würden für den Ackerbau zu gewinnen sein. Trotzdem aber muß man zugeben, daß die altgewohnte Phrase: „Jeder Auswanderer schwächt das Nationalvermögen" für Italien doch nur teilweise zutreffend ist. Was hat der Staat schließlich für ihn, der nicht immer · immer eine Schule besuchte, ausgegeben? Auslagekapital geht bei den meisten nicht verloren. Es kommt wohl mehr an Kapital zurück, als der Auswanderer mitgenommen hat. Die genügsamen, fleißigen Leute sparen sich im Auslande, wo bei weitem höhere Löhne als daheim bezahlt werden, Geld zusammen. Die Mehrzahl kehrt, entgegen den Deutschen, aus der neuen Welt in die alte Heimat zurück, um den Erwerb zu Hause zu verzehren. Wenn es dann wieder not tut, fährt man einfach noch einmal über den Ozean. Es kommen ganz beträchtliche, aus Amerika herübergeschickte Summen im Laufe des Jahres in den südlichen Provinzen an Eltern, Frauen, Geschwister und Angehörige der Ausgewanderten zur Aus-

4*

zahlung. Sowohl in Newyork wie in Neapel gibt es eine ganze Reihe von Häusern, die sich ausschließlich der Vermittelung solcher Geschäfte widmen. Große Banken bemühen sich eifrigst, ihnen Konkurrenz zu machen. Ein Beweis, daß es sich der Mühe lohnen muß.

Überhaupt, wieviel Geld durch die Auswanderung ins Rollen kommt, welche Summen während der Reisezeit durch die Hände der Auswanderungsagenten in Neapel und Genua, ihrer Unteragenten in der Provinz und deren Vertreter in den entlegensten Ortschaften laufen, davon macht sich der den Verhältnissen fernstehende nur selten eine richtige Vorstellung. In der Hauptreisezeit — Mitte Februar bis Mai für die Vereinigten Staaten von Nordamerika und Juli bis November für Brasilien und Argentinien — fahren aus dem Hafen von Neapel nach den genannten Ländern oft vier große Dampfer die Woche. Sie sind bis zum letzten Platz im sogenannten Zwischendeck besetzt. Gewöhnlich haben die Auswanderer einer Ortschaft auch in Amerika eine und dieselbe Gegend zum gleichen Ziel erwählt. So gehen die Leute der Basilikata zumeist nach Brasilien, die Sizilianer nach Neuorleans und Louisiana, die Abbruzzesen nach Nordamerika usw. — Vergl. die Art. Areal, Bevölkerung.

**Automobil** (lo oder la automoʻbile). Auch Italien steht im Zeichen des Automobils! Automobilsport, Automobilindustrie, Automobilwettfahrten, Automobilunfälle — alles steht auf der Tagesordnung, und Italien hat auch schon in internationalen Wettkämpfen manchen glänzenden Sieg davongetragen. In jeder großen italienischen Stadt, in Turin, in Florenz, in Mailand, in Rom, in Neapel usw. sind in letzter Zeit zahlreiche Automobilklubs entstanden. Viele große Firmen bedienen sich nunmehr des Automobils als des besten Fuhrwerks oder auch als des wirksamsten Reklamemittels. In vielen Gegenden Norditaliens hat das Automobil den vorsintflutlichen Postwagen abgelöst. Aber auch in Italien sah sich die Regierung genötigt, einige besondere Bestimmungen über das Automobilfahren zu treffen, von denen wir hier die wichtigsten wiedergeben. Ihnen werden wir dann ein Gespräch folgen lassen, in dem die häufigsten auf den Automobilsport bezüglichen Ausdrücke vorkommen.

Beſtimmungen über das Automobilfahren.

Jeder Automobilführer muß eine beſondere Erlaubnis haben, die von dem Prefetto (i. den Art. Präfekt), bezw. von der Polizeibehörde, erſt nach beſtandener Prüfung erteilt wird.

Jeder Automobilwagen muß mit zwei Bremſen ver= ſehen ſein.

Jeder Automobilwagen muß im Vorder= ebenſo wie im Hinterteile ein Schild mit der Eintragungsnummer tragen. Die Nummer, wenigſtens 8 cm hoch, muß in arabiſchen Ziffern geſchrieben ſein.

Jeder Automobilwagen muß vorn zwei Laternen tragen, von denen die eine mit grünem Licht zu verſehen iſt. Auf dem Hinterteil muß das Schild mit der Ein= tragungsnummer durch eine Laterne mit weißem Licht beleuchtet ſein.

Die Fahrgeſchwindigkeit des Automobils darf nie 12 Kilo= meter die Stunde in bewohntem Ort, 40 Kilometer die Stunde in unbewohnten Gegenden überſteigen. Während der Nacht jedoch darf die Fahrgeſchwindigkeit ſelbſt in unbewohnten Gegenden 15 Kilometer die Stunde nicht überſteigen.

Die aus dem Auslande kommenden Automobil= fahrer müſſen, ſobald ſie an der italieniſchen Grenze angelangt ſind, die in ihrer Heimat erforderlichen Scheine der Zollbehörde vor= zeigen. Die Zollbehörde wird dann auf Grund jener Zeugniſſe eine für das ganze italieniſche Reich gültige Fahrerlaubnis er= teilen.

Geſpräch.

In automọ̈bile sulla strada maestra.

Im Automobil auf der Landſtraße.

1. Chauffeur, andate più adagio e ferma'tevi vicino a quell' automọ̈bile. Pare che a'bbia sofferto un guasto.

Chauffeur, bitte fahren Sie langſamer und halten Sie bei dem Automobil dort; es ſcheint einen Schaden erlitten zu haben.

2. Pare che a'bbia un guasto ad una pneuma'tica.

Es scheint, als ob nur ein Pneumatikdefekt vorliegt.

3. Abbiamo sufficiente provvista di gomma per aiutarlo a rattoppare, se la sua provvista è esaurita?

Haben wir genügenden Vorrat an Gummi bei uns, um ausflicken zu helfen, wenn ihm sein Vorrat ausgegangen sein sollte?

4. Sì, ne abbiamo d'avanzo. (Si fe'rmano.)

Ja, wir haben reichlich davon vorrätig. (Sie halten an.)

5. Buon giorno, signore! Mi chiamo Honorans. Posso perme'ttermi di offrirvi il mio aiuto? Credevamo che si fosse guastata una vostra pneuma'tica, ma vedo che il danno è nel motore o nel congegno.

Guten Tag, mein Herr! Mein Name ist Hono= rans. Darf ich mir erlauben, Ihnen meine Hilfe anzubieten? Wir glaubten, daß einer Ihrer Pneu= matikreifen schadhaft geworden wäre; ich sehe aber, daß etwas an Ihrem Motor oder an dem Getriebe in Unordnung ist.

6. Siete molto gentile, accetto con piacere la vostra offerta e vi ringra'zio di cuore. Ma non so ancora dove sia il guasto. Il motore si è fermato tutt' ad un tratto. Probabilmente il danno sta nell' accensione. Quantunque io stesso sia abbastanza pra'tico, accetto molto volentieri l' aiuto del vostro chauffeur.

Sie sind außerordentlich liebenswürdig. Ich nehme Ihr Anerbieten mit Freuden an und danke Ihnen herzlich dafür. Ich weiß aber noch nicht, wo der Schaden steckt [sei]. Der Motor ist plötzlich stehen geblieben. Wahrscheinlich ist der Schaden an der Zün= dung. Wenn ich auch selbst sehr erfahren bin, so nehme ich doch gern die Hilfe Ihres Chauffeurs an.

7. Avete un motore ad un cilindro. Così potremo trovare la cagione del male piu facilmente che se fosse nella mia grossa ma'cchina di quattro cilindri.

Sie haben einen Einzylindermotor. Da ist die Ursache des Übels leichter zu finden als bei meinem großen Vierzylinderwagen.

8. Avete l' accensione elettromagne'tica; la mia
è con accumulatore. Ho già visitato l' accumulatore. È ca'rico. Il volti'metro segna
oltre quattro Volt.

Sie haben elektromagnetische Zündung; meiner ist
mit Akkumulatoren. Den Akkumulator habe ich
schon untersucht, er ist geladen; das Meßinstrument
zeigt (noch) über vier Volt Spannung.

9. Togliamo la candela di accensione; forse è
consumata. (Esa'minano la candela di accensione.)

Da wollen wir die Zündkerze herausnehmen; viel=
leicht ist sie aufgezehrt. (Sie untersuchen die Zündkerze.)

10. Avete ragione. Dobbiamo me'ttere una candela nuova. La ve'cchia non dà più scin-
tille. (Esegui'scono, me'ttono a posto la candela, e gi'-
rano la manovella del motore il quale si mette in moto.)

Sie haben recht, wir müssen eine neue Zündkerze
einsetzen. Die alte gibt keine Funken mehr. (Sie
führen das aus, setzen die Zündkerze an ihre Stelle und drehen
den Motor an, der sich in Bewegung setzt.)

11. Mille gra'zie, signori, per il vostro gentile
aiuto. Sono pra'tico di questi luoghi. Posso
servirvi in qualcosa?

Tausend Dank, meine Herren, für Ihre freund=
liche Unterstützung. Ich bin hier in der Gegend
bekannt. Vielleicht kann ich Ihnen mit irgend=
etwas dienen?

12. Siete molto ama'bile. Potreste dirmi dove si
può meglio, a Milano, far provvista di ben-
zina e di o'lio, e dove si trova una buona
officina per riparazioni, per fare eseguire
una revisione generale della nostra vettura,
che viaggia da un pezzo?

Sehr liebenswürdig. Können Sie mir vielleicht
sagen, wo man sich in Mailand am besten mit
Benzin und Öl versehen kann und wo sich eine
gute Reparaturwerkstätte befindet, da wir unsern
Wagen, der schon lange auf der Tour ist [schon seit
einem Stück wandert], einmal gründlich revidieren
lassen wollen [um eine allgemeine Durchsicht aus=
führen zu lassen]?

13. Troverete un' o'ttima officina in via Car-
magnola, e vi potrete anche acquistare ben-
zina ed o'lio di buona qualità a prezzi mo-
derati. Del resto, vado anch' io a Milano.
Se mantenete una velocità moderata, vi
posso condurre pro'prio al posto preciso.
(Pa'rtono assieme.)

> Sie finden eine vorzügliche Werkstätte in der Via
> Carmagnola. Dort können Sie auch gutes Benzin
> und Öl zu mäßigem Preise bekommen. Übrigens
> führt mich mein Weg auch [gehe auch ich] nach Mai-
> land. Wenn Sie ein mäßiges Tempo einschlagen
> (wollen), kann ich Sie an Ort und Stelle führen.
> (Sie fahren zusammen ab.)

14. Una parte della strada ha una cattiva mas-
sicciata. Vi mostrerò una via un poco più
lunga ma migliore ed un buon garage.

> Ein Teil der Straße hat ein schlechtes Pflaster.
> Ich werde Ihnen einen (zwar) weiteren aber besser
> (fahrbaren) Weg und einen guten Automobilschuppen
> zeigen.

15. Mille gra'zie di nuovo.

> Noch einmal tausend Dank!

# B.

**Bäder** (bagni ba'nji). An öffentlichen Badeanstalten
fehlt es in Italien nicht. Dieselben enthalten gewöhnlich in
getrennten Abteilungen für Männer und Frauen warme
und kalte Bäder 1. und 2. Klasse. Das Eintrittsgeld berechtigt zum Gebrauche von einem oder zwei Handtüchern;
Seife wird besonders berechnet; in jeder Badezelle findet
man eine Bürste und Bademäntel. Preisermäßigungen
werden bei einer größeren Anzahl von Karten gewährt.
Viele Badeanstalten haben auch russische Dampf- und rö-
misch-irische Bäder sowie Bäder für Kurzwecke und Schwimm-
bäder, letztere häufig in Verbindung mit Schwimmunter-
richt. Die großen Städte besitzen öffentliche städtische
Volksbadeanstalten, die auch von den Wohlhabendsten
benutzt werden; sie sind im Sommer von morgens 6 Uhr
bis abends 10 Uhr und im Winter von morgens 8 Uhr

bis abends 9 Uhr geöffnet und enthalten ein Schwimm=
bassin, einige Bäder erster sowie eine große Anzahl Wannen=
bäder zweiter Klasse.

**Bahnhof** (la stazione — ſtắ̄ts'io'nĕ), minder gebräuch=
lich: la strada ferrata. Man fährt bei der Abfahrtshalle
(partenze) vor oder, um jemand abzuholen, bei der An=
kunftshalle (arrivi). Ein Kofferträger (facchino),
kenntlich an seiner Bluse und dem Schilde mit seiner
Nummer vor der Brust, übernimmt das Gepäck und bringt
es an die Aufgabestelle für Gepäck (spedizione bagagli).
Man nimmt seine Fahrkarte am Schalter (cassa o
sportello). Bei Überreichung des Gepäckscheins (scontrino) erhält der facchino 10 Ct. Aus dem Wartesaal
(la sala d'aspetto), in welchen man nur mit Fahrkarte
versehen eintreten darf, begibt man sich auf den Bahnsteig
zum Einsteigen. Begleiter der Abreisenden werden auf
den Bahnsteig nur zugelassen, wenn sie eine Bahnsteig=
karte für 20 Ct. gelöst haben. Die Bahnhofsrestauration
(ristorante della stazione) verabreicht kalte und warme
Speisen; einzelne kleinere Bahnhöfe haben ein Erfrischungs=
zimmer, in dem nur Getränke verabreicht werden. Die
Bedürfnisanstalten sind kenntlich an der Aufschrift:
«uomini» oder «signori» für Herren; «donne» oder
«signore» für Damen.

**Baisers** s. den Art. Konditor.

**Bälle** werden nicht nur von der höchsten Gesellschaft
gegeben, sondern finden auch in den mittleren Kreisen
statt, jedoch nicht so häufig wie in Deutschland. Zum
Ball ist schwarzer Anzug erforderlich, Frack, weiße oder
ganz helle Handschuhe, schwarze, seltener weiße Weste,
Lackstiefel. Was die Tanzordnung anlangt, so ist sie
wenig von der in Deutschland beliebten verschieden.
Meist wird der Ball mit einer Polonäse eröffnet. Man
tanzt Polka, Galopp, Walzer, Quadrille und man hat
auch Kotillon mit Orden, Schleifen und Überraschungen.
— Vergl. die Art. salterello, tarantella.

**Ballettschule.** Mailand hat zwar kein gutes Straßen=
pflaster, aber für die Füße tut es trotzdem sehr viel.
Welche Stadt der Welt kann sich rühmen, eine Schule
zu besitzen, in der behördlich für die Ausbildung der Füße
gesorgt wird? Die Häupter der Stadt Mailand verkennen

nicht die Bedeutung der Füßchen der Mailänderinnen,
und darum unterhalten sie eine Ballettschule, aus der
fast alle Primaballerinen, die einen Weltruf besitzen,
hervorgegangen sind.

Die Mailänder Aristokratie von ehedem hat das Skala=
theater begründet und die Mailänder Bürgerschaft von ehe=
dem, die auch etwas für die Kunstgenüsse ihrer aristokrati=
schen Mitbürger tun wollte, eine Ballettakademie errichtet,
die mit der Skala in Verbindung steht, nicht nur räumlich.

In einem Anbau des berühmtesten italienischen Opern=
theaters wurde die Schule angelegt, und hier befindet
sie sich heute noch. Einfache Räume mit Geräten, an
denen körperliche Übungen aller Art ausgeführt werden,
mit Bänken, wie man sie in unseren Volksschulen findet.
In gewissem Sinne ist die Mailänder Tanzakademie eine
echte Volksschule, denn fast ausschließlich Kinder des Volkes
suchen in ihr Aufnahme, und gar manche berühmte Tänzerin,
deren Füße unsere Köpfe verdrehen, entstammt einer
Mailänder Portierfamilie, ist die Tochter eines stimm=
begabten Zeitungsverkäufers oder eines Handwerkers,
der es nun dank den Füßchen seines geliebten Kindes
nicht mehr nötig hat, die Stiefel anderer zu besohlen.

Die Mailänder Tanzschule hat ihre bestimmte eigene
Satzung, die von der Aufnahme, vom Unterricht und von
der Lebensführung der Zöglinge handelt. In allererster
Reihe werden die Kinder Mailänder Familien aufgenommen,
und mit der Aufnahme begeben sich die Eltern auch des
Erziehungsrechtes an ihren Kindern. Es gibt nur weib=
liche Zöglinge, ihr Eintritt erfolgt gewöhnlich im Alter
von acht Jahren, und zwar nach sehr sorgfältiger Prüfung
ihres Gesundheitszustandes; nur wirklich gesunde Kinder
werden hier zur Erlernung eines Berufes zugelassen, der
auch körperliche Widerstandskraft erfordert. An der Spitze
der Schule steht ein Direktor, ihm zur Seite stehen eine bis
zwei Tanzmeisterinnen sowie mehrere Lehrer, die sich, wie
das hier so Sitte ist, selbst den Professorentitel verleihen.
Nach seinem Eintritt wird das Kind nicht nur in die
ersten Geheimnisse der Tanzkunst eingeführt, werden seine
zarten Glieder nicht nur durch leichte Turnübungen ge=
stärkt, lernt es nicht nur Fußstellungen und nach und
nach Touren, übt es nicht nur in einem nicht immer

ſehr weißen, dünnen Röckchen und in teils trikolartigen,
teils bauſchigen Beinkleidern, ſondern wird es auch für
das Leben praktiſch vorbereitet. Wer je einmal einen
Einblick in dieſe nüchternen Räume werfen durfte, der
bemerkte, daß hier alles mit Ernſt betrieben wird, mit
einer Würde und Gewiſſenhaftigkeit, die zu dem an-
ſcheinend ſo leichten Beruf, dem dieſe Akademie geweiht
iſt, in eigenartigem Widerſpruch ſteht. Die Zöglinge
müſſen lernen und lernen, ſie müſſen nicht nur arbeiten,
um die Tanzkunſt, ſondern auch, um das zu ſtudieren,
was zu einer allgemeinen Bildung gehört. Tanzunterricht
und Schulunterricht wechſeln ab. Aus der Tanzakademie
wird während mehrerer Stunden des Tages eine Volks=
ſchule, in der die Zöglinge leſen und ſchreiben lernen,
in Geſchichte und Geographie unterrichtet und auch mit
der franzöſiſchen Sprache vertraut gemacht werden, die
als die internationale Ballettſprache gilt. Mit den Fort=
ſchritten in den Kenntniſſen der Tanzkunſt ſchreiten auch
die durch den Schulunterricht erworbenen Kenntniſſe fort;
die Zöglinge werden nicht einſeitig für ihren Beruf vor=
bereitet, ſie werden in die Lage verſetzt, auch auf andere
Weiſe durchs Leben zu kommen; denn ein äußerlicher
Zufall kann ja im Augenblick die Laufbahn einer Tänzerin
zunichte machen.

Der Hauptunterricht findet vom Mai bis Dezember
ſtatt, d. h. zu jener Zeit, in der das Skalatheater geſchloſſen
iſt. Alle Zöglinge der Ballettſchule ſind nämlich ver=
pflichtet, in den Vorſtellungen der Skalaſpielzeit, die vier
Monate währt, mitzuwirken. Als Kinder betreten ſie die
Bretter, und ſo geſtaltet ſich das berühmte Opern=
theater für ſie ebenfalls zu einer Lehranſtalt, in der
ſie das, was ſie theoretiſch in ihrer Kunſt gelernt haben,
auch praktiſch verwerten können. Während der einzelnen
Aufführungstage wird wohl ebenfalls Unterricht erteilt,
allein in ſehr beſchränktem Maße, denn die Tätigkeit im
Skalaballett iſt äußerſt anſtrengend: Proben über Proben
und dann Arbeit auf der Bühne bis in die zweite
Morgenſtunde hinein. Die Verbindung zwiſchen Schule
und Theater iſt hier für beide Teile nützlich; die Skala=
direktion iſt der Tanzakademie, die völlig von der Stadt
erhalten wird, nicht zahlungspflichtig, ſie bezahlt lediglich den

Zöglingen, die mitwirken, ein kleines Honorar, das diesen bleibt. Die Skala verfügt so über ein geschultes, billiges Ballettpersonal und die Schule über eine vortreffliche Übungsbühne. Der jeweilige Ballettmeister ist auch der Tanzakademiedirektor, und die einzelnen Lehrer und Lehrerinnen sind auch in den Vorstellungen als Regisseure und Inspizienten tätig.

Ballettensen, Jugend, kurze Röckchen, ausgeschnittene Taillen, seidene Trikots, Skala, hinter den Kulissen ein Potpourri von leichtem Flirt und bunter Ausgelassenheit! — Nichts von alledem. Ruhiger und vornehmer geht es an keinem ersten Hoftheater zu: eine feste Disziplin herrscht, die alles fern hält, was nicht zur Sache gehört. Ein Ruf des Ballettmeisters genügt, um das Schwatzen in Stillschweigen zu verwandeln, ein Wink, und die luftigen und lustigen Ballettensen sind zur Stelle und treten lautlos in Reihe und Glied. Dann eilen sie hinweg, in zwei Minuten haben sie sich aus Dämonen der Finsternis in Göttinnen des Lichts verwandelt, sie machen das Kreuz, bevor sie die Bühne betreten, und dann hüpfen sie hinaus ins Reich des Glanzes. Eine Riesenbühne, ein kolossaler szenischer Apparat, Hunderte von Arbeitern und Statisten, 120 Ballettensen — und doch kein Lärmen, überall ruhiger Ernst, und die Ruhigsten und Ernstesten sind die Zöglinge der Ballettakademien; treffen sie sich aber draußen mit den Freunden, die ihrer in Spalierbildung sehnsuchtsvoll harren, dann sind sie jung, dann sind sie flotte Italienerinnen, dann sind sie flotte Ballettensen.

**Ballspiel.** Es gibt vielleicht kein Land, wo das Ballspiel so eifrig getrieben wird wie in Italien. Man spielt mit einem Gummiball (giuoco della palla — g$^{u o'}$tö be'l-lä pä'l-lä) und mit einem großen Lederball (giuoco del pallone). Im letzteren Falle trägt der Spieler einen bracciale (brät-schä'lĕ) eine schwere hölzerne, die Pritsche ersetzende Handverkleidung, mit der man den Ball schlägt. In jeder großen, aber auch in mancher kleinen Stadt, selbst in ganz kleinen Dörfern unterhält man geräumige Ballspielplätze (sferisterio) mit einer hohen Mauer zum Anschlagen des Balles und mit großem Zuschauerraum, da hier das Ballspiel als öffentliches Schauspiel von einzelnen

Gesellschaften vorgeführt wird. — Da sieht man Toskaner gegen Piemontesen, Mailänder gegen Turiner auftreten, und überall wird eifrig und hoch gewettet wie bei Rennen und Regatten.

**Banche popolari** s. den Art. Volksbanken.

**Banknote** s. den Art. Geld.

**Baptisten.** Die vereinigten Baptisten (amerikanische und englische), welche seit 1870 und 1571 in Italien evangelisieren, zählen 1430 Glieder in 31 Haupt= und 50 Nebenstationen mit 37 Evangelisten und Geistlichen; 5 Kolporteure sind für Bibel= und Schriftenverbreitung tätig. Stationen sind in: Bari, Boscoreale, Cagliari, Carpi, Caserta, Florenz, Genua, Gravina, Iglesias, Livorno, Mailand, Neapel, Palermo, Portici, Rom, Sampierdarena, San Remo, Sassari, Susa, Turin, Torre Pellice, Venedig.

**Bar** nennen sich Schankstuben neueren Datums in amerikanischem Stil, den deutschen Stehbierhallen verwandt. Man erhält zu billigen Preisen Imbiß und Getränke, ohne daß jedoch die Räumlichkeit zu längerem gemütlichen Verweilen einladet. — Die Preise sind gewöhnlich außen angeschlagen und betragen im Durchschnitt 20 bis 30 Ct.

**Barabbismo.** Ein piemontesisches Wort, welches aber in ganz Italien nunmehr eingebürgert ist. Barabba — nach dem biblischen Schächer — nennen die Piemonteser den Rowdy und Barabbismo das Rowdy= wesen. — Vergl. die Art. Camorra, Mafia, Malavita, Teppa.

**Barbaresco** ist feinerer Barbera.

**Barbe'ra,** roter, piemontesischer, herber Wein, prickelnd, gehaltvoll, zum Kneipen wie gemacht.

**Barolino** ist eine leichtere und süffige Ausgabe des Barolo, mehr für Tanzzecher.

**Baro'lo** ist roter piemontesischer Wein, delikat, mit feinem Aroma, aber etwas teuer; muß vor dem Trinken leicht temperiert werden. Alter Barolo wird oft altem Burgunder vorgezogen; er hat reinen Traubengeschmack, geht ein wie Bayerisch Bier und wärmt bis in die Fußspitzen. Beim Eingießen ist Vorsicht geraten, da in den Flaschen meist Bodensatz enthalten ist.      (**Barth.**)

Bauer. Den größten Vorzug der italienischen Land=
wirtschaft bildet vielleicht ihr Menschenkapital. Das Vor=
urteil, das im Auslande früher vielfach über die Trägheit
und Lässigkeit der Italiener bestand, ist von denen nie
geteilt worden, die den italienischen Landmann nicht in
den Ruhepausen seiner schweren Arbeit, sondern während
der Arbeit selbst, am Pfluge, beim Hacken oder beim
Mähen unter den glühenden Sonnenstrahlen zu sehen
Gelegenheit hatten. Es ist eins der Verdienste der Acker=
bau=Enquête, daß sie nach den übereinstimmenden Be=
richten aus allen Teilen des Landes die ausgezeichneten
Eigenschaften des italienischen Landarbeiters in das rechte
Licht gestellt hat. Trotz der Ausbreitung des gesetz=
lichen Schulunterrichts oft noch sehr unwissend, bei
krassem Aberglauben und mitunter schwach entwickelten
Rechtsbegriffen — Felddiebstahl gilt vielfach nicht als
Unrecht —, erweist sich der italienische Landarbeiter fast
durchgehends als hervorragend tüchtig und brauch=
bar. Wenn auch der Deutsche, der Schweizer und
der Engländer ihm an Körperkräften überlegen sind,
so ist er an Anstelligkeit, Intelligenz und Ausdauer jedem
andern gewachsen und läßt alle anderen Nationen an
Bedürfnislosigkeit, Nüchternheit, Frohsinn und Zufrieden=
heit weit hinter sich zurück. Es erregt das Staunen wie
das Mitleid des Ausländers, wenn er sich durch den
Augenschein davon überzeugt, mit welcher Unterkunft und
mit welcher Nahrung der kleine Besitzer oder Pächter auf
dem Lande oder gar der ländliche Tagelöhner vorlieb=
nimmt und ohne Murren auskommt. Nicht bloß auf
der römischen Campagna, sondern in weiten Landstrichen
fehlt es für die zu vorübergehenden Landarbeiten heran=
gezogenen Kräfte an jeder festen Behausung. Auf ganzen
Gütern sieht man die Leute, auf denen die eigent=
liche Bewältigung der Arbeit ruht, jahraus jahrein in
Hütten wohnen, die sie sich aus Stroh und Schilf
um ein kegelförmiges Holzgestell errichten. Ihr Anblick
erinnert mehr an die Hottentottenkraale und Botokuden=
lager, die man aus Abbildungen, in Erinnerung hat,
als an Familienwohnungen zivilisierter Menschen. In
dem raucherfüllten Innern dieser Hütten nächtigt die
ganze Familie ohne Unterschied des Alters und Geschlechts

mit den Schweinen und Hühnern zusammen. Wo das Material zur Errichtung derartiger Strohzelte fehlt, dienen Ruinen, Feldlöcher, ja Höhlen, die in den weichen Stein gegraben werden, nicht nur zum vorübergehenden Obdach, sondern zur dauernden Behausung. (Fischer.)

**Bäume** s. die Art. Fest der Bäume und Kulturbäume.

**Baumwollenindustrie.** Das jüngste, aber bedeutendste der italienischen Textilgewerbe ist die Baumwollenindustrie. Sie hat sich mit großer Schnelligkeit über einen erheblichen Teil des Landes verbreitet und ist noch gegenwärtig in raschem Vordringen begriffen. Der Schutz, der im Gegensatz zu der früheren vorwiegend freihändlerischen Handelspolitik der einheimischen Industrie durch die Zolltarife von 1883 und 1887 gewährt wird, ist diesem neusten Zweige der italienischen Großindustrie besonders zustatten gekommen, weil er seine Einrichtungen der veränderten Sachlage ohne weiteres anzupassen vermochte; vielfach sind die Baumwollspinnereien, =webereien und =färbereien erst unter der neuen Zollgesetzgebung entstanden. Deshalb sind die Anlagen meistens moderner und größer als die der älteren Industriezweige. In der Provinz Novara, deren 8000 Wollarbeiter sich auf 158 Betriebe verteilen, hat die Arbeiterzahl der 47 Baumwollspinnereien und =webereien die gleiche Höhe erreicht. Ein großer Teil dieser Fabriken ist westlich des Lago Maggiore entstanden. Pallanza, Baveno, Arona, Lesa sind Sitze dieser neuen Industrie geworden, die sich bis zum Sesiatal hinzieht, und die auch in und um Biella durch große Fabriken stattlich vertreten ist. Ebenso hat die Provinz Turin namhafte Baumwollenbetriebe mit zusammen mehr als 13 000 Arbeitern aufzuweisen. In den Quertälern der Riviera betreibt die Aktiengesellschaft Cotonificio (kŏtŏnifī'tschŏ) Ligure eine Anzahl von größeren Fabriken. Eine der ersten Baumwollspinnereien Italiens ist die von der Aktiengesellschaft Cotonificio Veneto zu Beginn der achtziger Jahre in Benedig errichtete. Diese Gesellschaft hat neuerdings in Pordenone auf dem venetianischen Festland eine große Anlage errichtet, in welcher Spinnerei, Weberei und Färberei von Baumwolle vereinigt sind. Im ganzen sind 80—90 000

Arbeiter in diesem wichtigen Industriezweige tätig, dessen Gesamterzeugung den beträchtlichen Wert von 300 Millionen Lire jährlich darstellt.                (Fischer.)

**Beamtentum** (s. auch die Art. Ministerien, Präfekturen). Innerhalb der einzelnen Ministerien sind die Geschäfte nach französischem Muster an Generaldirektionen verteilt, die in Divisionen und diese wieder in Sektionen gegliedert sind. Die Beamtenlaufbahn ist nach den besonderen Anforderungen jeder Behörde besonders geregelt, stimmt aber darin überein, daß überall drei Gruppen als bestimmte Berufe behandelt werden: die eigentlichen Verwaltungsbeamten (concetto), die Rechnungs- und Kassenbeamten (ragionieri) und das Registratur- und Kanzleipersonal (impieghi d'ordine). Die Amtstätigkeit ist durch Vorschriften derartig geordnet, daß nicht nur jeder Generaldirektion, sondern auch jeder Division, ja jeder einzelnen Sektion ein ganz bestimmt umgrenzter Geschäftskreis zugewiesen ist. Hierdurch ergibt sich innerhalb desselben Geschäftsbereichs ein Übermaß von Arbeitsteilung, das den Zusammenhang erschwert, und bei dem die innere Einheit nicht selten unter dem Streit über die Zuständigkeit und sonstigen Auswüchsen des Bureaukratismus verloren geht.

**Beefsteak** wird italienisch bistecca (bĭsté'k-tä) geschrieben. Ein Beefsteak mit Kartoffeln una bistecca con patate fritte, gut durchgebraten ben cotta, wenig gebraten poco cotta, ein englisches Beefsteak una bistecca al l'inglese. Das Beefsteak besteht nie aus gehacktem Fleisch, sondern immer aus einer Fleischschnitte.

**Beerdigung** (la sepoltura; trasporto funebre). Nach der Anmeldung einer Leiche beim Standesamt (dichiarazione alla stato civile) bestellt man die Ausführung der Bestattung bei der Impresa delle pompe funebri. Das Trauergefolge (il corteo funebre) versammelt sich am Sterbehause und begleitet die katholischen Leichen erst von da in die Kirche. An der Spitze gehen die nächsten Verwandten des Verstorbenen. Bei amtlichen Persönlichkeiten halten sechs bis acht Kollegen und Freunde während der Fahrt die Zipfelbänder des Bahrtuches, indem sie neben dem Leichenwagen herschreiten. Man nimmt den Hut ab, wenn der Sarg vom

Leichenwagen in die Kirche getragen wird. Auch Un=
beteiligte pflegen unbedeckten Hauptes an Leichenzügen
vorüber zu gehen; selbst die Kutscher der vorüberfahrenden
Omnibusse und anderer Gefährte nehmen ihre Kopf=
bedeckung ab. Eigentümlich ist, daß der Ehemann nicht
seiner Frau folgt, sowie auch eine Ehefrau nicht der
Trauerfeier für ihren Mann beiwohnt. In einigen nord=
italienischen Städten wohnt überhaupt kein einziger Ver=
wandter der Trauerfeier bei.

**Bedürfnisanstalt** (latrina pubblica). In allen
größeren italienischen Städten befinden sich an ge=
eigneten Stellen — wenn auch nicht allzu oft — latrine
pubbliche, deren Benutzung 10 Ct. kostet. Befindet
sich ein Fremder in der Lage, ein solches Gemach be=
nutzen zu müssen, so suche er die nächste Eisenbahnstation
auf oder wende sich ungeniert an einen Schutzmann und
frage nach der nächstgelegenen latrina pubblica.

**Beeren.** Die nordischen Beeren sind in Italien so
gut wie verschwunden; von Moos=, Heidel= und Preisel=
beeren weiß der Italiener nichts, die Brombeere und
Maulbeere werden nicht geschätzt, die Arbutusfrüchte sind
mehr eine Speise der Vögel als der Menschen, und auch
die Erdbeeren, obgleich sehr gewürzig, doch nicht so häufig
als z. B. in der Schweiz.

**Befana.** Was für die nordischen Kinder der Weih=
nachtsmann, der Knecht Ruprecht, der heilige Nikolaus usw.
bedeutet, das ist für die italienischen Kleinen die Befana.
Aus dem griechischen Namen für das Fest der Erschei=
nung des Herrn, der Epiphania, italienisch Befania
oder Epifania, ist der einer Fee geworden, die in
drohender Gestalt die unfolgsamen und pflichtvergessenen,
besonders aber die unfrommen Kinder erschreckt, den
braven dagegen nächtlicherweile Leckereien, Spielzeug und
andere Gaben beschert. Die Kinder finden diese beim
Erwachen am Dreikönigstage im Kamin oder in dem
eigens aufgehängten Strumpf und sind überzeugt, daß
die Fee sie ihnen gebracht hat.

Sicherlich geht dieses Volksfest auf die antiken Gebräuche
der Beschenkung, der Familienvergnügungen und Aus=
gelassenheiten zur Zeit der Jahreswende, auf die Satur=
nalien und die Zeremonien zu Ehren des Janus Agonius

zurück, und zahlreiche Spuren deuten auf diesen seinen
Ursprung hin. Noch heute hat das Fest der heiligen
drei Könige (6. Januar) in Rom seinen Mittelpunkt auf
der Piazza Navona, die ihren jetzt üblicheren Namen
Circo Agonale von Agonius herleitet.

Bis zum Jahre 1870 konnte man am Vorabend des
Festes, sobald die Dunkelheit hereingebrochen war, die Gäßchen
und Plätze im Herzen des alten Marsfeldes, beim Pantheon,
bei Sant' Eustachio, der Sapienza durch Hunderte von
Lämpchen, Fackeln und Kerzen erleuchtet sowie von Ver=
kaufsbuden eingenommen sehen, in denen alles feilgeboten
wurde, was das Kinderherz erfreute. Es war der rich=
tige Weihnachtsmarkt, der von der Zeit der Sonnen=
wende bis zum Dreikönigsfest dauerte, und bis heute ist
in den italienischen Familien das eigentliche Bescherungs=
fest nicht der Weihnachtsheiligabend oder der Weih=
nachtsmorgen, sondern das Epiphaniasfest. Die Knaben
verkleideten sich als alte Weiber mit geschwärzten Ge=
sichtern, riesigen Hauben auf dem Kopfe, Stöcken und
Ruten in den Händen und jagten den kleineren Kindern
Furcht ein, die aber doch vertrauensvoll den Leckereien
entgegenharrten, welche die Befana ihnen bringen mußte.
Gegenwärtig besteht die Hauptbelustigung der Jugend,
und nicht nur dieser, am Vorabend des Dreikönigstages
darin, daß sie mit allen möglichen und unmöglichen
Lärmgeräten, vorzugsweise Kindertrompeten, Rohr=
trommeln und Blechkästen, die Straßen durchzieht und
nach Herzenslust Spektakel macht. Die Jahrmarktsbuden
und die abendliche Illumination sind von der Polizei
auf die Piazza Navona und ihre nächste Umgebung be=
schränkt worden, ohne aus der Nähe vieler Kirchen ganz
verschwunden zu sein. Mit der Dunkelheit beginnt auf
dem genannten Platze, den die monumentalen Fontänen
Berninis schmücken, ein geräuschvolles, ausgelassenes
Treiben eigener Art. Kinder und junge Leute, aber auch
manch einer, der nicht zu ihnen zu rechnen ist, sind mit
Lärminstrumenten bewaffnet und überbieten einander
durch möglichst unharmonisches Getöse. Es herrscht eine
gewisse Karnevalsfreiheit, und Einspruch gegen direkte
Attentate auf die Gehörorgane darf nicht erhoben werden.
Es ist deshalb ein sehr beliebtes Vergnügen der jungen

Leute, auch aus den höheren Kreisen, Gymnasiasten, Studenten, Kommis usw., gruppenweise die harmlosen Zuschauer, Gesellschaften von Fremden, die durch das tolle Treiben angelockt werden, sowie einzelne Pärchen oder Familien zu verfolgen, zu umzingeln und durch den Lärm zu betäuben. Mit Vorliebe werden die jüngeren Damen zur Zielscheibe dieser Scherze gemacht, und man kann hundertmal das Schauspiel erleben, daß der begleitende Herr Papa, Ehemann, Onkel oder Bruder, vielleicht ein würdevoller englischer Gentleman, martialischer Militär oder unbeholfener Professor, mit verhaltenem Unwillen oder einer gewissen Befangenheit in das Getümmel schaut, während die hübschen weiblichen Schutzbefohlenen oder Begleiterinnen sich im Grunde nicht ungern zum Gegenstande der ausgelassenen Aufmerksamkeiten lebhafter südländischer Jünglinge gemacht sehen.

Der Lärm wird noch erhöht durch das Geschrei der Verkäufer und Verkäuferinnen in den rings um den Platz stehenden Buden, wo Eßwaren, Süßigkeiten, billiger Hausrat, Spielzeug nebst verschiedenen Scherzartikeln, letztere nicht immer für die Blicke prüder Töchter Albions geeignet, feilgeboten werden. Die Osterien in der Nähe haben an diesem Abend nicht Raum genug für die zahlreichen Durstigen. Je weiter der Abend vorrückt, desto dichter werden die Menschenströme, die sich auf den Platz ergießen. Ganz spät erscheint auch die vornehme Welt, um einen Blick auf das originelle Treiben zu werfen und den Kitzel einer vorübergehenden Befreiung von den Fesseln der Etikette zu genießen.

Daß übrigens auch noch andere Gesetze als die der Etikette und des bon ton in dieser Nacht übertreten werden, kann man aus den Polizeiberichten des nächsten Tages erfahren, in denen die Messerstechereien zuweilen einen breiten Raum einnehmen.

(R. Schöner in der „Leipziger Illustr. Ztg.".)

**befehlen** (ordinare, comandare). Die italienische Höflichkeit geht nicht so weit, daß sie in der Einladung zu einem Diner oder einer Soiree einen Befehl sehen könnte. Seine Majestät hat ihn zur Tafel befohlen heißt: Sua Maestà gli ha fatto l'onore d'invitarlo a pranzo.

5*

**Befreiung vom Militärdienst.** Ausgeschlossen von der Wehrpflicht sind nach italienischem Wehrgesetz die wegen körperlicher Gebrechen Untauglichen. Hierzu gehören Größe unter 1,55 m, Brustumfang weniger als 80 cm, dauernde Schwächlichkeit, schwere physische Gebrechen, unheilbare Krankheiten. Die wegen dieser Gründe gänzlich Ausgeschlossenen (riformati) pflegen zwanzig Prozent der Gestellungspflichtigen zu erreichen. Solche, bei denen auf spätere Diensttauglichkeit noch zu hoffen ist, werden zurückgestellt (revidibili); sie bilden jährlich auch etwa zwanzig Prozent der Gemusterten.

Sehr weit gehen die Dienstbefreiungen, welche das Gesetz Tauglichbefundenen wegen ihrer Familienbeziehungen zuerkennt. Nicht nur einzige Söhne, sondern auch der erstgeborene Sohn eines lebenden, über sechzig Jahre alten Vaters, der erstgeborene Sohn einer Witwe, der älteste Bruder elternloser Geschwister, der Bruder eines im aktiven Dienst Verstorbenen oder wegen Verwundung oder Krankheit aus dem Dienste Verabschiedeten: sie alle sind vom Dienste im stehenden Heere befreit und gehören nur der Territorialmiliz an. Ja es befreit sogar jeder im aktiven Heere, sei es in Erfüllung seiner Dienstpflicht, sei es als Berufssoldat Dienende, einen seiner Brüder von dem Dienste unter den Waffen. Man berechnet die Zahl der auf diese Weise Dienstbefreiten auf die Hälfte aller Diensttauglichen. Im Gegensatz zu der deutschen Wehrordnung, welche für die Dienstbefreiung wegen besonderer Familienverhältnisse den Nachweis der Bedürftigkeit als Vorbedingung aufstellt, kennen die italienischen Dienstbefreiungen keinen Unterschied zwischen arm und reich; sie bilden ein Zugeständnis, das von allen Klassen der Bevölkerung hochgeschätzt und eifrig in Anspruch genommen wird.

**Beilage** (contorno oder guarnizione — konto'rno oder gwär-niziō'ne) besteht aus Gemüse, Kartoffeln usw. und wird meist zu jeder Fleischspeise serviert.

**Bergbau.** Unter den Großbetrieben Italiens reicht der Bergbau sowohl im Betrieb der Erzgruben als der Marmorbrüche bis ins Altertum zurück. Schon die alten Römer haben jene Seitenkette der Apenninen, die noch

heute das Toskanische Erzgebirge genannt wird, als
catena metallifera von dem an Mineralien armen
Hauptgebirge unterschieden; den Reichtum der Eisengruben
von Elba hielten sie für unerschöpflich, weil das Eisen
nachwachse; ebenso war ihnen der Wert der sardinischen
Bergwerke nicht unbekannt geblieben. Noch heute wird
im Toskanischen Erzgebirge Kupfer in beträchtlichen,
Silber, Quecksilber und Antimon in abbauwürdigen
Mengen gefunden. Die Eisengruben von Elba pro=
duzieren auch gegenwärtig ein hochgeschätztes Eisen. Den
bedeutendsten Reichtum an Erzen besitzt Sardinien, wo
sich im Südwesten Zink= und Bleigruben von großer
Ergiebigkeit aneinanderreihen, in denen 1898 von etwa
12 000 Arbeitern rund 150 000 Tonnen Zink= und Blei=
erze im Werte von 16½ Millionen Lire gefördert wur=
den. Das Hauptmineral Italiens aber ist der Schwefel,
der in Sizilien in mehreren hundert Gruben aus mäch=
tigen Lagern gebrochen wird (s. den Art. Schwefelbau.)

Im ganzen beschäftigt der Bergbau Italiens 50 bis
60 000 Arbeiter, welche im Jahre 1898 eine Gesamtpro=
duktion im Werte von 71,8 Millionen Lire lieferten. Das
sind kleine Ziffern im Vergleich mit denen des Ertrages
anderer Länder, von denen Großbritannien (1894) fast
³/₄ Millionen Arbeiter mit 1702 Millionen. Preußen
320 000 Arbeiter mit 750 Millionen, Frankreich (1894)
149 000 Arbeiter mit 259 Millionen und selbst das kleine
Belgien (1895) 121 000 Arbeiter mit 195 Millionen Er=
trag aus den Bergwerken aufweisen. Diese Ziffern sind
auch dadurch lehrreich, weil sie dartun, daß die Arbeits=
leistung des italienischen Bergmanns mit etwa 1000 Lire
Produktionsertrag weit hinter derjenigen anderer Länder
zurückbleibt.

**Berge.** Faßt man die orographischen Verhältnisse
der Iberischen Halbinsel ins Auge, so treten zunächst die
Alpen bedeutsam hervor, die — Italien im Nordwesten
und Norden von Frankreich und dem übrigen Festlande
Europas scheidend — als ein ungeheurer Gebirgswall
sich von Nizza im Westen bis Triest im Osten bogen=
förmig herumziehen und auch einen Teil Piemonts, der
Lombardei und Venetiens bedecken. An der italienischen
Seite tritt der einseitig steile Abfall der Alpen ins=

besondere in Piemont deutlich hervor. Der höchste, ganz auf italienischem Gebiete liegende Gebirgsstock der Alpen ist das zu den Grajischen Alpen gehörige Massiv des Gran Paradiso (4061 m); doch läuft die italienische Grenze über die höchsten Alpengipfel, wie den Mont Blanc und Monte Rosa. Der östliche Teil der See= alpen vom Col di Tenda bis zum Paß von Altare nordwestlich von Savona ist ein Bindeglied zwischen Alpen und Apenninen.

Die nun folgenden Apenninen bestimmen zumeist die Gestalt der Halbinsel; sie ziehen sich zuerst in südöstlicher Richtung bis ins Toskanische, soweit die größere Breite Norditaliens reicht. Nach beiden Meeren hin dacht sich der zentrale Apenninenzug in mehr oder weniger breiten Hügel= landschaften ab. Nach Osten hin ist die Abdachung steiler, wilder, nach Westen hin sanfter und talreiche Uferland= schaften bildend. Den ganzen Süden der Halbinsel füllen die Neapolitanischen Apenninen. Sie bilden die sehr wilde Gebirgslandschaft der Abruzzen mit dem höchsten Gipfel der gesamten Apenninen, dem Gran Sasso d' Italia. Die Apenninen enden im Monte Pollino an der Wurzel der Kalabrischen Halbinsel.

**Bersaglieri** (berßäljä'ri), die Lieblingssoldaten der Italiener, bilden die zweite Infanteriewaffe, die zwölf Regimenter von gleicher Stärke, Einteilung und Ausrüstung wie die Linieninfanterie zählt. Dagegen weicht ihre Kleidung sehr merklich von jener ab und stellt einen ungemein hervorstechenden und charakteristischen Zug im Gesamtbilde des italienischen Heeres dar. Zur blauen Tunika werden gleichfarbige weite Beinkleider mit purpur= roten Abzeichen getragen. Den Kopf bedeckt, schief auf= gesetzt, ein glanzlederner Rundhut mit einem seitwärts tief und dicht herabflatternden Busch schwarzglänzender Hahnenfedern. Diesen Hut ersetzt in der Interims= uniform eine rote Zipfelmütze in Form eines türkischen Fes mit langer Schnurpuschel, die möglichst weit zurück auf dem Hinterkopf getragen wird. Kommt ein Trupp Bersaglieri in dem Geschwindschritt, der bei dieser Truppe förmlich sportmäßig ausgebildet wird, beim Klange ihrer hellen Trompeten herangestürmt, den Kopf mit den weit zurückwallenden Hahnenbüschen vorgestreckt, das Gewehr

wagerecht in der herabhängenden Hand, so sieht es aus,
als ob das Vaterland in Gefahr wäre; alles macht Platz
und schaut den kleinen elastischen Gestalten mit Befrie=
digung nach. Bei Paraden pflegen die Bersaglieri die
einzigen zu sein, deren Vorbeimarsch oder vielmehr Vor=
beirennen — sie rennen wirklich in großen Sprüngen vor=
bei — Beifallsbezeigungen des sonst ziemlich teilnahm=
losen Publikums hervorruft. Die Marschleistungen der
Bersaglieri sind aber nicht bloß auf dem Paradefelde
hervorragend; die Truppe wird vielmehr auch für den
Feldbienst an eine Geschwindigkeit — 140 Schritt in der
Minute! — und an Zurücklegung von Entfernungen
gewöhnt, die fast unglaublich erscheinen.

„Wie ich das Regiment beim Ausrücken so losstürmen
sah," erzählt ein preußischer Offizier, „die Leute gebeugten
Hauptes, mit vorgebeugtem Oberleib, glaubte ich, der leib=
haftige Satan stecke ihnen ihm Leibe. Was aber das Bewun=
dernswerte war: nach fünf Stunden sah ich das Regi=
ment in demselben Teufelsschritt wieder in die Kaserne
einrücken, ohne jegliches Zeichen von Ermüdung. Jede
Woche wird eine sich wöchentlich um eine Stunde stei=
gernde Marschleistung gemacht. So legen sie schließlich
40 km in etwa acht Stunden zurück und betrachten dies
als eine ganz gewöhnliche Marschleistung. So hervor=
ragende Leistungen sind nur der angeborenen italienischen
Genügsamkeit und Ausdauer zu danken, die höchst
wertvolle soldatische Tugenden bilden." Die Stellung
als Elitetruppe, welche die Bersaglieri einnehmen, ver=
danken sie nicht nur dem sorgfältig ausgewählten Ersatz,
sondern in noch höherem Maße dem Korpsgeist, der Offi=
ziere und Mannschaften beseelt und in ihnen stets das
Bewußtsein wacherhält, daß ein jeder von ihnen überall
und immer sein Bestes geben müsse, um sich des Ehren=
namens eines Bersaglieri würdig zu zeigen. (Fischer).

**bestellen.** Etwas bei jemandem bestellen ordinare
qualchecosa da qualcuno.

**Besuch** (la vi'sita). Jemand(em) einen Besuch machen
fare una visita a qualcuno. Den Besuch bei jeman=
d(em) erwidern restituire la visita a qualcuno. Wäh=
rend es natürlich für Besuche unter Freunden keine
Regeln gibt, gilt von den mehr förmlichen Besuchen

folgendes: An Sonn= und Festtagen werden keine Be=
suche gemacht. Die Tageszeit für Besuche ist 3—6 Uhr
nachmittags. Bei Personen, die einen jour fixe haben,
macht man nur an diesem Tage Besuche. Abendbesuche
werden gewöhnlich nur bei befreundeten Familien gemacht.
Bei Tagesbesuchen erscheinen Herren im Überrock oder in
elegantem Jackett, nicht im Soireeanzuge; ganz helle sowie
schwarze Handschuhe sind unpassend. Zur Erwiderung eines
Besuches hat man vier Wochen Zeit. Die sogenannte Ver=
dauungsvisite (visita di digestione) macht der zu einem
Diner geladene Gast in den ersten acht Tagen nach dem
Diner; im Falle einer Verhinderung entschuldigt er sich
schriftlich. (Nach anderen kann die visita di digestione in
allen Fällen, ohne Ausnahme, durch Abgabe einer Visiten=
karte ersetzt werden.) Neujahrsbesuche (visite di capo
d'anno) macht man in der ersten Woche nach Neujahr.

**Betrunkene** (ubbriachi — üb-brīā'lī). Nicht nur in den
Klassen der Bevölkerung, in denen die Enthaltsamkeit eine
Folge des Mangels, sondern auch in der bemittelten und der
reichen Bevölkerung ist die Mäßigkeit im Trinken in Italien
durchaus allgemein. Trunkenheitsfälle gehören, abgesehen
von Volksfesten, wo die Teilnehmer sich aber auch vielfach
mehr von der allgemeinen Lustigkeit und dem Lärm, als
von dem genossenen Getränk übermannen lassen, zu den
seltensten öffentlichen Erscheinungen; sie rufen stets einen
für die Volkssitte bezeichnenden Ausbruch des Wider=
willens und der Mißbilligung hervor. Und das in einem
Lande, in welchem die Menge, die Billigkeit und die
Güte des Weines dieses Getränk zu einem für alle
Klassen der Bevölkerung gebräuchlichen machen.

**Bett** (il letto). Die Unterlage des italienischen
Bettes besteht aus einer oder zwei Matratzen und einem
darunterliegenden, meist mit Maisblättern gefüllten Stroh=
sack oder der jetzt fast allgemein verbreiteten Springfeder=
matratze (pagliericcio elastico — păljĕrī't-schō ĕlā'ₛtĭkō).
Die mit Pferdehaar und einer oder mehreren Schichten
Schafwolle gefütterte Matratze heißt una materassa. Zu
Häupten des Bettes liegt querüber ein langer runder Wulst
(il traversino). Das über das Ganze ausgebreitete Bett=
laken (lenzuolo — lentßᵘō'lō) wird zwischen Matratze und
Bettstelle eingeklemmt und darf keine Falte zeigen; dasselbe

geschieht mit dem oberen Laken. Über das traversino
wird das kleine viereckige Kopfkissen (cuscino — küschī'nö)
gelegt. Statt des Oberbettes dienen eine oder mehrere
Decken (coperte). Über das Ganze breitet man oft noch
eine elegantere Decke, welche abends abgenommen wird.
Bei kälterem Wetter nimmt man noch einen piumino,
ein großes viereckiges, sehr oft mit einem Seidenstoffe über-
zogenes Daunenkissen. Überragt wird das Bett oft von
einem Bettvorhange (cortinaggio — kortinä'b-Gē), der an
der Decke von einem Gardinenstocke oder dem viel statt-
licheren Betthimmel (baldacchino — bäldät-kī'nō) gehalten wird.

**Bettelei** (accattonaggio ät-kät-tōnä'b-gō). Bettelei
ist in den meisten Fällen bequemer als Arbeit,
und in welcher Nation gäbe es nicht dazu geneigte
Menschen? Sie ist die Folgeerscheinung eines Dogmas,
das auf den Himmel weist, und der feudalen, auf Ungleichheit gegründeten Gesellschaft. Noch im vorigen Jahrhundert waren alle Straßen und Wege Europas mit
Lumpen und Bettlern überfüllt, und erst die überall
wachsame Polizei, der man jetzt so viel Böses nachsagt,
hat uns auf Spaziergängen und Reisen von dieser häßlichen Plage befreit. Auch in Italien ist in der neuesten
Zeit in dieser Beziehung ein augenfälliger Fortschritt
gemacht worden. Die früheren Regierungen, sowohl die
Bourbonen wie die Vettern Lothringens, von Mönchen
umgeben, nur darauf bedacht, ihre Herrschaft in Händen
zu behalten, suchten die Quellen des Bettelunwesens:
Zoll- und Gewerbeschranken, Reiseverbote, Lotto, Klöster,
andächtiges Nichtstun, Wallfahrten, Almosen, kirchliche
Speisungen, Schenkungen usw., eher zu erweitern
als zu verstopfen. Die neue italienische Regierung befand sich daher vor einem nicht so leicht ausrottbaren
Übel. Trotz der unleugbaren Fortschritte, die schon gemacht worden sind, bildet daher die Bettelei noch immer
eine der unangenehmsten Plagen, denen der Fremde in
Italien begegnet. Zwar ist das Betteln durch das Gesetz
verboten; es findet sich aber eine große Anzahl von
Mitteln und Wegen, um das Verbot zu umgehen. Leier-
kastenmänner, Straßensänger und -sängerinnen, Verkäufer
allerlei wertloser Dinge, besonders von Schwefelholz-

döschen, ferner Blumenhändlerinnen, welche Blumen der
Saison lose zum beliebigen Gebrauch feilbieten, sieht
man an allen Ecken und in jeder Straße einer nur
einigermaßen bedeutenden Stadt; ebenso fehlt es nicht an
Krüppeln aller Art, die ihre Gebrechen zur Schau stellen
und auf Grund derselben, ohne direkt anzusprechen, was
verboten ist, Gaben heischen. Es ist nicht gesagt, daß
man überall Täuschung zu gewärtigen habe; gewiß ist
auch Elend und Mißgeschick darunter. Soviel aber steht
fest, daß die gewerbsmäßigen Bettler sich durchweg einer
guten Einnahme erfreuen. Am traurigsten ist wohl die
Lage der siechen, verkrüppelten, blinden und taubstummen
Kinder, welche, von morgens bis abends den Unbilden
der Witterung ausgesetzt, die öffentliche Barmherzigkeit
in Anspruch nehmen. Es ist schon betrübend genug,
gesunde, natürlich meistens schon geistig verwahrloste
Kinder von gewissenlosen Eltern zum Betteln angehalten
zu sehen und sich sagen zu müssen, daß dieselben statt
des Schulunterrichts einen Straßenkursus der Gaunerei
und Unsittlichkeit durchmachen, bis sie die Reise fürs
Gefängnis und Zuchthaus erlangt haben. Immerhin
bleibt diesen noch ein gewisses Selbstbestimmungsrecht,
eine gewisse Freiheit, später umzukehren. Aber solch ein
armer Krüppel bleibt im Joche der Unfreiheit sein Leben
lang; als Kind, als Erwachsener, als Greis — immer
wird er ausgebeutet, und — schauerlich auszudenken, —
er wächst gleichsam im Werte, je jammervoller das Ge=
brechen ist, das sein ganzes Leben elend macht. Diese
Ware ist auch in Italien oft verkäuflich, man verleiht
sie wie ein Pferd. Der Sklave hat es oft besser, als
solch ein sieches Kind; denn man pflegt ihn aus Eigen=
nutz, weil er dann mehr leistet, mehr wert ist; das Kind
dagegen — es leistet ja um so mehr, je siecher es ist! —
man gibt ihm eben nur das Maß von Speise und
Pflege, das nötig ist, um seinen Todeskampf zu ver=
längern. Die Tatsache, daß mit den siechen Kindern
schnöder Handel getrieben wird, steht fest. Es gibt nicht
wenig Eltern, die ihr sieches Kind, das sie an ihrer
Arbeit hindert, an andere verleihen mit der ent=
setzlichen Erlaubnis, aus dem Siechtum desselben sich
eine oft sehr ergiebige Erwerbsquelle zu schaffen. Nur

selten ahnt der harmlose Beobachter, der nur der Stimme
des Mitleids Gehör schenkt, welche Summe von Eigennutz, Faulheit und Lasterhaftigkeit er belohnt, wenn er
dem Strohmanne derselben, dem kleinen Blinden z. B.,
sein Scherflein in die dargebotene Mütze legt.

**Bettwärmer** (im allgemeinen scaldaletto — ßkálbá-
le't-tö) s. den Art. Prete.

**Bevölkerung** s. den Artikel Areal.

**Bewässerungssystem.** Das kunstvolle Bewässerungssystem, welchem die Wiesen der Po-Ebene ihre hohe Blüte
hauptsächlich zu verdanken haben, ist schon den alten
Römern nicht unbekannt gewesen. Virgil läßt in seinen
Eklogen den Schiedsrichter der im Wettstreit singenden
Hirten ausrufen: «Claudite iam rivos, pueri, sat
prata bibere!» Dies Abschließen der Wasserzuleitungen
nach genügender Bewässerung kann noch heutzutage auf
jeder Rieselwiese wahrgenommen werden. In Mailand
wird das Andenken des heiligen Bernhard hochgehalten,
weil er durch die Mönche der nach dem Vorbilde seines
Klosters Clairveaux gestifteten Abtei Chiaravalle den
Kunstwiesenbau nach der Lombardei verpflanzt hat. Nach
diesem Vorgange haben sich die Berieselungsanlagen über
einen großen Teil der Po-Ebene ausgedehnt; ihre Erhaltung bildet einen Triumph der italienischen Wasser-
baukunst und hat vielen anderen Ländern zum Muster
gedient. Selbst von patriotischen Italienern wird die
Sorgfalt und die Einsicht noch heute gerühmt, mit welcher
sich die österreichische Verwaltung um die Verbesserung
dieser kostbaren Anlagen verdient gemacht hat. Der in-
tensiven Kultur und der Sonne Italiens ist es zuzuschreiben, daß die Rieselwiesen der Lombardei in ihren
Erträgnissen Länder mit viel reicherem Boden übertreffen.
Denn auch in denjenigen Provinzen, die man recht
eigentlich als den Sitz dieses Wiesenbaues betrachten
darf, in Lodi, im Mailändischen, bleibt der Boden an
Reichtum der alluvialen Ablagerung hinter dem Marsch-
boden der Niederlande, der Elbprovinzen oder gar der
russischen Schwarzerde zurück. Kaum eine Spanne unter
dem Wiesenboden der Provinz Lodi stößt der Pflug auf
Sand und Kies; die dünne Humusschicht, welche diese
Lagen bedeckt, ist ein allmählich entstandenes Kulturprodukt.

**Bibelgesellschaft.** Eine italienische Bibelgesellschaft wurde 1871 in Rom gegründet. Sonst dienen der Bibelverbreitung noch die englische und die schottische Bibelgesellschaft. Erstere unterhält 33 Kolporteure und Niederlagen in Florenz, Genua, Livorno, Mailand, Neapel, Rom. Verkaufsstellen befinden sich außer an den genannten Orten noch in: Chieti, Cerignola, Cuneo, Pinerolo, S. Remo, Sestri Ponente, Turin und Torre Pellice. Während im Jahre 1882 6990 Bibeln, 17631 Neue Testamente und 33651 einzelne Schriftteile verkauft wurden, waren es zehn Jahre später (1892): 7132 ganze Bibeln, 15322 Neue Testamente und 140183 Schriftteile, und nach der letzten Zusammenstellung von 1898: 6463 ganze Bibeln, 18538 Neue Testamente und 104176 Schriftteile. Seit 1860 hat die englische Bibelgesellschaft in Italien verbreitet: etwa 3000000 Bibeln bezw. Neue Testamente oder einzelne Teile der Heiligen Schrift. Die schottische Bibelgesellschaft unterhält 15 Kolporteure und hat von 1888 bis 1894 (also in sieben Jahren, worüber uns ein Nachweis vorliegt) verkauft: 6708 ganze Bibeln, 15337 Neue Testamente und 73572 einzelne Schriftteile.

**Bibliothek.** In jeder großen italienischen Stadt ist eine Biblioteca nazionale, die oft auch Biblioteca universitaria heißt, oft auch einen historischen Namen, wie z. B. Biblioteca Marciana (in Venedig), Biblioteca Ambrosiana (in Mailand), trägt. Die wichtigsten öffentlichen Bibliotheken in Rom sind: die Vittorio Emanuele, die Alessandrina oder Universitaria, die Casanatense und die Angelica. Besonders wichtig wegen ihrer Handschriftensammlung sind dann die Biblioteca Vaticana, die der fürstlichen Häuser Barberini und Chigi. — Die königlichen Bibliotheken sind jeden Tag — mit Ausnahme der Sonn= und Feiertage — von 9 bis 5 und von 7 bis 10 Uhr geöffnet. Die vatikanische Bibliothek ist geöffnet von 9 bis 1 Uhr im Winter und von 8 bis 12 Uhr im Sommer. Die Privatbibliotheken dagegen sind nur an bestimmten Tagen der Woche geöffnet.

**Bier** (birra) **und Bierhäuser** (birrerie). Der Genuß des Bieres hat in Italien in den letzten Jahrzehnten eine weite Verbreitung gefunden. Gleich dem Deutschen trinkt der Italiener mit Vorliebe una tazza di birra oder un bicchiere di birra oder uno scioppe di birra oder auch un bock. Dieser vom deutschen „Bockbier" stammende Ausdruck ist in Italien die mißbräuchliche Bezeichnung eines Maßes geworden und bedeutet ein Glas, das vielleicht $3/10$ Liter enthält. Der mittlere Preis ist 30 Ct. In den vielen Brau- und Bierhäusern (una birreria) deutschen Stiles hat man auch Gläser mit $1/2$ Liter Inhalt zu 50 Ct.; man fordere: un mezzo litro; mehrere Personen verlangen am besten un litro für 1 Lire; sie erhalten das Getränk alsdann in einer Glaskanne mit Gläsern, aus welcher sie sich nach Belieben einschenken können. Dunkles und helles Bier wird als birra scura und birra chiara unterschieden. In Restaurants nichtdeutschen Ursprungs werden verschiedene Biere ausgeschenkt, die dem Deutschen sicherlich nicht munden werden. Der Gambrinuskult jedoch hat sich in Italien so „phänomenal entwickelt" — wie neulich ein Deutscher schrieb —, daß man überall famose Bierlokale findet, überall „trefflichen, delikaten, über alles Lob erhabenen Stoff" bekommen kann. Trotzdem aber ziehen die Deutschen die Weinlokale vor; und da sie sich nun einmal in dem Lande des Chianti und des Barbera befinden, so kann man es ihnen nicht verdenken.

**Billard** (biliardo). Ein Billard und ein Billard= zimmer findet man in Italien fast in jedem Hause, das etwas höhere Ansprüche an Komfort stellt, selbstverständ= lich auch in allen größeren Hotels und in den größeren Restaurants; der durchschnittliche Benutzungspreis des Billards ist 80 Ct. pro Stunde. Noch bemerken wir, daß in Italien das sogenannte Karambolagespiel vor= herrschend ist. Kegel sind zwar überall vorhanden, jedoch weniger in Gebrauch. Wir geben hier in deutscher und italienischer Sprache eine begrenzte Anzahl von Spiel= ausdrücken:

Aussatz acchito; aussetzen acchitarsi; Ball palla; der weiße Ball la bianca; der rote Ball la rossa; Bande mattonella; Billard biliardo; billardieren toccar due volte la palla; Bock ponte; Doublé raddoppio; einkreiden ingessare; Fuchs palla fatta a caso; Karambolage caràmbolo; Karoline pallino; Kegel birillo; kicksen fare stecca; Kreide gessino; Kreuzball palla di traverso; Loch (Kugelloch) bilia, buca; Partie partita; Point punto; Quart rinquarto; Queue stecca; Sitzer fermata; sprengen far saltare; Stoß colpo, tiro; treffen toccare; Triplé rinterzo; Tuch panno; verlaufen, sich smarrirsi; Verläufer palla smarrita.

**Billett** s. den Art. Fahrkarten.

**Binnenwasserstraßen.** Die Binnenwasserstraßen Italiens beschränken sich bei der Kürze und unsicheren Schiffbarkeit der mittel- und süditalienischen Flüsse im wesentlichen auf das Flußgebiet des Po. Trotz der Erschwerung, welche auch der Po durch die starke Ungleichheit seines Wasserstandes, die Menge des von ihm mitgeführten Gerölls und die vielfache Teilung seines Flußbettes der Schiffahrt bereitet, ist er doch stets von der ältesten Zeit an bis zur Gegenwart auf weiten Strecken seines eigenen Laufes wie auf seinen Nebenflüssen der Flößerei und der Schiffahrt dienstbar gemacht worden; namentlich ist dies bis 1854 innerhalb des ehemals österreichischen Gebiets vom Lloyd in beträchtlichem Umfange geschehen. Jetzt wird von einer Gesellschaft auf dem Po Schleppschiffahrt betrieben, die sich durch Nebenflüsse und Kanäle von Venedig bis Mailand erstreckt. Durch den Ticino und die Adda, die beide mit Schiffen von ziemlich bedeutender Tragkraft befahren werden, dehnt sich die Binnenschiffahrt bis zum Lago Maggiore und zum Comersee aus. Sie bringt durch Kanäle nach Modena, Bologna und Ferrara, erreicht durch den Mincio Mantua und geht von Venedig aus auf der Brenta und dem Bacchiglione über Padua bis Vicenza. Im ganzen umfaßt dieses Netz schiffbarer Wasserstraßen 1164 km. Außer dem Langen- und dem Comersee werden die Seen von Lugano, Iseo und der Gardasee sämtlich von zahlreichen Dampfern befahren, die neben regem Personenverkehr auch namhaften Gütertransport betreiben.

**Blumen** (fiori). Die Pflege der Blumen ist in Italien eine sehr sorgfältige. Ihren Höhepunkt erreicht sie im südlichen Italien und besonders an der Riviera, wo die Blumenzucht mit eine Quelle des Nationalwohlstandes bildet. Die Hilfsmittel der Blumengärtnerei, namentlich die ausgedehnten Gewächshäuser, vor allem aber die Gunst des Klimas ermöglichen das ganze Jahr hindurch das Vorhandensein der Blumen. Man wundert sich oft, daß der Preis im Winter nicht höher, und im Sommer, daß er nicht niedriger ist. In Norditalien jedoch sind die Blumen ebenso teuer wie in Berlin und in anderen deutschen Städten.

Bodenkultur. Die durch die klimatischen und Bewässerungsverhältnisse sowie durch die Höhengestaltung des Landes bedingte Bodenkultur unterscheidet sich in ihrem Betriebe wie in bezug auf ihre Erzeugnisse sehr wesentlich von derjenigen Mitteleuropas. Das ihr Eigentümliche ist das Überwiegen der Baumzucht, die Anwendung künstlicher Bewässerung, der Anbau von zwei oder drei Früchten zu gleicher Zeit, namentlich im Süden, sowie die Erzielung mehrerer Ernten hintereinander innerhalb eines Jahres. Die intensivste Bodenkultur herrscht im Pogebiet, in Toskana, Campanien, in der Conca d'oro von Palermo und ähnlichen Gegenden, die durchaus gartenartig angebaut sind, wo kein Stückchen Land unbenutzt bleibt und unter beständiger Bewässerung auf dem fruchtbaren Schwemmlande höchster Ertrag erzielt wird. Die Kostspieligkeit der Bewässerungsanlagen hat aber den Grund und Boden meist in der Form großer Güter in den Besitz reicher Adeligen und Städter gebracht, welche dieselben in vielen kleinen Parzellen so hoch verpachten, daß der Pächter bei harter Arbeit kaum das Leben fristet und die Masse der Bevölkerung in diesem Garten Europas im Elend schmachtet. Im Gegensatz zu diesen Gegenden stehen die Hügellandschaften des inneren Siziliens, auf denen nur Weizen mit Ausschluß aller Bäume in altväterischer Weise gebaut wird, und die nach der Ernte im Sommer und Herbst der Steppe gleichen, noch mehr aber die nur als Winterweide brauchbaren, im Sommer von der Malaria heimgesuchten Ebenen Apuliens, die Pontinischen Sümpfe, die Campagna von Rom und die Maremmen.

Boicottare (Boykottieren) heißt: jemand in die gesellschaftliche Acht erklären, den Verkehr mit ihm untersagen, sowie jede geschäftliche und freundschaftliche Beziehung abzubrechen. Niemand arbeitet für eine boykottierte Person, niemand kauft etwas von ihr oder verkauft an sie. Boykottieren ist eine Erfindung der Neuzeit; es kam zuerst im Jahre 1880 zur Anwendung, und der Name für diese Behandlung mißliebiger Personen stammt von dem ersten Opfer, dem irischen Kapitän Boycott. Dieser, ein Gutsbesitzer auf Long Mask House, war zugleich Verwalter der Ländereien des Lord Erne, in welcher letzteren Eigenschaft er sich den Unwillen der ländlichen Bevölkerung der Umgegend zugezogen hatte. Als er von einem geheimen Komitee in die Acht erklärt war, wagte es niemand mehr, für ihn zu arbeiten, ja er konnte nicht einmal seine Ernte einbringen.

**Bonbons** f. den Art. confetti.

**Böser Blick** f. den Art. iettatura.

**Botschaften** f. den Art. Gesandtschaften.

**Bottarga** f. den Art. principii.

**Bouillon** (brodo). Einen Teller, eine Tasse Bouillon genießen prendere un brodo oder una tazza di brodo. Oft wird auch der französische Ausdruck consommé gebraucht, während einige Sprachreiniger dieses Wort schon in italienischer Übersetzung consumato anwenden, allerdings oft ohne verstanden zu werden.

**Bowle.** Der Italiener kennt weder dieses Wort, noch das mit ihm bezeichnete Getränk. Erst in der letzten Zeit haben die Deutschen oder die aus Deutschland zurückgekehrten Italiener dieses Getränk und mit ihm auch das Wort eingeführt.

**Brachetto.** Süßlicher piemontesischer Wein.

**Braten** (arrosto). Brat... = ... arrosto; z. B. Brathecht luccio arrosto, Brathuhn pollo arrosto usw. Man unterscheidet in Italien arrosto alla gratella (oder alla graticola) = auf dem Rost, arrosto allo spiedo = am Spieß, arrosto in umido = in der Pfanne mit Sauce, und arrosto morto = in der Pfanne ohne Sauce.

**Brautwerbung** (la domanda in matrimonio). Für sich selbst um die Hand einer Dame anzuhalten, ist in Italien durchaus gegen die Sitte; man beauftragt damit einen gemeinsamen Freund oder, in Ermangelung eines solchen, eine achtbare Person, den Pfarrer, Pastor, Rab-

biner, Notar der Familie. Hat dieser eine günstige Ant=
wort erhalten, so beeilt man sich, der Familie einen
Besuch zu machen, bei dem gewöhnlich nicht die junge
Dame, sondern bloß der Vater oder Vormund anwesend
ist. Dieser behandelt einfach die geschäftlichen Angelegen=
heiten, gibt, wenn ihm genügende Antwort zuteil ge=
worden ist, den Betrag der Mitgift an und ladet den
jungen Mann unter Angabe von Tag und Stunde ein,
seinen Besuch zu wiederholen. Bei diesem zweiten Be=
suche erscheint die junge Dame, die unterdessen von ihrer
Familie über die Absichten des jungen Mannes unter=
richtet worden ist, in einfachem, aber sorgfältigem Anzuge.
Irgendwelche Anspielung auf den Zweck ist unschicklich.
Ist man von diesem Besuche befriedigt, so läßt man ein
Gesuch, in dem Hause der jungen Dame verkehren zu
dürfen, an die Familie der Dame richten. Nach erhal=
tenem günstigem Bescheide stattet man der Familie eine
Dankvisite ab. Erst nach Abstattung dieses Dankes er=
scheint die junge Dame, der nun der junge Mann als
ihr zukünftiger Gatte vorgestellt wird. Von da ab ver=
kehrt der junge Mann in dem Hause intimamente.

**Bravo!** In Italien wird selbstverständlich das
Wort dekliniert; man ruft daher bravo!, wenn es sich
um einen Mann, brava!, wenn es sich um eine Frau,
bravi! brave!, wenn es sich um mehrere Männer oder
Frauen handelt.

**Brefotrofio** (Findelhaus) s. den Art. Findelkinder.

**Brief** (lettera). Einfacher Brief lettera ordina=
ria, doppelter Brief lettera doppia, eingeschriebener
Brief lettera raccomandata, Wert= oder Geldbrief
lettera assicurata. Der Absender (mittente) eines
eingeschriebenen oder Wertbriefes erhält einen Empfangs=
schein (una ricevuta) am Postschalter (s. den Art. Post=
anweisung). — Ist man fern von seiner Wohnung, so
schreibt man seine Briefe in einem Lesekabinett oder einer
öffentlichen Bibliothek; manche benutzen auch die Cafés
dazu, wo die Einrichtung getroffen ist, daß man alles zum
Schreiben Nötige erhält. Man verlangt seine consu=
mazione und Schreibmaterial. Briefe bis zum Gewicht
von 15 Gramm kosten im Königreich Italien 15 Ct.
innerhalb des Weltpostvereins 25 Ct.

Land und Leute in Italien. 6

**Briefanrede.** In der Briefanrede wird das Wort signore, signora, signorina, dann der Berufs= oder Adelstitel gebraucht (s. den Art. Anrede), aber immer zu=sammen mit einem Eigenschaftswort, welches dem deutschen Werter, Sehr geehrter usw. entspricht. Wir lassen hier die gebräuchlichsten von diesen Höflichkeitsbezeichnungen folgen. Ihre wörtliche Übersetzung hätte wenig Zweck, da im Deutschen eine gleiche Mannigfaltigkeit derartiger Bezeichnungen der Briefempfänger nicht mehr statthaft ist. — Als eine sehr beliebte Höflichkeitsformel gilt: Egregio (tägrä'dGö) = Verehrter; sie kann für Hoch und Niedrig verwendet werden. Außerdem bedient man sich hierzu noch folgender Eigenschaftswörter, deren Anwendung keiner anderen Vorschrift als der des Taktgefühls unter=worfen ist. Die beigefügte Übersetzung und die nach=folgenden Musteranschriften werden allzu argen Verstößen vorbeugen.

Chiarissimo (Tiä-rï'ß-ßï-mö) sehr berühmt (abgekürzt: Chiarmo).

Distintissimo (dïß-tïn-tï'ß-ßï-mö) sehr ausgezeichnet (ab=gekürzt: Distintmo).

Eccellentissimo (et-schel-len-tï'ß-ßï-mö) sehr hervor=ragend (abgekürzt: Eccmo).

Gentilissimo[1] (dGen-tï-lï'ß-ßï-mö) sehr liebenswürdig (abgekürzt: Gentilmo).

Eminentissimo[2] (ä-mï-nen-tï'ß-ßï-mö) hochwürdigst (ab=gekürzt: Emmo oder Emmo.

Esimio (ä-ß'-mïö) hervorragend.

Illustre (ïl-lü'ß-trä) hochberühmt; erlaucht.

Illustrissimo (ïl-lüß-trï'ß-ßï-mö) entspricht (abgekürzt: Illmo) bei Adressen etwa unserem hochwohlgeboren.

Onorevole[3] (önörä'wölä).

Pregiatissimo (prä-dGä-tï'ß-ßï-mö) sehr geehrt (abge=kürzt: Pregiatmo oder Pregmo).

Reverendo[4] (rä-we-rä'u-bö) ehrwürdig (abgekürzt: Revdo).

---

[1] Vornehmlich für Damen gebräuchlich.
[2] Für hohe Würbenträger der Kirche.
[3] Besonders für Abgeordnete.
[4] Für den niederen Klerus.

Reverendissimo (rĕ-ṿĕ-ren-bi'ṡ̆-ṡĭ-mĕ) ehrwürdigſt (ab=
gefürzt: Rev$^{mo}$).

Stimatissimo (ṡtĭ-mä-tĭ'ṡ̆-ṡĭ-mĕ) ſehr geachtet (abge=
fürzt Stimat$^{mo}$).

Der Gebrauch der Bezeichnungen Pregiat$^{mo}$ oder
Stimat$^{mo}$ bedeutet zwar den geringſten Aufwand von
Höflichkeit, den man dem Briefempfänger entgegenbringt;
nichtsdeſtoweniger iſt er auf Briefaufſchriften für Leute,
die nicht höhere Stellen bekleiden, ſehr verbreitet.

**Briefaufſchriften.** Wir laſſen hier einige Muſter=
aufſchriften folgen:

Stimat$^{ma}$ Signora
   Sig$^a$ Carolo Verticilla
               Civitavecchia.

All' Egregio Signore
   Sig. Cav.[1] Tullio Secchi
   Direttore della Banca Nazionale.
               Napoli.

Onor$^{le}$ Signor
   Giambattista Scudi
       Monza, prov.[2] di Milano.

Alla Gentil$^{ma}$ Signora
   Sig$^{ra}$ Beatrice Sacchetti
Pal.[3] Vincenti.       Firenze.

Al Signor Carlo Monti
     detto[4] Bianchino
    Cocchiere
           Casamicciola.

Ecc$^{mo}$ Signore
   Sig. Comm.[5] Prof. Emilio Palumbo
   Presidente della R.[6] Accademia di Medicina
       Via Tedeschi 22 p$^o$ l$^o$
        Pisa.

---

[1] Abkürzung von Cavaliere = Ritter, ſ. den Art. Cavaliere.

[2] Abkürzung von provincia = Provinz.

[3] Abkürzung von palazzo = Palaſt, Herrſchaftshaus.

[4] genannt.

[5] Abkürzung von Commendatore = Komtur ſ. den Artikel
Commendatore.

[6] Abkürzung von Regia = königlich.

Ill<sup>mo</sup> Signore
Sig. Cav. Avv.[1] Roberti Lungi
Città.[2]
Chiar<sup>mo</sup> Signore
Sig. Dott. Guglielmo Pitti    Pavia.
Preg<sup>mo</sup> Signore
Signor Raffaele Pittore    Pegli.

Befindet sich am Bestimmungsort selbst kein Postamt, so gibt man die nächste Postanstalt an. Will man dann, daß der Brief eigenhändig übergeben wird, so schreibt man die Abkürzung S. P. M. (sue proprie mani) oder S. R. M. (sue riverite mani) auf den Umschlag links, oben oder unten hin.

**Briefporto.** Für Inlandbriefe, welche von oder nach einer Stadt des Königreiches oder der Erythräischen Kolonie gesandt werden, ist, wenn sie nicht schwerer als 15 Gramm, sind, ein Postgeld von 15 Ct. zu zahlen. Für Briefe nach dem Kontinent und nach allen Ländern des Weltpostvereins beträgt das Postgeld 25 Ct. Nicht freigemachte Sendungen haben bei der Auslieferung den doppelten Betrag, ungenügend freigemachte den doppelten Betrag des Unterschiedes zu zahlen. — Vergl. auch die Art. Brief, Post.

**Briefschluß.** Als Briefschluß kann man je nach dem einzelnen Falle eins der folgenden Beispiele wählen:
1. Ho l' onore d' e'ssere, col più profondo rispetto, della S. V. Devot<sup>mo</sup>. — 2. Sono con perfetta stima. — 3. Sono con affetto.— 4. Gradisca nuovamente (aufs neue) l' assicurazione della mia perfetta considerazione. — 5. Attendendo Sue notizie, La saluto. Con perfetta stima. — 6. Le presento i miei più cordiali saluti. — 7. Nulla che meriti l'attenzione sua avendo a dirle, La riverisco distintamente. — 8. La saluto di tutto cuore. — 9. Presento i miei rispettosi ossequi alla signora S. e con tutta stima La riverisco. — 10. Il sottoscritto presenta i suoi riverenti omaggi alla signora B. — 11. Attendo la Sua risposta e La prego di gradire l' assicurazione della mia perfetta stima. — 12. Gradisca, signore, i sensi di stima e devozione,

---

[1] Abkürzung von Avvocato = Advokat.
[2] Stadt, bedeutet „hier"

coi quali ho l' onore d' e'ssere. — 13. In attesa (Er=
wartung) di pronta riposta. — 14. Voglia perdonarmi
il disturbo che Le reco. — 15. Gradisca, signore,
l' espressione della mia gratitudine per le gentilezze, di cui mai cessa di colmarmi. — 16. La
riverisco e mi firmo con tutta l' osservanza. —
17. Nella speranza di poterle e'ssere u'tile in
qualchecosa, la prego di disporre liberamente di
me e mi confermo. — 18. Con tanti (vielen) affettuosi
saluti da parte mia e della mia famiglia sono ...
— 19. Salutate e ringraziate mille volte i vostri
cari da parte di noi tutti, che non ci scorderemo
mai delle tante gentilezze ricevute. Con una
stretta di mano Vostro... — 20. (vertraulich) La saluto
di cuore e mi voglia bene, Suo affmo1. — 21. La
riverisco e mi dichiaro (unterzeichne mich) col dovuto
rispetto Suo obbedmo.2 — 22. La riverisco e La
prego di presentare i miei ossequi alla signora
Luisa. — 23. Gradisca i sensi della mia più perfetta stima.

Anmerkung. Sehr gebräuchlich ſind die der Na=
menßunterſchriſt vorangehenden, unſerem ergebenſt,
achtungßvoll, hochachtungßvoll entſprechenden For=
meln: Suo devotmo, Suo obbedmo, Suo affmo,
Suo devotmo, oder nur Suo.

**Brieftaubenſtationen.** Dem Brieftaubendienſte wird
in Italien wegen der Verbindung mit den Inſeln eine
beſondere Pflege gewidmet; Brieftaubenſtationen ſind über
die verſchiedenen Landeßteile verbreitet und werden für
Armee= und Marinezwecke eifrig benutzt. Die Zentral=
brieftaubenſtation war biß vor kurzem auf der Höhe deß
Monte Mario bei Rom im Turm der weithin ſichtbaren
Villa Mellini untergebracht. Wenn man, mit dem Erlaub=
nißſchein der römiſchen Direktion deß Genio militare auß=
gerüſtet, zur Plattform deß Turmeß hinaufſtieg, um ſich
der herrlichen Außſicht von dieſem höchſten Punkte der
Umgebungen von Rom zu erfreuen, ſo kam man an den
Behältern vorbei, in denen die geflügelten Briefboten

---

1 Abkürzung von affezionati'ssimo.
2 Abkürzung von obbedienti'ssimo.

saßen, um hier nicht, wie es im zweiten Teil des „Faust" von der Taubenpost heißt, den Frieden zu bedienen, und man las am Verschlage jeder Taube den Namen der Station, auf welche sie abgerichtet war.

**Brigantenwesen** (brigantaggio brigäntä'b-Gē). Die Gründe dieser Erscheinung sind nicht einfach. Erstens finden wir die Neigung, auf Gebirgspfaden mit der Flinte umherzuschleichen und sich durch Raub seine täglichen Bedürfnisse zu verschaffen, bei allen Völkern um das Mittelmeer herum eingewurzelt; wie der italienische brigante klettert der spanische guerrillero und contrabandista, der griechische Klephte, der Beduine in Syrien und am Atlas lieber mit dem Gewehr in der Hand herum, als daß er den schweren Pflug lenkte und sich ein festes Haus baute. Wir haben es also hier mit einem Stück Sitten- oder Kulturgeographie zu tun. Zweitens ist das Banditenleben historisches Erbteil der Gegend, in der es bis auf den heutigen Tag geblüht hat. Die Tradition geht hier bis auf das höchste Altertum hinauf: es genüge das eine Zeugnis des Livius anzuführen, der unter dem Jahre 185 v. Chr. erzählt, der die Provinz Tarent verwaltende Prätor L. Posumius habe von Räubern aus dem Hirtenstande, welche die Wege und das gemeine Weideland unsicher machten, gegen siebentausend zum Tode verurteilt.

Solche latrones und grassatores werden auch in den späteren Zeiten der Römerherrschaft in Süditalien erwähnt; daß ihr Stamm im Mittelalter nicht ausging, versteht sich von selbst. In den Revolutionswechseln am Ende des 18. und zu Beginn des 19. Jahrhunderts stand das Räuberwesen in voller Blüte und wurde schon damals von der reaktionären Partei für nationale Erhebung ausgegeben. Während der Bourbonenherrschaft erlosch die Krankheit eigentlich nie, sie trug nur einen chronischen Charakter. Die gegen die Räuber ausgeschickten Sbirren taten es den ersteren an Gewalt und Bedrückung gleich. Sehr gebräuchlich war bekanntlich das Mittel, mit einem gefährlichen Räuberhauptmann wie mit einer feindlichen Macht zu paktieren und ihn um den Preis einer anständigen Versorgung zur Niederlegung der Waffen zu bewegen. Ein auf diese Weise geographisch und historisch dem Boden anhaftendes Übel ist schwer zu bekämpfen. Dem modernen Staat indes mit den Mitteln seiner polizeilichen Technik ist es gelungen, wie P. D. Fischer in seinem von uns oft benutzten Buch schreibt, dem Brigantentum Einhalt zu tun und das Unwesen nach hartem Kampfe auszurotten. Diese Strenge hat Erfolge erzielt, welche in dem Zustande der öffentlichen Sicherheit noch heute andauern. Sie hat bewirkt, daß der Fremde gegenwärtig in den Abruzzen, in Calabrien, an den Küsten und im Innern von Sizilien vor Raubanfällen ebenso unbesorgt sein kann wie in Toscana, in Oberitalien usw.

Auch ein anderer Schriftsteller (Justinus in seinem „Italienischen Salat") schreibt: „Das Brigantaggio ist aus Italien geschwunden. Man reist dort heute durch den Süden mit nicht größerer Unsicherheit als durch irgendwelches Land Europas, die Türkei etwa ausgenommen" usw. Allerdings liest man sehr oft, selbst in italienischen Zeitungen, von einem neuen Verbrechen des ‹Brigantaggio›. Man darf aber nicht vergessen, daß dies nunmehr ein traditioneller Ausdruck ist. Daher kommt es, daß man, während in anderen Ländern von Überfall usw. gesprochen wird, in Italien sofort an Brigantaggio denkt und von Brigantaggio redet.

Nur in Sizilien hört man noch von Zeit zu Zeit von wirklichen Briganten; diese aber „arbeiten" jetzt fast ausschließlich auf dem Gebiete der Erpressungen. Der Erwerbszweig ist lohnend und wird mit unglaublicher Dreistigkeit betrieben. Gewöhnlich überraschen die Räuber einen Eigentümer im Hause oder sonstwo und nehmen ihn mit; widersetzt er sich, oder suchen andere ihm beizustehen, so werden sie niedergeschossen. Den Gefangenen bringt man an einen sicheren Ort und erpreßt nun von der Familie soviel als irgend möglich. Die Familie befindet sich in der schlimmsten Zwangslage, weil sie bei jeder Weigerung, jedem Verrat, ja jeder Unvorsichtigkeit für das Leben des Geraubten fürchten muß. Während die Briganten verhandeln, muß sie schweigen, das Lösegeld muß sie unauffällig in der Stille aufbringen. Würde die Familie die Hülfe der Polizei in Anspruch nehmen, so gäbe sie sich dadurch nur der Rache der Räuber preis.

Und die ist furchtbar. In den weiten Einöden der Korn=
bauzone ist der Räuber der Herr und Gebieter. Beritten
und bewaffnet durchstreift er das Land, jedes Haus, jeder
Keller steht ihm offen. Hungert ihn, so tritt er ein und
ißt, benötigt er der Waffen, Pferde oder Geldes, so
nimmt er sie sich. Braucht er viel Geld, so schreibt er
sein Begehr einem vermögenden Manne, und dieser wagt
nicht, ihn abzuweisen. Wohl oder übel beugt sich alles
vor dem Briganten, alle Besitzer, Pächter und Beamten
landwirtschaftlicher Betriebe macht er im Sinne des Ge=
setzes zu Mitschuldigen; und die Rache an allen, die den
Räuber in der Ausübung seines Gewerbes hindern, ist
schnell und schrecklich. Aber wie gesagt, es tauchen jetzt
in Sizilien solche Briganten sehr selten, im übrigen
Italien fast nie auf. Jedenfalls werden Fremde von
Briganten möglichst in Ruhe gelassen, weil sie nicht wissen,
wieviel sich von ihnen erpressen läßt, und weil durch
deren Antastung leicht internationale Forderungen ent=
stehen, die die Regierung zu größerer Tatkraft zwingen
und dadurch dem Briganten gefährlich werden.

**Brindisi** (brī'ndīsī) ist das italienische Wort für Toast,
Trinkspruch, hat aber mit dem Namen der Stadt Brindisi
nichts gemeinsames, stammt vielmehr vom deutschen „Bring'
dirs", dem Zubringen, her. Einen Toast bringen heißt
dann fare un brindisi.

**broccoli** (brŏ'k-kŏlī). Eine Art Spargelkohl, weiß oder
schwarz, der in Italien viel gegessen wird. Abbacchio
(ăb-bă'k-kĭŏ [Lamm]) mit broccoli ist ein Lieblingsgericht
der Römer.

**Brodo** ist die italienische Übersetzung von Bouillon,
Kraftbrühe. Im Restaurant bestellt man una tazza di
brodo, una scodella di brodo, un brodo con uovo.
Für Bouillon mit Einlage sagt man «minestrina al
brodo». — Vgl. die Art. Bouillon, minestra und zuppa.

**Brüderschaften.** An vielen Orten Italiens bestehen
religiöse Vereine, die ihren Teilnehmern eine persön=
liche Mitwirkung bei der Krankenpflege und bei Beer=
digungen zur Pflicht machen. Die Mitglieder dieser
Vereine, die sich vielfach Brüderschaften (Confraternite)
nennen, legen bei Ausübung ihrer Vereinspflichten eine
Tracht an, die auch den Kopf mit einer larvenartigen

Hülle umgibt. Es gewährt ein eigenartiges Bild, wenn auf das Glockenzeichen der Brüderschaft die Mitglieder in diesen Vermummungen zum Versammlungsorte eilen, um demnächst in feierlichem Zuge, Fackeln in den Händen, die Leiche eines ihnen gänzlich Unbekannten zu Grabe zu tragen, unter ihnen edle Gestalten, die sich trotz der Kutte in ihrer Haltung und in Eleganz der Fußbekleidung als Mitglieder der obersten Gesellschaftsklassen erkennen lassen. Nach der letzten amtlichen Statistik bestehen in Italien unter provinziell abwechselnden Namen (außer confraternite werden sie confraterie, sodalizi, gilde, gildonie, scuole genannt) nicht weniger als 18 119 solcher Brüderschaften, die sich unter den verschiedensten Spezialbenennungen im ganzen Lande verbreitet finden. In Toscana sind die Brüderschaften der Misericordia, im Venetianischen die des Sakraments (S. S. Sacramento) am ausgedehntesten. Insgesamt besitzen diese zum Teil aus früher Zeit herstammenden Vereine ein nicht unbeträchtliches Vermögen (etwa 180 Millionen); für ihre Zwecke steht ihnen ein Jahreseinkommen von rund 11 Millionen zu Gebote. Allein die Brüderschaften der Provinz Rom besitzen wegen ihrer großen Zahl und ihres Reichtums ein Vermögen von 43,7 Millionen. (Fischer.)

**Buchmacher.** Bei Rennen, Ballspielen, Regatten usw. wird in Italien noch immer das englische Wort «bookmaker» gebraucht.

**Büffel.** Den Alten waren die Büffel unbekannt, während sie jetzt am römischen Seestrande, in den Pontinischen Sümpfen usw. häufig sind. Mit rückwärts gebogenen, anliegenden, scharfrandigen Hörnern, in dem schrägen dummtückischen Auge eine Träne, schreiten die Büffel in Herden, die der Hirt zu Pferde mit langem Stachel regiert, oder liegen in der heißen Zeit bis an den Kopf in dem kühleren Sumpfwasser oder schleppen mit gewaltiger Zugkraft langsam den hochgetürmten Erntewagen oder den mit Steinblöcken schwer beladenen zweiräderigen Karren, geleitet an einem durch die Nase gezogenen Ringe. Durch Zäune sind hin und wieder Asyle gebildet, hinter denen der Wanderer vor der Wut dieser Tiere, die wohl gebändigt, aber nicht gezähmt sind, sich birgt. Nur die Hirten, welche die Büffelkühe melken und von ihnen gekannt sind, wagen sich in die Herde; jeder andere liefe Gefahr, von ihnen zerstampft zu werden. In den einsameren Sumpf= gegenden, z. B. um Pästum, sollen sie indes folgsam sein, bis sie in die Nähe von Neapel getrieben werden, wo der Wechsel der Gegenstände und der Lärm der Menschen sie aufstört und wild und wütend macht. (Hehn).

**Büffelkäse** (provatura). Eine in Süditalien sehr be= liebte Käsesorte.

**Bürgermeister** (sindaco — ßi'ndáke). Der Bürger= meister wird in allen Stadtgemeinden vom Gemeinderat aus seiner Mitte erwählt. Er ist das Haupt der Gemeinde; er beruft den Gemeinderat und die Giunta (Gú'nta) und führt in beiden den Vorsitz. Außer der Leitung der Gemeindeverwaltung liegen ihm, da die Stadtgemeinde neben ihrer selbständigen Stellung zugleich ein wichtiges Glied der Staatsverwaltung bildet, zahlreiche und wich= tige Geschäfte als Staatsbeamter ob. Er wirkt entweder selbst oder durch Beigeordnete als staatlicher Standes= beamter; er ist, wo die Polizei nicht durch königliche Beamte wahrgenommen wird, das Haupt der örtlichen Polizeiver= waltung; er hat bei den Wahlen, bei der Festsetzung und Erhebung der Steuern mitzuwirken; er hat dafür zu sorgen, daß die Gemeinde den ihr staatlich auferlegten Pflichten in Beziehung auf den Unterricht, die Armenpflege, die Gesundheitspflege, das Straßenwesen, die Wohlfahrts= einrichtungen usw. nachkommt. — Das Amt des Sindaco ist in Italien durchweg ein Ehrenamt, bringt seinem Inhaber eine Fülle von Verantwortlichkeit und von politisch wie sozial schwerwiegenden Pflichten. Es gewährt anderseits dem Stadtoberhaupte bei einer Doppelstellung als städtischer und als staatlicher Beamter und bei der Selbständigkeit, welche der Gemeinde in der Verwaltung ihrer eigenen Angelegen= heiten tatsächlich belassen wird, ein so hohes Ansehen und einen so weitgehenden Einfluß, daß die Stellung des Bürger= meisters auch von den vornehmsten und reichsten Gemeinde= angehörigen als begehrenswert und als Ziel eines berech= tigten bürgerlichen Ehrgeizes angesehen zu werden pflegt. Es ist daher, wie in England und in Frankreich, so auch in Italien durchaus nichts Ungewöhnliches, Mitglieder der Geburtsaristokratie oder reiche Grundbesitzer als Bürger= meister ihrer Heimatsgemeinde wirken zu sehen.

**Butterbrot** (pane al burro). Das Butterbrot ist in Italien ganz ungewöhnlich; man ißt trockenes Brot zu Käse oder Schinken. Das einzige an das deutsche Butterbrot Erinnernde sind die sandwiches, ganz kleine, mit gekochtem Schinken usw. belegte Doppelbutterbrötchen. Außerdem nimmt man ein Butterbrötchen (panino al burro) des Morgens zum Kaffee. Dem deutschen Ausdruck: Wollen Sie ein Butterbrot bei uns essen? entspricht die italienische Redensart: «vuol fare penitenza con noi?»

# C.

**cambio** s. den Art. Geldwechsel.

**Camera del lavoro** (kä'merä del lāwō'rō) s. den Art. Arbeiterorganisation.

**Camorra.** Camorra — Mafia — zwei angenehme Worte! Leider sind es nicht nur Worte in Süditalien, sondern ihnen entsprechen sehr ernste, sehr verbreitete Zustände, die dem modernen Italiener selbst als unendlich bedauernswert erscheinen, die abzuändern aber vorläufig beim besten Willen kaum in der Macht der Verwaltung oder des privaten Einflusses liegt, da sie die Ergebnisse Jahrhunderte alter Mißwirtschaft sind.

Über die Kamorra in Neapel, die Mafia in Sizilien sind ganze Bibliotheken geschrieben worden — manches Wertvolle und unendlich viel Unsinn. Die englischen Kriminalromanfabrikanten haben sie weidlich ausgenutzt. Alle die Erzählungen englischer Sensationsschriftsteller von geheimen Beratungen, denen sie in Verkleidung beigewohnt haben wollen, von geheimnisvollen Zeremonien, deren Zeugen sie angeblich waren, haben sich als erlogen herausgestellt. Auch deutsche Schriftsteller haben viel Törichtes darüber veröffentlicht, wie mancher, der den Mitgliedern der Mafia eine Uniform andichtete, die in Wahrheit nichts anderes war, als — das gewohnte Kleid der sizilianischen Landleute. Der Kamorrist ist eine Ausgeburt der spanischen Zeit, deren furchtbar stolz daherfahrende Vertreter dem Volke Neapels zunächst die Vorbilder zu seinem berüchtigten Guappo (gŭä'p-pŏ) lieferten. Guappo hat im Spanischen als Adjektiv die Bedeutung mutig,

tapfer, kühn, keck, entschlossen, daneben: zierlich und statt=
lich gekleidet; als Substantiv bedeutet es einen Liebhaber,
Raufbold, Eisenfresser, mit der Nebenbedeutung eines
Prahlers. Aber der Guappo ist feige. Er will ein ganzes
Stadtviertel in Blut ersaufen lassen und läuft davon und
entschuldigt sich, wenn die Sache ernst wird, und einer
ihm die Zähne zeigt. Er ist ein Weiberheld und bewegt
sich am liebsten in der Gesellschaft von liederlichen Dirnen,
denen er ihr Verdientes abpreßt. Der Kamorrist würde
sich schämen, von einem Guappo die Schuhe sich ausziehen
zu lassen: er steht auf einer höheren Zinne. Er besitzt
die höchste Frechheit, aber auch den höchsten Mut, der
den blutigen Streit sucht, und weiß sich unter Tausenden
in Respekt zu setzen, er imponiert selbst der Behörde. In
der rechtlosen Zeit der Bourbonen entstand die Kamorra
als eine Art Freimaurerbund der Plebani, die sich des
Rechtes der Schwachen annahmen.

    Der Ursprung des Namens ist wohl dunkel, und die
versuchten Erklärungen sind nicht recht stichhaltig. Im
Spanischen heißt Camorra eine Streitigkeit, Streit=
frage, und ein Camorrista ist ein streitsüchtiger
oder streitschlichtender (?) Mensch. Dann soll Kumar
ein arabisches Hasardspiel gewesen sein, dem Zeugen
beiwohnten, die in ein Gewand Chamarra ge=
kleidet waren. Zweifellos ist immerhin, daß die Kamorra
Neapels spanischer Herkunft ist. Eine von Cervantes
in seiner zweiten Novelle geschilderte Erpresserbande in
Sevilla zeigt eine überraschende Ähnlichkeit mit der nea=
politanischen Kamorra. In einem Edikt des Vizekönigs
Kardinal Granvella von 1573 ist von Gefangenen in den
Kerkern der Vicaria in Neapel die Rede, die sich dort zu
Herren aufwerfen, von ihren Mitgefangenen das Öl für
die Lampe der Madonna bezahlen lassen und andere Ab=
gaben erheben, und eine Schrift von 1674 handelt von
einer umfassenden Organisation der in demselben Ge=
fängnis unter Androhung des Todes verübten Plün=
derungen und Erpressungen. Eine lange Reihe von
Edikten aus dem 17. Jahrhundert bezieht sich auf Er=
pressungen, die durch Bravi in den Gefängnissen und in
der Stadt verübt wurden. Nun kommt zwar in allen
diesen Berichten das Wort Camorra noch nicht vor; das

alles aber erinnert eben an den neapolitanischen Ver=
brecherbund.

Auch die neapolitanische Kamorra herrschte ursprüng=
lich nur in den Gefängnissen. Jeder neu eingelieferte
Gefangene wurde einem Kamorristen zugewiesen, in
dessen Händen er bis zu seiner Befreiung blieb. Zuerst
hatte er, gewissermaßen als Eintrittsgeld, einen Beitrag
für das Öl in der Lampe der Madonna zu zahlen.
Jede seiner Handlungen wurde fortan überwacht und
besteuert, ohne Erlaubnis seines Aufsehers konnte er
weder essen, noch trinken, noch spielen, noch rauchen. Er
entrichtete eine Abgabe von allem Gelde, das in seine
Hände kam, zahlte für das Recht, zu kaufen und zu ver=
kaufen, für Notwendiges wie für Überflüssiges, selbst wenn
er den letzten Heller ausgeben mußte. Wer die Zahlung
weigerte, wagte sein Leben, falls er sich nicht durch einen
ungewöhnlichen Beweis von Mut (besonders die Tötung
eines Gegners) Respekt verschaffen konnte. Die meisten
ergaben sich in die Botmäßigkeit eines Schurken, der sie
bis aufs Hemde auszog, dann aber gegen andere schützte
und sich selbst für sein Opfer schlug. Politischen Ge=
fangenen wurde 1848 Respekt erwiesen, man gab ihnen
Messer, an denen es trotz aller Inspektionen niemals
fehlte, zu ihrer eigenen Verteidigung und wies andere
Gefangene zu ihrer Bedienung an. Am meisten wurden
die Armen ausgebeutet. Manche verkauften, um rauchen,
einen Likör trinken, besonders um spielen zu dürfen, ihre
Kleider, die den Gefangenen zweimal im Jahre geliefert
wurden, ja selbst die Hälfte ihrer täglichen, aus Brot und
Suppe bestehenden Mahlzeit an Kamorristen, die sie dann
wieder an die Lieferanten zurückverkauften. Zum Spiel
wurden die Gefangenen aber auch, bei Strafe von Stock=
schlägen, gezwungen; das gewonnene Geld teilten die
Kamorristen mit dem Oberaufseher des Gefängnisses.
Nach der Angabe eines politischen Gefangenen beliefen
sich die Einnahmen der Kamorra in der Vicaria (Kastell
Capuamo) in einer Woche auf fast 1200 Lire. Die
Sekte hielt in den Gefängnissen eine gewisse Ruhe und
Sicherheit aufrecht, was die Kerkermeister nicht vermochten.
Sie erpreßten und mordeten, hinderten aber andere daran.
Erst nach 1830 soll sich die Kamorra aus den Gefäng=

nissen Neapels in die Stadt und über das ganze Land
verbreitet haben. Ihre Organisation gewann allmählich
feste Formen. In Neapel war sie in zwölf Abteilungen
geteilt, eine in jedem Stadtviertel, deren von den Mitgliedern
gewählten Häuptlinge eine große Macht hatten, aber für
wichtige Entscheidungen der Zustimmung ihrer Unter=
gebenen bedurften. Sie verteilten die Kamorra; so hieß
nämlich auch die von ihnen mit Unterstützung mehrerer
Gehilfen geführte gemeinsame Kasse. Die Verteilungen
erfolgten an jedem Sonntag. Alte und kranke Kamor=
risten wurden unterstützt, getötete gerächt, den Witwen
und Kindern Pensionen gezahlt. Und so herrschte in
Neapel der Kamorrist. Er konnte aus Männern und
Frauen machen, was er wollte. Er flößte nicht nur
Furcht ein, sondern auch Achtung, Bewunderung und
selbst Zuneigung sogar denen, die er ausbeutete und
unterdrückte. Er war in seinem Stadtviertel der Friedens=
richter, dessen Urteilen jedermann Gehorsam leistete, wo=
durch oft kostspielige Prozesse vermieden wurden. Die
Kamorra besteuerte Verbrechen und Laster in jeder Form.
Sie erhob Abgaben von den Spielern in Tavernen und
auf den Straßen, von Kupplern und Prostituierten und
hielt in Bordellen und Spielhäusern die Ordnung auf=
recht. Zu ihren gewinnreichsten Gewerben gehörte der
Wucher und das heimliche Lotto. Sie betrieb den
Schmuggel und brandschatzte zugleich die Schmuggler und
alle, die vom Schleichhandel Nutzen zogen. Aber sie übte
auch an allen Toren, an allen Äntern des Oktroi und
der Douane die Polizei und hinderte und bestrafte Be=
trügereien und Durchstechereien, die nicht in ihrem Inter=
esse geschahen. Großkaufleute hatten Kamorristen im Solde
und bezahlten sie für die Sicherung ihrer Geld= und
Warensendungen nach einem streng festgehaltenen Tarif.
Unter den Bourbonen kaufte die Kamorra auch Stell=
vertreter für den Militärdienst, um sie an wohlhabende
Militärpflichtige zu verkaufen; bis dahin wurden sie wie
Negersklaven gefangen gehalten und behandelt. Von
allen auf den Straßen und Märkten betriebenen Geschäften
erhob die Kamorra Abgaben nach festen Sätzen; auch
Kofferträger, Droschkenkutscher, Barkenführer, Zeitungs=
verkäufer, selbst Bettler waren ihr tributpflichtig. Gemüse=

und Fruchthändler, namentlich Verkäufer von Wasser-
melonen hatten so viel zu zahlen, daß ihnen wenig übrig
blieb. Ein seit langem in Neapel ansässiger Schweizer
erzählte 1874 dem Schreiber dieser Zeilen, ein Kamorrist
habe kürzlich eine Gemüsehändlerin auf offenem Markte
niedergestochen, weil sie die geforderte Abgabe nicht sofort
bezahlt hatte, obwohl sie bereit gewesen war, zu zahlen,
sobald sie Geld eingenommen haben würde. In Fratta-
maggiore kam es vor, daß der regierende Kamorrist die
Priester brandschatzte, die von jeder Messe 3 Soldi erlegen
mußten. Übrigens waren alle diese Tributpflichtigen mit
der Kamorra durchaus nicht unzufrieden; sie schützte sie
gegen andere Diebe und Betrüger, war ihnen aber bei
ihren eigenen Betrügereien behilflich. Der Respekt vor
ihr war so groß, daß die Abgaben an die Kamorristen
selbst dann pünktlich entrichtet wurden, wenn sie im Gefängnis saßen.

Die in den sechziger Jahren des 19. Jahrhunderts
gemachten Versuche, die Kamorra gewaltsam auszurotten, sind, wie zu erwarten war, vollständig ge-
scheitert, und leider ist ihre Macht, wenn nicht die alte,
so doch eine große geblieben. Noch heute weiß die zungen-
und messergewandte Kamorra die Bevölkerung zu terro-
risieren, weiß ihren Willen in den Familien, auf der
Straße, vor den Geschworenengerichten durch blutige
Taten durchzusetzen. Dem Volke fehlt es dieser Bande
gegenüber, vielleicht weil es sie bewundert, ganz und gar
am Mute des Widerstandes. Dieser Zwang, dieser Druck
wird heute noch ausgeübt durch gänzliche Beherrschung
des Marktes, eines großen Teiles des Handels, aller
Spiele. Die Kamorra gestattet oder verbietet den Verkauf, die Kamorra bestimmt die Preise, die Kamorra übt
die Marktpolizei zum Schaden der Käufer, sie überwacht
die Auktionen — natürlich aber nichts umsonst. Die
Kamorra führt auch ihre Messer und Revolver nicht
umsonst, ihre Kämpfe mit der Polizei und ihre dichia-
ramenti (Herausforderungen mit Zweikämpfen in
Masse) bilden eine stehende Rubrik in den neapolitanischen
Zeitungen. Die Kamorra hat immer volle Taschen, und
der im Zuchthaus steckende Kamorrist führt ein Herren-
leben, jeder seiner Mitgefangenen ist zu einem Tribut von

seinem Mahle, von seinem Erarbeiteten verpflichtet und
entrichtet ihn auch.

Ein trauriges Kapitel ist diese Kamorra im Ge=
fängnis; schreckliche Dinge geschehen da. Daß man im
Dienste der Kamorra nicht zu arbeiten braucht, weiß das
träge Volk, und so wird es der Kamorra nicht schwer,
immer wieder Nachwuchs zu gewinnen. Die Plebs,
die in den Gefängnissen zu Hause ist und jahrelang
in Untersuchungshaft sitzt, vor allem die so arg ver=
waiste analphabetische Jugend, jene auf dem Dünger
geborenen, körperlich und geistig verkommenen Kinder der
Armut, sie sind gern bereit, aus dem elenden, recht= und
machtlosen Zustande, wo jeder sie ungestraft mit Füßen
stoßen darf, herauszutreten und Diener einer Macht zu
werden, die ihr alsbald gestattet, den selbständigen Herrn
auf die brutalste Weise zu spielen. Dazu kommt, daß
alle solche Geheimverbindungen für das unwissende Volk
einen gewaltigen Reiz haben. Es drängt sich dann zu
seinen Meistern, und wer sich listig und geschickt zeigt in
kleinen Prellereien und Diebereien, wer als Monello oder
Guaglione (als Gassenjunge) schon persönlich Mut mit
dem Messer bewiesen hat, ist würdig, den schmutzigen
Tempelschleier des Bundes zu lüften und Hüter der
Schwelle zu werden. Von da aber bis zum Allerheiligsten
ist ein gar weiter und gefährlicher Weg, und nur wenige
erreichen das große Ziel.

Der echte Kamorrist nach der alten, guten Schule
beginnt seine Laufbahn als picciotto (pĭt-scho't-tŏ) d'onore,
eine Art Page oder Schildknappe. Er ist in Wahrheit
der Fuchs der Verbindung, der dem bemoosten Haupte
die Mittel und Wege zur Ausführung seines Vor=
habens erspähen und ebnen muß. Ihm liegt ferner ob, die
Steuern auf dem Markte und andernorts einzutreiben, und
er muß sich dabei treu, eifrig, frech und rücksichtslos er=
weisen. Hat er ein Jahr und länger sich auf dieser niedrig=
sten Stufe bewährt, so rückt er einen Grad höher und
wird picciotto di sgarra [vom neapolitanischen Verbum
sgarrare, erretten, aus der Gefahr helfen], und jetzt
werden ihm harte Proben von Selbstverleugnung und
Verwegenheit auferlegt. Er muß den Schein eines von
einem andern verübten Verbrechens, indem er sich dessen

öffentlich rühmt, muß die Verantwortlichkeit dafür selbst vor den Richtern auf sich nehmen. Seine Tollkühnheit muß er beweisen, indem er sich, selbst auf die Gefahr, das Leben zu verlieren, in das dichteste Kampfgetümmel der Rauferei stürzt. Dann aber, wenn er glücklich davonkommt, winkt ihm eine glänzende Zukunft. Er wird Mitglied der Affoziation; seine Verbrechen und seine Einsperrungen zählen schon nach Dutzenden, dafür steht er bei den Seinen in desto höheren Ehren. Mit einer Anzahl ebenso Geprüfter und Erprobter bildet er jetzt eine Paranza, ein Fähnlein, und hat nur noch den Capi-Paranza, den Häuptlingen, zu gehorchen. Austreten kann er jetzt nicht mehr, als Verdächtiger würde er seines Lebens nicht mehr froh werden. Der Verräter verfällt dem Tode, es wird ein förmliches Tribunal über ihn gehalten. — Leider muß man dem ehemaligen Minister Villari recht geben, daß bis zu gänzlicher Ausrottung der Kamorra selbst dann ein Jahrhundert vergehen müßte, wenn man den richtigen Weg einschlüge. Mit Repressivmaßregeln ist gegen sie nichts auszurichten: sie ist eine natürliche und notwendige Folge der gegenwärtigen sozialen Zustände Neapels. Tausendmal ausgerottet, wird sie tausendmal neu entstehen. Um ihr den Boden zu entziehen, in dem sie wurzelt und auf dem sie gedeiht, müßte das Volk von Neapel zu einem strengeren Rechtsgefühl, einem strengeren Pflichtbewußtsein erzogen und diese Erziehung durch mehr als eine Generation fortgesetzt werden. (Nach P. Lombroso, Raden, Friedländer.)

**Canditi** (ländi'tí) s. den Art. confetti.

**Carabinieri** (färäbïnïärä). Die carabinieri nehmen in Italien eine Doppelstellung ein, da ihnen neben ihren militärischen Pflichten der Sicherheitsdienst der Ortspolizei zugeteilt ist; sie stehen deshalb teils unter militärischem Kommando, teils unter dem Ministerium des Innern, gleich der deutschen Landgendarmerie. Allein ihre militärische Gliederung ist schärfer betont; sie stehen in engeren Truppenverbänden und sind überall, wo es irgend angeht, kaserniert. Aus ihrer Mitte sind auch die Hundertgarden erwählt, die sogenannten corazzieri (ferät-ßïärï), welche die Leibwache des Königs bilden, und deren ungewöhnlich große und schlanke Gestalten,

Land und Leute in Italien.     7

durch den blinkenden Römerhelm noch vergrößert und
durch die äußerst schmucke Uniform aufs stattlichste
gehoben, in Rom viel bewundert werden. Sie sind bei=
läufig das einzige, was man in der italienischen Armee
an Gardetruppen kennt.

Auch die Uniform der carabinieri ist sehr kleidsam.
Man sieht sie nie anders als im schwarzen Frack mit
breiten roten Aufschlägen und in schwarzen, weiten Bein=
kleidern, den Dreispitz, Sonntags von einem blauroten
Federstutz geziert, in die Breite gesetzt. Dann tragen
sie auch weiße Epauletts und Fangschnüre. Immer zu
zweien sieht man die großen, schönen Männer überall
auftauchen und mit ruhigem Ernst auf und ab
gehen. Wer nach Italien kommt, mit der Eisenbahn oder
zu Schiff oder als Fußwanderer über eins der Alpen=
joche, kann sicher sein, daß das erste, was er erblickt, die
schwarzen Dioskuren sind, die sich auf dem Bahnhofe,
dem Hafenkai oder bei Eintritt ins erste Alpendorf ihm
präsentieren. Und solange man im Lande verweilt, be=
gegnet man überall und immer gern diesen stattlichen,
wachsamen Vertretern der Staatsgewalt, die dem
Fremden mit stets gleichmäßiger Höflichkeit und Bereit=
willigkeit Auskunft geben, und die er im Verkehr mit
den Einheimischen eine achtunggebietende, dabei aber ver=
trauenerweckende Haltung bewahren sieht. Sicher kann
es kein leichter Dienst sein, den die carabinieri in den
Schluchten der Apenninen, in dem wilden Waldgebirge
Kalabriens und auf den Hochebenen Siziliens als Wächter
der Sicherheit auszuüben haben. In den Jahren, da
der Brigantaggio im Neapolitanischen sein Unwesen trieb,
haben die carabinieri einen schweren Stand gehabt,
und manchen von ihnen hat aus sicherem Versteck die
Kugel oder im raschen Überfall das Messer der Banditen
niedergestreckt. In der Korpsliteratur werden noch heute
Erinnerungen an heroische Taten gefeiert, die damals
begangen worden sind. Wenn am Tage des heiligen Martin,
des Schutzpatrons der Armee, die Kasernen der cara=
binieri erleuchtet sind und ihre Offiziere sich mit den
Veteranen des Korps beim Klange der Musik zum Liebes=
mahl vereinigen, da weiß sicherlich der eine oder andere
aus jener Zeit Episoden zu berichten, die an Schlauheit

und Grausamkeit auf der einen, an Kaltblütigkeit und Entschlossenheit auf der andern Seite mit den Erzählungen des letzten Mohikaners wetteifern. (Fischer).

**Carciofolata** (kärtschefela'tä). „Waren Sie schon zur carciofolata?" Das ist die Frage, die der des römischen Lebens Unkundige mit Erstaunen im Monat April die Einheimischen aneinander richten hört. Weiß er doch nicht, daß der April in Rom der Artischockenmonat heißt, denn die ewige Stadt steht da wirklich im Zeichen der Artischocke, die sich unter dem Namen carciofo oder carciofolo einer großen Beliebtheit erfreut und dort ja auch so viel üppiger und fleischiger gedeiht als in nördlichen Gegenden. Es sind in Rom nicht nur die oberen Zehntausend, die sich dem Genuß dieses neben dem Spargel edelsten aller Gemüse hingeben, hier kann sich auch das Volk, der kleine Bürger, der bessere Arbeiter das Artischockenessen leisten, geht doch in der eigentlichen Artischockenzeit der Preis für ein rohes Exemplar dieses rosenähnlich geformten Gemüses auf 1 bis 2 Soldi herunter. In riesigen Haufen und Körben sieht man sie auf dem Campo di fiori und anderen Gemüsemärkten malerisch aufgeschichtet.

Mit dem Reichtum an Pflanzenspeisen in Italien und ihrem Massenverbrauch geht die Mannigfaltigkeit ihrer Zubereitung Hand in Hand. So wird auch die Artischocke gekocht, gedünstet oder gebacken, sei es mit Mehl, Eiern oder geröstetem Maisgries, oder mit einem Füllsel, oder ganz ohne Zutaten gegessen. Als eine römische Besonderheit gilt ihre Zubereitung alla giudia (äl-lä dschudiä — auf jüdische Art), und es gibt in Rom eine ganz bestimmte Küche, wo man sie in dieser Art in höchster Güte und Volkstümlichkeit genießen kann. Es ist dies die altberühmte trattoria des Vaters Abraham, unweit des Tiber, auf dem Gebiete des ehemaligen römischen Ghetto, unmittelbar an dem mittelalterlichen, durch seine finstere Familientragödie bekannten Palazzo Cenci-Bolognetti. Es ist ein altes Herkommen bei den Römern aller Stände, sich im April mit Verwandten oder Freunden zu einer carciofolata zu verabreden und mit ihnen ein gemeinsames Frühlingsfest zu feiern. Und auch der Fremde nimmt gern an einem solchen teil, insofern er sich nur

7*

länger in Rom aufhält und davon erfährt. — Man
geht am besten des Abends hin, wenn das Leben
und Treiben hier am stärksten wogt. Man sieht dort
echte Räume für das Volk, wohl vier an der Zahl, große,
rauchgeschwärzte, wahrlich nicht allzu sauber gehaltene
Räume, die mit langen, weißgedeckten Tischen vollgestellt
sind. Wer sich aber gar zu vornehm und ästhetisch an=
gehaucht fühlt, mag sich in das hintere Honoratioren=
stübchen zurückziehen. Wie ein König in seinem Reich
kommandiert hier Padre Abraham, ein echt römischer
Volkswirt, die Schar der diesen Räumen angepaßten
«camerieri». Ist doch diese Küche, deren Ruhm und
auch deren Geheimnis die vollendete Zubereitung der
Artischocken ist, bereits gegen hundert Jahre seinem Ge=
schlecht zu eigen. Gern erzählt er, wie die Mitglieder
der Aristokratie sein Haus aufsuchen, darunter die Ge=
mahlin des Fürsten Bülow, die es früher bei einem Auf=
enthalt in Rom nie versäumt haben soll, bei Vater
Abraham Artischocken zu genießen. Wie unterhaltend ist
es für den Fremden auch hier, die Gäste zu beobachten,
diese römischen Familienväter, die mit Weib und Kind,
mit Vettern und Fremden an den Tischen Platz ge=
nommen haben. Eine solche «carciofolata» gehört
wirklich zu dem Eigenartigsten, Unterhaltendsten und Volks=
tümlichsten, was man in Rom erleben kann. Nirgends
besser als hier hat man Gelegenheit, die sonst so ernst
scheinenden Römer in ihrer südlichen, genußfrohen Leben=
digkeit zu beobachten, die aber nie, trotz allen lauten
Lachens, Singens, Schreiens, roh oder unschön wirkt.
Eine «banda», Mandolinen= und Gitarre=spieler, die
mit ihren Liedern und Gassenhauern — der Kehrreim wird
oft von allen mitgesungen — von Saal zu Saal ziehen,
erhöht noch die Stimmung, und der ist zu bedauern,
der sich nicht von diesem natürlichen Frohsinn, dieser
harmlos=heiteren Liebenswürdigkeit, die keinen Unterschied
kennt, anstecken läßt und vollauf mittut.

**Carneva'le** s. den Art. Karneval.

**Cassa'ta** s. den Art. Gefrorenes.

**Casse rurali** s. den Art. Volksbanken.

**Castelli Romani** nennt man die Umgebungen
Roms: Frascati, Marino, Rocca di Papa, Grottafer-

rata ufw. Sehr berühmt ist der Vino delli Castelli Romani oder einfach der Vino delli Castelli.

**Cavaliere** (tāwālā'rĕ). In Deutschland pflegt man seinen Nächsten bei dem Amtstitel anzureden: „Guten Tag, Herr Regierungsbaumeister", „Herr Oberrechnungsrat" ufw. Die Italiener dagegen pflegen den ritterlichen Titel zur Schau zu tragen. Jeder, der eine Croce della corona d' Italia (vergl. den Art. Orden) besitzt — und es gibt deren in ganz Italien tausend und abertausend — wird gleich Cavaliere genannt. Die höhere Stufe heißt Ufficiale; so aber wird kein Mensch angeredet, da sonst Signor Ufficiale „Herr Offizier" heißen würde. Die noch höhere Stufe ist die des Commendatore (abgek. Comm.). Diese Auszeichnung erhalten höhere Beamte, Bankdirektoren, Universitätsprofessoren, Abteilungschefs in den verschiedenen Ministerien ufw. Allerdings gab es eine Zeit, wo einige commendatori in Konflikt mit dem Strafgesetzbuch gerieten, und da hieß commendatore dasselbe wie in Deutschland — „Bankdirektor".

**Centesimo** ([tschentā'ssmö] = 4/5 Pfennig). Obgleich in Italien nach centesimi gerechnet wird, kommen diese selbst als Geldstück im gewöhnlichen Verkehr fast gar nicht vor. Im allgemeinen gelten als kleinste Münze die 5= und 10=centesimi= (= 1= und 2=Soldi=) Stücke. Zwei centesimi werden beim Bezahlen ganz ausgelassen, drei und vier centesimi aber als voll, d. h. mit fünf centesimi beglichen. So kommt es, daß man jahrelang in Italien leben kann, ohne je einen centesimo zu Gesicht zu bekommen.

**Ceppo di Natale** (tsche'p-vĕ đĩ nātā'lĕ). In Italien wird, wie in vielen Ländern Europas, am Weihnachtsheiligabend ein schwerer Block aus einem Holz dichten Gefüges quer auf den Herd gelegt und die ganze Nacht hindurch schwelend oder brennend erhalten; zuweilen wird dieser Block auch von einem Priester geweiht und gesegnet. In Italien ceppo genannt, ist der Block das, was man in Frankreich la bûche de Noël oder auch calendeau und calignau, in England the yule-log, in Skandinavien und Mecklenburg den Julblock nennt. Ceppo bedeutet eigentlich einen Stubben, den mit der

Wurzel in der Erde steckenden Stumpf eines Baumes, dessen Stamm umgehauen ist; das Wort ist aus dem lateinischen cippus entstanden, worunter man im Altertum eine kurze, massive Säule mit Inschriften, wie sie als Grenzstein, Wegweiser und Denkmal diente, also einen künstlichen Stumpf verstand. Der natürliche cippus war, wie schon oben bemerkt, der niedrige, mit den Wurzeln in der Erde zurückbleibende Stock eines gefällten Baumes. Wenn nun die Italiener den Stock gerade in der Christnacht brennen und am heiligen Abend Weihnachten feiern, indem sie, wie es kurz heißt, den Stubben machen (facendo il ceppo), so läuft das doch augenscheinlich auf eine Art Märchenphantasie und auf dieselbe Symbolik hinaus, die auch den deutschen Christbaum erschaffen hat. Dieser ist gleichsam ein Wunderbaum, der mitten im Winter im Junilichte steht und seine köstlichen Früchte trägt.

Der Julblock ist ein volkstümliches Sinnbild des feurigen Sonnenballes, der in alle Ewigkeit unversieglich fortglimmt und eben jetzt, in dieser heiligen Stunde, seine Kraft unter der Asche sammelt, um mit Macht wiederhervorzubrechen und die vorgeschriebene Reise mit Donnergang zu vollenden — ein Sinnbild, verbreiteter und in der Tat auch noch anschaulicher als der Christbaum, der in Deutschland selbst erst seit etwa hundert Jahren wieder stärker in Aufnahme gekommen ist. Der schwere Klotz flackert im Kamin, als ob er lebendig wäre, große schwarze Ameisen kommen wie Seelen aus ihm heraus, um ihn herum ist die ganze Familie versammelt der Becher kreist, ein Saltarello oder eine Tarantella wird getanzt, das Tamburin klingt, der Harfenspieler singt mit krächzender Stimme ein altes Weihnachtslied, endlich wird der brennende Block rings um das Haus getragen, der Hausherr gießt einen Becher vino santo auf die Glut und ruft den Umstehenden zu: Vi auguro un buon ceppo! (Kleinpaul.)

**Charakter des Italieners** s. die Art. Äußeres, Faulheit, Frohsinn, Leidenschaft, Selbstgefühl.

**Chianti** (kĭă'ntĭ) s. die Art. Wein, Weinbau.

**Chiesa evangelica italiana** s. den Artikel Evangelische italienische Kirche.

**Cia'o** ſ. den Art. Gruß.

**Ciociari** (tschötschā'ri).[1] Wer kennt ſie nicht, die bunten, maleriſchen Geſtalten, die im Winter die ſpaniſche Treppe in Rom bevölkern und ihr zuſammen mit der Blumenpracht auf den unterſten Stufen erſt das wahre Gepräge geben? Und wer kennt ſie nicht, die mehr oder minder hübſchen Blumenmädchen, die ſich wie Kletten an jeden Fremden hängen und ihm um jeden Preis das Sträußchen ins Knopfloch ſtecken wollen? Daß die Modelle auf der ſpaniſchen Treppe und die zahlloſen Blumenmädchen aus der Cioceria kommen, weiß jeder; das iſt aber auch alles. Wer kennt ihre Heimat, wer weiß, wie es ihnen daheim ergeht? G. L. Ferri erzählt in ſeinen Erinnerungen aus der Cioceria folgende kleine Anekdote. Eine Mutter, mit der er ein Geſpräch angeknüpft hat, ſagt zu ihrem Töchterchen: „Sag' mal dem Herrn da, wo dein Vater hingegangen iſt.“ — „Nach Perancia,“ antwortet die Kleine, und auf die weitere Frage, in welcher Stadt er ſei, ſagt ſie, verſchämt das Geſicht in der Schürze der Mutter verſteckend: „In Livreppul“ (Liverpool). Die Kleine wirft ſo alle unſere geographiſchen Kenntniſſe über den Haufen. Die Mutter hat uns geſagt, daß „Perancia“ Francia (Frankreich) bedeute, aber ſeit wann liegt Liverpool denn in Frankreich? —

Das Frankreich der Ciociaren hält ſich eben abſolut nicht an die Grenzen der Republik. Für ſie beginnt Frankreich ungefähr an der nächſten Eiſenbahnſtation und endet in Kalkutta, in Petersburg, in London, in Buenos Aires, in Madagaskar und weiß der Himmel wo ſonſt. Wenn einer dieſer Bauern das magere Äckerchen, das ihn nicht ernähren kann, verläßt, dann zeigt er den Bekannten an, daß er ſich entſchloſſen habe, nach Frankreich zu gehen. „Nach Frankreich gehen“ bedeutet, irgend anderswo ſein Glück verſuchen. Man muß ſie ſehen, dieſe Bauern, wenn ſie zurückkommen von den Gegenden,

---

[1] Ciocia (tschö'tschä) nennt man eine in der römiſchem Campagna gebräuchliche lederne Fußbekleidung (eine Art Sandale), die mit Riemen am Fuß und Bein befeſtigt wird. Ciociari heißen dann die Bauern, die eine ſolche Fußbekleidung tragen, und Cioceria (tschötschērl'ä) die von ihnen bewohnten Gegenden (Alatri, Carpineto uſw.).

wo man eine ihnen unverständliche Sprache spricht,
Speisen ißt, die sie nicht kennen, und statt ihres Weines
starkes Bier oder Schnaps trinkt; man muß sie sehen,
wenn sie am Sonntag auf dem Platz vor der Kirche beisammen stehen, mit großen, bunten Krawatten, dicken,
falschen Ketten und Blumen auf dem Hut; man muß
hören, wie sie miteinander plaudern, in einem schauder-
haften Mischmasch aller möglichen Sprachen und Dialekte.
Sie fluchen piemontesisch, verspotten sich neapolitanisch
und schimpfen sich mit deutschen, französischen, spanischen
und womöglich arabischen Brocken. Ein paar alte
Bauern, die nie ihre elende Hütte verlassen haben, betrachten sie mit halb bewundernden, halb mißtrauischen
Blicken, und bedächtig die Dose ziehend und ein Prischen
nehmend, murmeln sie achselzuckend, in einem Tone voll
Verachtung und moralischer Selbstüberhebung: ‹Franciaioli!›

Wer nach Frankreich geht, gleichviel ob er draußen
dann sein Glück macht oder armseliger als vorher
zurückkommt, ist ohne weiteres der Verachtung aller
preisgegeben, die zu Hause geblieben sind. Der Bauer,
der daheim immer sein „rotes Brot" (Brot aus Maismehl) gegessen hat, der fortfuhr, seinen Acker zu bearbeiten, wie ihn sein Vater, sein Großvater und Groß-
vaters Vater bearbeitet hatte, der kann sich ja mit dem
‹franciaiolo› unterhalten, er kann sich auch einen
„Halben" Wein von ihm bezahlen lassen oder ein kleines
Geschenk annehmen, das der andere aus der Teufelsküche
mitgebracht hat, aber er wird deshalb sein Urteil über
ihn nicht ändern. Wer sein Dorf verlassen hat, um
nach Frankreich zu gehen, der ist verachtet, mag er auch
anscheinend noch so freudig begrüßt werden. Die
‹franciaioli› wissen das natürlich sehr gut, denn ehe
sie nach Frankreich gingen, verachteten sie ebenso jene,
die „die Arbeit im Stich gelassen hatten, um Vaga-
bunden zu machen". Tiefer und allgemeiner noch als
die Verachtung, die man gegen den männlichen „Frank-
reichgeher" hat, ist jene, die alle, auch die ledigen ‹franciaioli› selbst, gegen ihre weibliche Kollegin haben.
Über ein Weib, das nach Frankreich gegangen ist, wird
ohne weiteres der Stab gebrochen. Wer ist so barm-

herzig danach zu fragen, was sie dazu trieb? Als sie die Heimat verließ, war sie vielleicht ein Kind; die Mutter, Witwe, mit einem Haufen kleiner Kinder, ging vielleicht nach Frankreich, weil sie irgendeinen Verwandten dort hatte, von dem sie Hilfe erwartete. Der plötzliche Wechsel aus dem Elend des weltverlorenen Dörfchens in diese neue Welt, in der ihnen, die die Kehrseite der Medaille noch nicht kannten, alles voll Glanz und Luxus schien, hatte die Ideen dieser armen, weltfremden Menschen sicher nicht wenig verwirrt; dazu kamen dann die guten Ratschläge, das Beispiel jener, die schon länger in der Stadt weilten, die Not tat das Ihrige dazu, kurz, die Mutter, die noch jung genug war, machte es bald wie die anderen. Es dauerte nicht lange, dann hatte auch die Ältere mit dem Madonnengesicht und den Zigeunerinnenaugen einen Verehrer gefunden, irgendeinen fremden Künstler oder einheimischen Don Juan, die kleine Familie zerstreute sich, und jedes suchte auf seine Weise sich durchs Leben zu schlagen. Früher oder später werden dann alle diese armen Menschen vom Heimweh nach ihrem armseligen Dorf erfaßt, aber dann wehe ihnen!

So unverständlich diese Verachtung gegen die Auswanderer ist, in einer Gegend, deren Bewohner langsam Hungers sterben müßten, wenn sie alle zu Hause sitzen blieben, so tief und unausrottbar ist dieses Vorurteil eingewurzelt. Der oder die einzelne mag sich draußen noch so brav gehalten und die wenigen Ersparnisse noch so sauer verdient haben, kein Mensch fragt danach, man weiß nur, daß er oder sie in „Frankreich" war, und das genügt. Die ‹franciaiola› weiß natürlich ganz genau, wie ihre ehemaligen Freundinnen über sie denken, und sie sucht sie daher wenigstens so viel als möglich zu ärgern, indem sie einen Luxus entfaltet, der den anderen stets neuen Stoff zu üblen Nachreden gibt. Die Geschichtchen über sie wandern nun von einem Dorf zum andern, und jeder weiß irgend etwas Neues dazuzufügen, bis ein ganzer Roman daraus wird. Da erzählte man sich von einer, in die sich ein ungeheuer reicher Fürst verliebt habe und sie mit Gold und Edelsteinen nur so überschüttete. Sie hatte ihre eigene Villa

gehabt, mit zahlreicher Dienerschaft, und wenn sie ge=
wollt hätte und gescheit gewesen wäre, dann hätte der
Fürst sie sogar geheiratet. Aber eines Tages hatte er
Verdacht geschöpft, der Verdacht war zur Gewißheit ge=
worden, und die „Fast"=Fürstin wurde einfach hinaus=
gejagt aus der prachtvollen Villa. Wer die Heldin dieses
Romans sah, mußte sich sagen, daß der Herr Fürst mit
seinem fabelhaften Reichtum eigentlich etwas Besseres
hätte finden können, aber über den Geschmack läßt sich
ja bekanntlich nicht streiten. Jedenfalls waren die Er=
finder dieser Geschichte davon überzeugt, daß sich alles so
zugetragen haben — könnte, und die Heldin glaubte
schließlich selbst daran und trug ihre etwas zweifelhafte
und verblichene Eleganz mit der Miene einer entthronten
Fürstin spazieren. — Daß übrigens ähnliche Romane
im Leben der Ciociaren, besonders jener, die ihr „Frank=
reich" auf der spanischen Treppe finden, nichts Ungewöhn=
liches sind, weiß jeder, der die römische Gesellschaft, be=
sonders die Künstlerkolonie, kennt. Da erzählt man
sich von einer bildschönen Ciociarin, die als heißgeliebte
Gattin eines hervorragenden Malers den Schmeicheleien
eines als Dichter wie als Don Juan gleichberühmten
Hausfreundes nicht widerstehen konnte und die der tief=
gekränkte Gatte mit ihrer zahlreichen Familie, für deren
Unterhalt er bis dahin Sorge getragen, einfach wieder
auf die Straße setzte. Besser machen sich verschiedene
andere, die, nachdem sie von ihren späteren Eheherren
in Pensionate gesteckt wurden, um sich die nötige „Bil=
dung" anzueignen, sehr brave Frauen und Mütter ge=
worden sind und auch im Salon durchaus keine schlechte
Figur machen. Mit anderen geht's bergab. Unsere Ex=
fürstin hat wieder ihre Ciociarenkleidung angelegt und
spielt in einer der herumziehenden Musikbanden die
Mandoline, während die Kleine, deren Vater in „Peran=
cia" war, das Tambourin schlägt. Ein ordinär und ge=
walttätig aussehender Mensch zupft die Gitarre, und,
wie es scheint, ist er der jetzige Vertreter des Fürsten bei
der Exfürstin. Sie ziehen von einem der kleinen Wirts=
häuser, die alle römischen Landstraßen einsäumen, zum
andern, und daheim sagt man von ihnen: sie sind in
Frankreich. (Berl. Neueste Nachrichten.)

**Circolo** ([ɪschiʼrtele]; etwa = Kaſino, Klub). Die circoli ſind eine eigenartige Einrichtung für beſſer geſtellte Leute, die ſich zu Hauſe den Luxus, den man im circolo hat, nicht leiſten können. Die Größe, Mitgliederzahl und Ausdehnung der circoli iſt ſehr verſchiedenartig. Die kleinen ſind den deutſchen „Vereinen" zu vergleichen, nur etwas eleganter; ſie begnügen ſich mit einem gemieteten Salon, in welchem ſie ein= oder zweimal wöchentlich Zuſammenkünfte haben und Tanzvergnügungen veranſtalten, während ſie im Sommer Ausflüge machen uſw. Von einer gewiſſen Rangklaſſe ab jedoch beſitzen die circoli mindeſtens eine eigene Etage, die vornehmſten ihr eigenes Haus. Der Luxus, mit dem die vornehmeren circoli ausgeſtattet ſind, iſt geradezu fürſtlich, und die Mitglieder finden in ihnen einen Komfort ohnegleichen. Es gibt dort Leſezimmer, wo die neueſten Bücher und die Zeitungen der ganzen Welt ausliegen, eine fürſtliche Bedienung, ein Toilettenzimmer mit Parfümerien zu unentgeltlichem Gebrauch, Schreibtiſche mit allem Zubehör; den Mitgliedern werden lukulliſche Mahlzeiten zu einem Preiſe geliefert, der bedeutend geringer iſt, als in jedem irgendwie anſtändigen Reſtaurant. Der eigentliche Hauptzweck iſt jedoch das Spiel, und mancher von dieſen Klubs kann geradezu für eine Spielhölle gelten. Es gibt darunter ſolche, die bis zu einer halben Million allein an Spielgeld einnehmen, eine Einnahme, deren ſie im übrigen auch bedürfen, um den großartigen Luxus ihrer Ausſtattung zu beſtreiten. Eine Sonderſtellung nehmen die circoli ein, welche den Sammelpunkt der italieniſchen und ausländiſchen Geburts= und Geld=ariſtokratie bilden. Der Zutritt zu ihnen iſt außerordentlich erſchwert. Eine einzige ſchwarze Kugel bei der Ballotierung genügt zur Abweiſung des Vorgeſchlagenen. Nur die Geſandten, Miniſterreſidenten und Offiziere haben ein Recht auf Einführung, ohne daß über ſie abgeſtimmt wird. Es wird dort, wie in allen Klubs, geſpielt und natürlich ſehr hoch; ein Gewinn oder Verluſt von vielen Tauſenden in einer Nacht gehört zu den täglichen Vorkommniſſen. Die verlorenen Summen, wie groß ſie auch ſein mochten, werden ſtets innerhalb vierundzwanzig Stunden herbeigeſchafft, und die geringſte Unehrlichkeit gilt als unerhört.

**Claque.** Die Claque, die man in Toskana scherz=
weise il risotto nennt, besteht aus Leuten, Claqueurs
(risottisti) genannt, die es übernehmen, ein Theaterstück
zu beklatschen, es soviel als möglich in der Gunst des
Publikums zu erhalten und bisweilen — mit Hilfe der
Fäuste — einen Erfolg zu erringen. Selbst bedeutendere
dramatische Schriftsteller verschmähen durchaus nicht die
Hilfe der Claque, weil sie wissen, daß das bestgeschriebene
Stück vor einem teilnahmlosen Publikum, welches sich
durch Beifallklatschen bloßzustellen fürchtet, kalt und
langweilig erscheinen kann und deshalb etwas Nachhilfe
gut ist. Ein capo dei risottisti, der die Erfolge an
einem Theater in Betrieb nimmt, ist ein einflußreicher
und nebenbei oft ein ehrenwerter Mann. Am Tage
einer ersten Vorstellung verteilt der capo seine Truppen
mit großer Kunst. Die Hauptmasse bringt er nach
der Mitte; dann gibt es andere, hier und da ver=
teilte, von den Unterchefs geleitete Gruppen; ferner wer=
den einzelne Claqueurs einzeln verteilt, d. h. man
erlaubt ihnen, ihren Platz vereinzelt mitten unter den
zahlenden Zuschauern zu nehmen.

**colazione** (kōläts͜iō'nĕ) s. den Art. Mahlzeiten.

**Colonia alpina** (kōlō'nĭä älpī'nä) s. d. Art. Ferien=
kolonien.

**Commendatore**(abgk. Comm.)s.b.Art. cavaliere.

**Conciliatore** (tontschil͜iätō'rĕ — Schiedsrichter) s.
den Artikel Gerichtswesen.

**Conditor, Conditorei** s. unter K.

**Confetti.** Die confetti sind die italienischen
Bonbons, sie werden bei jedem feierlichen rinfresco auf
das Büfett gesetzt, bei jeder Hochzeit an die Verwandten
und Freunde ausgeteilt; die Confettitüte ist gleich=
bedeutend mit der Hochzeit; sogar bei der jüdischen Be=
schneidung fehlt sie nicht. „Wann essen wir Confetti?"
‹Quando si mangiano i confetti?› fragt man die
Braut in Italien, was soviel heißt wie: Werden wir
bald Hochzeit machen? — Das Wort confetto ist die
italienische Form von Konfekt, aber keineswegs soviel
wie Zuckerwerk schlechthin, sondern die italienischen Con=
fetti sind kandierte Körner, durch Eintauchen in flüssigen
Zucker mit Kandis überzogene Nüsse, Mandeln, Pistazien,

Zimtſpäne, Korianderkörner, Pinienkörner, alſo haupt=
ſächlich Samenkörner, im Gegenſatz zu den ſogenannten
trockenen Konfitüren, verzuckerten und glaſierten Früchten
und Wurzeln, die man im Lateiniſchen (1333) als con-
sectae bezeichnete und noch heute in Frankreich unter
fruits confits verſteht, in Italien aber lieber nicht
confetti, ſondern canditi nennt. Solche Kanditen, die
an Holzſtäbchen ſtecken, werden auf der Straße häufig
angeboten, die Confetti bleiben mehr im Hauſe und in
der Familie. Nur letztere werden beim Karneval in Rom
als Wurfgeſchoß gebraucht und dann häufig in Gips nach=
geahmt, was jedoch zu Unzuträglichkeiten führt. (Kleinpaul).

**Confettiwerfen.** Damit beginnen die Vorbereitungen
zu den kleinen Liebesneckereien, welche dem römiſchen
Karneval einen ſo eigenartigen Reiz verleihen; man
ſucht ſich unter der großen Fülle ſchöner Frauen und
Mädchen ſeine Schöne oder noch häufiger ſeine Schönen
aus, deren Aufmerkſamkeit man durch Wiederkehren und
Zuwerfen von Sträußchen, Blumen und Konfitüren auf
ſich zu ziehen ſucht. Zuerſt werden geringere Sträußchen
geworfen, dann folgen die beſſeren, Buchsbaum, Myrten
und blühende Lorbeeren, ſpäter Maßlieben und Ane=
monen, die allbeliebten Veilchen und die mehr koſtbaren
Sträuße; kleine Käſtchen mit verzuckerten Drageen,
Bonbons und anderes Naſchwerk fliegen auf und nieder;
gemachte Blumen, kleine zierliche Arbeiten und puppen=
hafter Scherzkram bilden die beſſeren Gaben; allerlei
kleine Zuſchriften ſollen den Ausdruck der vorhandenen
Gefühle bezeichnen. Doch nicht immer gelangen die
Blumen=, Frucht= und Confettiwürfe an den Ort ihrer
Beſtimmung. Geſchicklichkeit und Kraft des Entſenders,
Gunſt des Zufalls, Aufmerkſamkeit und Gewandtheit des
Empfängers ſind die notwendigen Hauptbedingniſſe;
hundert Mißgünſtige ſtehen vereitelnd im Wege, ſo daß
viele dieſer ſchönen Gaben den Ort ihrer Beſtimmung
verfehlen und nicht ſelten Veranlaſſung zu Balgereien
werden, indem ſich der auf die Straße niedergefallenen
Blumenſträuße und Konfitüren die römiſchen Gaſſen=
jungen zu bemächtigen ſuchen. Ja zuweilen werden
dieſe Liebesgaben auf ihrem Wege durch die Luft auf=
gefangen oder aus den Körbchen, ſelbſt aus den Wagen

entführt. — So schrieb vor einigen Jahren ein deutscher Schriftsteller über das berühmte Confettiwerfen des römischen Karnevals. Heute aber sind Confetti, Moccoli, Maskenzüge und Karnevalsfreuden nichts mehr als eine historische Erscheinung. Vergl. hierüber d. Art. Karneval und Moccoli.

**Confraternite** f. den Art. Brüderschaften.

**Consiglio comunale** (tonßi'ljö tomuna'lē) siehe den Art. Gemeinderat.

**Consiglio di stato** (tonßi'ljö di ßta'te) f. Staatsrat.

**Consiglio provinciale** (tonßi'ljö prowintschä'lē) f. den Art. Provinzialrat.

**cooperativa** (tēēpĕrätī'wä) f. Genossenschaften und Konsumvereine.

**Corazziere** (forät-ßiä'rä). Im italienischen Heere gibt es kein Kürassier-Regiment, mit dem Namen corazzieri werden nur die Hundertgarden bezeichnet, die die Leibwache des Königs bilden. Vgl. den Art. Carabinieri.

**Corte dei conti** f. den Art. Rechnungshof.

**Cuccagna** (tut-kä'njä). Nicht selten hat man in Italien an Sonntagen, bei Volksfesten, Jahrmärkten und Kirchweihen Gelegenheit, ein Spiel mitanzusehen, das unter dem Namen Cuccagna bekannt ist. Cuccagna ist ein Märchenwort; es bedeutet ein Kuchenland, wo die Häuser mit Kuchen gedeckt, die Weinstöcke mit Würsten angebunden und die Täler mit Muskateller gefüllt sind, die Berge aus geriebenem Parmesankäse bestehen und die Menschen weiter nichts zu tun haben, als Maccaroni zu kochen und Gänse zu braten; also dasselbe, was Hans Sachs unter einem Schlaraffenland versteht. Zum Spiel dient nun der Albero di Cuccagna, das heißt: der Schlaraffenbaum, den ein kleines Schlaraffenland krönt. Auf dem Marktplatze wächst ein Baum, der seltsame Früchte trägt. Hühner und Kapaune, Schinken, Würste, Käse, Körbe voll Nudeln, Flaschen voll Wein, Beutel voll Geld — lauter herzerfreuende und angenehme Sachen, die jedermann gehören, aber ohne Hilfe einer Leiter abgenommen und rite erklettert werden müssen. Doch der Baum ist ziemlich hoch und glatt geschält, dazu noch eingefettet und eingeseift, das Hinaufkommen mithin ein Kunststück. In Florenz sah ich einmal einen Schlaraffenbaum mitten im Arno stehen und die Jungen an Tauen, die ebenfalls eingeseift waren, hinaufklimmen. In den italienischen Hafenstädten wird zur Ab-

wechselung einmal unter ähnlichen Erschwerungen ein Mast=
baum horizontal über den Wasserspiegel gelegt der Untermast
am Ufer befestigt und die Cuccagna, gewöhnlich ein guter
neapolitanischer Schinken, an den hinausragenden Topp
gesteckt, wo dann nicht zu klettern, sondern nur wie auf
einem Seile zu tanzen und zu balanzieren ist. (Kleinpaul).

## D.

**Dazio comunale** (bā'tši'c temūnā'lē). Der dazio
comunale, die Akzise bildet heute noch eine der Haupt=
quellen für die Gemeindekassen der italienischen Städte. Dem
dazio comunale unterliegen nicht nur die meisten Nah=
rungsmittel und Getränke, vor allem Brot, Mehl, Fleisch,
Fische Wein usw., sondern auch Brenn= und Baumaterial.
Um diese Akzise zu erheben, unterhalten die größeren
Städte Italiens eine kleine Armee von Torwächtern und
Zöllnern, die die Steuergrenze des Gemeindebezirks unter
strenger Aufsicht halten und jeden Eintretenden einer
mehr oder minder strengen Prüfung auf steuerbare
Gegenstände unterwerfen. — Vergl. den Art. Akzise.

**Delphin** s. den Art. Fischerei.

**Detektivagenturen** (private), die besonders in den
großen Städten blühen, sind eine Einrichtung, welche
leider jetzt in jedem Kulturlande der Welt vorkommt.
Diese Agenturen sind, wie ihr Name andeutet, Geheim=
polizeibureaus, die von gewinnsüchtigen Privatunternehmern
geführt werden, mit der Regierung in durchaus keinem
amtlichen Verhältnis stehen und jedem Menschen dienen,
der ihre Dienste annimmt und sie dafür bezahlt. Würden
diese Agenturen nur von grundehrenhaften Männern
geleitet und würden sie absolut kein anderes Ziel
verfolgen, als Verbrechen zu verhüten, Verbrecher auf=
zusuchen, zu verfolgen und sie den Gerichten zu über=
liefern, so wäre gegen sie nichts einzuwenden; aber leider
ist dies nicht immer der Fall, und es hat sich heraus=
gestellt, daß Privatdetektives, anstatt Verbrechen zu ver=
hüten, vielmehr solche oft veranlaßt haben. Einen Haupt=
verdienst finden manche derartige Agenturen darin, eifer=
süchtigen Frauen, heiratslustigen jungen Damen, ehemüden
Gatten oder Gattinnen sowie den gegen ihre Teilhaber

mißtrauischen Kaufleuten usw. für schweres Geld zu dienen und diejenigen Personen zu überwachen, über deren geheimes Privatleben der Auftraggeber Aufschluß zu erhalten wünscht. Zur Durchführung ihres Auftrages bedienen sie sich einer Menge geheimer männlicher und weiblicher Agenten, die das arme Opfer ihres Kunden auf Schritt und Tritt verfolgen; hierfür beziehen sie recht ansehnliche Gehälter. Zwar wurde manches Verbrechen von ihnen entdeckt und der Schuldige zur Rechenschaft gezogen; viel gestohlenes Gut wurde durch ihre Bemühungen zurückgewonnen und häufig ein Vergehen durch sie verhütet; aber leider fehlt diesem Bilde die düstere Kehrseite nicht; denn natürlich finden diese Agenturen nicht immer, was sie suchen sollen, und erstatten daher erfundene, lügenhafte Berichte, welche das als Tatsache behaupten, was der Auftraggeber als erwiesen zu sehen wünscht. Denn die Agentur muß darauf bedacht sein, unbedingt eine Auskunft zu liefern, um nicht die Kundschaft zu verlieren. Manchmal kommt es vor, daß der Auftraggeber und der zu Bewachende, ohne daß der eine von dem andern etwas weiß, ein und derselben Agentur die Bestellung geben, sich gegenseitig zu bewachen; dann hat die Agentur freilich leichtes Spiel. — Solche gewissenlosen Agenturen sind infolge ihrer Berichte häufig die Veranlassung, daß glückliche Ehen auseinandergehen und manches häusliche Glück gestört wird.

**Deutsche in Italien.** Es ist sehr schwer, vielleicht sogar unmöglich zu sagen, wieviel Deutsche in Italien ansässig sind. Sicher ist ihre Zahl sehr groß und sie wird immer größer. In Neapel, in Rom, in Turin, besonders aber in Mailand ist die deutsche Kolonie sehr zahlreich. In Rom handelt es sich meist um Künstler; in den anderen Städten sind es fast ausschließlich Kaufleute, die diesen oder jenen Handel treiben, diesen oder jenen deutschen Industriezweig vertreten. In Mailand, in Turin, in Neapel gibt es auch deutsche Vereine, die während des Winters deutsche Gelehrte und Künstler aus der Heimat kommen lassen, damit diese vor den dortigen Landsleuten wissenschaftliche Vorträge halten. Sehr bekannt ist der deutsche Künstlerverein in Rom, wie denn Rom überhaupt der Sitz einer berühmten Stätte der deutschen Wissenschaft, des Istituto archeologico tedesco, ist. Vergl. die Artikel Archäologisches Institut, Deutsche Sprachinseln in Italien, Deutsche Sprachreste in Italien, Handel zwischen Deutschland und Italien.

**Deutsche Katholiken** s. den Art. Seelsorge für deutsche Katholiken.

**Deutsche Krankenhäuser** und **Deutsche Schulen** siehe den Artikel Evangelische Kirchen.

**Deutsche Sprachinseln in Italien.** „Italien gehört den Italienern in einem Umfange, wie wenige Nationen dies von ihrem Vaterlande behaupten können; es wird ganz und gar von Italienern bewohnt. Trotz der so häufigen Überflutung durch fremde Volksstämme und trotz langjähriger Fremdherrschaft gibt es innerhalb des Königreichs Italien von den Abhängen der Alpen bis zu den Spitzen Siziliens keinen nennenswerten Landstrich, der Nichtitalienern verblieben wäre." So schreibt in seinem schönen Buch über „Italien und die Italiener" der ehemalige Post-Unterstaatssekretär P. D. Fischer. In einzelnen abgelegenen Alpentälern aber begegnet man heute noch alten deutschen Bevölkerungen, die zwar nunmehr fast ganz italienisch sind, die aber an ihr ehemaliges Vaterland durch ihren Typus, durch ihre Namen und teilweise auch durch ihre Sprache noch immer erinnern.

Überhaupt zählen in Italien solche Sprachinseln — wie sie die Sprachforscher nennen — durchaus nicht zu den Seltenheiten. Sizilien hat in Nicosia eine Bevölkerung, welche eine dem Lombardischen ähnliche Mundart spricht; und hier und da begegnet man auf jener Insel einigen Nachkommen der Griechen und Albanesen, die sich ausschließlich ihrer Muttersprache bedienen, sodaß man mit ihnen beispielsweise vor Gericht nur mit Hilfe eines Dolmetschers verhandeln kann. In Sardinien lebt noch heute in der Gegend von Alghera eine Kolonie von ungefähr siebentausend Katalanen, die eine spanische Mundart sprechen. Im Tale der Resia, inmitten der reinsten friaulischen Mundarten, wird von mehreren tausend Bauern slawisch gesprochen; und in der Provinz Foggia sind zwei kleine Gemeinden, Faeto und Cello, die eine französischprovençalische Mundart reden, während um sie herum allein die foggianische Mundart herrscht.

Es ist also nicht verwunderlich, wenn man neben Slawen,

Land und Leute in Italien.                                    8

Griechen, Albaneſen, Katalanen und Franzoſen auch Deutſche
findet, die noch immer ihre Urſprache beibehalten haben.
Man braucht nur an die häufigen Niederlaſſungen ver=
ſchiedener germaniſcher Stämme in Italien und weiterhin
an die Nachbarſchaft der beiden Länder zu denken, um ſich
das Vorhandenſein von mehreren deutſchen ſprachlichen
und ethnographiſchen Spuren in Italien zu erklären. So
findet man in Piemont, in der Lombardei, im Venetiſchen,
in Ligurien, in Emilia und noch ſüdlicher eine große
Anzahl Familien= und Ortsnamen, die zweifelsohne deut=
ſchen Urſprungs ſind.  Den Deutſchen verdanken die
Italiener auch mehrere Hunderte von Wörtern, die ſich
in der Schriftſprache oder in den nordiſchen Mundarten
(Piemonteſiſch, Lombardiſch, Venetianiſch u. a.) finden.
Doch wollen wir uns hier auf die alten deutſchen Kolonien
beſchränken, die jahrhundertelang der ſtarken aufſaugenden
Kraft der Italiener einen hartnäckigen und nicht immer
erfolgloſen Widerſtand geleiſtet haben: auf die Deutſchen
des Monte Roſa und auf die Cimbern (wie ſie ſich noch
immer nennen) der beiden Provinzen Verona und Vicenza.
      Die Deutſchen des Monte Roſa haben ſich ſchon vor
mehreren Jahrhunderten in jenen kalten, rauhen Gegenden
niedergelaſſen, wo ſie, wie der Alpenforſcher Sauſſure
ſchreibt, «une espèce de garde allemande» bilden.
Sie hatten von Anfang an die fünf Täler, die ſich vom
Monte Roſa nach Piemont erſtrecken, nämlich die Täler
der Leſſa, der Seſia, der Sermenza, des Maſtallone und
der Anza, in Beſitz genommen.  Jetzt bewohnen ſie die
Gemeinden Trinità di Greſſoney, Greſſoney Saint Jean
und Iſſime im Leſſatale, Alagna im Seſiatale, Rima im
Tale der Sermenza, Rimella in dem des Maſtallone und
Macugnaga in dem der Anza.  Ihre Anzahl iſt gegen=
wärtig ſehr klein: Trinità di Greſſoney zählt 214 Ein=
wohner, Greſſoney Saint Jean 909, Iſſime 1620,
Alagna 677, Rima 304, Rimella 1232 und Macugnaga
617, im ganzen alſo 5573 Seelen.  Auf ihren Urſprung
aber ſind ſie noch immer ſtolz.  Sie ſind zwar jetzt
italieniſche Untertanen und bekennen ſich zur römiſch=
katholiſchen Religion, aber ſie fühlen ſich vielleicht ebenſo
ſehr als Deutſche wie als Italiener.  So erzählt Pro=
feſſor Albert Schott, der lange unter ihnen weilte, daß

er von ihnen als „deutſcher Vetter" willkommen geheißen
wurde; und jedem Fremden, der dorthin kommt und
einen der Bewohner anredet, klingt ſofort die einfache
und zugleich ſtolze Frage entgegen: „Js er dš—landš?"
Dort oben, in ihrem „Lande" führen ſie alle ein ſchweres,
trauriges Leben. So ſchön, ſo reizend die Natur für die
Reiſenden iſt, die, gut gekleidet und ausgerüſtet, zum Ver=
gnügen jene Gegenden aufſuchen, ſo karg iſt ſie gegen
**die** Einwohner. Sie kann ſie nur drei Monate ernähren;
für den Reſt des Jahres müſſen die Männer auswandern,
um ihren und ihrer Familien Unterhalt als Maurer,
Steinhauer oder Zimmerknechte zu erwerben. Die Frauen
bleiben mit ihren Kindern und ihrem Elend zu Hauſe,
in der Hoffnung, daß die Ehemänner ihnen ihre geringen
Erſparniſſe bringen, und in der Furcht, daß die Söhne
mit einer fremden Gattin zurückkehren, ſtatt ihrem Wunſche
gemäß dieſelbe unter den Töchtern der Heimat zu wählen.

Was den Urſprung jener deutſchen Bevölkerung anbe=
trifft, ſo weiß man darüber nichts Sicheres. Als ihre Vor=
fahren hat man früher die Cimbern betrachtet, die vor den
ſiegreichen Legionen des Marius geflüchtet waren. Andere
haben geglaubt, ſie ſeien die Nachkommen der alten Goten,
Langobarden oder Heruler. Profeſſor Albert Schott, der
erſte, der ſich mit ihrer Sprache wiſſenſchaftlich beſchäftigt
hat, behauptet dagegen, daß ſie von den alten Burgunden
ſtammen, die ſich im Laufe des fünften Jahrhunderts
vom Mainland ſüdwärts bis an die Rhonemündung aus=
gebreitet hatten. Von dieſen hätten ſie ſich dann getrennt
und ſich in den Tälern des Monte Roſa niedergelaſſen.
Ihre Stammesgenoſſen im Tale der Rhone, die unter
einer bedeutend zahlreicheren Bevölkerung lebten, wurden
von dieſer dann vollſtändig aufgeſogen, und ihre deutſche
Sprache mußte der romaniſchen weichen. Dieſe wenigen
Abtrünnigen aber, durch ungaſtliche Felſen und ewige
Eisfelder geſchützt, konnten dem fremden Einfluß wirk=
ſamer Widerſtand leiſten, ſo daß ſie ſich bis auf den
heutigen Tag einige nationale Eigenſchaften und teilweiſe
auch ihre Urſprache erhalten haben. Es fragt ſich nun, in
welchem Zeitabſchnitt und auf welche Weiſe dieſe Burgunden
in jene Gegenden eingewandert ſind. Drangen ſie als
gewalttätige Eroberer ein, oder kamen ſie als friedliche

8*

und arbeitsame Gäste? Und zu welcher Zeit ist das
geschehen? Es sind Fragen, die man gern beantworten
möchte. Aber es fehlt an jeder geschichtlichen Urkunde,
die Licht in das Dunkel jener fernen Zeiten brächte; und
ebensowenig kommt uns eine Erinnerung oder Über=
lieferung aus der Mitte jener Bevölkerung zu Hilfe.
Werfen wir deshalb einen Blick auf die Sprache jener
Alpenbewohner; in ihr werden wir auch den klarsten Be=
weis ihres deutschen Ursprungs finden.

Max Schottky, einer der ersten, die diese Sprache stu=
dierten, schreibt über die Mundart von Rimella: „Wenn es
sehr richtig ist, daß man in den höheren Bergländern der
Schweiz, sobald Landleute sprechen, oft die Minnesänger
zu hören glaubt, was den Redeton und die alten Wort=
formen betrifft, so fühlt man sich veranlaßt, bei den
deutschen Bewohnern dieses Tales fast an das Wiederauf=
leben der Druiden zu glauben." Offenbar hat sich hier
Max Schottky von seiner romantischen Schwärmerei zu weit
fortreißen lassen; doch so viel steht fest, daß die betreffende
Mundart dem Deutschen des Mittelalters viel näher steht
als dem Neuhochdeutschen. Die Sprache jener Bergbewohner,
die, zwischen Felsen eingeschlossen, von einer romanisch
sprechenden Bevölkerung rings umgeben waren, konnte sich
nicht in dem Maße verwandeln, wie sie es im Vaterlande
getan hat. Sie wurde von den romanischen Mundarten der
Umgebung beeinflußt, indem die heimkehrenden Männer
fremde Wörter und Ausdrücke mitbrachten. Ja, dieser fremde
Einfluß war so groß, daß trotz des innigen Zusammenhaltens
der Bewohner jener fünf Täler und trotz des gemeinsamen
Ursprungs ihrer Mundarten aus einer einzigen Stammes=
sprache doch noch ein erheblicher Unterschied zwischen den
Mundarten der verschiedenen Gemeinden zu Tage tritt.
Das hat zur Folge, daß jede Mundart nur von den Be=
wohnern derselben Gemeinde gesprochen wird. Sonst
spricht man piemontesisch; und dieser nunmehr notwendig
gewordene Brauch trägt noch immer zur weiteren Ver=
derbung der deutschen Ursprache bei.

Die Gemeinden, in denen das Deutsche noch einen
verhältnismäßig reinen Charakter zeigt, sind gegenwärtig
Trinità di Gressoney, Issime, Gressoney Saint Jean und
Macugnaga; in Alagna, Rima und Rimella herrscht neben

dem Deutschen auch das Piemontesische. Man darf sich aber kaum der Hoffnung hingeben, daß sich die deutsche Sprache, selbst in den zuerst genannten Gemeinden, auf die Dauer erhalten wird. Zu den Veränderungen, die die Sprache im Laufe ihrer natürlichen Entwickelung und durch die periodische Auswanderung der Männer in ein fremdes Sprachgebiet erfährt, kommen jetzt noch einige angleichende Kräfte hinzu. Während sich der frühere piemontesische Staat um die sprachliche Nationalisierung jener fremdländischen Untertanen nie gekümmert hat, bemüht sich das neue italienische Königreich, die Nationalsprache unter ihnen zu verbreiten: und Schule und Heer sind begreiflicherweise die besten Mittel dazu. Eine andere Macht, die kirchliche, arbeitet gleichfalls mit großem Eifer, um die Bewohner jener Täler zur Annahme der italienischen Sprache zu bewegen. Diese beiden Faktoren sind natürlich eine große Gefahr für die Erhaltung der deutschen Sprache, und jetzt schon zeigen sich die Folgen. Von jenen sieben Gemeinden haben nur Macugnagna und Gressoney je eine deutsche Schule; aber neben ihr ist auch eine italienische vorhanden. In den anderen Orten wird nur italienisch unterrichtet. Ebenso ist es mit dem Gottesdienst: in Gressoney und Rimella wird er in deutscher Sprache abgehalten und deutsch gepredigt; in den anderen Gemeinden dagegen geschieht dies in italienischer Sprache. Unter diesen Umständen erscheint die Behauptung nicht zu gewagt, daß jene Völkerschaften, die sich dank ihrer geographischen Lage ihre Ursprache jahrhundertelang zu bewahren vermochten, jetzt dieselbe in kurzer Zeit vollständig verlieren werden. Und leider auch, ohne von ihr ein dauerndes Merkmal zu hinterlassen. Von den anderen Völkern immer getrennt, ja bis zum Ende des 18. Jahrhunderts der zivilisierten Welt vollständig unbekannt, führten sie jahraus jahrein ein so elendes Leben, daß sie nie den Versuch machten, sich irgendwelche Bildung anzueignen. Die Denkmäler ihrer Literatur beschränken sich daher auf einige Lieder, die Professor Albert Schott an Ort und Stelle niedergeschrieben hat, und auf die von Napoleon im Jahre 1808 angeordnete Übersetzung der Erzählung vom "Verlorenen Sohn" in die Mundarten aller sieben Ge-

meinden. Einen Teil dieſer Fabel wollen wir als Sprach-
probe hier einfügen; und damit man gleich einen Begriff
des Unterſchiedes zwiſchen jenen Mundarten bekomme, ſo
werden wir die Überſetzungen in den Mundarten von
Greſſoney, Rima und Rimella geben:

Greſſoney: E ma hĕckhebĕd zwei Buɘbɘ;
    Dr - jungsto ¯hĕd dsim-atto gseid: Atto gemmer
    fom ouem Gued, was mr g'herd; unn dr Atto
    hemmo g'gäd was-mo g'herd.
Rima: Do is g'sin ain Man, das do had g'habed
    zwen Son. Unn der jungsto had g'said dem
    Atten: Atto, geb mier der Tail mis Guads, das
    mir gherd, unn der Atto hed g'taild sin War.
Rimella: E ma hed zwei Chend. Ds-jungsta
    hed gseid sim Vatter: Mi Vatter gemmer uas
    mer chound vam Giod; der Vatter delld im sis
    Giod.

Viel zahlreicher und wichtiger ſind die ſprachlichen
Merkmale, die wir bei den anderen Deutſchen Italiens, bei
den veroneſiſchen und vicentiniſchen, finden. Auch die
Umſtände, unter denen ſie ſich uns zeigen, ſind ungleich
merkwürdiger als die der Kolonie des Monte Roſa. Letztere
lebte in ihren von aller Welt abgeſonderten, verſteckten
Tälern. Ihr Daſein inmitten fremder Völkerſchaften
und das Fortbeſtehen ihrer Sprache inmitten völlig verſchiedener Mundarten iſt uns daher ganz erklärlich. Die
veroneſiſch-vicentiniſche Kolonie dagegen befindet ſich zwar
auch in einem geographiſch hochgelegenen Gebiet, aber
ſie iſt nie gegen die Außenwelt ſo abgeſchloſſen geweſen,
ſie hat ſelbſt am politiſchen Leben der venetianiſchen
Republik, zu welcher ſie gehörte, teilgenommen, ja ſogar
im 17. Jahrhundert eine beſondere Miliz gehabt. Ihre
Erſcheinung iſt daher um ſo überraſchender. Dieſe
Deutſchen ſind im allgemeinen unter dem Namen Cimbern
bekannt und bewohnen in der Provinz Vicenza die ſogenannten ſieben Gemeinden (i sette comuni) Rozzo,
Roana, Aſiago, Gallio, Fozza, Enego und Luſiana,
welche zwiſchen den beiden Flüſſen Aſtico und Brenta
liegen, und in der Provinz Verona, beinahe am Fuße
der Leſſiniſchen Alpen, die dreizehn Gemeinden (i tredici

comuni) Erbezzo, Bosco Chieſanova, Cerro, Rovere di
Velo, Saline, Giazza, Velo, Badia Calavena, Val di
Porro, Azarino, Campo Silvano, S. Bartolomeo Tedesco
und Porcaro.

Während die Deutſchen des Monte Roſa, wie oben
erwähnt, bis zum Ende des 18. Jahrhunderts unbekannt
blieben, lenkten die Cimbern ſchon ſeit dem 14. Jahrhundert
die Aufmerkſamkeit der Gelehrten auf ſich und ihre
Sprache. Sie haben auch im folgenden Jahrhundert
einen italieniſchen Dichter gefunden, der von ihnen ſagt,
daß ſie „immer unter ſich ſchwäbeln; ihre Sprache erinnere
an das Deutſche, würde aber von echten Deutſchen nicht
verſtanden".

> Sempre tra loro todescando vanno,
> La lingua al germanico pende
> Ma con buoni Tedeschi non s'intende.

Wenn man aber ſchon damals wußte, daß die Sprache
dieſer Völkerſchaft an das Deutſche erinnere, ſo hatte
man noch immer feſtzuſtellen, mit welcher deutſchen Mund=
art ſie am nächſten verwandt war. Antonio Muratori,
Scipione Maffei und Saverio Bettinelli, drei Gelehrte,
die in der Geſchichte der italieniſchen Literatur einen
wichtigen Platz einnehmen, bezeichneten die Sprache der
ſogenannten Cimbern als eine ſächſiſche Mundart, und
das gleiche glaubte auch der Abate Agoſtino dal Pozzo,
ein Abkomme jener cimbriſchen Bevölkerung, der ein
ſchätzenswertes Werk über ſein kleines Volk hinterlaſſen
hat. Andere dagegen wollten in jener Sprache die der
alten Hunnen oder Goten erkennen; noch andere hielten
ſie gar für däniſch, weil Friedrich IV. von Dänemark
bei einem Beſuche, den er im Jahre 1708 jenen Völker=
ſchaften machte, deren Sprache vollſtändig verſtand!
Dieſe Unterſuchungen, oder beſſer geſagt, dieſe ſonderbaren
Erklärungsverſuche dauerten noch lange, ohne irgendeine
Über=einſtimmung herbeizuführen, indem die Italiener nicht
viel Deutſch verſtanden und die Deutſchen ſich um ihre
vermutlichen Stammesgenoſſen nicht viel kümmerten.
Endlich beſuchte in den Jahren 1833 und 1844 Pro=
feſſor J. A. Schmeller aus München jene Gegenden,
und nach ſeinen eifrigen Unterſuchungen der Mundart kann
man annehmen, daß ſie nichts anderes als das Hochdeutſche

135

des 12. und 13. Jahrhunderts darstellt. Auch von der Sprache dieser italienischen Deutschen, ebenso wie von der Mundart ihrer Stammesgenossen am Fuße des Monte Rosa sei hier eine kurze Probe gegeben. Es ist das Ave Maria nach der Ausgabe vom Jahre 1803: Gott gruz dich Maria volla ghenade. Der Herre ist mit dier, du pist ghebenedairt unter den Vaibern. Unt ghebenedairt ist die frucht dainz laibez, Giesus. Hailiga Maria, motter Gottez, pit vor uns sunter hemest unt in der horn (lateinisch: hora) unzerz sterben. Amen.

Über den Ursprung dieser Deutschen herrscht dieselbe Ungewißheit und sind dieselben haltlosen Vermutungen aufgestellt worden wie über ihre Sprache, weil ja naturgemäß beide Fragen eng zusammenhängen. Da sie in unmittelbarer Nähe Tirols wohnen, so wurden sie früher als Nachkommen der alten Rätier betrachtet, die eben jenem Lande den Namen Rätien gaben. Andere meinten, daß sie von den alten Hunnen, Tigurinern, Goten oder Alemannen abstammten. Andere endlich behaupteten, daß sie ein Rest der alten Cimbern seien, die nicht, wie man gewöhnlich glaubt, bei Vercelli, sondern bei Verona von Marius geschlagen worden seien. Die letztgenannte Ansicht wird zum ersten Male von einem Geschichtschreiber des 14. Jahrhunderts geäußert und auch von den Gelehrten der Renaissance und von dem bekannten Historiker der italienischen Literatur Scipione Maffei unterstützt. Sie selbst bezeichnen sich als Cimbern: ‹Bir saint Cimbarn.› Ihr poeta laureatus Joseph Steph. Emilianus nannte sich im 15. Jahrhundert cimbriacus, und ein anderer Dichter aus derselben Zeit rief seiner Vaterstadt Vicenza zu:

tua crimina facta
Cimbre, cano, genus unde meum et natalis origo
Unde mihi patria est.

In neuerer Zeit aber haben die philologischen Untersuchungen von Professor J. A. Schmeller und die von Carlo Cipolla entdeckten Urkunden zu anderen Ergebnissen geführt. Die oben erwähnte Ansicht, die Professor Schmeller über die Sprache der sogenannten Cimbern aufstellte, hatte schon zu der Annahme Veranlassung gegeben, daß sie die Reste einer im 13. Jahrhundert in Italien ansässig gewordenen Völkerschaft wären. Dann entdeckte der Sprachforscher und Geschichtschreiber Carlo Cipolla einige Urkunden, aus denen sich ergibt, daß Wanga, der Bischof von Trient, im Jahre 1216 zwei Brüder aus Bolzan einlud, sich in Folgaria mit tüchtigen Arbeitern anzusiedeln, um die ihnen dort überwiesenen Ländereien urbar zu machen. Diese neue Bevölkerung vermehrte sich in kurzer Zeit derartig, daß sie sich von dort bis zum vicentinischen und dann bis zum veronesischen Gebiet ausbreitete, wo sie sich endgültig niederließ. Die sieben vicentinischen und die dreizehn veronesischen von ihnen in Besitz genommenen Gemeinden teilten natürlich auch weiterhin das politische Schicksal von Vicenza bezw. Verona, aber sie bildeten fast immer einen kleinen besonderen Staat mit besonderen Einrichtungen und Vorrechten, ja zeitweise mit besonderer Miliz.

Sie zählen gegenwärtig ungefähr 25 000 Seelen in den sieben und 12 000 in den dreizehn Gemeinden und gehören, wie man sich wohl denken kann, zu Italien. Wie schon gesagt, sind sie noch immer auf ihren cimbrischen Ursprung stolz. Außerdem unterscheiden sie sich von den Italienern sehr deutlich durch ihr mageres, starkknochiges und ernstes Gesicht und durch ihr langes Haupthaar. Aber außer der Sprache sind andere nationale Spuren nicht mehr vorhanden, und selbst jene ist in beständigem Verschwinden begriffen. Die Cimbern führten in jenen bergigen Regionen ein Hirtenleben; sie waren gezwungen, die sieben oder acht Wintermonate in die Ebene hinabzusteigen, um ihre Herden dort zu weiden. Außerdem vermehrte sich die Bevölkerung immer mehr und mit ihr der Bedarf an Lebensmitteln, so daß nach und nach viele von ihnen den Hirtenstand verlassen mußten und sich dem Handel zuwandten. Dadurch knüpften sie mit benachbarten Völkerschaften Verbindungen an; oft wählten die Männer unter jenen die Gattin, und so wurden fremde Sitten eingeführt, während die alten, nationalen unmerklich verschwanden. Aber nicht nur auf die Sitten sollte der Verkehr mit fremden Völkerschaften einen zerstörenden Einfluß ausüben. Indem mit den neuen Gebräuchen natürlich auch neue Wörter eingeführt

wurden, fing auch die Sprache an, ihre Reinheit einzu=
büßen. Agostino dal Pozzo (1732—1798) beklagt sich
schon in seinem erwähnten Buche über die sieben Ge=
meinden, weil seine Landsleute bei ihrem Verkehr mit
Italienern ihre angeborene Einfachheit verloren und von
jenen sogar schon mehrere Fluch= und Schimpfwörter über=
nommen hätten, während sie früher mit dem Ausdrucke
‹Sai du vurflughet› zufrieden gewesen wären. Das
könnte auch eine zu fromme Klage des guten Abate sein;
aber die Verderbnis der Sprache durch italienische Elemente
ist unbestreitbar.

Der Einzug fremder Frauen in das Haus wirkte seiner=
seits nicht nur auf die Verwandlung der Sprache, sondern
selbst auf deren Abschaffung im häuslichen Verkehr über=
haupt. Diese Frauen kannten in der Tat nicht jene deutsche
Mundart, während anderseits ihre Muttersprache den Gatten
bekannt war. Dadurch sah man sich in den Familien
gezwungen, sich einer fremden Sprache zu bedienen, und
die Folgen waren so schwerwiegende, daß man in den
dreizehn Gemeinden schon seit dem Anfang des 18. Jahr=
hunderts den Religionsunterricht italienisch erteilen mußte.
Die sieben Gemeinden, die seit 1602 eine cimbrische Über=
setzung des Katechismus besaßen, konnten ihre Ursprache
noch einige Zeit behaupten, aber nach und nach folgten
auch sie dem Schicksale ihrer veronesischen Stammesgenossen.
Gegenwärtig wird in den dreizehn Gemeinden von un=
gefähr tausend Cimbern zu Giazza und in einigen Ge=
genden von Campo Silvano deutsch gesprochen. In den
sieben Gemeinden hört man das Deutsche neben dem
venetianischen Dialekt bei ungefähr viertausend Personen
in einigen Gegenden von Fozza, Rozzo, Roana, Gallio
und Asiago; die Bewohner der anderen erwähnten Ge=
meinden sprechen nur italienisch bezw. venetianisch.

Wir haben schon oben erwähnt, daß bei den Cimbern
die italienische Zivilisation weit leichteren Eingang fand
als bei ihren Stammesgenossen vom Monte Rosa. Eine
Legende erzählt sogar, daß die berühmten Scaligeri, die
Herren von Verona, von den dreizehn Gemeinden ab=
stammen; jedenfalls sind aus der Mitte jener Deutschen,
wie Joseph Bergmann in seinem Buche über die Cimbern
erzählt, tüchtige Soldaten und Künstler hervorgegangen.

Nun ist ihre Mundart und ihr Stamm beinahe aus=
gestorben, womit sich nur ein unabänderlicher Natur=
vorgang wiederholt. Der Sprachforscher aber, der aus
den Elementen einer Sprache einen Einblick in die Ent=
wickelung längst vergangener Völker zu gewinnen sucht,
wie der Geologe aus den Steinschichten in die Ent=
wickelung der vorgeschichtlichen Naturereignisse, nimmt mit
Bedauern das Verschwinden jener letzten Reste wahr und
klammert sich mit ängstlichem Eifer an die wenigen noch
vorhandenen sprachlichen Denkmäler.

(Gustavo Sacerdote in „Der Tag".)

**Deutsche Sprachreste in Italien.** Mögen auch die
deutschen Stämme, von denen wir im vorhergehenden
Artikel gesprochen haben, aussterben, mögen auch diese
deutschen Sprachinseln auf italienischem Boden ver=
schwinden, die sprachlichen Spuren der deutschen Nieder=
lassungen in Italien werden sich kaum je verwischen
lassen. Das ist eben die unbezwingliche, ewige Kraft der
lebendigen Worte. Sie sterben niemals ganz aus. Sie
verschwinden aus dem täglichen Verkehr, sie verschwinden
selbst aus der literarischen Sprache. Wenn man es aber
versteht, sie der Vergessenheit zu entreißen, so strotzen sie
noch immer von Lebenskraft, sie werfen noch immer ein
belebendes Licht auf viele geschichtliche Ereignisse, die
sonst vielleicht unverständlich oder unbekannt wären.
Schon Humboldt hat gesagt, daß man an der Hand des
Atlasses die ganze Herrschaft der Araber in Spanien nur
vermittelst der Städtenamen wiederherstellen kann. Nun
kann man allerdings nicht gerade dasselbe auch von den
alten Germanen in Italien behaupten. Überhaupt ist die
Geschichte der germanischen Stämme in Italien eine ganz
andere als die der Araber in Spanien. Doch auch Ita=
lien kann, ebenso wie Spanien, ebenso wie jedes andere
Land lediglich aus den geographischen Namen wertvolle
Aufschlüsse über seine Urbewohner und über seine ganze
Geschichte erlangen. So erinnern uns z. B. an die alten
Ligurer die zahlreichen Städte, deren Namen auf asco
endigen, an die arabische Herrschaft in Sizilien die Orts=
namen Calatafimi, Caltanisetta usw., wo das Wort calat
arabischer Herkunft ist (cal'at Burg), und an die alten Kelten
die norditalienischen Orts= und Familiennamen auf aco, ago

und igo. — Was nun den Einfluß der deutschen Stämme auf die italienische Sprache anbelangt, so ist dieser weit größer als der aller anderen nicht lateinischen Völkerschaften, die sich zu verschiedenen Zeiten in Italien niedergelassen haben; und zwar offenbart er sich in mehrfacher Weise. Einerseits haben die Deutschen unmittelbar die Bildung einiger italienischer Worte beeinflußt, andererseits haben sie in die italienische Sprache einige Worte eingeführt, oder aber sie haben, als das Italienische noch in seinem ersten Entwickelungsstadium begriffen war, die Beibehaltung lateinischer Worte in der italienischen Sprache gefördert. Schließlich haben sie auch auf dem Gebiete der Eigennamen einen großen Einfluß ausgeübt. Es gibt selbst unter den Italienern nicht viele, die sich einmal gefragt haben, woher alle italienischen Personen=, Familien= und Ortsnamen auf erto, ago, igo, baldi, ingo, prandi usw. stammen. Und doch, um Jakob Grimms Worte zu gebrauchen, „welchen Reiz und welche anziehende Kraft hat unter allen sprachlichen Untersuchungen eben die über Eigennamen!“ Da sind z. B. die häufigen Familien= und Ortsnamen auf ingo (nach lautlicher Abänderung engo). Es ist dies ein deutsches Suffix, das wahrscheinlich ein Besitzverhältnis ausdrückt. In Deutschland kommt sie schon im 6. Jahrhundert vor, und nach Förstemanns „Altdeutschem Namenbuch“ hat man mit ihm viele Orts= und Personennamen gebildet. Als nun die Deutschen ihre Herrschaft in Italien begründeten, haben die Italiener ohne weiteres entweder ihre Namen übernommen oder sie haben neue Namen und Vornamen aus einem italienischen Eigennamen und aus dem deutschen Suffix ing (meistens durch geringe lautliche Abänderung in eng) gebildet. So haben z. B. die Familiennamen Veronenghi, Rorenghi einen Ortsnamen (Verona—ing, Rorà—ing) und Gherardenghi, Rolandinghi einen Vornamen (Gerhart—ing, Roland—ing) als Hauptbestanteil, während die Namen Merlenghi (Merling), Rorlenghi (Rorling) usw. von den Deutschen direkt eingeführt worden sind.

Viel zahlreicher als die Vor= und Zunamen sind noch die Ortsnamen, die ganz oder teilweise aus deutschen Bestandteilen bestehen. Damit ist aber noch nicht gesagt, daß nur die Namen, die auf ingo oder engo ausgehen, deutscher

Herkunft sind. Sie bilden vielmehr nur die zahlreichste Klasse, und deshalb erregen sie zuerst die Aufmerksamkeit des Sprachforschers. Außer ihnen sind aber noch hundert andere ähnlichen Ursprunges in Italien zu finden. Ein deutscher Name ist z. B. das bekannte Garda (althochdeutsch Gart), und deutscher Herkunft ist ohne Zweifel der Name der Stadt Bergamo und mit ihm alle anderen geographischen Namen, die das Element Berg als Präfix oder Suffix enthalten, oder — um noch einen bekannteren Namen zu nennen — Superga (zum Berg), der schöne piemontesische Hügel, der auch seinen geschichtlichen Ruhm teilweise dem deutschen Blute verdankt. Dasselbe ist auch mit den Familiennamen der Fall. Die auf ingo sind die zahlreichsten, aber nicht die einzigen. Deutscher Herkunft sind z. B. die Familiennamen Guala (Walah), Grimaldi (Grimuald), aus deutschen Namen besteht der ganze Vers: ‹Gualandi con Sismondi e con Lanfranchi› (Waland, Sigmund, Land-fran) aus dem bekannten Danteschen Gesang von dem Grafen Ugolino; deutsch sind alle Namen auf prandi (deutsch: Brand), z. B. Aliprandi, Siliprandi usw., und deutschen Ursprungs sind — um noch zwei große den Italienern besonders teure Namen zu erwähnen — die Namen Garibaldi (Gairebald, Gaerbald, Garibald usw. vom althochdeutschen gēr und bald) und Alighieri (lateinisch Aldigherius von derselben Wurzel gēr wie Garibaldi und vom Präfix alda).

Das Gebiet der Eigennamen also, auf das die alten deutschen Stämme einen so nachhaltigen Einfluß geübt haben, ist, wie sich aus dem bisher Gesagten ergibt, nicht etwa klein und die Zahl der Beispiele mit den angeführten bei weitem nicht erschöpft. Noch stärker aber offenbart sich der deutsche Einfluß auf dem eigensten italienischen Sprachgebiet. So groß ist dieser Einfluß, daß es eine Zeit gab, wo man behauptete, das Italienische sei nichts weiter als das Lateinische, so wie es die alten Germanen gesprochen haben. Allerdings war dies eine Zeit, wo man noch Bücher drucken konnte wie das von Geropius, welcher beweist, daß Adam holländisch sprach, oder das von André Kempe, der behauptete, Gott hätte zu Adam

ſchwediſch geſprochen, oder wie die ‹Harmonie étymo-
logique› von Guichard, ‹où se demontre que toutes
les langues sont descendues de l'hébraïque›.
Mit derartigen Unſinnigkeiten iſt zwar die eben erwähnte
Anſicht von dem deutſch-lateiniſchen Urſprung des Italieniſchen nicht auf eine Stufe zu ſtellen. Ihre Unhalt-
barkeit aber iſt klar.

Der erſte, der ſie äußerte, iſt Kardinal Bembo
(1470—1547), ein mittelmäßiger Sprachforſcher und
noch mittelmäßigerer petrarkiſierender Dichter. „Es iſt
unmöglich,“ ſchreibt der gute Kardinal, „zu wiſſen,
wann die italieniſche Sprache entſtanden iſt.“ Aber wenn
auch nicht die Zeit, ſo kennt er doch wenigſtens die Art
ihrer Entſtehung, „denn die italieniſche Sprache iſt nichts
anderes als das Latein, das von dem römiſchen Munde
in den der Barbaren übergegangen iſt; und da die
römiſche Sprache und die der Barbaren ſich ſo ſehr voneinander unterſcheiden, iſt eine neue Sprache entſtanden,
welche eine Spur der einen ſowohl wie der anderen enthält“. Der deutſche Einfluß auf die Bildung der italieniſchen Sprache wäre alſo nach Bembos Meinung ſo
hervorragend, daß man ganz ruhig ſchließen könnte, ohne
die deutſche Herrſchaft wäre auch die italieniſche Sprache
nicht entſtanden. So ſonderbar auch dieſe Anſchauung
iſt, ſie fand doch bei anderen Philologen jener Zeit Anklang; ja ſie wurde ohne weiteres von Benedetto Varchi
(1502—1565), dem wahrheitsliebenden Geſchichtſchreiber,
den der Herzog Coſimo de Medici erdolchen ließ, angenommen. Dieſer ſchreibt nämlich, daß die Italiener den Deutſchen
doppelten Dank wiſſen müßten, indem „von ihrer Herrſchaft die italieniſche Sprache und die Stadt Venedig
herrührten“. (Vergl. „Ercolano“ S. 107.) Laſſen wir
dieſe zweite Behauptung, die uns augenblicklich nichts
angeht, beiſeite, obwohl ſie vielleicht dem Patriotismus
der für Venedig ſchwärmenden Deutſchen ſchmeicheln könnte.
Prüfen wir dagegen die Anſicht von Pietro Bembo, die
von Benedetto Varchi ſo vollſtändig angenommen wurde.

Zu ihrer Unterſtützung tritt ein wichtiger Umſtand hinzu.
Es iſt eine Tatſache, daß das Italieniſche ſich vom
Lateiniſchen viel mehr unterſcheidet, als das Neuhoch-
deutſche vom Altdeutſchen. Die Verſchiedenheit zwiſchen

dem Lateinischen und dem Italienischen ist sogar so bedeutend, daß ein guter Lateinkenner, wenn er nicht noch eine andere romanische Sprache kennt, schwerlich einen neueren italienischen Schriftsteller verstehen wird. Daraus könnte man nun schließen, daß die germanischen Einfälle auf die Bildung der italienischen Sprache tatsächlich eingewirkt haben, indem sie die lautliche Umwandlung des Lateinischen und die Zerlegung seiner Formen hervorgerufen und gefördert haben.

Kardinal Bembo und Benedetto Varchi äußerten ihre Ansichten, ohne sie zu begründen und ohne sich um lautliche Umwandlungen oder Formenveränderung zu kümmern. Der letztere Punkt aber erregte im Anfang des vorigen Jahrhunderts die Aufmerksamkeit von A. W. Schlegel, welcher diese Frage in seinen «Observations sur la langue et la littérature provençales» behandelte. Nach seiner Ansicht haben die Römer, während sie mit den fremden Überwindern verkehrten, deren Art, das Latein zu sprechen, nachgeahmt, «et à force d'entendre mal parler leur langue, en oublièrent à leur tour les règles et imitèrent le jargon de leurs nouveaux maîtres». Sie verloren sogar den Gebrauch der Endungen, die ihrer Sprache so notwendig waren, um den Satzbau und die Gedankenverbindungen zu bestimmen. Dann fühlte man das Bedürfnis nach neuen Elementen und neuen Formen, die die abgeschafften Endungen ersetzen sollten, und durch deren Einführung das Italienische so verschieden vom Lateinischen wurde.

In dieser Art wurde die von Bembo bloß geäußerte Ansicht von einem scharfen kritischen Talent, das sie wissenschaftlich begründete, nach drei Jahrhunderten wenigstens teilweise angenommen. Außerdem stimmte ihr in der neuesten Zeit auch Professor Max Müller bei, nach dessen Ansicht die romanischen Sprachen „nicht das Lateinische darstellen, wie es sich im Munde der Römer in Italien und in den Provinzen naturgemäß entwickelt haben würde, sondern das Lateinische, wie es fremde und entschieden deutsche Naturen erlernten und sich zurechtlegten". Den Schlußfolgerungen von A. W. Schlegel und Max Müller lassen sich aber wichtige Gründe entgegenstellen. Es ist ganz klar, daß, wenn das Italienische nichts anderes wäre als das Lateinische, wie es sich im Munde der Eroberer ge= ändert hat, man in den italienischen Urtexten, je älter sie sind, desto mehr Spuren des deutschen Einflusses finden müßte. Tatsächlich aber ist das Gegenteil der Fall; je älter diese Urtexte sind, desto stärker ist ihnen der lateinische Charakter eingedrückt. Wenn es außerdem einen solchen Einfluß tatsächlich gäbe, so würde man die Folgen alsbald in dem lautlichen Verhältnis zwischen den italienischen und den deutschen Mundarten finden. Das ist aber nicht der Fall. Die deutschen Mundarten z. B. weisen sehr zahlreiche Hauchlaute auf, die dem Italienischen durchaus fremd sind. Die deutsche Sprache betont die Wurzelsilbe, während im Italienischen der Ton noch immer auf derjenigen Silbe liegt, die auch im Lateinischen betont war. Die deutschen Mundarten geben den Konsonanten den Vorzug und besitzen manche Laute, die dem Italienischen fehlen. Dieses behält dagegen die lateinische Herrschaft der Vokale und hat auch keine un= gleichen Laute deutschen Ursprungs übernommen. Wenn die alten Deutschen lateinisch sprachen, haben sie sehr oft die Laute g, v, b in c, f, p verwandelt, so daß sie callus, fafilla, ropustus, frifolus anstatt gallus, favilla, robustus, frivolus aussprachen. Von solchen Abänderungen zeigt die italienische Sprache keine Spur.

Ebenso verhält es sich mit der Formenzerlegung. Dahin gehört vor allem der Verlust des Neutrums, des Kasus und des Silbenmaßes in der Poesie; außerdem haben sich die romanischen Sprachen einen Artikel ge= bildet und die passive Konjugation und die zusammen= gesetzten Zeitformen verloren. Aber der Artikel, die Hilfszeitwörter, welche die passive Konjugation und die zusammengesetzten Zeitformen des Lateinischen ersetzen, erklären sich lediglich aus der natürlichen Entwickelung der Sprache, ja sie sind sogar schon im alten Lateinischen zu finden (ital. Artikel il = ille; ital. passive Form = lat. Gallia est omnis ... divisa statt divitur). Was das Neutrum, die Kasus und das Silbenmaß betrifft, so sind diese ebenso Eigentümlichkeiten der deutschen Sprache; sie hätten also aus dem Lateinischen nicht verschwinden

können, wenn die Umwandlung des Lateiniſchen wirklich
durch den deutſchen Einfluß gefördert worden wäre. Die
Urſache dieſer Formenzerlegung liegt alſo nicht in dem
fremden Einfluſſe, ſondern in der natürlichen Entwicke=
lung, welche der Grund aller grammatiſchen Veränderungen
iſt. Jene neuen Formen der neuen romaniſchen Sprachen
entſtanden aus ſich ſelbſt, je nachdem die Laute ſich ver=
änderten, und bildeten ſich unter der Einwirkung natür=
licher Lautgeſetze.

Der deutſche Einfluß auf die Bildung der italieniſchen
Sprache, den wir bis jetzt hinſichtlich der phonetiſchen und
grammatiſchen Formen auszuſchließen verſuchten, iſt da=
gegen unbeſtreitbar auf dem Gebiete des Wortſchatzes. Die
Germanen waren in Jtalien weit weniger zahlreich als die
beſiegten Einwohner, deren Überzahl eben den Sieg
der lateiniſchen Sprache über die der Sieger ſicherte.
Aber die Deutſchen konnten ihren Einfluß ausüben, in=
dem ſie erſtens einige Worte einführten, zweitens auf die
Bildung neuer italieniſcher Worte einwirkten und drittens
den Übergang gewiſſer lateiniſcher Worte in die ita=
lieniſche Sprache begünſtigten.

Der Vater dieſer dritten Theorie iſt Profeſſor Max
Müller. Wenige Beiſpiele werden genügen, um ſie deut=
licher zu erklären und zugleich auch, um ihre Wahrheit zu
beweiſen. Das moderne italieniſche Wort fuoco (Feuer)
kommt vom lateiniſchen focus; aber im Lateiniſchen gab es
auch ignis, und doch iſt dieſes Wort in das italieniſche
Wörterbuch nicht eingedrungen. Der Grund iſt nach Pro=
feſſor Müllers Anſicht zu ſuchen, daß die Germanen
das Wort focus, das dem deutſchen Feuer näher ſteht
als ignis, angewandt und dadurch auch auf deſſen Bei=
behaltung in der italieniſchen Sprache eingewirkt haben,
während das von ihnen nie gebrauchte ignis völlig ver=
ſchwunden iſt. Daſſelbe gilt von lasciare (laſſen) vom
lateiniſchen laxare, das dem lateiniſchen sinere unter
dem Einfluſſe des althochdeutſchen lazân vorgezogen
worden iſt; ſo iſt es auch mit grande (groß) vom
lateiniſchen grandis, das eine Lautähnlichkeit mit dem
deutſchen groß hat, während das andere lateiniſche
Wort magnus außer Gebrauch gekommen iſt. Zuweilen
hat ſich der deutſche Einfluß in anderer Weiſe offenbart,

darin nämlich, daß die Italiener einige deutſche Wörter den lateiniſchen, mit denen eine gewiſſe Lautähnlichkeit vorhanden war, vorzogen. So hat z. B. das althoch= deutſche roubôn das lateiniſche rapere verdrängt, und man ſagt jetzt auf italieniſch rubare (rauben); vom gotiſchen tairan hat man tirare (ziehen) anſtatt des lateiniſchen trahere, vom althochdeutſchen sin hat man senno (Sinn) anſtatt des sensus, von raspôn hat man raspare (raſpeln) anſtatt rasitare uſw. gebildet. Endlich haben die Deutſchen noch zur Bereicherung des italieniſchen Wortſchatzes beigetragen, indem ſie in die italieniſche Sprache direkt neue Wörter einführten, die noch heute täglich gebraucht werden.

Viele von dieſen Wörtern gehören dem militäriſchen Sprachgebiete an. Das iſt auch ſehr begreiflich, wenn man an den Charakter der Sieger denkt, von denen die Römer immer neue Gegenſtände und neue Einrichtungen nennen hörten. Deutſcher Herkunft iſt z. B. ſelbſt das Wort guerra (Krieg, althochdeutſch werra) und dann bivacco (bi= wacht), scherma (Fechtkunſt, ahd. skirm, skerm), elsa (Schwertgriff, ahd. helza), usbergo (Panzer= hemd, ahd. halsberc), elmo (Helm), stocco (Stock= degen), gonfalone (Kriegsfahne, ahd. gundfano), sperone (Sporn), staffa (Steigbügel, ahd. staph), schiera (Schar, ahd. scara), bottino (Beute, mittelhd. bûten) uſw. Aus dem Deutſchen ſtammen noch einige Wörter der Rechtsſprache, wie bando (öffentlicher Auf= ruf, Ban), siniscalco (Haushofmeiſter, ahd. siniskalh), ferner einige Tiernamen, wie stambecco (Steinbock), tasso (Dachs, ahd. dahs), bracco (Jagdhund, ahd. braccho), sparviero (Sperber, ahd. sparwari), aringa (Hering, ahd. harinc) uſw. und die Namen einiger Körperteile, wie guancia (Wange, ahd. wanka), schiena (Rücken, ahd. skina), anca (Schenkel, ahd. ancha), strozza (Kehle, ahd. drozza) uſw. Mehrere Beiwörter, wie z. B. bianco (weiß), bruno (braun), guercio (ſchielend), giallo (gelb), haben auch deutſchen Urſprung (ahd. planch, brûn, dwerch, gelo), ebenſo viele Zeitwörter, wie danzare (tanzen, ahd. dansôn), forbire (putzen, ahd. furbôn), leccare (lecken, ahd. lecchôn), vogare (rudern, ahd. wagôn) uſw. Mit

einem deutſchen Element ſind alle Wörter gebildet,
welche auf die ſchon erwähnten Suffixe ing oder ard
endigen, wie z. B. codardo (feige), testardo (ſtarr-
köpfig), gagliardo (ſtarf), solingo (einſam), guardingo
(vorſichtig), casalingo (häuslich) uſw., und deutſchen
Urſprungs ſind endlich viele Wörter, die ſich auf das
Trinken beziehen. Deutſch iſt das Wort béttola (Kneipe,
ahd. beitôn), deutſch iſt das jetzt ungebräuchliche belli-
cone (willkommen), deutſch iſt das Wort brindisi
(Toaſt: bring dir's), und deutſch iſt das Wort trincare,
das allerdings nicht das einfache Trinken, ſondern —
etwas mehr als trinken bedeutet.

Was die Zeit anbelangt, wo alle dieſe Wörter in die
italieniſche Sprache eingedrungen ſind, ſo beweiſt ihre Ähnlichkeit mit dem Althochdeutſchen, daß ſie von der alten
deutſchen Herrſchaft in Italien herrühren, während die Zahl
der Wörter, die das Hochitalieniſche der Nachbarſchaft
oder der neueſten Herrſchaft einzelner deutſchſprechenden
Nationen verdankt, ſehr gering iſt. Dieſe beiden letzteren
Faktoren haben dagegen einen großen Einfluß auf den
lexikaliſchen Wortſchatz der italieniſchen, beſonders der nord-
italieniſchen Mundarten ausgeübt. Wörter deutſcher Herkunft ſind vor allem in den ladiniſchen rätho-romaniſchen
Mundarten zu finden, die — wenn auch nur teilweiſe —
auch im politiſch begrenzten Italien, nämlich in Friaul
und in den Tälern des Noce und des Aviſio, geſprochen
werden. Manchmal wird nämlich, um einen Gedanken
auszudrücken, die deutſche Form ins Ladiniſche wörtlich
überſetzt, ſo daß man in den neugebildeten Wörtern
deutſchen Geiſt und ladiniſche Form hat. Anſtatt des
italieniſchen pontefice ſagt man z. B. aultsacerdot
(altosacerdote), worin man die wörtliche Überſetzung
des deutſchen Hohepriester hat. Dann wieder wird
das deutſche Wort nicht ins Ladiniſche überſetzt, ſondern
vollſtändig angenommen und nach romaniſcher Form
verändert; ſo macht man z. B. maliar aus malen, meini
aus Meinung, scazi aus Schatz uſw.

Von den anderen italieniſchen Mundarten kommen beſonders das Piemonteſiſche, das Lombardiſche, das Vene-
tianiſche und das Emilianiſche in Betracht, und zwar entweder mit deutſchen Wörtern, die einer einzigen Mundart

9*

147

eigentümlich), oder aber mit Wörtern, die mehreren Mund=
arten gemeinsam sind. In Bergamo allein hört man z. B.
das Wort snidar (Schneider), und nur die emilianischen
Mundarten besitzen die Wörter stusser (stoßen), schnebi
(Schnabel) usw. Aus dem deutschen Wut ist das Wort
fut nicht nur bei den Lombarden, sondern auch bei den
Venetianern, bei den Piemontesern und den Emilianern
entstanden; und die drei ersten Völkerschaften haben nach
dem deutschen Schoß das Wort scoss gebildet, ebenso
wie das piemontesische broè, das lombardische broà
und das venetianische broàr nichts weiter sind als drei
phonetische Abwandlungen des deutschen brühen. Die
Tatsache aber, daß es Wörter gibt, die einer Mundart
eigentümlich sind, während andere mehreren Mundarten
gemeinsam sind, ist für den Sprachforscher von großem
Wert, insofern sie ihm ermöglicht, wenn auch nicht direkt
das Alter, so doch wenigstens den Zeitvorrang jener Wörter
in dem Wortschatz der italienischen Mundarten festzustellen.
Man geht nämlich nicht fehl in der Behauptung, daß
die einer Mundart eigentümlichen Wörter neueren Datums
sind. Alle Wörter dagegen, die mehreren Mundarten
gemeinsam angehören, rühren entweder noch von der
alten deutschen Herrschaft her, oder sie sind schon seit so
langer Zeit in die italienischen Mundarten eingedrungen,
daß sie sich von ihrem ersten Einführungsgebiet weiter
verbreiten konnten. Erwähnenswert ist es noch, daß die
piemontesischen Juden einige Wörter deutscher Herkunft,
wie z. B. sarga (Sarg), griben (Griebe) usw. an=
wenden, die der übrigen piemontesischen Bevölkerung
unverständlich sind; eine Tatsache, die neben dem deut=
schen Ritus dieser Juden den besten Beweis dafür liefert,
daß sie deutschen Ursprungs sind,- während sie anderer=
seits noch einmal zeigt, wie die Sprachforschung der Ge=
schichte und der Anthropologie wertvolle Dienste leisten kann.

Darin liegt eben das größte Verdienst der Philo=
logie. Der Sprachforscher aber findet in seinen Unter=
suchungen noch einen andern unaussprechlichen Reiz.
Wie mancher Künstler, so treibt auch er oft l'art pour
l'art. Diese kleinen Organismen, die bald sterben, bald
wieder auferstehen, diese Wörter, die immer verschwinden
und von neuem erscheinen, je nach den örtlichen und

zeitlichen Verhältniſſen, je nach der Laune des Menſchen und der Mode, dieſe kleinen Zeichen, die immer einen großen Lebensgeiſt in ſich bergen, haben für den Sprach= forſcher eine unwiderſtehliche Anziehungskraft. Er ſtudiert ſie deshalb wie der Botaniker den unbedeutendſten Gras= halm oder die ſtolzeſte Roſe, er verfolgt ſie in ihren zahlreichen Wechſelfällen wie der Aſtronom die Sterne am unendlichen Himmelsgewölbe, er freut ſich aber, wenn er ſie wiederfindet, faſt wie eine Mutter, die den verlorenen Sohn wiederſieht.

(Guſtavo Sacerbote in der „Voſſiſchen Zeitung".)

**Dienſtboten** (il servo, la serva). In Italien be= ſtehen zahlreiche Geſinde-Vermietungsbureaus (uffici di collocamento — üf-fi'tschi di tol-letäme'nte), die beſon= ders deshalb von den ſtellenſuchenden Mädchen ſo ſehr in Anſpruch genommen werden, weil nur den Herrſchaften, nicht den Dienſtperſonen eine Gebühr auferlegt wird. Dieſe Bureaus ſtehen gewöhnlich in Verbindung mit Läden, ſo daß die Hausfrau unter dem Vorwande eines kleinen Einkaufes Erkundigungen über Mädchen einziehen kann. Nur die vor= nehmen Herrſchaften ziehen gewöhnlich den Weg der Zei= tungsanzeige vor; die mittleren Stände wählen die Bureaus ſchon deshalb, weil die Dienſtmädchen, die ſich dort melden, gewöhnlich aus der Nachbarſchaft ſtammen und darum im allgemeinen anhänglicher und zuverläſſiger ſind. Die Beſtimmungen beim Mieten der Dienſtboten wechſeln wohl hin und wieder, doch lautet im allgemeinen das Übereinkommen auf den Monat. Jeden Monat wird der Lohn gezahlt, einen Monat vorher hat die Kündigung von der einen oder andern Seite ſtattzufinden. Einer polizeilichen Überwachung, wie dies in Deutſchland der Fall iſt, unterliegen die Geſindeverhältniſſe in Italien nicht. Die italieniſche Polizei miſcht ſich zwiſchen Herrſchaften und Dienſtboten nur dann ein, wenn ein Fall vorliegt, der tatſächlich unter das Strafgeſetz fällt. Dienſtbücher oder ähnliche Einrichtungen hat man ebenfalls nicht. Ein Dienſtbote kann, wenn er einen Dienſt verläßt, ein ſchrift= liches Zeugnis (benservito) verlangen; doch geſchieht dies nur äußerſt ſelten, und ſo iſt denn ein ſchriftliches Zeugnis meiſtenteils kaum des Leſens wert.

**Distretto militare** (Bezirkskommando). Als Aushebungsbehörden walten in Italien die distretti militari, deren 88 bestehen und bei denen sich das gesamte Aushebungs= und Ersatzwesen des Heeres vereinigt. Von ihnen werden die Rekruten bei ihrer Einziehung ärztlich untersucht und alsdann ihren Truppenteilen zugeschickt.

**Divieto d'affissione** (dīvĭä'tŏ däf-flß-ßĭ'ŏ'nē) s. den Art. Anschlagsäule.

**Divino amore.** Es ist häufig über die Ab= nahme der Volksfeste in Italien geklagt worden, aber das geschieht doch zumeist von Reisenden, die um die Osterzeit nach Rom, Florenz, Venedig, Neapel kommen und innerhalb weniger Wochen die Berechtigung erlangt zu haben glauben, den Landsleuten daheim ein unbe= dingtes Urteil über Italiens Land und Volk, womöglich schwarz auf weiß, vorzusetzen. In Wirklichkeit hält die Abnahme der Volksfeste schlimmstenfalls mit dem Schwin= den des Analphabetismus gleichen Schritt, das aber un= gemein langsam erfolgt. Es ist am Ende ganz folge= richtig, daß mit erweiterter Bildung die Ansprüche an das Dasein wachsen, der Wettbewerb also ernster wird und damit sich Zeit und Neigung zu Festesfreuden verringern. So läßt sich denn wohl ein Rückgang der Volksfeste in den norditalienischen Großstädten südlich bis Rom fest= stellen. Auf dem Lande aber stehen sie noch in voller Blüte und zwar um so mehr, je abgeschlossener die Gegend ist und je treuer sich deshalb die alten Überlieferungen erhalten konnten. Das gilt namentlich vom Gebirge, aber auch vom ganzen Süden mit seiner immer noch dem Strahl modernen Lebens widerstehenden halbmittelalter= lichen Kulturdämmerung, und im Süden gilt es auch von den Großstädten. Während aber sonst überall, im Süden wie im Norden, das religiös=kirchliche Moment die Feste beseelt, bildet es in Rom selber im allgemeinen nur noch den äußeren Anknüpfungspunkt.

Wie selbst noch in verhältnismäßig neuerer Zeit einem Volksfest der religiös=kirchliche Charakter abhanden kommt, ohne daß es selbst an Reiz und Bedeutung abnimmt, zeigt das am zweiten Pfingsttag gefeierte Fest des Divino amore, das im Gegenteil von Jahr zu Jahr mehr Volk anzieht und heute weit mehr vom amore di vino —Liebe zum Wein— als vom Divino amore spüren läßt.

Ungefähr zwölf Kilometer vor Porta S. Sebastiano

auf der Via Ardeatina liegt das kleine Divino amore
genannte Heiligtum. Um am zweiten Pfingftfeiertage
an der Wallfahrt nach Divino amore teilnehmen und
auch dem amore di vino fowie den fonftigen leib=
lichen Genüffen frönen zu können, pflegen fich unter
dem Volk der Ewigen Stadt, befonders den Wäfcherin=
nen und Büglerinnen, kleinere und größere comitive
— Gefellfchaften — zu bilden, die einen Kaffierer
anftellen, welcher das ganze Jahr hindurch Beiträge
für Divino amore einfammelt, womit dann am
zweiten Pfingftage alle Ausgaben einfchließlich der Kutfche
und des Blumenfchmucks beftritten werden. Nicht nur
von Rom nahen die bekränzten Pilger und befonders
Pilgerinnen, felbft von weither aus der Campagna er=
fcheinen fie, oft genug auf Efeln reitend oder in fchwanken
Wägelchen, worin die Frauen vielleicht fchlafend die Nacht
verbracht haben. Die auswärtigen Pilger find zwar auch
mit Rofen, der Lieblingsblume Marias, gefchmückt, treten
aber doch fchlichter und ärmlicher auf als die Römer und
die Bewohner der albanifchen Rabennefter. Sie drängen
fich noch unter Abfingen von Pfalmen in das enge Heilig=
tum, beichten, beteiligen fich an Litaneien und erfüllen
den Raum mit einer Wolke von Andacht, Hitze und
Knoblauchsduft. Die Römer aber und felbft die der
Kirche noch meift ergebenen Weiber, die in echten oder
unechten Edelfteinen prangenden Wafchfrauen mit ihren
oft fo liebreizvollen Töchtern und die anmutigen Bügle=
rinnen in feidenem Mieder, Blumen auf Bruft und
Haar, fchenken dem wundertätigen Heiligenbild kaum noch
Aufmerkfamkeit, und manche halten nicht einmal an,
fondern fetzen ihre Fahrt gleich fort nach Albano, wo
die Feier beginnt. Immer bleiben freilich noch genug
bei Caftel di Leva zurück, um dort in einem überaus
farbenreichen Bild lagernder, fchmaufender, trinkender,
lachender und flirtender Gruppen mitzuwirken, die näfelndes
eintöniges Singen und Mandolinenklang leiser oder lauter
durchbebt. In Albano hat fich ebenfo wie neuerdings in
Rom ein befonderer Ausfchuß zur Preiskrönung der fchönft=
gefchmückten Leiterwagen, Viererzüge, Zweifpänner, Ein=
fpänner und Fahrräder, Automobile nebft ihren Infaffen
gebildet. Die Preife beftehen in feidenen Standarten, manche

darunter von zarter Hand gestickt, die ersten wirklich kost=
bar und alle eine teure Erinnerung an einen Tag heitersten
Lebensgenusses im Zeichen Marias. Wie Sardinen in Büchsen
sind schon vom frühen Morgen ab Tausende von Qui=
riten in Eisenbahnzügen nach Albano verstaut worden. Dort
ist, als nachmittags die endlose Menge der Wagen und
Pilger aus Castel di Leva anlangt, namentlich auf dem
Korso und Piazza della Porta das Gedränge so arg, daß
man nur an den langsam sich bahnbrechenden Fahrzeugen
in ihrem grellen Glanz von Blumen und Seidenblusen die
Richtung des Zuges zu erkennen vermag. Um $1/_44$ Uhr
findet die Verteilung der Standarten statt. Obwohl es
nicht an Unzufriedenen fehlt, ersticken doch die gellenden
Beifallssalven jeden Widerspruch. Der Wettbewerb ist
aber auch niemals so stark gewesen wie in diesem Jahr,
und es mag vielleicht für die Besserung der allgemeinen
Wirtschaftslage unter den Arbeiter= und Handwerkerklassen
sprechen daß auch der zur Schau gebrachte Aufwand an
Wagen, Blumenschmuck, Dekoration und Trachten den
der früheren Jahre weit übertraf. Aber der Haupttriumph
der Siegerinnen und Sieger harrt ihrer in Rom. Das
Dialektblatt „Rugantino" hat den Einzug organisiert und
Geldpreise für die besten Wagen gestiftet; zum ersten
Preis gehört außerdem eine prächtige Standarte. Im
Glanz der sinkenden Sonne rauscht und jauchzt der Wagen=
zug über die Via Appia. Goldener färben sich die Bogen
der Acqua Claudia, empordampfender, lichtdurchfunkelter
Staub mischt sich mit den melancholischen Tinten der
römischen Campagna bis zum zarten Blau, das fern den
Fuß der schneegekrönten Apenninen küßt. Und golden
wie die in Sonnenglut getauchte Landschaft funkelt der
Wein im bicchiere della staffa, dem Glas, das man
bei jedem Halt vor den Osterien leert und dabei in prächtig
heidnischer Vermischung weltlichen Frohsinns und Madon=
nenanbetung Verse singt wie diese:

> Bbevete gente mia, che ppe gni gotto
> S'acquisteno cent'anni d'indurgenza!
> Für jeden Schluck, den ihr trinkt, werden
> Euch hundert Jahre Ablaß gewährt sein!

In Rom hat das Volk zu Zehntausenden Spalier
gebildet und begrüßt laut die durch die Porta S. Giovanni

hineinſtürmenden Wagen. Über Piazza Termini, Piazza Venezia geht es durch den Korſo nach der Piazza del Popolo, in deren Nachbarſchaft das Preisrichterkollegium auf hohem Balkon ſeines Amtes waltet. Wer dieſen modernen bacchantiſchen Feſtzug ſah, der verzweifelt nicht an den Volksfeſten. Eh' ſoviel uralt überlieferte Feierluſt durch den vernüchterten Kampf ums Daſein ertötet iſt und ſoviel Roſen im Antlitz römiſcher Schönen und an ihrem Mieder erblaſſen, werden noch Jahrzehnte, wird vielleicht noch ein Jahrhundert vergehen. Aber darüber grübeln wir nicht nach, wir drängen uns zwiſchen die Menge und geben uns ſelbſt dem Zauber dieſes feſtlichen Umzugs großmächtiger Leiterwagen, blumen= und girlanden= bekränzt, darauf eine Apotheoſe ſommerlichen Überfluſſes und heſperiſcher Schönheit in Roſenkränzen die ſchönſten Römerinnen, der ſtampfenden Viergeſpanne und des bunten lachenden Kleinwerks an Gefährten aller Art hin, die, oft in allerhand Baldachin, Wiegen, Gondeln verwandelt, in warmer Nachtſtunde das eine Ziel verfolgen: vom Divino amore zum amor di vino in den ſtimmungs= vollen Oſterien der Ewigen Stadt.

**Dolce far niente** (do'ltsche̅ fär n'ä'nt³). Da heißt es immer hin und wieder noch: die Leute in Neapel huldigen über Gebühr dem Müßiggange! Goethe war der Erſte, der dieſer damals überall noch verbreiteten Anſicht energiſch ent= gegentrat. Haarhaus im dritten Bande ſeines Werkes über Goethes italieniſche Reiſe hebt dieſe Stellen des Goetheſchen Textes ausdrücklich hervor, um auch ſeinerſeits die törichte Rederei von den „faulen“ Neapolitanern gehörig zu be= kämpfen. Wir fügen bei: Die Leute arbeiten hier viel mehr als anderswo, ſie ſind hier viel zu lebhaft dazu, um faul ſein zu können. Verſchafft ihnen nur Arbeit, und ſie ſind fleißiger, als ihr denkt, jedenfalls aber im Durch= ſchnitt anſtelliger, als die gleiche Geſellſchaftsſchichte gewiſſer anderer Nationen. (Kellner.) — Vergl. den Art. Faulheit.

**Dottore.** Der „Dottore“, eine italieniſche Maske, ſtammt aus Bologna, heißt zuweilen auch Graziano und iſt ein ſteifer Pedant und gelehrter Schwätzer.

**Dreikönigsfeſt** ſ. den Art. Befana.

**Droſchke** (vettura oder carrozza oder legno; in Rom: botte; in Turin oft: cittadina; in Mailand oft: brum;

in Neapel: carrozzella). Man fährt entweder alla corsa, d. h. man zahlt für die einzelne Fahrt oder a ore, nach der Zeit; bei der Fahrt a ore muß die erste Stunde immer voll bezahlt werden; die weitere Dauer wird nach Viertelstunden berechnet. Der Tarif ist im Innern des Wagens angebracht. Keinem Droschkenkutscher (cocchiere oder vetturino) ist es erlaubt, ein Trinkgeld zu fordern, aber es ist Sitte, ihm nach jeder einfachen Fahrt (corsa) 20 Ct., bei der Fahrt nach der Zeit 25 Ct., nach längeren Fahrten 50 Ct. bis 1 Lire zu geben.

**Duell** (il duello). Der Zweikampf in den Formen, wie er den deutschen Studenten eigentümlich ist und der großenteils als eine Art von Sport angesehen werden kann, ist in Italien unbekannt. Wenn er auch hier ziemlich häufig vorkommt, so wird er doch immer nur ausgefochten, um eine wirkliche Beleidigung zu rächen. Die beim Duell in Italien gebräuchlichen Waffen sind der dreieckige, nadelspitz auslaufende Stoßdegen (spada), der Säbel (sciabola) und die Pistole (pistola). Der Beleidigte schickt dem Beleidiger seine Sekundanten (padrini) zu. Nach dem Kampfe wird ein förmliches Protokoll über die Ausführung und die Ergebnisse des Duells aufgenommen, und leider findet dieses meistenteils den Weg in die Zeitungen. Diese den Zweikämpfen gegebene Öffentlichkeit ist sicher für viele eine große Verlockung und trägt großenteils die Schuld an der herrschenden Duellsucht. Das Duell ist auch in Italien verboten, wenigstens auf dem Papier.

**duzen** (dare del tu). Der Gebrauch des vertraulichen „Du" ist in Italien viel verbreiteter als in Deutschland. Man hört es gewöhnlich unter Verwandten, unter Kameraden, unter Studenten und unter Offizieren. Das Volk in Apulien, Kalabrien und im toskanischen und römischen Lande kennt oft keine andere Anredeweise als ‹tu›. In Norditalien dagegen hört man sehr oft Kinder zu den Eltern ‹voi› sagen. — Vergl. den Art. Anrede.

# E.

**Edelkastanie** s. den Art. Maronenbaum.

**Ehescheidung** (divorzio — diwo'rtsïö). In Italien gibt es keine Ehescheidung. Wenn eine Ehe zu unglücklich und das Zuſammenleben der Gatten unerträglich geworden, ſo iſt eine durch gegenſeitige Einwilligung (mu'tuo con-senso) herbeigeführte Trennung zuläſſig, die aber für beide Teile die Wiederverheiratung ausſchließt. Dieſe Trennung heißt separazione legale; ſie kann aber auch im Falle von Mißhandlung, Trunkſucht uſw. vom Gericht angeordnet werden, wobei dem ſchuldigen Teil das Recht auf Erziehung der Kinder entzogen wird.

**Eheſchließung.** In Italien wird viel geheiratet. Indeſſen hat ſich die Zahl der Eheſchließungen, die im Jahre 1872 ſich auf 202361 (7,53 auf je 1000 Ein-wohner) belief, bis 1898 nur wenig, nämlich auf 219597 gehoben, ſo daß die Verhältnisziffer 6,93 ſich merklich ver-mindert hat. Trotz der Frühreiſe beider Geſchlechter erfolgt die Eheſchließung keineswegs, wie man vielfach behaupten hört, beſonders frühzeitig. Über das Alter der Eheſchließenden liegen fortlaufende Mitteilungen der italieniſchen Statiſtik nicht vor. Soweit ſie vorhanden ſind, laſſen ſie erkennen, daß in einer ſechsjährigen Periode vor 1873 das Durchſchnittsalter der Bräute 23 Jahre, der Männer 27 Jahre betrug.

**Eier** (uova); weiches Ei uovo a bere; pflaumen-weich bazzotto; hartes Ei uovo sodo.

**Eierſpeiſen** findet man in Italien nicht in jener Mannigfaltigkeit, welche die Wiener Küche bietet; eine böhmiſche Köchin ſteht bekanntlich erſt auf dem Gipfel ihrer Meiſterſchaft, wenn ſie imſtande iſt, ihrer Herrſchaft für jeden Tag im Jahre eine andere Mehlſpeiſe auf den Tiſch zu ſetzen. Trotzdem aber weiſt die italieniſche Küche eine große Auswahl von Eierſpeiſen auf. Der Italiener nennt ſie frittata. Man kann nun eine frittata di carciofi (mit Eiern gebackene Artiſchocke), eine frittata di piselli (Schoten), eine frittata di spinaci (Spinat) uſw. bekommen. Außerdem gibt es verſchiedene Sorten von Omelettes, die auch in Italien meiſt franzöſiſche Namen tragen.

**eilig** (auf Briefen) heißt urgente (urdʒä'ntä).

**Einjährige.** Der einjährig-freiwillige Dienſt wird in Italien jedem zugeſtanden, der den erfolgreichen Beſuch beider Kurſe des Elementarunterrichts, alſo fünfjährige Schulzeit nachweiſt, und der eine Summe, welche bei der

Kavallerie 2000 Lire, bei den anderen Waffen 1500 Lire nicht übersteigen darf, zur Staatskasse einzahlt. Innerhalb dieser Grenzen wird die Summe alljährlich vom Kriegsminister festgesetzt; sie pflegt 1600 Lire für die Kavallerie und 1200 Lire für die anderen Truppen zu betragen. Während des Dienstjahres wohnen die Einjährig-Freiwilligen in der Kaserne und werden außer der Teilnahme am Kompagnie-, Schwadrons- usw. Dienst in besonderen Kursen praktisch und theoretisch zu Reserveoffizieren ausgebildet. Wenn sie den Anforderungen genügen, werden sie nach Beendigung des einjährigen Dienstes zum Offiziersexamen zugelassen und nach bestandener Prüfung alsbald zu Unterleutnants der Reserve (sottotenenti di complemento) ernannt. Sie treten zum Beurlaubtenstande über, sind aber verpflichtet, innerhalb der nächsten zwei Jahre eine dreimonatige Offizierdienstleistung bei der Truppe zu tun. Das weitere Aufrücken der Reserveoffiziere erfolgt nach dem Dienstalter; sie pflegen beim Übertritt zur Mobilmiliz zu Oberleutnants (tenenti) befördert zu werden und können als Offiziere der Mobil- und der Territorialmiliz zum Hauptmann, Major und Oberstleutnant aufsteigen. (Fischer.)

**Einladung** (un invito). Die Sitte erfordert, daß man auf eine Einladung sogleich schriftlich antwortet. Ist man der Einladung gefolgt, so macht man binnen vierzehn Tagen eine Visite, wenn man wieder eingeladen zu werden wünscht; andernfalls schickt man binnen acht Tagen seine Karte.

**Eis.** Rohes Eis (ghiaccio — ghä't-scho) bringt der Kellner auf Bestellung in kleinen Stückchen, die sich der Gast nach Belieben in sein Getränk hineintut. Berechnet wird hierfür nichts. Fruchteis heißt gelato; ganze Portion una porzione; halbe Portion mezza porzione; Mischeis: misto; Ananas: d'ananasso; Apfelsinen: d'arancio; Erdbeer: di fragola; Himbeer: di lampone; Johannisbeer: di ribes; Kaffee: di caffè; Nuß: di nocciuola; Pfirsich: di pesca; Pistazien: di pistacchio; Vanillen-eis: di crema alla vaniglia; Schokolade: di cioccolata; Zitrone: di limone. — Vergl. auch den Art. Gefrorenes.

**Eisenbahnbetrieb.** Der Eisenbahnbetrieb läßt in Italien viel zu wünschen übrig, besonders an Pünktlichkeit,

Selbst bei Schnellzügen gehören Verspätungen von einer halben Stunde und mehr zu den Vorkommnissen, mit denen man zu rechnen hat. Außerdem sind die italienischen Eisenbahnzüge, besonders auf den Nebenlinien, sehr oft in einem geradezu verwahrlosten Zustande. Für die italienischen Eisenbahnen ist es verhängnisvoll gewesen, daß sie wiederholt den äußersten Notbehelf gebildet haben, um als Gegenstand der verschiedenartigsten Finanzoperationen den Zusammenbruch des Staatshaushaltes abzuwenden. Viermal ist das System, auf welchem ihr Eigentum und ihr Betrieb beruhen, gründlich gewechselt worden. Zuletzt befand sich der Eisenbahnbetrieb durchweg in der Hand von Privatunternehmungen. Unter ihnen ragten die drei großen Gesellschaften hervor, denen der Staat den Betrieb der ihm zugehörigen Bahnen im Jahre 1885 verpachtet hatte. Diese Gesellschaften waren die Mittelmeer-, die Süd- und die Sizilische Eisenbahngesellschaft. Die Mittelmeergesellschaft betrieb das westliche Bahnnetz (rete mediterranea) von Ober-, Mittel- und Unteritalien. Die Südbahngesellschaft (meridionale) hatte das Ostnetz (rete adriatica) gepachtet, das mit dem des Mittelmeeres eine Reihe von Bahnhöfen, namentlich in Rom, Florenz und Neapel, sowie verschiedene Verbindungsstrecken gemein hat. Die Sizilische Bahngesellschaft (Società per le strade ferrate della Sicilia) betrieb die Bahnen im Osten und im Innern von Sizilien. Neben diesen drei großen Gesellschaften kamen noch verschiedene kleinere in Betracht. Die Westsizilische Bahngesellschaft (Società della ferrovia sicula occidentale) war Eigentümerin der Bahn von Palermo nach Trapani und Marsala und betrieb diese kleine, 193 Kilometer lange, aber sehr kostspielige Bahn mit Hilfe hoher Unterstützungen, die ihr von der Regierung und den beteiligten Provinzen gewährt wurden. — Gerade in den letzten Monaten wurden aber die wichtigsten Eisenbahnlinien verstaatlicht, und während wir dies schreiben, wird von der italienischen Regierung und von dem Parlament die Frage eifrig erörtert, wie und ob man auch alle übrigen Linien verstaatlichen soll.

**Eisenbahnnetz.** Im Jahre 1860 waren in Italien 2189 Kilometer Eisenbahnen vorhanden. Nach der neusten Statistik, die bis Ende 1898 reicht, umfaßt das italienische Vollbahnnetz (ohne die Kleinbahnen) eine Betriebslänge von ungefähr 16000 Kilometern. Ein Blick auf die Karte zeigt, daß sich dies Bahnnetz der Gestalt des Landes geschickt anpaßt. Das oberitalienische Festland ist durch eine Reihe von Alpenbahnen mit Frankreich, der Schweiz und Österreich in Verbindung gesetzt und an das große Schienennetz Europas wirksam und ausreichend angeschlossen. Sowohl durch den Mont Cenis und den Gotthard, als über den Brenner und durch den in letzter Zeit durchbrochenen Simplon führen internationale Eisenbahnen nach Italien, deren Anlage und Betrieb allen Anforderungen der Technik entspricht und die nicht nur schnelle und bequeme Verbindungen für die nach Italien Reisenden schaffen, sondern dem Lande auch den Durchgang der wichtigsten Weltwege, namentlich des indisch-englischen Verkehrs, zuführen. Und ebenso wie in Norditalien, finden sich auch in den anderen Gegenden des Reiches Eisenbahnlinien, die alle einigermaßen wichtigen Orte untereinander in Verbindung setzen und namentlich Rom, Neapel, Florenz, Genua, Turin, Mailand und Venedig vom Inlande wie vom Auslande her auf zahlreichen und bequemen Schienenwegen erreichbar machen. Die beiden großen Inseln besitzen besondere Bahnnetze, von denen das sardinische sich im wesentlichen darauf beschränkt, die weit auseinanderliegenden beiden Hauptorte Cagliari im Südosten und Sassari im Nordwesten unter sich und mit dem Bergwerkbezirk in Verbindung zu bringen. Sizilien ist dagegen auf seiner Nord- und seiner Ostseite ganz, an der Südseite wenigstens teilweise von Bahnen umsäumt, die, dem Küstenzuge folgend, Messina einerseits mit Palermo und den Weinstädten Trapani und Marsala, andererseits mit Catania, Siracusa und Girgenti verbinden. Das politische Ziel, das den Italienern bei Entwerfung ihres Eisenbahnplans vorgeschwebt hatte, darf sowohl vom nationalen Standpunkte als von dem der Völkerverbindung aus, im wesentlichen als erreicht gelten. Zwar gibt es in Süditalien viele unrentable Linien; es darf aber nicht außer acht gelassen werden, wie arg die Verwahrlosung jener Landesteile gewesen ist und wie dringend der Staat das Bedürfnis empfinden mußte, sie den halbwilden Zuständen ihrer

Abſchließung zu entreißen. Als dem preußiſchen König Friedrich Wilhelm I. vorgeſtellt wurde, daß die von ihm verlangten Poſtſtraßen durch die litauiſchen und maſuriſchen Wälder Zuſchüſſe erfordern würden, ſchrieb der ſonſt ſo ſparſame Monarch an den Rand des Berichts: „Ich will haben ein Land, das kultiviret ſein ſoll," und ließ ſich in ſeinen Plänen nicht ſtören. Damit können ſich auch die Italiener tröſten, wenn ihnen vorgehalten wird, daß ſie die eine oder die andere unrentable Bahn erbaut haben. Die tüchtige Leiſtung ihrer Bahnanlagen verdient um ſo mehr Anerkennung, als dabei nicht geringe Schwierigkeiten zu überwinden waren. Ein überwiegender Teil ihrer Bahnen trägt durchaus den Charakter von Gebirgsbahnen und iſt mit Tunneln, Durchbrüchen, Überbrückungen wilder Bergſtröme, Steigungen und Kurven aller Art verſehen. Auch die Küſtenbahnen ſind nicht ſelten auf weiten Strecken durch das hart ans Meer herantretende Geſtein durchgebrochen; die zahlreichen Tunnels der Rivierabahn folgen dicht hintereinander und ermüden das Auge des Reiſenden nicht wenig durch den blitzſchnellen unaufhörlichen Wechſel von nächtlicher Finſternis und grellem Sonnenlicht. Bei anderen ſcheinbar einfachen Linien bereitet die mangelnde Stabilität des Bodens die größten Schwierigkeiten; in Toskana, in Apulien und in Kalabrien gleiten nach ſtarken Regengüſſen ganze Strecken des Meergeländes auseinander und nötigen zu umfangreichen Wiederherſtellungen. Alle dieſe Umſtände haben nicht bloß die Erbauung der italieniſchen Bahnen ſehr beträchtlich verteuert, ſondern ſie machen auch ihre Unterhaltung und ihren Betrieb koſtſpieliger als in anderen Ländern. (Fiſcher.)

**Eiſenbahntarif.** Im Tarifweſen iſt durch die Verträge von 1885 für alle Hauptnetze ſowohl für den Perſonen= als für den Güterverkehr Einheitlichkeit erreicht. Die Tarife ſind aber nicht nur hoch geblieben, ſondern noch verteuert worden. Man hat berechnet, daß bei Zugrundelegung der italieniſchen Tarifſätze der Rohertrag der preußiſchen Staatsbahnlinien im Jahre 1894/95 ſtatt 1182,5 Millionen nicht weniger als 1674,1 Millionen betragen haben würde. Gegenwärtig beträgt der Perſonentarif für das Kilometer: bei Schnellzügen I., II. und

III. Klasse 12,43, 8,71, 5,15 Ct. (auf den preußischen Staatsbahnen 9, 6,67, 4,67 Pf.), bei Personenzügen 11,30, 7,91, 5,09 Ct. (auf den preußischen Staatsbahnen 8, 6, 4 Pf.) Dazu wird bei allen Beträgen über 90 Ct. vom Staat ein Zuschlag von 3 Prozent erhoben.

Gerade während wir dies schreiben, hegt die italienische Regierung die Absicht, auf allen italienischen Eisenbahn= linien einen Zonentarif einzuführen.

**Eisenbahnzüge.** Außer den internationalen Luxus= zügen hat man in Italien treni direttissimi oder treni-lampo (Blitzzüge) mit I. und II. Klasse, mit Schlaf= und Speisewagen (vagone-letto und vagone-ristorante), treni diretti (Schnellzüge), zum Teil auch mit III. Klasse, treni accelerati (trä'ni ät-schelera'ti) (be= schleunigte Züge), die ein Mittelding zwischen Schnell= und Personenzügen bilden, treni omnibus(Personenzüge)und treni misti (gemischte Züge) mit Güter= und Personen= beförderung. Da es in den italienischen Eisenbahnzügen keine IV. Klasse gibt (erst jetzt wird von einigen politischen Männern auf deren Einführung hingewirkt), so wird die III. Wagenklasse ausschließlich von den niederen Volksklassen benutzt. Der Mittelstand benutzt deshalb die II. Klasse, die auf den Hauptlinien zwar der II. Klasse der deutschen Eisenbahnen gleichkommt, auf den Nebenlinien jedoch kaum die deutsche III. Klasse übertrifft. Die Abteile für Raucher sind mit der Aufschrift per fumatori, die für Nicht= raucher mit è vietato di fumare bezeichnet.

**Elektrische Triebkraft** s. den Art. Weiße Kohlen.

**Elementarunterricht.** Der Elementarunterricht ist seit 1877 in ganz Italien obligatorisch. Der Schulpflicht unterliegen alle Kinder vom vollendeten sechsten bis neunten Jahre; ihr kann sowohl durch Unterricht im Hause, als in einer nicht öffentlichen Schule (Privat=, Stiftungsschulen, Schulen geistlicher Korporationen) ge= nügt werden. Kinder, die nicht auf solche Weise unter= richtet werden, sind zum Besuch der öffentlichen Volks= schule verpflichtet. Sie können von dieser Pflicht bereits vor vollendetem neuntem Jahre entbunden werden, wenn sie die Freisprechungsprüfung (esame di prosciogli- mento) mit Erfolg ablegen; Kinder, die am Schlusse des neunten Jahres diese Prüfung nicht bestehen, bleiben

bis zum Schlusse des zehnten Jahres schulpflichtig. Der
Unterricht in der öffentlichen Volksschule wird unentgelt=
lich erteilt. Er gliedert sich in zwei Stufen, die untere
von drei, die obere von zwei Klassen. Jede Klasse umfaßt
ein Schuljahr.

Die Errichtung und Unterhaltung der öffentlichen Volks=
schulen liegt den Gemeinden ob. Jede Gemeinde ist ver=
pflichtet, mindestens zwei Schulen der Unterstufe, je eine
für Knaben und Mädchen, zu halten. Nur in Gemeinden
von weniger als achthundert Einwohnern darf die Knaben=
und Mädchenschule vereinigt sein. Öffentliche Volksschulen
der Oberstufe sind nur Gemeinden von mehr als 4000 Ein=
wohnern und solche zu halten verpflichtet, in denen sich
öffentliche Mittelschulen befinden. Die einzelnen Klassen
der öffentlichen Volksschulen sollen höchstens 40 Schüler
haben.                                            (Fischer.)

**Elend in Neapel.** Das Massenelend der Armen in
Neapel, die vier Fünftel der Gesamtbevölkerung aus=
machen, ist oft geschildert worden, so von der Eng=
länderin Jessie White Mario, die ihr ganzes Leben in den
Dienst der Bestrebungen für die Freiheit und Unabhängigkeit
Italiens gestellt hatte (La miseria in Napoli 1878), von
Renato Fucini (Napoli a occhio nudo 1878), von
Pasquale Villari, der die seiner Vaterstadt gewidmeten
Lettere meridionali (1878, 2. Ausg. 1885) ein zum
Schutz der Armen Neapels geschriebenes Buch nennt, von
Matilde Serao (Il ventre di Napoli 1884) und
anderen. Diese Schilderungen sind so erschreckend, daß
man gemeint hat, ihnen trotz ihrer Übereinstimmung den
Glauben versagen zu müssen, aber sie haben sich trotz
aller Beschönigungen und Ableugnungen als nur zu
wahr erwiesen.

Die Überfüllung der ärmsten Stadtviertel mit Menschen
war (und ist noch immer) eine fast unglaubliche. Im
Jahre 1885 wohnten 9800 Menschen in sogenannten
fondaci (so'ndātschi). Dies sind Gebäude, die einen
viereckigen Hof umgeben; auf einer Treppe gelangt man
zu den in allen Stockwerken an den vier inneren
Mauern entlang laufenden Altanen, auf die die Türen
zahlreicher, meist fensterloser Wohnräume sich öffnen. Die
bei geschlossenen Türen völlig finsteren, jeder Lüf=

Land und Leute in Italien.                        10

tung entbehrenden, sehr feuchten Wohnungen, „schlechter als Hundeställe", sind von entsetzlichem Schmutz und Gestank erfüllt und enthalten oft nichts als einen Haufen Stroh, der für Mann und Weib, Knaben und Mädchen als gemeinsames Lager dient. Abtritte gibt es nicht. Der Hof wird zu den unsaubersten Verrichtungen aller Art benutzt und ist mit Kot und ekelhaften Abfällen bedeckt, der in der Mitte befindliche Brunnen, aus dem alle Bewohner schöpfen, von Kothaufen, die in schwarzem Schlamm schwimmen, umgeben. Doch eine sehr viel größere Zahl von Armen wohnte in sogenannten bassi, ebenfalls gewöhnlich fensterlosen, nie gelüfteten, sehr feuchten und höchst ungesunden Räumen zu ebener Erde, oft unter der Sohle der Straßen, in die bei ihrer Schmalheit und der Höhe der Häuser nie ein Sonnenstrahl dringt; es gab deren in den reichsten Palästen. Im Jahre 1885 wohnten in 45000 bassi 128000 Menschen.

Nach der Choleraseuche von 1884, die hauptsächlich in den ungesunden Stadtvierteln unter den Armen wütete und 8000 Menschen hinraffte, beschloß das Parlament unter dem Ministerium Depretis, daß auf die Verbesserung der gesundheitlichen Verhältnisse Neapels (das risanamento, populär sventramento di Napoli genannt) 100 Millionen Lire verwandt werden sollten. Insofern man dabei die Herstellung gesunder Wohnungen für die Armen und Ärmsten, d. h. die ganz überwiegende Mehrheit der Bevölkerung, im Auge hatte, ist der Zweck völlig verfehlt worden. Man hat eine große Anzahl der bassi zerstört und eine Anzahl der fondaci geschlossen. Tausende der Ärmsten haben ihre Wohnung und damit häufig die Gegend, in der sie ihren Erwerb hatten, verlassen müssen, ohne zu einem für sie erschwinglichen Preise eine bessere zu finden, zum Teil um in ebenso ungesunden Räumen wie bisher noch dichter zusammengepfercht zu leben. Man hat den größten Teil der Millionen nicht auf den Bau gesunder Wohnungen für kleine Leute, sondern auf Straßenanlagen verwandt. Man hat große, herrschaftliche Häuser gebaut, in denen der Mittelstand gute und billige Wohnungen findet, die aber nur zum vierten Teil von Armen bewohnt werden; von den Ärmsten, deren Wohnungsnot gehoben werden sollte, gar nicht, da für diese die Mieten viel zu hoch sind. Daß an der Not der unteren Klassen in Neapel Arbeitsscheu so gut wie keine Schuld trägt, ist unbestritten. Das alte Märchen vom dolce far niente der Italiener findet wohl nirgends mehr Glauben (s. die Art. dolce far niente und Faulheit). Das Volk von Neapel arbeitet mit größerer Ausdauer als in Mittelitalien und besonders in Rom; Handwerker und Handwerkerinnen arbeitet dort oft bis in die Nacht hinein. Die Lage von zwei Dritteilen der Bevölkerung Neapels hat sich seit 1860 verschlechtert. Die Löhne haben sich verdoppelt, aber die Steuern verdreifacht. Freilich sind auch jetzt die Löhne dort noch geringer als in irgendeiner anderen großen Stadt Italiens. Schreiner, Schuster, Schneider, Maurer verdienen bei zwölfstündiger Arbeit 1—1,25 Lire, Handschuhschneider 80 Ct., geringere Handwerker 75—50 Ct.; Frauen und Mädchen im günstigsten Falle (als Schneiderinnen, Hutmacherinnen, Arbeiterinnen in Tabakmanufakturen) 15—20 Soldi; aber dies sind wenige, der größte Teil der armen Frauen und Mädchen fristet sein Leben durch Magddienste. Aufwärterinnen, die oft wenigstens 2 bis 3 Meilen bis zur Wohnung ihrer Herrschaft zurücklegen, vierzigmal am Tage die Treppen steigen, zwanzig Eimer Wasser aus einem tiefen Brunnen schöpfen, überhaupt die anstrengendsten Arbeiten verrichten müssen, verdingen sich für 10 Lire monatlich ohne Beköstigung. — Unter den Hunderttausenden, die von der Hand in den Mund leben, verfällt ein großer Teil bei jeder Stockung ihres Erwerbs, jeder Vermehrung ihrer Ausgaben, in jeder verschuldeten oder unverschuldeten Not dem Wucher, dem die Sorglosigkeit, Unwirtschaftlichkeit und Unüberlegtheit des Volkes den größten Vorschub leistet. Auf Kredit, also immer zu einem über den Wert gesteigerten Preise kaufen die kleinen Leute fast alles: Kleider, Hausgeräte, oft sogar Nahrungsmittel. Auch ist für sie der Drang, den Augenblick zu genießen, trotz aller Not nur zu oft unwiderstehlich, und unter der Herrschaft der durch alle Stände verbreiteten Sucht des far figura stehen auch sie. Kurz vor einem Hauptfeste sind die Leihhäuser überfüllt von Menschen, die stundenlang warten, um vorgelassen zu werden und ihre Bündel und Goldsachen versetzen zu können.

10*

Daß die Ernährung der unteren Klassen eine nach
Menge und Güte sehr dürftige ist, versteht sich von selbst.
Von dem größten Teil der Armen muß das Frühstück oder
Mittagessen mit 1 Soldo bestritten werden. Ihr Lieb-
lingsgericht ist die echt neapolitanische pizza: runde
Fladen von dickem Teig, der nicht gekocht, sondern geröstet wird, belegt mit fast rohen Tomaten, Knoblauch,
Pfeffer und dergleichen, die in Stücke zu 1 Soldo
zerschnitten werden; es gibt auch Stücke zu 2 Ct. für
Schulkinder. Für 1 Soldo erhält man auch eine
Tüte mit ganz kleinen in Öl gesottenen Fischchen, Pfannkuchen mit einem Stückchen Kohl, Artischocke oder Sardelle, neun gesottene Kastanien, die, von der Schale ent-
blößt, in einer rötlichen Brühe schwimmen; in diese
taucht man das Brot und ißt die Kastanien als Zu-
speise. Für 1 Soldo erhält man ferner zwei in
Wasser gekochte oder geröstete Kolben Mais. Für 2 und
3 Soldi gibt es schon kleine Portionen Makkaroni,
mit Tomaten und Käse gewürzt; für 2 Soldi auch ein
Stück von einem in Seewasser gekochten Polypen,
sehr stark mit spanischem Pfeffer gewürzt, und Schnecken
in einer Brühe, in die ein Zwieback gebrockt ist; auch
wird für diesen Preis aus einer großen Pfanne, in der
Stücke von Schweinefett, Geschlinge und Stücke des
Tintenfisches mit Zwiebelchen sieden, ein großer Löffel
sorgfältig so auf das Brot des Käufers geleert, daß die
Mischung sich ganz in die Krume einzieht. Haben die
kleinen Leute 3, 4, 8 Soldi für ihr pranzo auszugeben,
so verzehren sie es zu Hause auf der Schwelle ihres
basso. Für 4 Soldi bereitet man einen Salat von
rohen Tomaten und Zwiebeln, oder gekochten Kartoffeln
und roten Rüben, oder Kohlrüben und frischen Gurken.
Früchte lieben die Neapolitaner sehr. Für 1 Soldo erhält
man sechs Birnen, ½ Kilo Feigen, zehn bis zwölf kleine,
gelbe Pflaumen, eine blaue Weintraube, eine zerstoßene
oder etwas angefaulte gelbe Melone oder zwei Schnitte
einer roten von geringerer Sorte. Sehr beliebt ist der
spassatiempo, Melonenkerne, Bohnen und Erbsen im
Ofen gekocht; für 1 Soldo kann man einen halben Tag
lang daran knabbern und den Magen füllen, als ob man
gegessen hätte.

So bemitleidenswert, wie das Leben der neapolita=
nischen Armen dem nordischen und auch dem norditalie=
nischen Beobachter erscheint, ist es in der Tat nicht.
Die Ungesundheit der Wohnungen, die im Norden
unerträglich sein und mörderisch wirken würde, ist
in einem Klima, das meistens den Aufenthalt im Freien
während des ganzen Tages erlaubt, weit minder ge=
fährlich. Die Sonne, sagt Jucini, ist in Neapel das
einzige Wesen, das sich ernsthaft und uneigennützig
mit der Wohnungsfrage beschäftigt, unermüdlich für
Kleider im Winter, für Arzneien und Desinfektions=
mittel in den anderen Jahreszeiten sorgt, Wohltaten und
Liebkosungen spendet. Der Schmutz wird nicht als Übel=
stand empfunden, wo die Reinlichkeit unbekannt ist. Das
Bedürfnis des Fleisch= und Wein=genusses haben die Süd=
länder, wenn überhaupt, nur in geringem Maße. Freilich
erstickt die lebenslängliche Gewöhnung an ein Übermaß
des Elends vielfach das Gefühl der Menschen=
würde und erzeugt nicht bloß eine sklavische Unter=
würfigkeit gegenüber den Besitzenden, sondern auch
nicht selten eine an Vertierung grenzende Stumpf=
heit, die selbst das Verlangen nach einem erträglicheren
Dasein nicht aufkommen läßt. Aber ganz und gar ver=
mag auch der schwerste Druck die Schnellkraft des süd=
lichen Blutes nicht so leicht zu brechen, und die An=
spruchslosigkeit und Bedürfnislosigkeit, in der die Süd=
italiener ihre nördlichen Landsleute weit übertreffen, läßt
sie noch in dem, was anderwärts auch der Bettler ver=
schmäht, einen Genuß finden. Im allgemeinen sind sie
frei von der Verbitterung, die sonst überall bei den
Stiefkindern des Glücks die Vergleichung ihres Daseins
mit dem der Glücklicheren erzeugt. Der Luxus zieht
sie an und erfreut sie, anstatt sie zu beleidigen. Sieht
man sie aus ihren Gäßchen auf eine öffentliche An=
lage hervorkriechen, so erscheinen sie so zufrieden
wie die glücklichsten Menschen, betrachten die wohlgekleide=
ten Spaziergänger und eleganten Fuhrwerke wie das
herrlichste Schauspiel, lächeln, stoßen sich an und rufen
einander zu: „Schau, schau! Unser Graf, unser Herzog!"
Jeder Eindruck, der ihre Teilnahme erregt, ihre Ein=
bildung beschäftigt, füllt für den Augenblick ihre Seelen

völlig aus und läßt sie alle Entbehrungen und Leiden
vergessen: mag es nun der seltene Genuß einer Schüssel
Makkaroni in einer Osteria, die Musik einer marschie=
renden Truppe, ein Feuerwerk, ein prachtvoller Gottes=
dienst oder eine Prozession sein, in der sie das geliebte
Bild ihres Schutzheiligen sehen und begrüßen können.
Noch im tiefsten Abgrunde des Elends vermögen sie zu
scherzen. „Kommen Sie in meinen palazzo," sagte ein
altes Weib zu Fucini, der ihren basso zu sehen wünschte.
Ein junger Mann, der ihm in einer Grotte die Abteilung
zeigte, in der sein Bett stand, entschuldigte sich, daß er
die Fenster nicht öffne, die nicht vorhanden seien. In
einem fondaco, wo der Boden des Hofes von dem
Inhalt einer Kloake ganz überschwemmt war, so daß
man nur längs der Mauern auf den Zehspitzen gehen
konnte, betrachteten die auf den Altanen stehenden Frauen
lachend die im Kot umherschwimmenden Ratten und sagten:
„Sehen Sie, Herrchen, diese Reisenden!" „Neapel," sagt
Fucini mit Recht, „macht jedem, der es zum erstenmal
betritt, den Eindruck einer Stadt, die ein Fest feiert. Man
sieht in diesem wild bewegten Menschenmeer selten ein
trauriges Gesicht. Der Widerschein der in diesem Schau=
spiel vorherrschenden Heiterkeit ist so blendend, daß die
Einzelheiten sich dem Auge entziehen oder doch die etwa
empfangenen schmerzlichen Eindrücke nicht bleibende sind.
Wer das Elend in Neapel kennen lernen will, muß es
geflissentlich aufsuchen." (L. Friedländer, „Aus Italien".)
Vgl. auch den Art. Neapel von heute.

**Enthaltsamkeit.** Die dem Nordländer am meisten
auffallende Körpereigenschaft der Italiener ist ihre große
Bedürfnislosigkeit in Speise und Trank. Nicht nur die
Zahl der Mahlzeiten, deren Häufigkeit bei Nordländern
dem Italiener zu unverhohlenem Staunen Anlaß gibt,
sondern auch die Menge und die Substanz der dabei ge=
nossenen Nahrung ist in Italien wesentlich geringer als
im Norden. Wohl sieht der Nordländer nicht selten mit
Verwunderung auf die kolossale Portion Makkaroni hin,
mit welcher der Italiener seine Hauptmahlzeit zu eröffnen
pflegt. Aber was darauf folgt, ist wenig und leichte
Kost, und die Hauptmahlzeit ist für viele im wesentlichen
die einzige des Tages. Diese Bedürfnislosigkeit prägt

ſich auch im geſelligen Verkehr aus und verleiht dem Italiener eine Leichtigkeit und Anmut, um die der unter der Schwere ſeiner heimiſchen Diners ſeufzende Nord= länder die Italiener zu beneiden alle Urſache hat. Die ſchöne Sitte, daß man ſich ſpät abends, frei von jedem Bedürfnis nach Speiſe und Trank, zu geſelliger Plauderei in befreundeten Häuſern verſammelt, hat ſich in Italien glücklicherweiſe noch in voller Reinheit erhalten und bildet einen Hauptreiz des Winteraufenthalts für viele Fremde, denen der Zutritt zu dieſer rein platoniſchen Gaſtlichkeit ſtets auf das freundlichſte erleichtert zu werden pflegt. (Fiſcher.) Vgl. auch den Art. Betrunkene.

**Entrees** ſ. die Art. antipasti, principii.

**Erdbeeren** ſ. den Art. Beeren.

**Eſel.** Dieſelbe Natur, die die Verbreitung der Ziege, der Gefährtin der Armen, begünſtigte, hat auch den Eſel zum allgemeinen Haustier und Laſtträger gemacht. Selten wird der graue, genügſame Langohr, auf dem Sancho Panſa ritt, in den Ländern am Mittelmeer in irgend= einem Landſchaftsbilde, wo nur Menſchen und menſch= liche Wohnungen in der Nähe ſind, als Staffage fehlen, bald wie er ruhig an der Hecke daſteht und ungeheure Stacheln, mit denen man ein Kalb abſtechen könnte, im Maule umdreht und verzehrt, bald wie er, mit gleich= ſchwebenden Körben und Fäßchen beladen, vom Treiber mit dumpfen Rufen oder auch mit dem Stachel ermun= tert, zur Stadt ſchreitet oder trippelt, bald wie er von der anmutig ſitzenden jungen Frau gelenkt wird und dazu klug mit den langen Ohren, die jede Seelenerregung alsbald verraten, auf= und abtelegraphiert — meiſtens feurig und wahrhaft edel und zierlich in Geſtalt und Gang. Daß er dumm ſei, können nur verleumderiſche böſe Menſchen behaupten; ſelbſt das Pferd iſt ihm an Verſtand nicht überlegen, wohl aber iſt es edleren Ge= mütes, ſtolz, hochſinnig, flüchtig. Wir geben zu: in dem Eſel ſteckt eine Sklavennatur: er iſt arbeitſam, ergibt ſich in ſein Leiden, ſchlechte Behandlung erſcheint ihm als ganz natürlich. Aber er hat wieder auch viel Sinn für erwieſene Freundlichkeit, vergißt ſie nie, iſt dankbar dafür, und daß die Sklaven aufgeweckter ſind als die Herren, lehrt ja jede Szene der antiken Komödie. (Hehn.) Vgl. auch den Art. Viehzucht.

**Est—Est—Est.** Nicht durch das alte Etrusker=
heiligtum, nicht durch die Papstresidenz oder die fast
einzige Schönheit der Lage ist der Name Montefiascone
hinaufgedrungen bis zu den nordischen Nachbarn schon in
früher Zeit, sondern durch eine wunderliche, eine närrische
Eulenspiegelei, durch die Legende vom ‹Est—Est›. Ein
Reiseschriftsteller des achtzehnten Jahrhunderts, Johannes
Limberg, berichtet darüber in seiner Beschreibung von
Montefiascone:

„Die Landschaft ist sehr Fruchtbar an guten Wein;
denn unweit von hier unter der Stadt sind drei
Wirths=Häuser an der Land=Straßen; das erste wird
genennet Est; das andere Est Est; das dritte Est
Est Est. In diesem letzten hatte sich ein Teutscher
Bischoff zu tode gesoffen; denn er hatte seinen Diener
vorangeschickt in jeden Wirths=Hause den Wein zu
kosten, mit diesem Befehl, daß, wo der Wein gut sey,
da solle er vor der Hauß=Thür schreiben Est, da=
selbsten wolle er trinken, wo er aber noch besser wäre,
da sollte er zweymahl schreiben Est Est; wo er aber
sehr gut und süße wäre, da sollte er dreymahl schrei=
ben Est Est Est; daselbst wolle er sich im Wein recht
satt trinken. Der Diener folget des Herrn seinem
Befehl; Der Herr aber zehrte in diesem Wirths=Hause
so stark, daß er zwar den Wein eingesoffen, den Geist
aber ausgebrochen. Nach dem Tod läst ihn der Diener
an dem Berge begraben; und siehet man noch vor
dem hohen Altar sein Bildniß; über seinem Haupte
stehen 2 Wappen mit 2 Schildern, bey dem Munde
aber 2 Kelche in Stein gehauen, mit dieser Beyschrifft:
Est Est Est pro.
Est hic. Io. D. Fuc. D.
Meus mortuus est. MCXIII.
In seinem Testament hatte er vermacht, daß jährlich
am Pfingstage 60 Flaschen Wein auff seinen Grab=
stein von den Armen auf sein Gedächtniß sollen aus=
getrunken werden: Welches zwar lange Zeit observirt,
aber nunmehr vor dem Werth den Armen nur Brodt
und Wein ausgetheillt wird.“

Noch heutzutage ist die Geschichte in Deutschland in aller
Munde durch das bekannte Gedicht von Wilhelm Müller,

bei dem aber der gute deutsche Trinker kein Prälat, son=
dern ein Ritter ist:

> Der Herr Ritter kam, sah, trank,
> Bis er tot zu Boden sank.
> Schenke, Schenkin, Kellner, Knapp
> Gruben ihm ein schönes Grab
> Hart an dem Bolsener See
> Auf des Faulenberges Höh'.
> Und sein Knapp, der Kostewein,
> Setzt ihm einen Leichenstein
> Ohne Wappen, Stern und Hut,
> Mit der Inschrift kurz und gut:
> Propter nimium est est
> Dominus meus mortuus est.

Geht man die breite, von weißem Staub bedeckte
Landstraße, die in großen Windungen von Montefiascone
hinab in das Tal führt, etwa eine Viertelstunde bergab=
wärts, so trifft man auf eine alte stark verfallene, aber
baulich sehr sehenswerte Doppelkirche S. Flaviano. Aus
dem geheimnisvollen Zwielicht der oberen Kirche steigt
man auf schmalen, abgetretenen, in großem Halbkreis
angelegten Stufen hinab in die durch Lämpchen nur
dürftig erhellte Finsternis der Unterkirche. Da liegt quer
vor dem Altar ein alter, halbverwitterter Leichenstein.
Mit einiger Mühe, aber doch noch deutlich kann man
das Flachrelief eines liegenden Mannes in faltigem Ge=
wande erkennen; darüber eine Mütze, die ebenso gut eine
Narrenkappe wie eine Krone oder ein Bischofshut (Mitra)
mit flatternden Bändern sein kann. Rechts und links vom
Kopf je ein Wappenschild. Zu Füßen dieses Grabsteines
befindet sich eine Inschrift, die aber augenscheinlich jünger
ist als der eigentliche Stein, so daß man auf ihre Ent=
zifferung keinen allzu großen Wert legen kann. Im
ganzen stimmt sie mit der in dem erwähnten alten Reise=
werk überlieferten Inschrift überein, doch ist sie ein wenig
ausführlicher. Und dann kann man noch in einem
immerhin für die schnurrige Geschichte wesentlichen Punkte
über die Lesung im Zweifel sein, ob man nämlich Io.
D. (oder de) Fuc lesen soll, die herkömmliche Lesart seit
Jahrhunderten, derzufolge ein Mitglied des bekannten
Hauses der Fugger hier oben in Montefiascone auf diese
anmutende Art seinen Tod gefunden hat und unter

diesem Grabstein in S. Flaviano begraben liegt. Es geht nämlich auch, statt des F ein E herauszulesen, und dann lautet die ganze Inschrift nach de Angelis, einem Geistlichen und Ortsschriftsteller, der in den vierziger Jahren des vorigen Jahrhunderts in Montefiascone lebte, folgendermaßen:

EST EST EST PROPTER NIMIVM
EST HIC IO. DEVC DOMINVS
MEVS MORTVVS EST.

Aus dem Fugger, der angeblich Prälat oder Bischof gewesen ist, ist dieser also ein Io. Deuc geworden. Und de Angelis möchte ihn auf diesen Namen hin am liebsten zum Herzog stempeln, denn ein Prälat oder gar Bischof, der sich zu Tode gesoffen — das verletzt sein kirchliches Gefühl denn doch zu stark. Er schlägt sogar vor, die ganze Inschrift zu entfernen, um keinen Anstoß zu erregen. Aber nicht nur von kirchlicher Seite finden wir gegen diese Est-Est-Legende Widerspruch sich erheben, sondern aus dem berufenen und berüchtigten Lande des Trinkens par excellence, aus Deutschland, tönt ein viel grimmigerer und energischerer Protest, der sich in eine für uns höchst drollige, aber für jene Zeit überaus bezeichnende Form kleidet. Eine höchst gelahrte Altdorfer Dissertation vom Jahre 1680 in lateinischer Sprache handelt über die «Fabula Montefiasconia», und aus ungefähr derselben Zeit eine Schrift, deren Titel schon so belustigend in seiner geschraubten Umständlichkeit ist, daß man ihn nicht unterschlagen darf: „Der falsch befundene Tod Jenes Teutschen Bischofs welcher sich zu Montefiascon in Italien soll zu tod gesoffen haben." Als Verfasser ist ein Gottlob Rothen aus „Crossa" in Schlesien genannt, und gewidmet ist die Schrift einem „Wohledlen, Vesten, Wohlweisen, Hocherfahrenen Herrn Hn. Melchiori Beugen weitberühmten Apotheker 2c. in der kgl. preuß. Handelsstadt Frankfurt a. O." — Also selbst der wohlweise Herr Apotheker in dem fernen guten Städtchen Frankfurt a. O. mußte und sollte sich mitempören über die welsche Tücke, geschehen in Montefiascone in Italia. Freilich mußte er sich dazu erst durch eine mit unglaublicher Belesenheit und unerhörtem Fleiß zusammengebrachte Reihe von Zitaten durcharbeiten, durch welche bewiesen

und dargetan wird, daß die braven Deutschen von
alters her in dem erschrecklichen Rufe von Säufern
ständen, und daß die ganze schöne Geschichte aus Monte=
fiascone von jenem zu Tode gesoffenen Bischof nur
eine überaus verwerfliche Erfindung und Bosheit der
Italiener wäre, die die guten Deutschen mit diesem
schlechten Spaße an ihrer wundesten Stelle haben treffen
wollen. Die Entrüstung ist schöner als die Beweis=
führung. — nur daß das de in dem fraglichen de
Fuc nicht auf die Fugger zu beziehen sein konnte, weil
sie damals noch gar kein Adelsbeiwort hatten, leuchtet
ein. Zuzugeben ist freilich, daß die ganze Sache stark
nach einem Witze, der vielleicht nachträglich erst sich an
den alten Stein geheftet hat, aussieht, aber — nachzu=
weisen ist das nicht. Wäre auch schade drum, denn die
schöne Est-Est=Schnurre gehört nun einmal zu Monte=
fiascone. Und ob nun ein Rittersmann oder ein Prälat
unter jenem Steine liegt, zu verdenken wäre es ihm nicht
gewesen, wenn er auf der schönen Höhe von Monte=
fiascone sich allzusehr und zu tief in den Est-Est=Wein
versenkt hätte. Es gibt schlechtere Plätze und schlechtere
Weine, und schließlich:

> Propter nimium Est Est
> Liegt manch einer schon im Nest.
>
> („Berliner Tageblatt.")

**Evangelische italienische Kirche.** Diese Kirchengemein=
schaft, welche kaum so viele Jahrzehnte zählt wie die
Waldenserkirchen Jahrhunderte, entstand durch den im
Jahre 1870 zu Mailand vollzogenen Zusammenschluß
von 23 evangelischen Einzelgemeinden, welche sich meist
durch Bibellesen unabhängig von der Waldenser=Evan=
gelisation hier und da im Lande gebildet hatten und
ihr Bedürfnis nach fester kirchlicher Ordnung befriedigen
wollten. Die 1870 in Mailand gebildete Kirche nannte
sich: „Freie italienische Kirche", nicht aus rationalistischen
Anwandlungen in der Lehre, sondern lediglich, um ihre
Trennung von Papsttum und römischer Hierarchie klar
zu kennzeichnen. Hatte schon die Generalversammlung
von 1870 ein Bekenntnis in acht Grundartikeln aufgestellt,
so nahm die nächste Generalversammlung von 1871 in
Florenz eine Verfassung in 21 Grundartikeln an. Aus jeder

Zeile dieser Grundartikel spricht gesundes biblisches und praktisches Christentum und dementsprechend evangelisches Gemeindeleben. Durch königliches Dekret vom 2. Juli 1891 wurde diese Kirche unter dem Namen «Chiesa Evangelica Italiana», wie sie seitdem heißt, von der italienischen Regierung als juristische Person anerkannt. Die Leitung dieser Kirche liegt in den Händen eines aus fünf (von der jährlich im Oktober zu Florenz tagenden Generalversammlung gewählten) Mitgliedern bestehenden „Evangelisationskomitees". Die Kirche selbst besteht gegenwärtig aus 36 Gemeinden und 45 Stationen mit 1831 erwachsenen Mitgliedern (comunicanti), die von 14 Geistlichen und 17 Evangelisten versorgt werden. Die Elementarschulen dieser Kirche zählen 944 Schüler und 38 Lehrer und Lehrerinnen. In den Sonntagsschulen sind 1276 Schüler. Eine „Theologische Schule" zur Ausbildung von Geistlichen bestand von 1877 bis 1891 in Rom, seitdem ist sie nach Florenz verlegt. Die ganze Evangelische italienische Kirche umfaßt 10 Bezirke: 1. Piemont mit 9 Gemeinden und 3 Stationen: Bassignana, Bussoleno, Fara Novarese, Ronco Canavese, Turin, Balmuccia, Civiasco, Frasso di Scopello, Ormezzano, Roccapietra, Rossa, Varallo; 2. Ligurien mit mit 2 Gemeinden: Genua und Savona; 3. Lombardei mit 4 Gemeinden: Bergamo, Chiavenna, Mailand, Sondrio; 4. Venetien mit 3 Gemeinden: Treviso, Udine, Venedig; 5. Emilia mit 1 Gemeinde: Bologna; 6. Toskana mit 7 Gemeinden und 5 Stationen: Arena, Carrara, Cisanello, Florenz, Livorno, Pisa, Pistoia, Pontasserchio, S. Marco alle Cappelle, S. Maria del Giudice, Torano Uliveto, Zambra; 7. Rom mit 2 Gemeinden in Rom; 8. Neapel mit 1 Gemeinde in Neapel; 9. Apulien mit 4 Gemeinden und 2 Stationen: Bari, Margherita di Savoia, Mottola, Palagiano, Taranto, Trani; 10. Sizilien mit 2 Gemeinden und 1 Station: Palermo, S. Stefano di Camastra, Scicli. Die Evangelische italienische Kirche unterhält 8 Kolporteure zum Verkauf von Bibeln und evangelischen Schriften.

**Evangelische Kirchen.** Die evangelische Kirche setzt sich zusammen aus der bekannten „Waldenserkirche", der „Evangelischen italienischen Kirche" und einigen kirch=

lichen Gemeinschaften (Wesleyaner, Methodisten und
Baptisten), welche ihr Dasein ausländischen Missionen
danken (vergl. diese Art.). Abgesehen aber von diesen
Gemeinden, dürften hier noch erwähnenswert sein die
evangelischen Gemeinden deutscher Zunge in Italien.
Wir finden sie in Bari, Bergamo, Florenz, Gardone,
Genua, Livorno, Messina, Mailand, Neapel, Palermo,
Rom, San Remo, Venedig. Sie sind zum Teil der
preußischen Landeskirche angeschlossen. Deutsche Gottes=
dienste finden zeitweilig statt, im Winter in Ancona,
Bellagio, Bologna, Capri, Catania, Nervi, Ospedaletti,
Pallanza, Pegli, Rapallo, Taormina. Von Neapel aus
werden noch zwei Filialen in Palermo und Scasati ver=
sorgt. Die deutschen Geistlichen Italiens versammeln
sich seit 1881 jährlich in einer Konferenz. Ein kirch=
liches Monatsblatt für die Gemeinden deutscher Zunge
in Italien, namens „Paulus" (1889—1892), ging
wieder ein, als sein Begründer und Herausgeber
(Rönneke) in den Dienst der Heimatkirche zurückkehrte.
Schulen unterhalten die deutschen Gemeinden in Florenz,
Genua, Messina, Mailand, Neapel, Palermo, Rom.
Krankenhäuser haben sie in Florenz (Villa Betania),
Genua, Mailand, Neapel, Rom (Casa Tarpea). Der
evangelische Frauenverein in Rom unterhält seit 1885
einige Kaiserswerther Diakonissen für Armen=, Kranken=
und Gemeindepflege. Mädchenheime sind in Florenz
(Marienheim), Genua, Mailand, Neapel, Rom (Diako=
nissenheim); ein Seehospiz in San Remo und ein See=
mannsheim in Genua.

**Evangelische Presse.** Die 1855 in Florenz gegründete
„Italienische Traktatgesellschaft" besitzt in Florenz eine
Druckerei (Tipografia Claudiana) nebst reichhaltigem
Verlag und offene Verkaufsläden in Florenz, Genua,
Livorno, Mailand, Neapel, Palermo, Pinerolo, Rom,
Turin und Torre Pellice. Hier erscheinen an regel=
mäßigen evangelischen Zeitschriften: 1. L' Italia Evan-
gelica (wöchentliches Familienblatt mit Illustrationen);
2. L' amico dei fanciulli (illustrierte Monatsschrift für
Kinder); 3. L' amico di casa (Volkskalender, 35 000
jährliche Auflage); 4. La Strenna dei fanciulli (Kinder=
kalender); 5. Biblischer Abreißkalender. Dieser italieni=

schen Traktatgesellschaft dankt die gesamte italienische evan=
gelische Kirche fast ausnahmslos ihre zahlreiche polemische,
erbauliche und wissenschaftliche Literatur. Daneben kommen
die Leistungen der in Turin bestehenden Traktatgesellschaft
der Baptisten gar nicht in Betracht. Außerdem erscheinen
noch: 6. La Rivista Cristiana; 7. Le Témoin (kirch=
liches Wochenblatt der französisch redenden alten Waldenser=
gemeinden in den Tälern); 8. Il Bollettino (Monatsblatt
für die Waldensergemeinden); 9. Il Cristiano (Monats=
blatt der Freien christlichen Kirche); 10. Il Piccolo Mes-
saggiero (Monatsblatt der Evangelischen italienischen
Kirche); 11. La Civiltà Evangelica (Monatsblatt der
Wesleyaner); 12. L'Evangelista (Monatsblatt der Me=
thodisten); 13. L'Aurora (Illustrierte Wochenschrift für
Kinder); 14. Il Testimonio (Monatsblatt der Baptisten).

**Exzellenz.** Der Titel Eccellenza, Vostra Eccellenza (abgek. V. E.) kommt in Italien den Ministern,
den Unterstaatssekretären, den Präsidenten des Senats
und des Abgeordnetenhauses, den Präsidenten des Staats=
rats, des Rechnungshofes, des Kassationshofes zu. In Süd=
italien wird aber vom Volke jeder hochgestellten Person,
oft jedem reich aussehenden Menschen der Titel Exzellenz
gegeben. Bemerkenswert ist, daß eine Frau in Italien
nie den Titel Exzellenz führt.

# F.

**Fachhochschulen** s. den Art. Universitäten.

**Fahrkarten.** Fahrkarte heißt biglietto (bīlje't-tō), Rück=
fahrkarte biglietto d'andata e ritorno (dānbā'tā ē rīto'rnō),
Rundreisekarte biglietto circolare (tschīrtōlā'rē), zu=
sammenstellbares Rundreiseheft biglietto circolare
combinabile (tombīnā'bīlē). Rückfahrkarten sind an
Wochentagen bis zu 100 km nur einen Tag, bis zu
200 km zwei, bis zu 300 km drei, darüber hinaus vier
Tage gültig. Am Sonnabend und an Tagen vor staat=
lichen Festen ist die Gültigkeitsdauer mindestens dreitägig,
an Sonn= und Festtagen mindestens zweitägig. Die Gül=
tigkeitsdauer der Rundreisehefte beträgt unter 800 km
15, unter 2000 km 30, darüber 45 Tage. Bei allen
Rundreiseheften ist eigenhändige Namensunterschrift vor=

geschrieben. Recht lästig ist die Bestimmung, daß diese Fahrkarten sofort auf der Anfangsstation und dann jedesmal vor der Weiterfahrt bis zu der nächsten Aufenthaltsstation am Fahrkartenschalter abgestempelt werden müssen.

**Fahrrad** im allgemeinen velocipede (welétschĭ'pĕdĕ), **Zweirad** bicicletta (bĭtschĭtle't-tä), **Dreirad** triciclo (trĭtschĭ'tlö). Über Radtouren und Radfahrer in Italien s. den Art. Radfahrer. Hier lassen wir nur ein Gespräch folgen, in dem die wichtigsten auf den Radsport bezüglichen Ausdrücke vorkommen:

1. Scusi; signore; sono di passaggio, ed essendo ciclista, vorrei affittare da Lei una bicicletta per servi'rmene nei dintorni di questa città. La prego di mostra'rmene alcune delle migliori.

   Entschuldigen Sie, mein Herr; ich bin auf der Durchreise, und da ich Radler bin, möchte ich von Ihnen ein Rad leihen, um es in der Umgegend dieser Stadt zu verwenden [um mich dessen in den Umgebungen dieser Stadt zu bedienen]. Ich bitte Sie, mir einige von den besten [davon] zu zeigen.

2. Sono ai Suoi servizi, signore. E'ccone una che Le posso caldamente raccomandare. Sono velocipedista anch' io; l' ho esaminata e debbo dire che è veramente un mira'colo di leggerezza e di velocità.

   Ich stehe [bin] zu Ihren Diensten, mein Herr! Hier ist eins [davon], das ich Ihnen warm empfehlen kann. Ich bin selbst [auch ich] Radler; ich habe es geprüft und muß sagen, daß es wirklich ein Wunder von Leichtigkeit und Schnelligkeit ist.

3. Come vede, io sono un uomo assai pedante; perciò debbo e'ssere molto cauto nella scelta d' un veloci'pede. Mi pare che questo telaio sia lavorato troppo leggiero per il mio peso.

   Wie Sie sehen, bin ich ein sehr schwerer Mann; daher muß ich bei der Wahl eines Fahrrades sehr vorsichtig sein. Mir scheint, daß dieser Rahmen zu leicht für mein Gewicht gearbeitet ist [sei].

4. Non du'biti, signore! Queste canne sono

fabbricate d'un acciaio così puro che non
ha l'uguale.

Zweifeln Sie nicht, mein Herr! Diese Rohre sind
aus einem Stahl von unvergleichlicher Reinheit [so
reinem, der nicht den gleichen hat] angefertigt.

5. Lo credo, lo credo; ma che vuole, non me
ne fido.

Ich glaube es, ich glaube es! Aber, was wollen
Sie? Ich setze einmal kein Vertrauen darein!

6. Ebbene! Glie ne farò vedere alcune altre.
Per il nolo però debbo domandare un prezzo
più alto. Lei conosce il nostro proverbio: ‹Chi
più spende meno spende.› Guardi questa.

Nun wohl! (So) werde ich Ihnen einige andere
zeigen. Für das Mieten muß ich aber einen höheren
Preis verlangen. Sie kennen (ja) unser Sprich=
wort: „Teure Ware ist dauerhafter als billige"
[Wer mehr ausgibt, gibt weniger aus]. Sehen Sie
(einmal) dieses (hier).

7. A me non importa che i raggi delle ruote
siano nichellati o no. La solidità d'una bicicletta vale più della sua bellezza.

Mir ist nichts daran gelegen, ob [daß] die Speichen
der Räder vernickelt sind [seien] oder nicht [nein].
Die Gediegenheit eines Rades ist mehr wert [gilt
mehr] als seine Schönheit.

8. Ecco una bicicletta che Le farà piacere!
Guardi la fermezza del cauciù e dei cer-
chioni! Una volta gonfiato d'aria, il cauciù rimane ben teso almeno qui'ndici giorni.

Hier ist ein Rad, das Ihnen Vergnügen machen
wird. Betrachten Sie die Festigkeit des Kautschuks
und der Reifen! Einmal mit Luft gefüllt [auf=
geblasen], bleibt der Kautschuk wenigstens vierzehn
[fünfzehn] Tage (lang) schön [gut] straff gespannt.

9. Va bene, mi deciderò per questa bicicletta.
Ma prima voglio esaminare anche le altre
parti.

Nun gut, ich werde mich für dieses Fahrrad ent=
scheiden. Aber zuerst will ich auch die übrigen Teile
prüfen.

10. Lei ha troppa ragione. Fi'dati era un buon uomo, non ti fidare era meglio.

Sie haben (nur) zu sehr recht. Trau, schau, wem! [Habevertrauen war ein guter Mann; Habenicht= vertrauen war besser].

11. Metta in movimento il congegno — o aspetti, io stésso darò la spinta alla pedivella.

Setzen Sie das Triebwerk in Bewegung — oder, warten Sie, — ich selbst werde die Tretkurbel in Umlauf setzen.

12. Faccia pure, signore, ma prima lo debbo u'ngere un pochettino, e anche la ruota di dietro ha bisogno d' un po' d' olio.

Treten Sie nur zu [Machen Sie nur], mein Herr! Aber vorher muß ich es ein wenig einölen, und auch das Hinterrad braucht ein wenig Öl.

13. Vedo con piacere che i pedali sono ben conservati.

Ich sehe mit Vergnügen, daß die Pedale wohl= erhalten sind.

14. Come Le ho detto, è un veloci'pede di prima qualità.

Wie ich Ihnen gesagt habe, es ist ein Fahrrad erster Qualität.

15. La prego di alzare un poco il manubrio; sono abituato a tenere le maniglie alte quanto più è possi'bile, per pote'r sedere diritto diritto.

Ich bitte Sie, die Lenkstange ein wenig höher zu schrauben; ich bin gewohnt, die Griffe so hoch wie möglich zu halten, damit ich ganz aufrecht sitzen kann [könne].

16. Con gran piacere; e'ccole come desi'dera.

Mit großem Vergnügen! Da sind sie (schon), wie Sie (sie) wünschen.

17. È applicato il freno alla ruota anteriore?

Ist die Bremse am Vorderrad angebracht?

18. Certamente, signore.

Gewiß, mein Herr!

19. Prima di noleggiare questa bicicletta, mi faccia ancora vedere, di grazia, quali uten- sili si tro'vano nella borsa.

Land und Leute in Italien.                    11

Bevor ich dieses Fahrrad miete, laſſen Sie mich, bitte, noch ſehen, welche Werkzeuge ſich in der Taſche befinden.

20. Ai Suoi o'rdini, signore! Ecco una pompa ad aria, una pi'ccola lanterna ad olio (o‿ne preferisce una a‿gas acetilene?) e un campanello. Invece del campanello vi metterò‿dentro una cornetta d'avviso, se‿questa Le piace di più.

Ganz zu Ihren Befehlen, mein Herr! Hier iſt eine Luftpumpe, eine kleine Öllaterne (oder ziehen Sie eine mit Azetylengas vor?) und eine Klingel. Statt dieſer werde ich ein Signalhorn hineinlegen, wenn Ihnen das [dieſes] beſſer zuſagt [mehr gefällt].

21. Preferisco una lanterna a‿gas acetilene; ma ci lasci dentro il campanello.

Ich ziehe eine Azetylengaslaterne vor; aber laſſen Sie die Klingel drin.

22. Il prezzo del nolo è‿di sei lire al giorno; dove‿debbo manda'rgliela?

Der Mietpreis iſt [von] ſechs Lire pro [für] Tag; wohin ſoll ich es Ihnen ſchicken?

23. Ecco il mio indirizzo! Quanto debbo lasciarle in caparra?

Hier iſt meine Adreſſe! Wieviel Aufgeld ſoll ich Ihnen zurücklaſſen? [Wieviel ſoll ich Ihnen in Auf= geld laſſen?]

24. Niente, signore!

Nichts, mein Herr!

**Fahrtunterbrechung** iſt mit einfachen Fahrkarten bei mehr als 200 km einmal, bei mehr als 500 km zwei= mal geſtattet, aber nur gegen Beſcheinigung durch den Stationsvorſteher (capo-stazione) und Neuabſtempe= lung vor der Weiterfahrt (ſ. Fahrkarten).

**Familienanzeigen** (partecipazioni — pärtĕtschĭpătsĭŏ'nĭ) Die drei Hauptereigniſſe des menſchlichen Lebens: Geboren= werden — Heiraten — Sterben, werden in Italien höchſt ſelten in der Zeitung angekündigt; man zieht die direkte Be= nachrichtigung vor. Zum Teil liegt dies wohl in den hohen Einrückungsgebühren und in der Zerklüftung des italie= niſchen Zeitungsweſens. Mit Familiennachrichten werden

die weitesten Kreise bedacht. Beim Empfange einer solchen
Anzeige erwidere man dieselbe durch Zusendung seiner Karte.
— Todesanzeigen (annunzi di morte) haben gewöhn=
lich Viertelgröße und sind mit einem breiten, schwarzen
Rande versehen; zu Heiratsanzeigen pflegt man Achtelgröße
zu benutzen und zu Geburtsanzeigen noch kleinere, selbst
Besuchskartengröße.

**Familienleben.** Besuchen wir die Leutchen doch einmal
im engen Kreise ihrer Familie, treten wir in eine jener
Hütten ein, wo sie in gezwungener, zuweilen allerdings
unschicklicher Durcheinandermischung leben. Nun denn,
vor allem wird uns die Ehrfurcht in der Familienrang=
ordnung gefallen. Vater und Mutter stehen in hohem
Ansehen. Nie wird der Kamorrist, der Raufbold und der
Messerheld die Hand gegen die eigenen Eltern erheben.
Die Familienbande sind so stark genietet, sie schließen
auch die Gevatterschaft ein, — der Taufgevatter, der
Firmpate und der Ring= oder Hochzeits=gevatter sind ihnen
wie die engsten Blutsverwandten wert und teuer. Man
nennt sie: St. Giovannis. Die Redensart im Volke: te
ne pigli perchè mi sei S. Giovanni» bedeutet: Du
mißbrauchst die Verwandtschaft, die mir verbietet, mich
zu rächen. — Groß ist die Liebe zu den Kindern. Bei
der schreiendsten Armut und oft staunenswertem Reichtum
an Nachkommen wird es nie und nimmer geschehen, daß
eine Mutter oder ein Vater, und hätten sie auch keine
Krume Brotes mehr, ihre «creatura» dem Findelhause
überantwortet. Keine Sünde käme der gleich, die danach
trachtet, sich eines Kindes zu entledigen, und wenn die
Mutterbrust auch keinen Tropfen Milch hätte, es zu er=
nähren.

Das niedrigste Weib ist oft eine wahre Heldin als
Mutter, und niemand achtet ihrer. Die Frauen tragen
ihre Schwangerschaft mit Stolz zur Schau — sie sind
„Gesegnete des Herrn!" — Mit «anima di Dio» werden
die Kleinen beim Eintritt in die Welt begrüßt. Und
welche unaussprechliche Zärtlichkeit weiß die Elternliebe
doch der Stimme einzuschmeicheln bei all den vielen
Kosenamen, die die weichste, die musikalischste der Sprachen
den Kleinen gibt. Verderben dem, der's wagen sollte,
dem oft recht ungezogenen Bübchen auch nur ein Härlein

11*

trümmen zu wollen. Ein solcher unschuldiger Klaps hat schon zu blutigen Auftritten geführt. Ein Ehepaar ohne Kindersegen, das ist ein wahres Mißgeschick. Da werden Gelübde getan und Wallfahrten unternommen. Läßt sich der Himmel nicht bestimmen, dann wird der Weg zum Findelhaus, zur Annunziata eingeschlagen, ein Kindlein der Madonna anzunehmen. Das wird alsdann geradezu ein kleiner König und späterhin der Herr im Hause. Alle haben die liebevollste Sorgsamkeit für ihn. Der Neapolitaner kennt keinerlei Geringschätzung für uneheliche Kinder. Sie sind übrigens seltener als in so manchen Städten Deutschlands und Österreichs. Immerhin gibt es noch mehr als genug verlassene und vernachlässigte Jugend, die von Kindesbeinen an die Straße als ihr Elternhaus, das Pflaster als Erbeigentum zu betrachten gewohnt ist. Im allgemeinen müssen die armen verwahrlosten Kinder der Straße für sich selbst sorgen. Sie treiben sich Tag und Nacht in den Gassen herum, verdienen sich den allerkärglichsten Hungerlohn für mancherlei kleine Dienstleistungen, wie sie der Zufall mit sich bringt, oder sie gehen irgendeinem leichten Erwerb nach, zu dessen Erlernen und Ausübung es weder Zeit noch Mittel bedarf. Das bittere „Muß" zwingt ihre Erzeuger, sie so schnell wie irgend möglich nicht nur selbständig zu machen, nein, sie anzuhalten, auch ihren Beitrag an Soldi zum übrigen Familienunterhalt beizusteuern. Begreiflich, wenn ein kleiner Teil der armen, unüberwachten Kinder auf Abwege gerät, um schließlich einmal schlimm zu enden. So freie Kindheit ist die Wurzel jener instinktiven Abneigung gegen jegliche Freiheitsbeschränkung und der häufigen Auflehnung gegen die Behörden und deren Verfügungen. Gewohnt an planloses Herumstreifen unter dem schönsten Himmel, ziehen sie vor, sich mit 20 Soldi bei einem zwanglosen, aber ganz unsicheren Erwerbe zu begnügen und von der Hand in den Mund zu leben, statt 5 Franken täglich bei regelmäßiger, aber einförmiger Fabrikarbeit zu verdienen. Die Sonne, die lockende, gleißende, sie hat auch daran ihr Schuldteil. Nur ein paar Soldi, und die guten Menschlein sind seelenvergnügt. Ohne neidisches Trachten grüßen sie die signori, die ihnen zu leben geben, und ein kleines Trinkgeld läßt sie in nicht endenwollenden Dankbezeugungen sich ergehen. Jedenfalls ein glückliches Völkchen! (Kellner.)

**Fastenzeit.** Nur eine kleine Zahl Italiener nimmt die Fastenzeit in des Wortes ausdrücklicher Bedeutung. Vierzig Tage lang, mindestens aber dreimal die Woche, am Mittwoch, Freitag und Sonnabend, lassen sie sich dann jeden Fleischgenuß abgehen. Indessen soll eine licenza, ein kirchlicher Erlaubnisschein für Braten usw., auch an den Magertagen nicht unerschwinglich sein. Die Fischer haben jetzt gute Tage. Daneben gibt es täglich alle möglichen Gemüse, besonders broccoli (s. ds.) in allerlei Formen. Andere Mehlspeisen beherrschen an Stelle der gefüllten carnevallasagne den Tisch, besonders strangolapreti (Pfaffenwürger), dicke Teigflößchen in Tomatentunke, daran sich einer bis zum Ersticken ergötzen mag.

In den Kirchen sind zur Fastenzeit alle Bilder violett verhängt. Die Christusfigur am Kruzifix, das den Leichenzügen vorangetragen wird, steckt in einem ebensolchen Überzuge. Täglich finden Bußpredigten statt. Berühmte Redner, meist Mönche, kommen aus der Provinz, und einige dieser großen Feldherren des Gotteswortes erfreuen sich wahren Ruhmes. Es ist ein Genuß, ihnen zu lauschen. Kräftige Sprache, blühende Bilder, überraschende Vergleiche sind diesen Kanzelrednern in hohem Maße eigen. In der Fastenzeit sind kirchliche Trauungen eigentlich ausgeschlossen. Allein wenn die Liebesleutchen es nicht abwarten können, zusammengetan zu werden, haben gute Beichtväter zuweilen ein Einsehen. Sie verschaffen Erlaubnis — auch für Trauungen. Nur muß sich dann das neue Pärchen mit schlichter Einsegnung genügen lassen und auf sonstigen kirchlichen Pomp verzichten. (Kellner.)

**Faulheit.** Über italienische Faulheit richtig zu urteilen, ist nicht so leicht, als mancher wähnt, der nicht über den Schein hinauskommt. In welchem Lande freilich trifft man soviel Müßiggänger in den Straßen als hier, denen man zurufen möchte: „Wollt ihr gleich zur Arbeit gehen, ihr Tagediebe!" Wo sind soviel Faulenzer zu allen Tagesstunden in und vor den Kaffeehäusern versammelt, als in Italien? Da liegen mitten in der Arbeitszeit die Schläfer ausgestreckt auf den öffentlichen Plätzen, vor den Kirchenportalen, auf allen Stufen und

Treppen; da sitzen ganze Reihen Schaulustiger und
verlieren die kostbare Zeit; bei dem geringsten Ereignis
und Wortwechsel auf der Straße strömt von allen Seiten
die Menge herbei, starrt mit schwarzen Augen neugierig
hin und nimmt sich Zeit, die Entwicklung abzuwarten.
Wie verschaffen sich alle diese den Unterhalt? Wer ver=
richtet die Arbeiten, von denen der Bestand der Gesell=
schaft abhängt? Muß nicht Verarmung und Entvölkerung
die Folge sein? — Sieht man wieder umgekehrt auf die
mühselige und sorgfältige Bodenbenutzung, bei der nichts
verloren geht, kein Augenblick versäumt werden darf, auf
den Kampf des Menschen mit unfruchtbarem Felsengrund,
auf das ländliche Pachtwesen, bei dem nur die äußerste An=
strengung die Familie vor dem gänzlichen Untergang retten
kann, — sind dies nicht auch Italiener? Wie unermüdlich
ist der Handwerker, wie betriebsam der Kaufmann! Wie
jagt der Geschäftsmann unausgesetzt dem Erwerbe nach!
Wie bewältigt der Richter, der Advokat die schwere Last
der Akten! Wie ist der Gelehrte in das Archiv, das La=
boratorium, das Museum gebannt! „Besuche macht man
am späten Abend, um niemand in seinen Geschäften zu
stören," so sagt schon der ehrwürdige Mittermaier in
einem Buche voll trefflicher Lebenswahrheit Diese unge=
heuren Mauern und zahllosen hochgetürmten Städte, diese
Paläste, Brücken, Kunststraßen, Wasserbauten sind die
Frucht italienischer Arbeit, sowie auch der troß der aller=
unglücklichsten Verhältnisse nicht unbedeutende National=
reichtum durch schaffenden Fleiß hat erworben werden
müssen. Die emsige Arbeit der Lombarden und Venezianer
hat viele Jahre lang mit ihren Zwanzigern dem unersätt=
lichen Wiener Fiskus Nahrung geben müssen, der wohl
wußte, daß die italienischen Provinzen die reichsten des
Kaiserstaates waren. Wir sehen die Italiener auf der
Straße zwar im müßiggängerischen Nichtstun und blicken
deshalb auf sie herab, allein wir vergessen, wieviel
Stunden wir ungesehen zu Hause in der Gemächlichkeit
des Schlafrocks, mit Weib und Kindern in bequemer
Gemütlichkeit, beim Lesen oder im Gespräch mit dem
Nachbar mit wenig Wiß und viel Behagen verträumen
und vertun, von dem Bierseidel und den ausgedehnten
Schmausereien gar nicht zu reden. Man schlage in Italien

dem ersten besten Faulenzer ein Geschäft oder eine Hilfe=
leistung vor, bei der etwas zu verdienen ist, man gebe
ihm auf, eine Bestellung auszurichten oder ein schweres
Gepäck zu tragen, und man wird sehen, wie er aufspringt
und mit Begierde, mit funkelnden Augen die dargebotene
Gelegenheit zum Erwerbe ergreift. Denn man nenne ihn
nun träge oder nicht, ablehnende Bequemlichkeit liegt
nicht in seiner Natur. — Vergl. auch den Art. Dolce
far niente.                                            (Hehn.)

**Fauteuil.** Im Theater heißt ein Fauteuil una
poltrona. — Vergl. den Art. Theater.

**Feiertage.** Als kirchliche Feiertage werden von der
italienischen Regierung außer den Sonntagen nur noch
Ostern, Pfingsten, Weihnachten, Neujahr, Petrus und
Paulus, Mariä Verkündigung und Fronleichnam be=
trachtet. Als Nationalfeste werden außerdem gefeiert:
der Geburtstag des Königs, der erste Sonntag des Mo=
nats Juni als das Fest der Verfassung (Statuto) und
der 20. September als der Tag, an dem 1870 die italie=
nischen Truppen in Rom einzogen.

**Feige** (il fico — fi'to). Die Feige ist ein kleiner Baum,
der leicht strauchartig wächst. Verwandtschaftlich schließt
er sich schon eher der Mehrzahl der deutschen Bäume an.
Er gehört nämlich zu den Maulbeergewächsen, denen
die Ulmen, noch mehr aber die Platanen nahestehen.
Obwohl nur ein kleiner bescheidener Baum, besitzt die
Feige doch schöne, gelappte Blätter, deren Größe sich sehr
nach der Pflege richtet. Die Feige gehört nämlich zu
den Pflanzen, die des Guten nie genug bekommen können.
Sie gedeiht am besten in einem sehr fetten, nahrhaften
Boden, dem es auch an Wasser nicht mangelt. Im
übrigen aber ist die Feige abgehärtet; sie kann ruhig
einige Grade Frost ertragen; ja, es ist sogar möglich,
in den bevorzugtesten Gegenden Deutschlands, am Rhein
und Main, Feigen im Freien zu ziehen und reife Früchte
von ihnen zu ernten. Allerdings ist in Deutschland der
Anbau nicht lohnend genug, da gewöhnlich nur eine
Ernte Ertrag liefert. Die Feige gibt aber in Italien
jedes Jahr zwei Ernten, und die Erntezeit dehnt sich dort
so aus, daß der Baum fast das ganze Jahr Früchte trägt.
Nach Deutschland kommt die Feige als getrocknete und ge=

preßte Ware, aus der man weder Farbe noch Form der ursprünglichen Frucht erkennen kann. Diese ist nämlich kugelrund oder mehr birnenförmig und besitzt häufig eine schöne violette Färbung. Sie wird in südlichen Ländern roh gegessen, ihr Geschmack ist sehr süß und angenehm. In getrocknetem Zustande und auf andere mannigfache Weise zubereitet, bildet sie eine sehr geschätzte Speise der Südländer, in manchen Gegenden ist sie sogar das Hauptnahrungsmittel der Bevölkerung. In getrocknetem Zustande bildet sie einen sehr bedeutenden Handels= artikel. Von den italienischen Feigen sind die aus Genua die wertvollsten. Obwohl die Bocksfeige in Italien heute wild wächst, so haben hier die Feigen doch nicht ihre ursprüngliche Heimat. Sie stammen wahrscheinlich aus dem südlichen Asien, wurden aber schon in sehr alter Zeit nach Südeuropa gebracht.

**Fenchelwurzel** (finocchio — fino't-t̄ȍ). Eine sehr schmackhafte, erfrischende und beliebte Nachspeise, die meistens mit etwas Salz roh gegessen wird.

**Ferienkolonie.** Eigentliche Ferienkolonien, d. h. wohl= tätige Veranstaltungen, um schwächlichen Schulkindern be= dürftiger Eltern während der schulfreien Sommerwochen einen zuträglichen Landaufenthalt zu gewähren, gibt es in Italien noch nicht. Sehr verbreitet sind dagegen die colonie alpine (kōlōn'i̯ä älp'i̯nä) und die ospizi marini, die arme, kranke Schulkinder nach den Seen, nach den Bergen, nach Luftkurorten usw. schicken.

**Ferne't.** Ein in Italien sehr beliebter Magenbitter; wird sehr oft zusammen mit Chinawein getrunken.

**Fernsprecher** (tele'fono). Der Fernsprechverkehr ist in Italien in seiner Entwickelung zurückgeblieben. Die Zahl der Abonnenten belief sich in sämtlichen mit Fern= sprecheinrichtungen versehenen Orten (59) nur auf 14000. Das gesamte Fernsprechnetz von Ort zu Ort, das in Deutsch= land über 80000, in Frankreich fast 60000, selbst in der kleinen Schweiz 13000 Kilometer Leitungen umfaßt, erreicht gegenwärtig in Italien nach den neusten Mittei= lungen nur etwa 1600 Kilometer. Diese Zahlen be= weisen, daß die Privatgesellschaften, in deren Händen der Fernsprechbetrieb sich fast ausschließlich befindet, ihrer Aufgabe nicht ausreichend gewachsen sind, und daß der

Staat es an der erforderlichen Einwirkung, diese Schlaff=
heit anzuspornen, fehlen läßt. Zur Zeit nimmt der Fern=
sprecher im italienischen Geschäftsverkehr und im häus=
lichen Leben nicht annähernd die Stelle ein, die er sich
in anderen Ländern erobert hat. Damit entbehrt Italien
eines Verkehrsmittels, das sich anderwärts als ein mäch=
tiger Hebel des Fortschrittes und als eine der wirksamsten
Überwindungen von Zeit und Raum bewährt.

### Gespräche über den Fernsprecher:

1. Cameriere, vi è anche un tele'fono in questo
   albergo?

   Kellner, ist [hier] auch ein Fernsprecher in diesem Hotel?

2. Sì signore! Ma in questo momento è occupato; bisogna aspettare un momentino.

   Jawohl, mein Herr! Aber in diesem Augenblick
   ist er besetzt; Sie müssen eine kleine Weile [einen
   Augenblick] warten.

3. Dov' è collocato il vostro tele'fono? Fa'temelo
   vedere!

   Wo ist Ihr Fernsprecher angebracht? Zeigen Sie
   ihn mir! [Laßt ihn mich sehen.]

4. Venga con me, signore! Si trova in fondo
   al corridoio, a_mano sinistra; La condur-
   rò_su'bito all' apparato.

   Kommen Sie mit mir, mein Herr! Er befindet sich
   am Ende des Ganges, linker Hand; ich werde Sie
   sofort zum Apparat führen.

5. Mille grazie! Vi prego anche di pormi in
   comunicazione col mio amico.

   Tausend Dank! Auch bitte ich Sie, mich mit
   meinem Freunde in Verbindung zu setzen.

6. Mio dovere, signore! Le spiegherò come
   bisogna servirsi di quest' apparato.

   (Es ist) meine Pflicht, mein Herr! Ich werde
   Ihnen erklären, wie man sich dieses Apparates be=
   dienen muß.

7. Beni'ssimo! Sarò il vostro do'cile scolare.

   Sehr wohl! Ich werde Ihr gelehriger Schüler sein.

8. Dunque, cosa debbo prima fare per e'ssere
   messo in comunicazione?

Was muß ich also zuerst tun, um in Verbindung
gesetzt zu werden?

9. Prima di tutto bisogna consultare questa
guida, per vedere se il signor C. è abbonato al tele'fono.

Vor allem muß man in diesem Adreßbuche nach=
sehen [diesen Wegweiser befragen], ob Herr C. Teil=
nehmer des Fernsprechers ist.

10. Sì, è abbonato, lo so; ha il nu'mero mille
duecento ventidue.

Ja, er ist Teilnehmer, ich weiß es; er hat die Num=
mer 1222.

11. Bene! Adesso La prego di girare la manovella per avvertire l'ufficio centrale. —
Scusi; un poco più presto!

Gut! Jetzt bitte ich Sie, die Kurbel zu drehen,
um das Hauptamt zu benachrichtigen. — Entschul=
digen Sie, ein wenig schneller!

12. Ecco fatto. — E adesso, cosa debbo fare?

Das ist geschehen! [Ich habe es gemacht!] —
Und was soll ich jetzt tun?

13. Voglia staccare il ricevitore e accostarlo
all' orecchio.

Wollen Sie (gefälligst) den Hörer abheben und
ihn an das Ohr halten [ihn dem Ohr nähern].

14. Sento che il telefonista mi dice «pronto».

Ich höre, wie [daß] der Fernsprechbeamte „Bereit!"[1]
(zu) mir sagt.

15. Ora gli dica il nome e il nu'mero telefo'-
nico del signore con cui desi'dera parlare.

Jetzt sagen Sie ihm (gefälligst) den Namen und
die Fernsprechnummer des Herrn, mit dem Sie (zu)
sprechen wünschen.

16. Cosa vuol dire questo suono di campanello
che sento ora?

Was soll das Klingelgeläute bedeuten [Was
will jenes Klingelgeläute sagen], das ich jetzt höre?

17. È un avviso che hanno messo la comunicazione.

---

[1] Bedeutet, daß die nötige Verbindung hergestellt ist.

Es iſt eine Benachrichtigung daß die Verbindung hergeſtellt iſt.

18. Oh! Sento che il mio amico mi domanda: ‹Con chi parlo?›

O! Ich höre, wie [daß] mein Freund mich fragt: „Mit wem ſpreche ich?"

19. Aggiunga al Suo nome la domanda: ‹È col signor C. che parlo?› — Adesso io me ne vado, affinchè Lei non sia disturbata nella conversazione col Suo amico.

Fügen Sie Ihrem Namen die Frage hinzu: „Spreche ich mit Herrn C.?" [„Iſt mit dem Herrn C., daß ich ſpreche?"] — Jetzt gehe ich weg, damit Sie in der Unterhaltung mit Ihrem Freunde nicht geſtört ſind [ſeien].

20. Cameriere! La nostra conversazione è finita! Cosa debbo fare adesso?

Kellner! Unſere Unterhaltung iſt beendet! Was muß ich jetzt tun?

21. Riattacchi il ricevitore al suo gancio.

Wollen Sie (gefälligſt) den Hörer wieder an ſeinen Haken anhängen.

22. Ecco fatto.

Iſt geſchehen [gemacht].

23. E poi giri la manovella per avvertire l'ufficio che può levare la comunicazione.

Und dann wollen Sie die Kurbel drehen, um das Amt zu benachrichtigen, daß (es) die Verbindung aufheben könne.

24. Tante grazie! Ma di'temi, prima di anda'rvene, se tutti gli apparati di questa città sono della stessa costruzione.

Vielen Dank! Aber ſagen Sie mir, bevor Sie weggehen, ob alle Apparate der [dieſer] Stadt von derſelben Konſtruktion ſind [ſeien].

25. Nient' affatto! Ci sono degli apparati dove si preme due o tre volte un bottone di chiamata invece di girare la manovella. Del resto, il maneggio degli avvisi è sempre lo stesso.

Durchaus nicht! Es gibt Apparate, wo man zwei=

oder dreimal einen Anrufsknopf drückt, anstatt die
Kurbel zu drehen. Die Handhabung der Benach=
richtigungen ist im übrigen immer dieselbe.

26. Scusate ancora la mia u'ltima domanda:
Cosa si fa quando uno si accorge d'avere
una falsa comunicazione?

Entschuldigen Sie noch meine letzte Frage: Was
tut man, wenn man bemerkt, eine falsche Verbindung
zu haben?

27. Allora si interrompe la comunicazione.

Alsdann klingelt man ab [man unterbricht die
Verbindung].

**Fest der Bäume.** Ein sehr großes Unglück Italiens
ist seine Entwaldung. Sie hat das Innere Siziliens —
einst ein Garten — zu einer Wüste gemacht. Jetzt haben
sich Gesellschaften der allmählichen Wiederaufforstung ge=
widmet. Aber auch der Staat greift hier ein, und eine
der anmutigsten staatlichen Einrichtungen des heutigen
Italien ist das „Fest der Bäume", das um die Früh=
lingszeit in allen Gemeinden gefeiert wird. Es ist ein
völlig bürgerlich=ländliches Fest ohne jeden kirchlichen
Anstrich, eine Schulfeier. Die Schulkinder bekommen
frei und ziehen unter Vorantritt der Stadtkapelle, geführt
vom Ortsvorsteher und von den Lehrern, hinaus bis
gegen die Grenze des Weichbildes. Eine Anzahl Schöß=
linge werden vom Gemeindediener nachgefahren, und
draußen darf jedes Schulkind einen Baum pflanzen. Der
Rektor oder der Ortsvorsteher hält eine Ansprache; ge=
wöhnlich vergleicht er den Baum mit dem Menschen,
schildert, wie nötig beiden die Pflege sei, legt die schwere
Bedeutung der Ausholzung Italiens dar und betont die
Freude des Menschen an der Natur als sittlich gut und
lobenswert. Die Schulkinder erhalten dazu auf Kosten
der Gemeinde einen einfachen Imbiß, während die
Großen sich bei einem Glase Wein freundlich vereinen.
Dieses bürgerliche Frühlingsfest ist allgemein sehr beliebt
und soll auf die Sitten einen guten Einfluß ausüben.
Jedenfalls ein ansprechender Versuch, den Baumschutz im
verwüsteten Italien zu pflegen und zu heben.

**Feuer** (fuoco — fŭo'to). Will man auf der Straße seine
Zigarre anzünden, so braucht man sich nicht an einen

Vorübergehenden zu wenden, um Feuer von ihm zu er= bitten, sondern man geht an das erste beste spaccio di tabacchi, nimmt den dicht an der Tür befindlichen Gas= schlauch, steckt sich die Zigarre an, ohne irgendetwas zu kaufen, und geht wieder seiner Wege. Man glaube sich nicht gegen die Ladenbesitzerin verpflichtet. Der Staat legt ihr diese kleine Leistung als öffentliche Verbind= lichkeit auf.

**Fiasco** (fiä'ßkö, *pl.* fiaschi fiä'ßkî) nennt man in Italien das runde, mit Riedgras umflochtene Glasgefäß, in welchem besonders der toskanische Chianti und der Orbetellowein aufgesetzt wird. Der Wein ist gegen das Verderben durch eine Ölschicht geschützt, die mit Werg abgehoben wird. Es gibt fiaschi zu $2^1/_2$ Liter, dann zu 1, $1/_2$, $1^1/_4$ Liter. Wenn letztere nicht vorhanden sind, wird der getrunkene Wein nach Gewicht bezahlt.

**Findelhaus** s. den Art. Findelkinder.

**Findelkinder.** Unter den Gründen, die für die an= gebliche Lockerung des italienischen Familienlebens angeführt werden, pflegt die große Zahl der Findelkinder besonders stark betont zu sein. Diese Zahl hat in den Jahren 1865 bis 1879 die erschreckende Höhe von 536217 Kindern, etwa vier v. H. aller Neugeborenen, ergeben. Es ist indessen zu bedenken, daß diese Berechnung fünfzehn Jahre umfaßt, und daß sie sicherlich den größten Teil aller un= ehelich Geborenen in sich schließt. Die Auffassung, daß diese Zustände zum größten Teil durch das Vorhandensein der zahlreichen Findelhäuser mit Drehladen hervorgerufen worden seien, hat sich inzwischen durch die Erfahrung be= stätigt. Im Jahre 1866 waren in Italien in 1179 Ge= meinden Findelhäuser mit Drehladen (con ruote) geöffnet. Durch Schließung der Drehladen hat sich diese Zahl bis 1895 auf 503 vermindert. Gleichzeitig hat die Zahl der Ausgesetzten merklich abgenommen. Während sich in jenem Abschnitt auf je drei Jahre rund 100000 ergaben, hat sie in den drei Jahren von 1900 bis 1902 nur noch 29003 betragen. Damit ist auch die Behauptung wider= legt worden, daß bei Schließung der Drehladen die Zahl der anderwärts, also ganz hilflos Ausgesetzten sich furchtbar vergrößern würde. Vielmehr hat auch die Zahl der außerhalb der Findelhäuser Ausgesetzten beträchtlich abgenommen und zwar, merkwürdig genug, namentlich in den Provinzen, in denen es keine Findelhäuser mit Drehlade mehr gibt. Dadurch ist der Zusammenhang, der zwischen den Kinderaussetzungen und jener verrotteten Einrichtung besteht, unwiderleglich dargetan. Übrigens bleibt die Zahl der unehelichen Kinder in Italien, die in den Jahren 1882/90, sämtliche Findelkinder eingerechnet, 74,81 auf je 1000 Neugeborene betragen hat, weit hinter derjenigen anderer Länder zurück. Ihre Zahl ist am größten in den Provinzen Rom, Umbrien, der Romagna und der Marken, die sämtlich dem ehemaligen Kirchenstaat angehört haben.

(Fischer.)

**Fische.** Auf der Speisekarte zeigt die reiche Auswahl an Fischen die Nähe des Meeres im vollen Glanze. Doch scheint es, daß der Italiener mit ihrer Zubereitung nicht ganz auf der Höhe steht. Wenn man es nicht auf der Karte gelesen hätte, daß man einen Stör, einen Thunfisch, einen Hecht, eine Seebarbe, einen Karpfen, einen Schellfisch, einen Rochen, eine Seezunge, eine Schleie, einen Stockfisch, einen Muschelfisch auf dem Teller hat, würde man es schwerlich erraten; denn entweder in Essig oder Öl oder in einer alles ausgleichenden Zubereitung verschwindet die Eigenart des einzelnen Tieres. Als ob die Anzahl der Meeresgaben, die noch um das Dreifache vermehrt werden könnte, nicht genüge, rechnet der Italiener in zoologischer Verblendung nicht nur die Tintenfische und allerlei Polypen, sondern auch die Krebse, Hummern und Langusten zu den Fischen, und wenn man sich endlich nach der Speisekarte den echt italienischen fritto misto (s. ds.) bestellt, so hat man das Vergnügen, alle drei Reiche und sämtliche Familien: Kälbermilch und Hühnerleber, Sardellen und Polypen, Artischocken und Klößchen von täuschend ähnlichem, aber immer gutem Geschmack und Duft auf dem Teller zu haben.

(Justinus, "Italienischer Salat".)

**Fischerei.** Durch das Salz gelang es, den unermeßlichen Segen, welchen das Meer zum Unterhalt des Menschen darbietet, nutzbar zu machen. Die fäulnisabwehrende Eigenschaft desselben gewährte das Mittel, um den Überschuß des Fanges für knappe Zeiten aufzusparen, zu verschicken und dabei zugleich schmackhaft zu erhalten,

was alles durch bloßes Dörren nur unvollkommen erreicht
wird. Die Alten haben denn auch die Kunst des Pökelns
zur höchsten Meisterschaft gesteigert. Das Mittelmeer läßt
die nordischen Gewässer, was den Reichtum seiner Tier=
welt betrifft, weit hinter sich. Man rechnet 444 Arten
Fische (Ostsee nur 100) und 850 Arten Weichtiere. Wer
zum erstenmal einen italienischen Fischmarkt besucht,
wird von der Mannigfaltigkeit der See=krebse, =schnecken,
=igel, =spinnen, =muscheln, =würmer, =nesseln, der Aktinien
und Polypen und all jenes unter dem Namen frutti di
mare zusammengefaßten Getiers, einen überraschenden
Eindruck mitnehmen. Freilich haben die Tiefseeunter=
suchungen gezeigt, daß all dies Leben wesentlich auf die
oberen Wasserschichten des Meeres beschränkt ist. Für
große Tiefen stellt sich, mit dem Ozean verglichen,
eine wahre Armut an Arten heraus. Der Grund dieser
Erscheinung wird in der Masse organischer Überreste gesucht,
die, von den Flüssen abgelagert, den im Wasser enthal=
tenen Sauerstoff verzehrt und dafür den Tieren schäd=
lichen Kohlenstoff ausgeschieden haben. Auf die Masse or=
ganischer Überreste hat man, nebenbei bemerkt, auch die
blaue Färbung zurückführen wollen, durch welche das Mittel=
meer sich von dem dunkleren Ozean unterscheidet.

Wie dem auch sei, so erscheint das Leben der höheren
Wasserschichten erstaunlich reich, und zwar stammt die
Mehrzahl der Arten aus dem Atlantischen Ozean. Nur eine
geringe Minderzahl erinnert an den früheren Zusammen=
hang des Mittelländischen mit dem Roten Meer und seine
noch weiter zurückliegende Erstreckung nach Asien hinein.
Da das Mittelmeer in zoologischer Beziehung keine selbst=
ständige Provinz, sondern nur einen Bezirk des Ozeans
darstellt, so nimmt die Zahl der Arten und die Größe
der Tiere ab, je weiter die Entfernung von dem
alten Eingangstor bei Gibraltar ist. Durch dieses Tor
dringen noch immer eine Anzahl von Seetieren ein, welche
die mittelländischen Gewässer nur als Gäste heimsuchen.
So der gefährliche Hai, der eine Länge von 8 Meter
erreicht und ab und zu durch sein Auftreten Schrecken
unter der Küstenbevölkerung verbreitet, seltener die großen
30 Meter und mehr messenden Cetaceen, der Wal= und
Pottfisch sowie der unheimliche Nordkaper (Orca). Ob=

wohl die fortschreitende Ausrottung dieser Meeresriesen die Annahme begünstigt, daß sie im Altertum häufiger vorgekommen sind, als gegenwärtig, so haben sie doch auch damals nicht zu den gewöhnlichen Erscheinungen gehört.

Ein regelmäßiger, gern gesehener Besucher war und ist dagegen der Thunfisch (Scomber Thynnus L.). In Schwärmen rückt dieser ausgezeichnete Schwimmer im Frühling aus dem Ozean ein, bringt bis in das Schwarze Meer vor, wo er laicht, und kehrt im Herbst wieder zurück. Die Fischer behaupten, daß er in drei getrennten, nach den Altersklassen geordneten Haufen zieht, und daß der mittlere, welcher seinen Weg durch das Tyrrhenische Meer nimmt, aus den stärksten und schwersten Exemplaren (2—5 Meter und darüber lang) zusammengesetzt ist. Ihre Menge spottet jeder Zählung; Delphine und Schwertfische lichten die gedrängten Reihen, viele Tausende werden des Menschen Beute; im nächsten Jahre wiederholen sich die Züge, ohne daß bis in die Neuzeit eine sichtliche Ab= nahme eingetreten wäre. Die berühmtesten Fangstellen des Altertums waren bei Byzanz; doch auch auf den Vor= gebirgen Italiens waren eigene Warten errichtet, um die Ankunft des begehrten Fremdlings rechtzeitig zu erspähen. Die Herde wird in einen weiten, durch Netze abgesperrten Raum gelockt, der ein seitliches Ausweichen verwehrt und sich allmählich verengt, bis sie schließlich in der sogenannten Totenkammer anlangt und einer allgemeinen Metzelei zum Opfer fällt. Gegenwärtig sind im ganzen achtund= vierzig tonnare (Thunfisch=Fangstellen) in Italien in Betrieb. Die Familie der Makrelen (Scomber), zu welcher der Thunfisch gehört, ist in zahlreichen Arten vertreten. Dasselbe gilt von den Dorschen (Gadus), den Lippfischen (Labrus), den Barschen (Perca), den Rochen (Raja), den Butten (Pleuronectes), den Meeräschen (Mugil), den Barben (Cyprinus), den Heringen (Cluplea), zu denen die bekannte Sardelle zählt, u. a. In der Meerenge von Messina wird der Schwertfisch (Xiphias Gladius) noch immer von kleinen Booten aus, die ein Mann rudert, während der andere das Eisen schleudert, harpuniert; gerade so wie es Poly= bios beschrieben hat. Dieser Fisch wird oft größer als ein Delphin und soll, wie ganz glaubhaft klingt, mit seinem

Schnabel Schiffsplanken durchbohrt haben. Von der allgemeinen Verfolgung, welche der Menſch ins Werk geſetzt hat, war einzig und allein der zuletzt erwähnte Meerbewohner ausgenommen.

Von der Klugheit und Zutraulichkeit des Delphins wiſſen die Alten viele wunderbare und rührende Geſchichten zu erzählen. Kein Seetier hat in gleichem Maße ihre künſtleriſche Phantaſie beſchäftigt, und wer je das Mittelmeer befahren hat, wird den Anreiz hierzu ihnen nachempfinden können. Ein Trupp dieſer munteren Geſellen gibt dem Schiff oft ſtundenlang das Geleit; wenn ſie pfeilſchnell vorbeiſchießen, ſich überſchlagen, in die Luft ſpringen, verkürzen ſie dem Schiffer die Eintönigkeit des Weges und verſcheuchen durch ihr lebensvolles Spiel das beengende Gefühl der Verlaſſenheit. Die alte Freundſchaft dauert bis auf die Gegenwart hinab; ſo wenig wie der deutſche Bauer am Storch, vergreift ſich der italieniſche Seemann am Delphin. (Riſſen.)

**Flagge** (bandiera — bänd'ā'rä). Die italieniſche Nationalflagge iſt dreifarbig (grün=weiß=rot) mit dem Schilde des Hauſes Savoia in weißem Felde und mit blauer Kokarde.

**Fleiſchſpeiſen** ſind entweder lessi, das heißt: gekocht, oder arrosti, das heißt: gebraten, oder u'midi, das heißt: mit Saucen, oder stufati, das heißt: geſchmort, gedämpft, gedünſtet. Das Fleiſch vom Rind, vom Kalb, vom Schaf, vom Hammel, vom agnello (Lämmchen), vom Schwein, und dann vom Reh, Hirſch und Haſen, ebenſo dasjenige des beliebten Wildſchweins wird in dieſen verſchiedenen Arten zubereitet. Vor allem aber wird in Italien viel Geflügel gegeſſen, beſonders der pollo (Huhn), den man bei längerem Aufenthalt dort ſehr über iſt; auch tacchino (tä-ti'nē — Truthahn) und Ente bekommt man oft vorgeſetzt, nur die „gute Gabe Gottes", die gebratene Gans, vermißt man unter dem vielen Geflügel. Die kleinen Vögel, welche, die Kälte des Nordens fliehend, hier vertrauensvoll zugeflogen waren, werden ohne Rückſicht auf Größe, Lebensweiſe und Stimme das Opfer der Flinte oder des Netzes einer Unmenge Vogelfänger, welche die gerupften Tierchen dann auf den Straßen oder in den Schlächtereien zu lächerlich billigen Preiſen zum Verkauf feilbieten. Die Vögel werden dann,

Land und Leute in Italien. 12

auf ein Hölzchen gereiht, als knusprige kleine Braten
verzehrt. (Justinus.) — Vergl. den Art. Vogelfang.

**Fondaco** (fo'ndâkē) Was ist ein Fondaco? Das
Wörterbuch läßt uns im Stich, es sagt: ein Gewölbe,
zum Verkauf von Stoffen dienend, ein Warenlager,
ein Magazin. Das ist es im Neapolitanischen gar
nicht. Hier ist es ein wüstes, mit hundert unterirdischen
Kellerwohnungen und Wohnlöchern regellos durchsetztes,
ungetünchtes, nasses, dumpfes, Jahrhunderte altes Ge=
bäude, das, wie absichtlich, hermetisch gegen Luft und Licht
abgesperrt ist. Es ist eine Pesthöhle schlimmster Art, aber
bewohnt von Hunderten jener im Elend geborenen Menschen=
wesen, die hier für wenige Lire im Jahre wie Ratten
und Mäuse hausen und seit Jahrhunderten ihren Kot und
Schmutz in Höfen und Winkeln abgelagert haben. Diese
fondaci sind Stapelplätze des menschlichen Elends, das
hier haushoch aufgespeichert liegt. Wer diesen Jammer
gesehen, kann eigentlich nie mehr in seinem Leben froh
werden. In den hier einmündenden vicoletti wohnen
die ammoniti, die Verwarnten, und die pregiudicati,
die Verdächtigen, wegen Verdachts der Dieberei und
Hehlerei unter polizeilicher Aufsicht Stehenden, die zum
Domicilio coatto vorgemerkten Herren und — die Kamor=
risten. (Raben.) — Vergl. den Art. Elend in Neapel.

**Football** s. den Art. Fußball.

**Frack** (il frack, a marsina, le code di rondini)
s. den Art. Kleidung.

**Frank.** In Italien wird auch oft das Wort franco
gebraucht; der richtige amtliche Name für die italienische
Einheitsmünze ist aber la lira. — Vergl. auch den Art.
Münzfuß.

**frankieren** (affrancare) s. d. Art. freimachen.

**Frau** (donna); Ehefrau moglie; als Titel signora; eine schöne Frau una bella donna; meine Frau
mia moglie; Frau Anselmi la signora Anselmi;
ja, gnädige Frau! sì, signora!; die gnädige Frau kann
nicht warten la signora non può attendere. Die
Bezeichnungen der Berufsarten und Titel der Männer
gehen nicht auf die Frauen über, z. B. Frau Doktor A.,
Frau Konsul P. la signora N., la signora P. oder
la moglie del dottor N., la moglie del console P.

**Frauen.** Man kann eigentlich im großen und ganzen nicht sagen, daß die Schönheit der Italienerinnen ihrem Rufe ganz entspräche. Es gibt wohl Orte, wo dem Fremden reizende Gesichter und liebliche Erscheinungen nicht nur vereinzelt begegnen, wie Capri, Florenz, Siena, im Friaul, und aus der Wagenreihe des römischen Korso grüßt man stolze Schönheiten, die aufrichtigste Bewunderung hervorrufen. Aber es gibt andererseits Orte, wo man auf der Promenade vergebens ein Königreich für ein schönes Mädchen ausbieten würde, darunter in erster Linie Neapel. Selbstverständlich schließt das nicht aus, daß in allen Teilen Italiens Tausende und Abertausende Mädchen blühen, welche einen Deutschen entzücken und ihm dauernde Liebe einzuflößen vermögen. Auch in der Häuslichkeit lernt man junge Damen kennen, die ebenso durch ihre Schönheit wie durch die Lieblichkeit ihres Wesens und ihre überraschende Bildung — viele werden von ausländischen Erzieherinnen unterrichtet — in Staunen setzen. Im allgemeinen wird freilich das weibliche Geschlecht in Italien in einer solchen Weltfremdheit erzogen, daß eine italienische Gattin dem deutschen Ehemanne selten als eine Gleichberechtigte entgegentritt. Die Sitte erlaubt nicht, daß ein Mädchen oder eine Frau allein über die Straße, geschweige denn in ein Theater gehe, und diese sklavische, ich möchte sagen haremartige Unselbständigkeit verleiht den Frauen etwas von ihren orientalischen Schwestern. „Den Neapolitanerinnen fehlt nur der Schleier, und sie sind Orientalinnen," so äußerte sich gelegentlich eine seit Jahren in Neapel lebende Deutsche. Damit kennzeichnete sie Frauen, die, durch Erziehung und Gewohnheit von den edleren Aufgaben des Lebens ferngehalten, ihre Rolle nur innerhalb des Hauses spielen und auch hier mehr als Sklavinnen denn als Herrinnen walten. Das Urteil war nicht grundlos, und Italien erschöpft sich nicht in Neapel. Der weibliche Halborient ist nicht erst in der Zone des Vesuv, sondern schon am Tiber und noch nördlicher anzutreffen. Wer kennt nicht jene Italienerinnen mit trägem Körper und verschwommenen Gesichtszügen, Frauen, die, wenn sie überhaupt so kühn sind, das Haus zu verlassen, ihren auswärtigen Wirkungskreis zwischen Messe und Carrozza teilen?

12*

Darum aber soll man das Bild der Frauen Italiens nicht ganz grau in grau zeichnen. Es hat hier von jeher auch Frauen gegeben, die durch Herzensadel und Geistesbildung einen Platz unter den Ersten einnahmen, und auch dem heutigen Italien fehlt es nicht an solchen. Dessen aber, daß sie hinter den Frauen anderer Länder, wie England, Deutschland und Frankreich, zurückstehen, erinnern sich jetzt die Besten unter den Italienerinnen selbst. Daher der Eifer, mit dem sie alte Fehler gutzumachen und der weiblichen Erziehung einen neuen Ansporn zu geben suchen. Deshalb hat, dank der Tatkraft mancher Frauenrechtlerinnen, auch die Frauenbewegung in den letzten Jahren weit um sich gegriffen. In vielen italienischen Städten erscheinen Frauenzeitungen, wurden Frauenvereine gegründet. Frauen findet man im Fernsprech-, Depeschen- und Postdienst angestellt. Ja, auf dem offiziell-wissenschaftlichen Gebiete gehört Italien, was die Tätigkeit der Frauen anbelangt, zu den fortgeschrittensten Ländern, da es schon seit vielen Jahren nicht nur Frauen als Universitätsstudentinnen, sondern auch als Universitätsprofessorinnen hat. (Nach Justinus und Münz.) — Vergl. die Art. Frauenarbeit, Frauenstudium.

**Frauenarbeit** (lavoro delle donne). Mitten in die glänzenden Feste der Weltstädte, die Aufeinanderfolge von Theater und Wettrennen, Korsos, Bällen, Jagden und wie die Vergnügungen der besitzenden Klassen alle heißen, fällt wie ein kühler Niederschlag die Klage über die Frauenarbeit. Wie in der ganzen Welt ist diese Frage auch in Italien eine brennende und ungelöste, wie überall ist die Zahl der Opfer eine sehr hohe. — „Stich, Stich, Stich!" — das ist, gleich dem Ticktack der Uhr, das immerwährende Ziel der nähenden Arbeiterin, von dem Erwachen der Sonne an, bis sie mit geröteten Augen und zusammengeknickter Brust zur Ruhe geht. Und der Verdienst? Wenige soldi. Und dazu, welche fortwährende Abhängigkeit von der Jahreszeit. Kommen die Feste, Neujahr, Ostern, Pfingsten, so möchte der Verkäufer die Leistungen seiner Arbeiterinnen gern verdoppeln, um seine Aufträge rechtzeitig fertigzustellen; nähert man sich der stillen Geschäftszeit, so muß er eine Arbeiterin nach der andern aus der Werkstatt entlassen, weil es ihm an Beschäftigung

gebricht. Es gehört eben der ganze anpassungsfähige
Charakter der Frau dazu, um nicht öfter der Verzweiflung
anheimzufallen, als es tatsächlich geschieht. Dieses Ver=
hängnis verfolgt in Italien die Arbeiterinnen überall
hin, in die Fabriken, in die großen Manufakturgeschäfte
und Konfektionshäuser. Fast überall ist der Verdienst ein
unzureichender, die Stellung eine ungewisse. Einen
höheren Verdienst haben die Arbeiterinnen bei den vor=
nehmen Damenkleidermacherinnen als bei den Schneidern
ersten Ranges. Manche der geschickten Westenarbeiterinnen
bringen es auf 5 bis 6 Lire den Tag. Am besten stehen
sich jedoch Putzmacherinnen (modiste) und Damen=
schneiderinnen (sarte). In den großen Modewaren=
geschäften sind die Verkäuferinnen gut gestellt; dagegen
sind sie in gar vielen, sonst sehr eleganten Läden auf
nicht näher zu bezeichnende Nebeneinnahmen angewiesen.
Staatliche Verwendung findet die Frauenarbeit in den
Post=, Telegraphen= und Fernsprechämtern, am Bahn=
hofsschalter und selbstverständlich auch in den Kranken=
häusern, hier jedoch vorwiegend durch Ordensfrauen.

Als am 19. Juni 1902 in Italien ein Gesetz angenom=
men wurde, welches die Frauen= und Kinderarbeit regelte, da
herrschte allgemeine Freude, weil man glaubte, daß endlich
die entsetzlichen Mißstände beseitigt wären, welche das
Leben der in Gewerben beschäftigten Frauen und Kinder
geradezu vernichtend trafen. Inzwischen hat sich heraus=
gestellt, daß die Bestimmungen dieses Gesetzes bei weitem
nicht scharf genug waren, um ihre Umgehung zu ver=
hindern, und deshalb ist der italienischen Kammer am
20. Juli 1905 ein neuer Gesetzentwurf zugegangen, welcher
den Zweck hatte, die Arbeit der Kinder in Fabriken bis
zum 12. Jahre vollständig zu untersagen und für unter=
irdische Arbeit mit mechanischem Betrieb das 13. als
unterste Altersgrenze hinzustellen. Für die Frauen han=
delt es sich um die Festsetzung einer längsten Arbeitszeit,
um die Regelung von bestimmten Pausen und um eine
neu zu gründende Reichsmutterschaftskasse. Um namentlich
für letztere eine sichere Unterlage zu gewinnen, hat das
italienische Arbeitsamt eine Statistik über die in der italie=
nischen Industie beschäftigten Frauen aufgenommen. Diese
unter dem Titel: La donna nella industria italiana

veröffentlichte Statistik gewährt wichtige Aufschlüsse durch
die sehr genauen Angaben über die wirtschaftliche und
soziale Lage der italienischen Fabrikarbeiterinnen, welche um
so augenfälliger werden, wenn wir die Lage der italienischen
Fabrikarbeiterinnen der der deutschen gegenüberstellen.

Die italienische Umfrage umfaßt 14150 Betriebe mit
einer Gesamtzahl von 829151 Beschäftigten. Hiervon
waren 414236 Arbeiterinnen. Der umfangreichste Ge-
werbezweig ist das Webstoffgewerbe; er beschäftigt im gesamten Königreich Italien 407686 Arbeitskräfte, in
der Lombardei, der gewerbfleißigsten Provinz des Landes,
allein 232376 Köpfe. Von diesen sind Arbeiterinnen
321022, bezw. 188706. Auf 100 Arbeiter kamen
demnach im Webstoffgewerbe 370,4, bezw. für die Lombardei 432,2 Arbeiterinnen. In Deutschland ist, der Umfrage
zufolge, welche im Jahre 1902 von den Gewerbeaufsichts-
beamten über die Frauenarbeit gemacht wurde, ebenfalls das
Webstoffgewerbe das umfangreichste von allen, soweit die
Mitarbeit der Frauen in Betracht kommt. Sonst wird es
an Kopfzahl der Arbeitskräfte von der Gruppe für Bergbau-,
Hütten- und Salinenwesen überragt. Im deutschen Webstoffgewerbe nun sind insgesamt 780478 Arbeiter beschäftigt;
von diesen sind aber nur 363763 Frauen, also 46,6
v. H. Der italienische Anteil der Frauenarbeit im Webstoffgewerbe ist also sechs- bis achtmal so groß als der
der deutsche. Es folgt darauf in Italien das Bekleidungs-
gewerbe mit 21709 weiblichen Arbeitskräften. In Deutschland geht das Nahrungs- und Genußmittelgewerbe mit
119744 Arbeiterinnen voran, während das Bekleidungs-
gewerbe in dritter Linie mit 93635 Frauen steht. Erschreckend ist aber in Italien die Jugendlichkeit dieser
Arbeiterinnen. Von den 321022 erwerbstätigen Frauen
hatten 12185, also fast 4 v. H., das 12. Jahr noch
nicht erreicht, 69926 standen im Alter von 12—15 Jahren,
während 151506 zwischen dem 15. und 21. Lebensjahre
standen. Besonders in der Lombardei sind 6 v. H. aller
weiblichen Arbeiter Kinder unter 12 Jahren. In Deutschland kommt diese jugendliche Gattung für die Fabrikarbeit ja überhaupt nicht mehr in Betracht; ein Vergleich
fällt also fort. Dahingegen beträgt die Zahl der deutschen Arbeiterinnen vom 16. bis zum 21. Lebensjahre nur

17,7 v. H., während sie in Italien 39,8 v. H. ausmacht.
Man sieht also, wie außerordentlich ungünstig die Frauen=
arbeit in Italien noch dasteht.

Sehr bemerkenswerte Aufschlüsse gibt die Umfrage über
die Löhne. Die höchsten Löhne, bis zu 2 Lire und darüber
den Tag, zahlt das Tabaksgewerbe, also der Staat. Den nie=
drigsten Verdienst gewähren das Webstoff= und das Papier=
gewerbe. Die täglichen Einnahmen schwanken hier zwischen 46
und 75 Ct. Es muß noch erwähnt werden, daß es sich dabei
ausschließlich um Arbeiterinnen über 15 Jahre handelt;
Kinder werden noch immer außerordentlich gering ent=
lohnt. Über die tägliche Arbeitszeit der Frauen sagt die
Statistik leider nichts, wohl weil auf diesem Gebiete noch
wenig gesetzliche Vorschriften vorhanden sind und deshalb
die genaueren Angaben fehlen. Die Zahl der Arbeits=
tage schwankt zwischen 18 und 24 im Monat; durch=
schnittlich sind die Frauen an 266 Tagen im Jahr be=
schäftigt. Eine bedeutungsvolle Frage hingegen ist
eingehend behandelt, nämlich die der in den einzelnen
Gewerbezweigen beschäftigten verheirateten Frauen und
Wöchnerinnen. Insgesamt sind 27,5 v. H. aller italienischen
Fabrikarbeiterinnen verheiratet. Auf je 100 Arbeiterinnen
entfallen aber im Aufnahmejahr der Statistik Wöch=
nerinnen: bei den in den Königlichen Zigarrenfabriken
beschäftigten 31,4 v. H.; hingegen bei den im Webstoff=
gewerbe Angestellten nur 9,6 v. H., ein erschreckend
niedriger Anteil. Der geringe Verdienst und die
durch diesen bedingte Armseligkeit der Lebenshaltung
stehen also anscheinend in direktem Verhältnis zur Mutter=
schaft. Das allein sollte zu denken geben und ein Beweg=
grund für die endgültige befriedigende Regelung der
Frauen= und Kinderarbeitsfrage in Italien werden, zumal
wenn man in Betracht zieht, daß 12,5 v. H. aller Fabrik=
arbeiterinnen Mädchen unter 15 Jahren sind. Und
die verdienen nur 46 bis 50 Ct. den Tag. Eine wie trost=
lose, körperlich unfähige weibliche Nachkommenschaft muß
durch solche vorzeitige Ausnutzung der jugendlichen Ar=
beitskraft entstehen! Und was für Mütter können sie selbst
im besten Falle werden!

**Frauenstudium.** Seit vielen Jahren schon dürfen
die italienischen Mädchen das Gymnasium und die Uni=

versität besuchen, und mehrere Frauen spielen in dem geistigen Italien eine große Rolle. Ärztinnen, Privatdozentinnen, außerordentliche Professorinnen gehören durchaus nicht zu den Seltenheiten. Wir brauchen nur den italienischen Büchermarkt anzusehen, und wir können uns gleich überzeugen, daß es auch heute in Italien Frauen gibt, die als die Erbinnen gewisser Frauen der Renaissance höheren geistigen Aufgaben obliegen.

**Freigepäck** (franchigia di bagaglio fränk'õgä bĭ bägä'lĭõ) s. den Art. Gepäck.

**freimachen** (affrancare); Freimachung affrancatura; freigemachter Brief lettre affrancata. Seitdem der aufgeklebte Briefstempel die Freimachung hinlänglich andeutet, bleibt der Zusatz fᵒ auf der Adresse ganz fort.

**Freisa** (frä'ĭsä), roter, piemontesischer, herber Wein, prickelnd, gehaltvoll, zum Kneipen wie gemacht.

**Friedhöfe** (cimitero — tschĭmĭtä'rĕ). Die Italiener ehren ihre Toten mehr oder — wollen wir sagen — künstlerischer als irgendein Volk der Welt. Hohes Lob muß der Anlage aller Kirchhöfe in Italien ohne Unterschied der Religion gespendet werden. In keiner Stadt der Welt macht der Kirchhof durch bauliche Anlagen ebenso wie durch Bildwerke einen tieferen Eindruck als die Kirchhöfe von Genua, Pisa, Rom, Mailand usw. — Vergl. den Art. Allerseelentag.

**Frittellari.** «Les Dieux s'en vont!» Auch in Rom nimmt die Frömmigkeit mit jedem Jahre ab. Das hat deutlich der Josephstag, der 19. März, gezeigt. Von der ehemaligen Volksfröhlichkeit an jenem Tage ist jetzt kaum mehr etwas zu merken, obschon jeder zehnte Mensch Beppo oder Peppina heißt. Das Fest der Krapfenbäcker und Pfannkuchenverkäufer ist für immer vorbei.

Als die Leute noch fromm waren, aßen sie von morgens früh bis abends spät die Frittelle! Und wenn diese nicht mehr hinunter wollten, wurde mit güldenem Frascati nachgeholfen. Kein Wunder, daß die Frittellari auf den hl. Joseph gut zu sprechen waren, blühte doch dabei ihr Geschäft! Mit Fahnen, Girlanden, blühendem Weißdorn und bunten Tüchern wurde das schmierige Lokal austapeziert, vorn am Eingange prangte ein Sonett, das den heiligen Joseph und nicht minder die vom Besitzer hergestellten Pfannkuchen pries, und am Ehrenplatze an der Wand hing das Bild des Heiligen und davor eine Öllampe. Und da hierzulande Religion und Vaterland meist eng verknüpft sind, wurden oft die beiden weltlichen Landesheiligen, die auch den Namen „Joseph" tragen, dem Kirchenheiligen an die Seite gestellt: links Giuseppe Mazzini und rechts Giuseppe Garibaldi! Kein Mensch stieß sich daran; denn der Römer, auch wenn er klerikal wählte, war gottlob noch der Meinung, daß Krapfenessen und Weintrinken eine interkonfessionelle Angelegenheit ist, an der Weltkinder und Propheten vermischt teilnehmen und zuschauen konnten. Tempi passati! kann man auch von diesem Volksfest sagen. Das Josephsfest wird heute nur noch in der Vertraulichkeit des Speisezimmers gefeiert, da sich doch noch immer in jeder Familie ein „Joseph" finden wird.

**Fritto misto** ist eine italienische Landesspeise und besteht aus in kleinen Scheiben in der Pfanne gebackenem Hirn, Leber, Artischocken, Lunge, Tomaten, Kalbfleisch, Nieren u. dgl.

**Frohsinn der Italiener.** Frohsinn und Munterkeit sind für die Kinder des sonnigen Italiens ein Teil der Lebenslust, deren sie zum Dasein bedürfen. Der warme, heitere, schmeichelnde Ausdruck italienischer Augen bildet eine der angenehmsten Überraschungen, die den Nordländer auf der Südseite der Alpen erwarten; heimgekehrt, mag er es manchmal schwer genug finden, sich wieder an den gleichgültigen, frostigen Blick zu gewöhnen, der im Norden leider vielfach für guten Ton gehalten wird. Allegria ist eins der Lieblingsworte und eine der Lieblingsbeschäftigungen des Italieners. Schon Montaigne hat die Wahrnehmung aufzeichnenswert gefunden, daß Traurigkeit im Italienischen gleichbedeutend ist mit Bosheit; tristo ist noch im heutigen Sprachgebrauch ein krasser Ausdruck für einen moralisch nichtswürdigen Menschen, etwa auf gleicher Höhe mit unserem „miserablen Kerl". Das Lob der Fröhlichkeit hingegen wird am schönsten durch das Sprichwort verkündet. „Hundert Jahre Schwermut," sagt das eine, „bezahlen noch nicht eine einzige Stunde Schuldigkeit" (Cento anni di tristezza non pagano un' ora di debito). Und während ein zweites unser deutsches Wort bestätigt, daß Gott die Fröhlichen lieb hat (uomo allegro il ciel l' aiuta), wird es von einem dritten noch überboten, wonach ein frohes Gemüt

sogar die Nägel aus der Bahre zieht (Chi ride leva
i chiodi dalla bara). Ein bezeichnender Ausdruck
dieser Lebensfreudigkeit ist es, daß der Italiener, statt
die Toten selig zu preisen, sie im Sprachgebrauch stets
mitleidig beklagt. Man hört bejahrte Männer, deren
Vater im höchsten Lebensalter entschlafen ist, nicht von
ihrem „seligen" Vater sprechen, sondern er bleibt «il mio
povero babbo».                          (Fischer.)

**Frühschoppen.** Der landesübliche „Frühschoppen" be-
steht in einem Gläschen Wermut (auch mit Selterwasser),
Marsala u. dgl., in Piemont in leichtem weißen Landwein
(Moscato). Der richtige Italiener ißt auch gern Kuchen dazu.

**Frühstück** s. den Art. Mahlzeiten.

**frutti di mare** s. den Art. Fischerei.

**Fuchsjagd.** Die Fuchsjagd, welche eine der liebsten
Zerstreuungen der Reichen bildet, die sie mit großer Ausrüstung von Pferden und Hunden ausüben, ist in Italien,
namentlich in der römischen Campagna, nützlich; denn der
Fuchs ist nicht nur gierig nach Trauben, sondern auch
nach Geflügel, Wachteln, Rebhühnern und Hasen und dem
Landwirt sehr schädlich. Man jagt ihn daher auf jede
Art: zu Fuß, zu Pferde, aus dem Hinterhalt, mit Hunden
und mit Fallen. Eine der eigenartigsten Jagden ist die
mit dem Dachshund, der ihn in seiner Höhle angreift
und mit ihm kämpft, wodurch er dem Jäger Zeit läßt, die
Erde auszugraben, den Fuchs mit einer Zange zu packen,
ihm den Maulkorb anzulegen und ihn lebend gefangen zu
nehmen. Wenn man die Höhle nicht einreißen kann, zwingt
man den Fuchs mit Rauch, herauszukommen, und wartet
mit einem Beutelnetz am Ausgang. Eine gute Falle
besteht in einem eisernen Haken, den man an dem Ast
eines Baumes befestigt und auf den man ein Stück
Fleisch legt. Der Ast wird vermittels eines Schnürchens
und eines Zapfens, der in dem Baume eingeschlagen
ist, niedergebeugt. Wenn der Fuchs das Fleisch mit
den Zähnen packt, zieht er den Zapfen heraus, der Ast
richtet sich auf, der Haken dringt in den Gaumen des
Fuchses ein und nimmt ihn gefangen am Halse mit sich
in die Höhe.

**Fußball.** Obwohl italienischen Ursprungs, ist dieses
Spiel nunmehr im fremden Kleide und unter einem

fremden Namen nach seiner Heimat zurückgekehrt. Es heißt nicht mehr giuoco del calcio (ɒɡᵘᵒ'tó dɛl kä'ltschö), wie es die Florentiner unter den Mediceern nannten, sondern einfach foot-ball, und englisch lauten auch alle auf dies Spiel bezüglichen Ausdrücke. Dasselbe gilt vom Tennisspiel. Das Spiel ist italienisch und hauptsächlich toskanischen Ursprungs. Die heutigen Italiener aber nennen es einfach Tennis oder Lawn-Tennis, und wenn jemand heute in der hohen Gesellschaft den alten Namen Pallacorda (päl-läto'rdä) wieder ins Leben rufen wollte, würde man ihn einfach auslachen.

# G.

**Gabelfrühstück** siehe den Art. Mahlzeiten.
**gabellotti** siehe den Artikel Siziliens Erwerbs-verhältnisse.
**gassosa** oder **gazosa** s. den Art. Kaffeehaus.
**Gastfreiheit** (ospitalità). Überall, wo es sich um den äußeren Schliff guter Sitte und seinen Tons handelt, ist der Italiener zu deren tätiger und liebenswürdiger Ausübung um so mehr bereit, als ein Vorwurf der Verletzung dieser Eigenschaften seine Empfindlichkeit — und Eitelkeit sehr verletzen würde. In schöner Art betätigt er demnach auch die Pflichten der Gastlichkeit. Hat man mit einem Italiener von richtigem Schlage nur einigemal verkehrt, ohne weiter als bis zur „Bekanntschaft" gediehen zu sein, so ist man Gegenstand seiner besonderen Aufmerksamkeit und Rücksichtnahme. Ganz entgegen der bekannten Heineschen Charakteristik zweier polnischen Helden:

> „Und weil keiner wollte leiden,
> Daß der andere für ihn zahle, —
> Zahlte keiner von den beiden —"

sucht er stets der Gastgeber zu sein. Die Gastfreiheit Italiens offenbart sich in allen Schichten der Bevölkerung mit derselben großen Freigebigkeit. Wo die Vermögens-umstände es nur irgend gestatten, bildet das Fremdenzimmer einen wesentlichen Bestandteil der Wohnung, und die Sitte erfordert es, dem Gaste die aufmerksamste Bewirtung angedeihen zu lassen. — In wohlhabenden Familien hält man einen Jourfix in jeder Woche, dessen

Abend den Bekannten des Hauſes, ohne beſondere Ein=
ladung, Gaſtfreiheit bietet. Man ſucht dieſen Abend ſo an=
genehm wie möglich zu verbringen, muſiziert, plaudert über
Literatur und Theater und nimmt eine Taſſe dünnen
Tees oder Schokolade mit kleinem Zuckergebäck zu ſich.
Dieſer Jourfix ſchließt nicht beſondere Einladungen für
feierliche Gelegenheiten, Familienfeſte, Neujahr und die
Karnevalszeit aus, wo dann Gaſtlichkeit mit dem größten
Aufwand geübt wird. Selbſt als Ausländer kann man ſicher
ſein, bei ſolchen Einladungen nicht übergangen zu werden, ſo=
bald man nur in die Familie in aller Form eingeführt wurde.

**Gebärden.** Alle Italiener begleiten den Fluß ihrer
Rede mit ſo eindrucksvollem Mienenspiel und mit ſo
treffenden und harmoniſchen Gebärden, daß ihr Wort wirk=
lich „Hand und Fuß" hat und auch dem verſtändlich
wird, der der Sprache nicht vollkommen mächtig iſt. Selbſt
dem des Italieniſchen gänzlich unkundigen Beobachter
macht es Vergnügen, zuzuſehen, wie zwei Italiener ſich
miteinander unterhalten, wie ihre Hände ſich zum Wortlaut
ihrer Rede wie Klavierbegleitung zum Geſange verhalten,
wie Augen und Lippe, Schulter und Rücken des Zuhörers
den Chor zum Solo des Sprechers bilden, und wie beide
in dem Beſtreben wetteifern, den größtmöglichen Ein=
druck zu machen und einen wirkungsvollen Abgang zu er=
zielen. In der Leidenſchaft ſteigert ſich ihre Gebärdenſprache
zu ſchauſpieleriſchen Wirkungen von großer Kraft. Die
Kundin, die den Zornausbruch des Fiſchweibes oder der Obſt=
hökerin zunächſt mit verhaltenem Ingrimm über ſich ergehen
läßt, reckt plötzlich, von einem beſonders ſpitzen Schimpf=
wort im Innerſten getroffen, den Arm in die Höhe und
ſchmettert die Gegnerin mit einem Wortſchall von geradezu
tragiſcher Leidenſchaft moraliſch zu Boden, um ſich dem=
nächſt mit Schritten einer Beſiegten zu entfernen.
Gewöhnlich aber löſt ſich der heftige Wortwechſel durch
ein wohlgezieltes und raſch erfaßtes Scherzwort in lauter
Fröhlichkeit auf.                        (Fiſcher.)

**Gebärdenſprache.** Der Italiener iſt gewiß nicht wort=
karg, aber das Wörtchen „nein" ſpart er ſich faſt immer,
ebenſo: „ich weiß nicht". Da zieht er lieber, wie die
Orientalen deutſcher Zunge das ja auch an ſich haben, die
Schultern empor, oder er fährt mit dem Kopf in die Höhe,

oder er schüttelt den Kopf. Ebenso bedeutet nicken soviel
wie „ja" oder „komm her". Man kann auch noch kräf=
tiger ablehnen. Dann wird zu der Kopfbewegung die
Hand zu Hilfe genommen. Man fährt mit nach ein=
wärts gekrümmten Fingern von unten nach oben hin
über das Kinn. Eine nachdrückliche Verneinung ist auch
das Hin= und Herbewegen des erhobenen Zeigefingers,
während das leise Schnalzen mit der Zunge eine zarte
Andeutung des Ablehnens ist. — Halt!: Die ausgereckte
Hand streckt sich dem Kommenden entgegen. So die
Bildsäule San Gennaros auf der Magdalenenbrücke
gegen die Lava des Vesuvs. — Komm her!: Im Gegensatz
zu dem Winken der Deutschen bleibt die Hand ausgestreckt,
ihre aneinanderliegenden Finger aber bewegen sich nach
unten, als wollten sie etwas abschütteln. — Geh fort!:
Die Hand steht auf der Schneide. Sie bewegt sich mit
zitternder Bewegung rasch nach vorwärts. — Das Stehlen
wird durch eine zur Seite greifende, fast hinter den Rücken
führende Handbewegung dargestellt, wobei die Finger
rasch wie harfespielend ein Rädchen drehen. — Will im
Gespräch unter dreien einer den andern vor dem dritten
warnen und ihm bedeuten, jener sei ein Aufschneider,
so zwinkert er dem Freunde, für den dritten gänzlich un=
bemerkt, mit einem Auge blitzschnell mehrmals zu. Unterdeß
blickt das andere Auge aber ruhig und unverändert dem als
Schwindler bezeichneten ins Gesicht, damit er nicht Verdacht
schöpft. — Den Daumennagel an die Vorderzähne setzen
und hörbar abschnellen lassen, heißt: „Nicht das Schwarze
unter dem Nagel läßt er mir," oder auch: „Du bekommst
nichts."                                      (Kellner.)

**Geburtstag** (compleanno). Die Feier des Geburts=
tages ist in Italien wie in allen katholischen Ländern
nicht üblich. An ihre Stelle tritt die Feier des Namens=
tages. — Vergl. diesen Artikel.

**Gefällig.** Wenn's gefällig ist, wenn's beliebt, ge=
fälligst nach einem Imperativ: di grazie oder per fa=
vore. Der nackte Imperativ ist in der Umgangssprache,
wenn man nicht eben schroff sein will, fast nur Personen
gegenüber anwendbar, mit denen man auf vertrautem
Fuße steht; ferner in militärischen Kommandos usw. Im
übrigen pflegt man, und zwar insbesondere auch bei Be=

fehlen an Dienstboten und dergleichen Personen, mindestens La prego oder per favore hinzuzufügen. Wo aber auch nur der geringste Anlaß zur Höflichkeit vorliegt, gebraucht man Wendungen wie folgende: Di grazie oder favorisca entrare oder abbia la bontà di ... usw. Soll dagegen mit den Worten: wenn es Ihnen gefällig, genehm ist nur eine Bedingung, ein Vorschlag ausgedrückt werden, dessen Entscheidung man anheimstellt, so muß man sich einer andern Wendung bedienen, z. B.: Se vuole oder Se Le accomoda ... partiremo fra un' ora *Wenn es Ihnen gefällig* (oder genehm) ist, so werden wir in einer Stunde abreisen.

**Geflügelzucht** s. den Art. Viehzucht.

**Gefrorenes** (gelato — *dgelá'to*). Die Kunst, Gefrorenes herzustellen, wird als eine Besonderheit des italienischen Südens betrachtet, obgleich sich um dieses Vorrecht Neapolitaner und Sizilianer streiten. Jedenfalls sind zwei Dinge sicher: erstens, daß es das beste Gefrorene in Neapel und Sizilien gibt; zweitens, daß diese Kunst in Europa und in der Welt von den Söhnen des Ätna und des Vesuv verbreitet wurde. Keiner hat sie übertroffen, keiner ist ihnen auch nur gleichgekommen; wer es ihnen nachmachen wollte und nicht bei ihnen in die Lehre gegangen ist oder ihre Lehren nicht genau befolgt hat, ist ganz bedeutend zurückgeblieben. Neapolitaner und Sizilianer, die einen wie die andern, haben ihre «specialità»: Spezialität der ersteren ist das sogenannte «pezzo duro» (*pä't-tsö dü'rö*), das harte Stück, das heißt ein so stark gefrorenes Gefrorene, daß man, um es zu brechen, einen flachen, messerartig am Rand zulaufenden und geschärften Löffel nötig hat. Sizilianische Spezialität ist die sogenannte «cassata» (*käs-sä'tä*), die in der Reihe der Eise die Nachahmung des herkömmlichen süßen Nachtisches darstellt und auf der ganzen Insel allem andern vorgezogen wird. Die süße «cassata» ist eine Hülle von Gebäck, angefüllt mit allen möglichen Dingen, vom weißen Käse bis zu Stücken von verzuckerten Früchten. Die gefrorene «cassata» ist eine große Kugel, die man zerschneidet; sie besteht aus einer Hülle von Limonen-, Vanillen- oder Erdbeereis und enthält anderes Gefrorene mit Stücken von verzuckerten Früchten.

Der Hinweis auf diese Zusammenstellung lenkt jedoch die Aufmerksamkeit auf einen zweiten Umstand, der nicht ohne Einfluß in der Entwickelung des Gefrorenen ist. Die letzten Jahre haben in dieser Sache wichtige Dinge gesehen. Auch zu Zeiten unserer Großväter und unserer Väter „gefror" man hauptsächlich nur crema (Milch mit geschlagenem Eigelb), Limone, Orange und andere sozusagen natürliche Säfte. Von da ab hat die Kunst, indem sie einem immer überfeinerteren Geschmack folgte, Fortschritte gemacht, und allmählich ließ man alles mögliche und denkbare gefrieren. Zwei andere Künste kamen zu Hilfe: die erste, auf natürliche Weise die Fruchtsäfte auszuziehen, die zweite, sie auf chemischem Wege herauszuholen, indem man so in kleinsten Flüssigkeitsmengen auf das stärkste konzentrierte Säfte gewinnt. Heute kann man sagen, daß die Chemie über die Natur den Sieg davongetragen hat, und zwar nicht immer zum Vorteil weder für den Geschmack noch sehr oft für die Gesundheit des Menschen.

So hat man Gefrorenes und Mischungen von Gefrorenem aller Arten, so wechselt man die Benennungen für diese Schleckereien bis ins Unendliche und benutzt — auch in Italien — alle Sprachen, eignet sich alle Kunstausdrücke an, treibt Mißbrauch mit allen Wörtern, so daß es oft nötig ist, wenn man die „Speisekarte" zur Hand nimmt, von dem Kellner in Erfahrung zu bringen, was man „nehmen" soll. Aber das macht nichts. Die Entwickelung ist auch auf dem Gebiet des Gefrorenen die gleiche wie in allen anderen Künsten. Anfangs, noch vor weniger als einem halben Jahrhundert, wiederholten alle ‹gelatieri› (ɒɡĕlắtắ'rĭ) (Eiskünstler), die von Sizilien und aus Neapel sich über Italien und die Welt verbreitet hatten, die altgewohnte Schlagsahne, Limone und Orange. Heute jedoch will jeder ‹maestro gelatiere› (Eismeister) seinen eigenen Beitrag für die Entwickelung leisten und eine Spur von sich mit irgendeiner neuen Zusammenstellung oder einem neuen Kunstwerk hinterlassen, wobei sein Name, was ihn freilich kränkt, der großen Menge der Genießenden unbekannt bleibt, aber nicht in den Kellern und Arbeitsstätten der Cafés und nicht für die Menge seiner Kunstgenossen und der Caféwirte, die die berühmtesten Meister einander abjagen. Einigen dieser maestri gelang es, sich von jedem Herrn freizumachen. Sie wanderten durch Europa und arbeiteten auf eigene Rechnung. Hier und da ist ein Neapolitaner oder Sizilianer in London dadurch zu großem Reichtum gelangt, daß er die Herstellung des Gefrorenen im großen und zu kleinsten Verkaufspreisen betrieb und seine Händler durch die Straßen schickte. So unglaublich es erscheint — auf dem glatten, dem geringsten lauen Lüftchen weichenden Untergrund der ice-creams bauten sich, penny to penny, Vermögen von einigen Millionen auf.

Wir könnten jetzt nachweisen, daß wie auf jedem Gebiet der menschlichen Bildung auch auf dem des Gefrorenen die Schichten der verschiedenen Zeiten sich nicht unterdrücken oder ausschließen, sondern in verschie= denem Maß weiterbestehen, eine neben der andern — wir meinen, auf dem gleichen Erdteil und in dem gleichen weiten Reich, aber auch in der gleichen Stadt, in der gleichen Gemeinde können auch in unseren Tagen, der eine gegenüber dem andern, der Mustermensch der ver= feinertsten Zivilisation und der einer kaum in der Form übertünchten Barbarei leben. Ja, noch mehr, trägt nicht jeder überzivilisierte Mensch in sich selbst, und entwickelt er nicht von Zeit zu Zeit — besonders in den Hunds= tagen, wenn er nicht die Klugheit hat, sich durch Ge= frorenes zu beruhigen, die Keime der ursprünglichen Wildheit? So verhält es sich mit dem Gefrorenen. Auch seine Materie ist im übertragenen Sinn keine Materie, die sich den großen Gesetzen, die die Erscheinung des gesamten Lebens regelt, entziehen könnte. Hier ein Beispiel: neben dem Gefrorenen der Gegenwart sehen wir die «granita» (gränī'tä) bestehen. Was ist nun die gra= nita, wenn nicht ein umgemodeltes und verbessertes Überbleibsel des Gefrorenen jener frühen Zeit, als die Fruchtsäfte noch nicht künstlich gefroren, sondern sich be= scheiden dem Schnee oder dem Eis beigesellten? Und das reine Fortbestehen ohne Veränderungen, auch nur in der Form — haben wir es nicht in der «ghiacciata» (gʰät-schā'tä), wo in der Tat sich die Fruchtsäfte dem gestoßenen Eis beigesellen?

Um diese Abhandlung zu vervollständigen, haben wir noch eine andere große Frage zu lösen. Ißt man das Gefrorene, oder trinkt man es? Die Italiener wollen die Schwierigkeit vermeiden, indem sie die Redensart gebrauchen „ein Gefrorenes nehmen". Aber dies ist zu allgemein: man „nimmt" im Italienischen alles von einem Beefsteak bis zu einem Glase Wein und — einer Erkältung. Die eigentliche Frage lautet: ist die Tätigkeit, die wir vornehmen, wenn wir ein Stück Eis im Mund haben, die des Trinkens oder Essens? Einige Theoretiker halten dafür, daß es sich um ein Essen handelt, aber sie ziehen allein den festen Zustand des Eises und die zusammenpressende Tätigkeit gegen den Gaumen — eine Art Kauen in Betracht, die man erst vollziehen muß, ehe man hinunterschluckt. Andere Theoretiker wenden demgegenüber ein, es handele sich um Trinken, aber sie fassen ausschließlich die flüssige Form ins Auge, in der das Gefrorene in die Speiseröhre gelangt. Um diesen großen Streit in der Wissenschaft zu beseitigen, müßte man schließen: „ein Gefrorenes nehmen" heißt beides: essen und trinken. Ursprünglich ist die wichtige Frage vom Volk am besten gelöst worden durch die Anwendung des Wortes ‹sorbire› (schlürfen) für das Gefrorene. In der Tat, bis vor dreißig oder vierzig Jahren nannte man das Gefrorene gewöhnlich ‹sorbetto›, und heute pflegen noch die Kinder und die Mütter für die Kinder in einigen Provinzen Italiens das Gefrorene ‹sorbetto› zu nennen, und ‹sorbet› nennt man es noch immer in der ganzen europäischen und asiatischen Türkei, wo es von den Italienern eingeführt wurde. Also ein Gefrorenes „schlürfen", nicht „nehmen", sollte man auf gut italienisch sagen, aber ach, fast niemand mehr sagt es. Mit dieser Entdeckung sind wir zu Ende. (A. Cantalupi.) — Vergl. auch den Art. Eis.

**Geheimbünde.** Eine schlimme Nachwirkung des früheren politischen Druckes besteht darin, daß die durch ihn erzeugten Verbildungen des sozialen Lebens, die Geheimbünde und das Sektenwesen, noch jetzt keineswegs verschwunden sind. Schon in den zwanziger Jahren des vorigen Jahrhunderts hat ein freiheitsliebender Italiener die geheimen Gesellschaften „die Pest Italiens" genannt, jedoch gleichzeitig gefragt, wie man sie entbehren solle, wenn es keine Öffentlichkeit und kein gesetzliches Mittel gäbe, seine Meinung ungestraft zu äußern. Jetzt herrscht in Italien seit einem halben Jahrhundert Preß= und Rede= freiheit. Das Recht der freien Meinungsäußerung ist ver= fassungsmäßig gewährleistet und wird in des Wortes verwegenster Bedeutung ausgeübt. Aber trotzdem ist die Vorliebe für versteckte unterirdische Wege, für Geheim= bünde und Sektenbildung noch heutigentages in Italien weit verbreitet. Noch in einer Schrift aus dem Jahre 1881 wird von der Romagna gesagt, daß das Sektenwesen dort fast instinktmäßig und ganz allgemein als Ergebnis einer früher unvermeidlichen, heute verabscheuenswürdigen politischen Gewöhnung bestehe. Aber nicht nur in der Romagna, auch in anderen italienischen Städten sind einige, wenn auch unbedeutende Reste der alten Geheim= bünde, wie z. B. der Karbonari am Leben geblieben. Selbst die Freimaurerei ist heute noch von undurchdring= lichen Geheimnissen umgeben, so daß kein Freimaurer seine Zugehörigkeit zu irgendeiner Loge jemals zugibt. (Fischer.) — Vergl. die Art. Camorra und Mafia.

**Geistlichkeit** (clero — klä'rö). Von allen Ländern der Welt hat Italien, ganz abgesehen von den geistlichen Würden= trägern aller Grade, die sich in Rom in den Zentralbehörden der Kirchenverwaltung zusammenfinden, die weitaus größte Zahl von hohen Geistlichen aufzuweisen. Denn es besitzt nicht weniger als 49 Erzbistümer und 221 Bistümer, von denen ein jedes, außer dem Inhaber des Titels, mit einem mehr oder minder zahlreichen Stabe von Domherren, Generalvikaren und sonstigen Prälaten versehen ist. Wie dicht die Bischofssitze in Italien gesät sind, kann man z. B. daraus ersehen, daß in dem kleinen Gebiet des vor= maligen Großherzogtums Toskana allein 4 Erzbistümer: Florenz, Siena, Pisa und Lucca, vorhanden sind. Fiesole, das kaum eine Stunde von Florenz entfernt liegt, ist bereits wieder Sitz eines eigenen Bischofs. In Unter= und Mittel= italien wird man kaum eine einigermaßen namhafte Land= stadt finden, die nicht ihren Bischof nebst Kapitel und allem Zubehör hätte; die größeren und selbst die Mittelstädte tun es kaum unter einen Erzbischof. Nicht minder zahl= reich ist der Pfarrklerus. Nach der Zählung von 1891 waren in Italien 20465 Parochien mit 55263 Kirchen und Kapellen und einem Pfarrklerus von 76560 Köpfen vorhanden. Dazu kommt die Ordensgeistlichkeit, die Mönche und Nonnen aller erdenklichen Stiftungen, deren Zahl troß der Aufhebung der Klöſter und geiſtlichen Körperſchaften in raſch zunehmendem Wachstum begriffen iſt. — Vergl. die Art. Kirche, Kirliche Einteilung.

**Gelatiere** ſ. den Art. Gefrorenes.

**Geld** ſ. den Art. Münzfuß.

**Geldwechsler in Neapel** ſ. den Art. Neapel.

**Gemeinderat.** Jede Gemeinde hat einen Gemeinderat (Consiglio comunale — konſi'ljö kŏmünā'ſe), der in Gemeinden von über 250000 Einwohnern 80, bei mehr als 60000 Einwohnern 60, mehr als 30000 Einwohnern 40, mehr als 10000 Einwohnern 30, mehr als 3000 Einwohnern 20 und bei unter 3000 Einwohnern 15 Mitglieder zählt. Bleibt die Zahl der Wahlberechtigten unter 15 zurück, ſo bilden ſie allein den Gemeinderat. Das Wahlrecht ſteht allen Gemeindeangehörigen zu, welche in der Liſte der politiſchen Wähler eingeſchrieben ſind, und darüber hinaus allen, die einen ſehr gering bemeſſenen Betrag (5 Lire) an Gemeindeſteuern zahlen oder als Pächter Grundſtücke mit einem Grundſteuerertrage von mindeſtens 15 Lire innehaben, oder für ihre Wohnung eine nach der Einwohnerzahl der Gemeinde von 20 bis 200 Lire abgeſtufte Miete bezahlen. Alſo eine Wahlberechtigung, die an Breite der Grundlage kaum etwas zu wünſchen übrig läßt, indem ſie in dem Steuerſaß noch unter dem Maße zurückbleibt, welches für das politiſche Wahlrecht nach ſeiner letzten umfaſſenden Erweiterung übrig gelaſſen worden iſt. Wählbar ſind alle Gemeindewähler, mit einigen für des Charakter des Landes bezeichnenden Ausnahmen. Sie ſchließen zunächſt alle Geiſtlichen aus, welche ſeelſorgeriſche Tätigkeit ausüben. Sie verbieten ferner die Wahl von Beamten, welche zur Überwachung der Gemeindeverwaltung berufen ſind, ſowie von Gemeindebeamten und anderen von der Gemeinde beſoldeten oder zu ihr in Abhängigkeits- und Schuldverhältniſſen ſtehenden Perſonen; ferner die Analphabeten, inſoweit die Gemeinde doppelt ſoviel Wähler als Gemeinderatsmitglieder zählt.

13*

Endlich dürfen Väter und Söhne, Brüder, Schwieger=
vater und Schwiegersohn nicht zusammen im Gemeinde=
rat sitzen. Der Gemeinderat tritt nach Vorschrift des
Gesetzes zweimal im Jahre, im Frühling und im Herbst,
zu regelmäßigen Sitzungen zusammen. Er kann vom
Bürgermeister und muß auf Antrag eines Drittels seiner
Mitglieder, sowie auf Anordnung des Präfekten auch zu
außerordentlichen Sitzungen berufen werden, und solche
Sitzungen finden in der Regel in kurzen Zwischenräumen
statt. Dem Präfekten ist von seiner Einberufung zuvor Anzeige
zu machen; er und der Unterpräfekt sind berechtigt, an den
Sitzungen teilzunehmen oder sich durch einen Abgeordneten
vertreten zu lassen. Der Beschlußfassung des Gemeinde=
rats unterliegen: die Feststellung des Gemeindehaushalts,
alle die Gemeinde durch Kosten irgendwie erheblich be=
lastenden Verträge, Veräußerungen oder Verfügungen über
das Gemeindevermögen, die Festsetzung von Gemeinde=
abgaben, der Erlaß von Ortssatzungen, die Aufsicht über
die heimischen Wohlfahrtseinrichtungen. — Vergl. die
Art. Giunta, Bürgermeister.

**Gemeindesteuer.** Die Gemeindesteuern, die insge=
samt 66 Millionen ergeben, zeichnen sich mehr durch ihre
Mannigfaltigkeit, als durch ihre Einträglichkeit aus.
Neben manchen auch in Deutschland bekannten städtischen
Abgaben, wie der Hundesteuer, der Mietssteuer, der
Schlachtsteuer, der Steuer auf öffentliches und Privat=
fuhrwerk, Platz= und Marktgeld usw., treffen wir andere,
die man dortzulande nicht kennt, namentlich die Herdsteuer
(fuocatico) mit einem Ergebnis von 21 Millionen,
die vielfach als besonders drückend empfunden wird,
ferner eine Kopfsteuer für Zug= und Reittiere sowie für
ländliche Haustiere, die sich als eine beträchtliche Er=
schwerung landwirtschaftlicher Verbesserungsversuche heraus=
stellt; endlich eine Steuer auf das Halten von Dienern,
eine Schanksteuer für Speise=, Schank= und Kaffeewirt=
schaften. — Vergl. auch den Art. Dazio comunale.

**Gemüse.** Die legumi (lĕgü'mĭ — Gemüse) werden
im allgemeinen in Italien in ganz anderer Zuberei=
tung aufgetragen, als in Deutschland. Der Kürbis,
die Tomaten, die broccoli sind der italienischen Tafel
durchaus eigentümliche Gemüsesorten, aber auch der

Spargel, der Spinat und die Zichorienblätter, die in Italien in ihrer „angenehmen Bitterkeit" als ein höchst beliebtes Gemüse gelten, sind, in Salzwasser gekocht und mit Öl und Essig zubereitet, dem deutschen Gaumen selten angenehm.

**Genio** (dᴳä'nᵘⁱᵉ) **militare.** Das Ingenieurkorps (genio militare, im Gegensatz zum genio civile, den Beamten der Bauverwaltung) ist in den achtziger Jahren sehr stark vermehrt worden. Während es noch 1882 aus zwei Regimentern bestanden hatte, umfaßt es jetzt deren fünf mit 17 Bataillonen und 66 Kompagnien und begreift alle die Truppengattungen in sich, in die der moderne Ingenieurdienst der Armee sich zu gliedern pflegt: Sappeure für Befestigungs= und Belagerungszwecke, Pontoniere mit den erforderlichen Brückentrains, mehrere Eisenbahn= und ebenso mehrere Telegraphenbataillone, endlich die Spezialabteilungen der Luftschiffer und des Brieftaubendienstes.

**Genossenschaften.** In Italien hat sich das Genossenschaftswesen in der neueren Zeit außerordentlich entwickelt. Den Anstoß zu seiner Entstehung hat schon vor vielen Jahren der berühmte Nationalökonom Luigi Luzzatti gegeben, der, begeistert von Schulze=Delitzsch' Schöpfungen, diese auf den italienischen Boden verpflanzte. Luzzatti gründete zuerst die Kreditgenossenschaften, widmete sich dann mit unermüdlichem Eifer der Gründung von Konsum- und Produktivvereinen und fand sehr bald zahlreiche Anhänger. Oft ist auch das Genossenschaftswesen mit der Politik und sogar mit der Religion verquickt worden (s. den Art. Volksbanken). Das hinderte aber nicht, daß die Genossenschaften in ganz Italien eine große Ausdehnung annahmen und eine hohe Bedeutung sowohl für die wirtschaftliche Hebung der unteren Volkschichten als für die Zusammenfassung ihrer gemeinsamen Kraft erlangten. 1895 gab es in Italien 2567 Genossenschaften. Ihre Zahl beträgt gegenwärtig etwa 4250. Sie sind zu einem Verband (Lega delle cooperative italiane) mit dem Sitze in Mailand vereinigt. — Vergl. die Art. Arbeiterorganisation, Konsumvereine, Produktivvereine, Volksbanken.

**Geologische Beschaffenheit.** Die Gestaltung Italiens wird wesentlich bedingt durch die Alpen im Norden und

durch die bei Genua mit ihnen zusammenhängenden
Apenninen, welche das ganze Land bis zur Südspitze
durchziehen und auch nach Sizilien übersetzen; beide Ge=
birge sind gefaltete Kettengebirge von gleichem Bau und
gleichem Alter. Die Alpen bestehen auf italienischem
Gebiet östlich vom Lago Maggiore in den Vorhöhen
aus tertiären und Kreidebildungen, vorzugsweise Kalken
und Sandsteinen, im höheren Gebirge aus triassischen
und jurassischen Kalken und Dolomiten. Vom Lago
Maggiore reichen kristallinische Gesteine, Gneis, Granit,
Amphibolite, Serpentine, Talkschiefer usw. bis an die
Ebene heran, aus ihnen bestehen auch noch überwiegend
die Ligurischen Alpen. Die Apenninen bauen sich bis zum
Golf von Tarent und Kalabrien vorwiegend auf aus eozänen
Kalk= und Sandsteinschichten von großer Mächtigkeit und
häufig, wie z. B. westlich und östlich von Genua, durch=
brochen von Gabbro= und Serpentinmassen, und aus den
in den römischen und neapolitanischen Apenninen weit
verbreitet auftretenden Kalksteinen der Jura= und Kreide=
formation; ihnen lagern in langer schmaler Zone an
der Ostseite vom Bergland von Montferrat bis zum
Golf von Tarent jüngere Tertiärschichten an und auf;
diese bilden mehr die niederen Gehänge, jene die höheren
Gebirge. Der kalabrische Apennin besteht ganz aus
Granit, Gneis und kristallinischen Schiefern mit nur sehr
geringen Resten von Kreidekalk. Auch in der Nordostecke
Siziliens erscheinen diese kristallinischen Gesteine. Die
weite Po=Ebene zwischen den Alpen und dem nördlichen
Apennin wird ausgefüllt von Alluvionen; an ihrem nörd=
lichen und westlichen Rande, wo sie in das Hügelland
übergeht, spielen die als Endmoränen der Gletscher der
Eiszeit abgelagerten Schuttmassen eine große Rolle, be=
sonders südlich vom Gardasee und von Jvrea. Die Berge
in der Umgegend von Vicenza und die Euganeen bei
Padua sind vulkanischen Ursprungs (Trachyte, Basalte
und Tuffe). Auch auf der Westseite des Apennins sind
vulkanische Gesteine sehr verbreitet; von Toskana bis zum
Golf von Neapel findet sich eine Reihe von Vulkanen,
deren nördlichster der Trachytkegel des Monte Amianta
ist; nach Süden schließen sich an die erloschenen Vulkane
in der Gegend des Volsener Sees und von Viterbo das

in verschiedenen Epochen vulkanischer Tätigkeit entstandene
Albaner Gebirge, dann die Rocca Monfina in Kam=
panien und das vulkanische Gebiet von Neapel mit dem
noch jetzt tätigen Vesuv. Vulkanische Tuffe bilden über=
wiegend die Ebene von Kampanien, die römische Cam=
pagna und die Gegend von Viterbo. Die Solfataren
(bei Neapel), ebenso die Borsäure=Lagoni Toskanas im
Quellgebiet der Cecina und Merse stehen mit den vul=
kanischen Erscheinungen in engster Verbindung. Vulka=
nische Gesteine, und zwar vorwiegend Basalte, bauen auf
Sizilien den noch tätigen Ätna auf. Die Liparischen
Inseln mit dem noch tätigen Stromboli sind trachytischer
Natur. Sardinien besteht überwiegend aus altkristalli=
schem Gestein wie die Schwesterinsel Korsika, aber auch
paläozoische Schiefer, Kreidekalke und vulkanische Gesteine
(diese zumal im Westen) nehmen bedeutenden Anteil am
Aufbau der Insel.

**Gepäck** (bagaglio — bāgā'ljĕ). Der Tarif für die Be=
förderung des Gepäcks auf den italienischen Eisenbahnen ist
niedriger als in Deutschland; dafür aber hat man kein Frei=
gepäck. Bei Aufgabe des Gepäcks braucht man die Fahrkarte
nicht vorzuzeigen, man kann es daher beliebig weit voraus=
senden. Bei kürzerem Aufenthalt in einer Stadt kann
man das Handgepäck im Gepäckraum abgeben (dare
in deposito). Im Eisenbahnwagen darf man zwar
nur Handkoffer bis zum Umfange von $50 \times 25 \times 30$ cm
mitnehmen, diese Vorschrift wird aber kaum eingehalten.
Der Gepäckschein heißt scontrino (skontrī'nŏ); der Gepäck=
träger heißt facchino (fäk-kī'nŏ).

**Gericht(s)schreiber** s. den Art. Gerichtswesen.

**Gerichtsverhandlungen.** Die italienischen Zeitungen
bringen ebenso wie die deutschen, englischen usw. in
breiter Ausführlichkeit die Verhandlungen der zahlreichen
Gerichtshöfe, der Schwurgerichte und die Polizeiberichte.
Es ist die Wahrheit des Lebens selber, die uns hier oft
in tief erschütternder, oft in sehr komischer Gestalt ent=
gegentritt. Die |Veröffentlichung der Gerichtsverhand=
lungen bildet eine der wichtigsten Aufgaben einer mo=
dernen Zeitung. Ist der Prozeß von einiger Bedeutung,
so erscheinen in allen Zeitungen lange stenographische
Berichte wie von den Parlamentsverhandlungen. Die

italienische Presse schont in dieser Hinsicht keinen, und je pikanter die Einzelheiten, je schauerlicher die Mordtat, desto länger sind die Spalten, und desto lauter schreien es die Zeitungsjungen in die Welt hinaus.

Gerichtswesen. Wie für die Verwaltung, so haben auch für die Gerichtsverfassung Italiens durchaus die französischen Einrichtungen zum Vorbild gedient. — Als eine Vorstufe der ordentlichen Gerichte, aber bereits mit eigener Gerichtsbarkeit ausgestattet, ist das Amt der Schiedsrichter (conciliatori — kontschilkirē'ri) anzusehen. Die conciliatori sind keine Berufsbeamten und bedürfen keiner fachjuristischen Vorbildung. Sie werden aus angesehenen Gemeindemitgliedern auf Vorschlag des Oberstaatsanwalts vom Vorsitzenden des Berufungsgerichts kraft königlicher Übertragung auf drei Jahre ernannt und walten ehrenamtlich. In jeder Gemeinde (bei großen in jeder Abteilung) amtet ein conciliatore, dem ein vice-conciliatore zur Seite steht. Er entscheidet ausschließlich über einfache Zivilstreitigkeiten bis zu einem Betrage, der ursprünglich sich auf 30 Lire beschränkte, seit 1893 aber auf 100 Lire erhöht worden ist. Bei Beträgen bis 50 Lire ist seine Entscheidung endgültig; darüber hinaus kann sie durch Berufung an den Amtsrichter angefochten werden. Das Verfahren ist einfach und nicht kostspielig und kommt dem Bedürfnis der Bevölkerung, in deren Mitte der Schiedsrichter lebt, in hohem Maße entgegen. — Die unterste Stufe der eigentlichen Gerichte bilden die Amtsgerichte (preture). Die Großstädte sind in mehrere mandamenti zerlegt, in deren jedem ein pretore urbano amtet. Jedes Amtsgericht besteht aus einem Richter (pretore), dem nach Bedarf ein oder mehrere vicepretore beigegeben sind, sowie aus einem Gerichtsschreiber (cancelliere — käntschel-lä'rä); die Verrichtungen der Staatsanwaltschaft werden durch junge Juristen im Vorbereitungsdienst (uditori), durch Assessoren (aggiunti — äd-Gü'ntf) oder durch Polizeibeamte wahrgenommen. Die Zuständigkeit der Amtsgerichte erstreckt sich auf Zivil- und Strafsachen. Sie umfaßt mit Ausnahme einiger dinglichen und der Steuerprozesse alle bürgerlichen Rechtsstreitigkeiten bis zum Werte von 1500 Lire; ferner die Berufungen gegen die Entscheidungen der Schiedsgerichte,

die freiwillige Gerichtsbarkeit und die Vormundschaften.
In Strafsachen gehören alle Übertretungen, sowie Ver=
gehen mit einer Strafe von höchstens drei Monat Ge=
fängnis, ein Jahr Haft oder 3000 Lire Geldbuße vor das
Amtsgericht. Als Gerichtshöfe der untersten Instanz
walten die Zivil= und Strafgerichte (tribunali civili
e penali), deren Bezirke einen oder mehrere Kreise oder
Distrikte umfassen. Es sind 162 tribunali vorhanden,
von denen die größten in mehrere Kammern (sezioni)
geteilt sind. Jede tribunale besteht mindestens aus einem
Vorsitzenden und zwei Richtern (diese Zahl steigt bei
großen Gerichten nach Bedarf bis zu dreißig und mehr),
einem Gerichtsschreiber und dem Staatsanwalt (procuratore del re). Statt der Richter können Assessoren,
statt des Staatsanwalts Gehülfen (sostituti) amten.
Die tribunali entscheiden in Zivil= und in Strafsachen;
ihre Zuständigkeit umfaßt in erster Instanz alle über die
Zuständigkeit des Amtsrichters hinausgehenden Sachen
mit Ausnahme derjenigen Straffälle, welche den Schwur=
gerichten vorbehalten sind; in zweiter Instanz entscheiden
sie über Berufungen gegen die Entscheidungen des
Amtsgerichts. Seitdem die Handelsgerichte aufgehoben
worden sind, entscheiden die tribunali auch über handels=
rechtliche Streitigkeiten; es ist ihnen freigestellt, in solchen
Fällen zwei Beisitzer aus den Angesehensten des Handels=
standes hinzuzuziehen. Bei jedem tribunale amtet ein
Untersuchungsrichter, dem die Beamten der gerichtlichen
Polizei für seine Zwecke unterstellt sind. Berufungsgerichte
sind zwanzig vorhanden. Jedes Berufungsgericht besteht
aus einem Vorsitzenden, einem oder mehreren Stellver=
tretern, der seiner Größe entsprechenden Zahl von Richtern,
für die als Ergänzungsrichter der Vorsitzende oder ein Stell=
vertreter des am Sitze des Berufungsgerichtes befindlichen
Gerichtes herangezogen werden können. Das öffentliche
Ministerium wird durch den Oberstaatsanwalt (procuratore generale) vertreten. Die Berufungsgerichte ent=
scheiden in Kammern, die mit je fünf Richtern in Zivil=
und vier in Strafsachen besetzt sind, über die Berufungen
gegen die zivil= und strafrechtlichen Entscheidungen der
tribunali, soweit gegen dieselben Rechtsmittel gesetzlich
zulässig sind. Ferner besteht bei jedem Berufungsgerichte

eine aus drei Richtern gebildete Anklagekammer, die über die Versetzung in den Anklagezustand bei Schwurgerichtsfällen zu entscheiden hat. Für die Bildung der Schwurgerichte (corte d'Assise — ko'rtĕ bää-ĕī'sĕ) besteht eine besondere Einteilung, vermöge deren der Bezirk der Berufungsgerichte in mehrere Kreise zerfällt. In jedem derselben wird die Richterschaft des Schwurgerichts aus einem Rat des Berufungsgerichts als Vorsitzendem und zwei Richtern des tribunale alljährlich durch königliche Verordnung im voraus bestimmt. Die Geschworenen werden auf Grund von Listen, die in den Gemeinden entworfen, von den Amtsrichtern geprüft und durch die Gerichtshofvorsitzenden unter Mitwirkung von Vertretern des Provinzialrats festgestellt werden, zu jeder Schwurgerichtsperiode in der Zahl von 30 ordentlichen, 10 stellvertretenden und 10 Ergänzungsgeschworenen einberufen. Aus ihnen wird für jede Sitzung das Schwurgericht (die Jury) in der Zahl von 12 Geschworenen und 2 Ergänzungsgeschworenen durch das Los gebildet. Den Schwurgerichten ist die Entscheidung über Verbrechen, die mit Zuchthaus oder mit Gefängnis von über fünf Jahren bestraft werden, ferner über Verbrechen gegen die Sicherheit des Staates, Vergehen der Geistlichen bei Ausübung ihres Amtes u. a. m. vorbehalten. Die höchste Stufe der Gerichtsorganisation bilden die Kassationshöfe, deren trotz der Einheit des materiellen Rechts und des Gerichtsverfahrens noch immer fünf, in Florenz, Neapel, Palermo, Rom und Turin, vorhanden sind. Seit 1888 aber ist die oberste Entscheidung in Strafsachen ausschließlich dem Kassationshof in Rom übertragen worden.

Gesandtschaften gibt es in Rom so viele als in jeder andern Hauptstadt. Die Großmächte sind durch Botschafter (ambasciatori) vertreten; die andern Staaten, je nach ihrem Rang, durch Gesandte (ministri plenipotenziari), Geschäftsträger (incaricati d'affari) oder wenigstens durch General- oder einfache Konsuln. Eine Botschaft wird als ambasciata bezeichnet, die übrigen Vertretungen insgesamt als legazione, selbst wenn ihnen nur ein Geschäftsträger vorsteht. Bei offiziellen und anderen Festen wird der Botschafter als l' ambasciatore di Germania usw., der Gesandte und Geschäfts-

träger als il ministro del Belgio uſw. angekündigt.
Die Anrede iſt Eccellenza! — Kraft des Garantiegeſetzes,
durch welches dem Papſte die Ehren eines Souveräns zu-
erkannt wurden, unterhalten folgende auswärtigen Staaten
beſondere diplomatiſche Vertreter beim päpſtlichen Stuhle:
Öſterreich=Ungarn, Bayern, Belgien, Bolivia, Braſilien,
Chile, Frankreich, Kolumbien, Monaco, Nicaragua, Peru,
Portugal, Preußen, Rußland, San Domingo und Spanien.

**Geſchworene** ſ. den Art. Gerichtsweſen.

**Geſundbeten** ſ. den Art. Mediziniſcher Aberglaube.

**Geſundheitsamt.** Die Direzione della Sanità
Pubblica iſt ein ſtaatliches Amt, das ſeinen Sitz in
Rom hat. Seine Mitglieder ſind Ärzte, Fachmänner
verſchiedener Zweige für die Beaufſichtigung der Fabriken uſw. und endlich Damen (für weibliche Fabrik=
arbeit uſw.). Die Wirkſamkeit dieſer Direzione erſtreckt
ſich im weſentlichen auf die Überwachung der öffentlichen
Geſundheitsverhältniſſe im allgemeinen, die Beaufſichtigung und Unterſuchung der Hallen und Märkte, der
Kirchhöfe, der Abdeckereien, der Ablageſtätten gefallener
Pferde, ſowie aller Anſtalten, deren Betrieb die Ge=
ſundheit gefährden kann. Sie ſorgt für Hilfeleiſtung
bei Ertrunkenen oder Erſtickten, ſucht Seuchen entgegen=
zuwirken, arbeitet ſtatiſtiſche Geſundheits= und Sterblich=
keitstabellen aus, überwacht die Reinlichkeit öffentlicher
Anſtalten und ſorgt für Aufrechterhaltung der erforderlichen, in ihr Bereich fallenden Vorſichtsmaßregeln.

**Geſundheitspflege.** Durch die Fortſchritte, welche die
ſtaatliche Geſundheitspflege in Italien durch Schaffung
beſſeren und geſünderen Trinkwaſſers, durch beſſere Ab=
flüſſe und die Hebung der Reinlichkeit unverkennbar auf=
zuweiſen hat, iſt eine namhafte Abnahme der Fieber=
gefahr erreicht worden. Noch ſtärker tritt die wohltätige
Wirkung der ſtaatlichen Geſundheitspflege bei den Pocken
zu Tage, die bis vor kurzem zu den verbreitetſten und
gefährlichſten Anſteckungskrankheiten des Landes zählten.
Pockennarbige Geſichter, die in Deutſchland zu den
größten Seltenheiten gehören, ſind in Italien, namentlich
unter der Landbevölkerung, ungemein häufig; ein toska-
niſches Sprichwort ſagt, daß die Mutter den Sohn nicht
eher ihr eigen nennen darf, als bis er die Pocken über=

standen hat. Der Impfzwang ist in Italien erst im
Jahre 1888 allgemein eingeführt worden. Seitdem ist
die Zahl der an den Pocken Gestorbenen in rascher Abnahme begriffen. Sie hatte noch im Jahre 1888 die
hohe Zahl von 18110 erreicht. Schon im nächsten
Jahre sank sie auf 13416, dann sprungweise auf 7017
und auf 2910; in der Statistik für 1897 ist sie mit nur
1003 angeführt. Alle diese Ursachen haben eine nicht
unbeträchtliche Abnahme der Sterblichkeit, oder was dasselbe ist, eine Verlängerung der mittleren Lebensdauer in
Italien zur Folge gehabt. Die Zahl der Todesfälle, die
im Jahre 1887 sich auf 829992, je 28,10 auf 1000 Einwohner, belaufen hatte, war trotz der starken Vermehrung
der Bevölkerung bis 1898 auf 732265 oder 23,19 auf
Tausend gesunken. Insbesondere hat sich die erschreckend
große Kindersterblichkeit nicht unwesentlich verringert.
Nach den Angaben von Bodio in seinen Indici misu-
ratori waren während der Jahre 1862 bis 1866 von
je tausend Kindern jährlich 225 vor Vollendung des
ersten Lebensjahres gestorben. Dieser Durchschnitt ist in
den Jahren 1873 bis 1878 auf 213, von 1878 bis 1882
auf 207,2, von 1883 bis 1887 auf 195,9 gesunken; 1894
betrug er 185,5. Durch die äußere Umgestaltung Roms
ist erreicht worden, daß die Stadt gegenwärtig gesunder,
reinlicher und behaglicher geworden ist als zu irgendeinem Zeitpunkte ihrer Vergangenheit. Dank der Tätigkeit und der Einsicht, mit denen die römische Gemeinde-
behörde die Gesundheitspflege gefördert hat, besitzt Rom
jetzt Gesundheitseinrichtungen, die sich sehen lassen
dürfen. Das Gesundheitsamt bildet einen wichtigen Bestandteil der städtischen Verwaltung. Es erstreckt seine
Fürsorge auf die Einrichtung eines ständigen Gesundheits-
dienstes, in dessen Hilfsstellen bei Unfällen jeder Art,
Verwundungen, plötzlich auftretenden Erkrankungen ärztliche Hilfe geleistet und für geregelte Krankenpflege zu
Hause oder in einem der zahlreichen öffentlichen Krankenhäuser gesorgt wird. Solche Hilfsstationen sind auch an
verschiedenen Stellen außerhalb der Stadt eingerichtet; sie
haben sich als ein trefflicher Beistand für die Versuche
zum Wiederanbau der Campagna mehrfach bewährt, z. B.
in Ostia, wo die auf ausgetrocknetem Sumpfboden er-

richtete Ackerbaukolonie ravennatischer Erdarbeiter die
Unterstützung rühmt, die ihr im Kampfe mit der Malaria
von dem ständigen Gemeindearzt geleistet wird. Im An=
schluß an diesen Gesundheitsdienst ist eine städtische Des=
infektionsanstalt und ein Laboratorium für hygienische
Untersuchungen errichtet worden. Das Gesundheitsamt
sorgt aber nicht minder für die Verhütung von Krankheiten
durch Überwachung einer geregelten Gesundheitspolizei; es
bestimmt auch die Anforderungen, die aus Gründen
der Gesundheitspflege baupolizeilich an die Luft= und
Lichtverhältnisse, an Kanalisation und Wasserversorgung der
Wohnräume gestellt werden; es stellt die gesundheitlichen
Gesichtspunkte fest für die Marktpolizei, für die Be=
schaffenheit, die Beförderung und die Aufbewahrung der
Nahrungsmittel, der Getränke und des Schlachtviehes.
Alle diese Dinge, namentlich die Gesundheitspflege der
Wohnungsanlagen, lassen auch jetzt noch in Rom viel zu
wünschen übrig. Aber durch alles, was für die Gesund=
machung der Stadt bisher geschah, ist doch schon gegen=
wärtig eine namhafte Besserung ihres Gesundheits=
zustandes erreicht worden. Insbesondere ist es gelungen,
die alte Plage der Malaria und der typhösen Fieber,
an der Rom seit den ältesten Zeiten leidet, auf ein
ganz beträchtlich geringeres und minder gefährliches Maß
zurückzudrängen. Die Zahl der an Malaria und an
Typhus in Rom Gestorbenen hat sich seit zwanzig Jahren
auf die Hälfte, oder vielmehr, wenn das gleichzeitige An=
wachsen der Bevölkerung berücksichtigt wird, auf fast ein
Viertel der früheren Fälle vermindert. Gegenden, in
denen zu verweilen vor einem Vierteljahrhundert für
ungesund galt, zählen jetzt zu den bevölkertsten und ge=
sundesten Stadtteilen Roms.                    (Fischer.)

**Getränk** (bibita); geistige Getränke bevande spiri-
tose. Wir geben die gangbarsten Getränke in abclicher
Reihenfolge:

Absinth assenzio; Anisett a'nice; Apfel= oder Obst=
wein (Zider) sidro; Benediktiner(=Likör) Benedettino;
Bier s. den bfd. Art.; Bischof bischof; Bitterer
amaro (s. Fernet); Branntwein acquavite; Glüh=
wein vino caldo; Kaffee s. den Art. Kaffeehaus;
Kirsch(wasser) maraschino; Kognak cognac; Küm=

mel kümmel; Limonade f. den Art. limonata; Mandel-
milch orzata; Milch latte; Pfefferminz(likör) menta;
Pomeranzenlikör (Curaçao) curaçao; Pomeranzen-
wasser aranciata; Punsch punch (pûntsch); Rum rhum
Schnaps il bicchierino, la zozza; Schokolade cioccolata; Selterwasser acqua di Selz (f. den Art. Selz);
Sorbett(o) gelato (f. den Art. Eis); Tee tè; Wein
f. den bsd. Art.; Wermut(wein) f. den Art. vermut.

**Gewässer.** Auch in hydrographischer Hinsicht zeigt
Oberitalien einen wesentlichen Unterschied gegen die
eigentliche Halbinsel und die Insel Sizilien. Nur im
festländischen Italien, und zwar in den Alpen mit ihren
Schnee= und Gletschermassen, ihren Seen und ihrem auch
im Sommer noch reichlichen Regen findet sich die zur
Speisung von Flüssen hinreichende Wassermenge. Auf
der eigentlichen Halbinsel drängen sich die Regenfälle
um die Winterszeit zusammen, und die Schneemassen,
welche die Apenninen von 1500 m an, selbst noch die
Sila und die Madonie Siziliens sechs Monate lang be=
decken, vermögen die Flüsse im heißen Sommer kaum
mehr zu nähren. Nur in den italienischen Niederlanden
finden wir daher das ganze Jahr wasserreiche Flüsse,
sonst ist ihr Wasserstand im Sommer sehr niedrig, je
weiter nach Süden, um so mehr; ja die meisten Flüsse
führen im Süden nur im Winter und oft auch nur
nach heftigem Regen Wasser; sie sind Torrenten
oder Fiumare(n). Auf der Halbinsel selbst sind die
zum Tyrrhenischen Meer gehenden Flüsse die wasser=
reicheren, aber nur der Tiber und in geringerem Maße
der Arno und Garigliano sind schiffbar. Selbst die
größten der ins Adriatische und Jonische Meer mündenden Flüsse sind nur Küstenflüsse. Dagegen ist der Po
trotz seiner geringen Lauflänge einer der wasserreichsten
Flüsse Europas und in hohem Grade schiffbar, welche
Eigenschaft nur durch die Flachheit seiner zahlreichen
Mündungsarme beeinträchtigt wird. Auch die Etsch,
obwohl weit reißender, ist im Unterlauf schiffbar, ebenso
Ticino, Adda, Mincio, Oglio und einige andere Neben=
flüsse des Po, während die von den Apenninen kommenden, außer dem Tanaro, sowie die Alpenflüsse des Ve=
netianischen (Brenta, Piave, Tagliamento) die Natur der

südländischen Torrenten haben. Es beruht dies wesentlich darauf, daß ihnen so herrliche Sammelbecken wie Lago Maggiore, Comer=, Iseo= und Gardasee fehlen. Die Seen der Halbinsel sind entweder flache Wasserbedeckungen von Mulden im Gebirge, wie der Trasimenische (der gegenwärtig ebenso wie die benachbarten kleineren Seen von Chiusi und Montepulciano entwässert und in Kulturland verwandelt wird), oder Kraterseen, wie der von Bracciano, der Albaner= und Nemisee, oder aber Strandlagunen, wie die von Salpi und Comacchio.

**Gewerkvereine** s. den Art. Arbeiterorganisation.

**Ginnasio** s. den Art. Gymnasialunterricht.

**Giunta** (Magistrat). Die Giunta (bGü'utä), welche je nach der für die Mitgliederzahl des Gemeinderats maßgebenden Einwohnerzahl aus vier bis zehn Beisitzern oder Stadträten (assessori) und zwei bis vier Stellvertretern besteht, wird vom Gemeinderat aus seinen Mitgliedern erwählt und erneuert sich alljährlich um die Hälfte. Die Giunta steht dem Oberhaupte der Gemeinde in der Erledigung der laufenden Verwaltungsgeschäfte zur Seite. Es ist üblich, daß ihren einzelnen Mitgliedern vom Bürgermeister gewisse Teile der städtischen Verwaltung, die Aufsicht über die Polizei oder die Gesundheitspflege, das Bauwesen, der Unterricht, die Armenpflege u. dgl. als dauernde Geschäftskreise übertragen werden, und es ist nicht selten, daß die italienischen Stadträte sich diesen Aufgaben mit großem Eifer und — wenn sie länger im Amte bleiben — mit großer Sachkunde widmen.

**Gianduia** (bGändū'iä), Name der Turiner Maske. Gianduia nennt man auch seine Turiner Schokoladenplätzchen.

**Glasfabriken.** In den Fabriken Muranos (2 km nordöstlich von Venedig) sind seit Jahrhunderten jene großartigen Spiegel= und anderen Glasarbeiten gefertigt worden, welche den Ruf der venezianischen Gläser und Spiegel in die weite Welt verbreitet haben und die Berechtigung dieses Rufes noch heutzutage in manchen Palästen und mancher Sammlung Venedigs nachweisen. Auch noch in unserer Zeit werden hier ähnliche Prachtarbeiten gefertigt, aber Murano hat sich in diesem Zweige der Glasfabrikation doch von anderen Orten überflügeln lassen. Dagegen liefert es immer noch fast einzig die bunten venezianischen

Glasgefäße: Tassen, Teller, Trinkgläser, Dosen, Kästchen, gewundene mehrfarbige Glasstangen und Glasperlen der verschiedensten Sorten. Von hohem Reiz ist es, der Herstellung dieser Gegenstände zuzusehen, weil dabei fast nichts von Maschinen gearbeitet wird, sondern die Geschicklichkeit der Menschenhand, das Einblasen und das Schwingen alle Einzelheiten hervorbringt. So werden an den unteren Enden zweier Eisenstangen mäßige Klumpen Glas zu einer zähen, fast breiartig weichen Masse erhitzt, diese Glasmassen durch Aneinanderhalten fest mitaneinander verbunden und darauf die Eisenstangen von zwei Burschen nach entgegengesetzter Richtung fortgezogen. Hierbei wird der Glasklumpen dicht über den Fußboden gehalten, und in wenigen Minuten ist ein überall gleich starker Glasdraht hergestellt, welcher im Verhältnis zum schnelleren oder langsameren Laufe der ziehenden Burschen dünner oder dicker wird. Von diesen Drähten werden die Perlen abgeschnitten; der Schneidende hat ein beilartiges Werkzeug in seiner Rechten und stößt mit demselben gleichmäßig auf die Glasdrahtstücke, welche von der Linken vorgeschoben werden wie Stroh beim Häckselschneiden. Dabei werden die einzelnen Abschnitte auffallend gleich an Größe und können entweder sofort zu Schmelz verbraucht oder nach Abschleifen der scharfen Kanten in einer kaffeebrennerartigen, drehbaren Maschine als Perlen in den Handel gegeben werden. Das Blasen von Flaschen, Gläsern und ähnlichen einfachen Gegenständen ist dem Besucher nicht neu, dagegen überrascht ungemein die einfache Weise, wie die scheinbar so künstlich zusammengesetzten bunten Gegenstände hergestellt werden. Von Glasdrähten, die in der angegebenen Weise gefertigt sind, nimmt man kleine Stücke, weiße, blaue, rote, je nach der für die Stange beabsichtigten Farbenmischung. Auf einem Tiegel erhitzt, werden die Stückchen fest aneinander geschoben, oben und unten mit einer Zange zusammengefaßt und die Enden so lange in entgegengesetzter Richtung gedreht, bis sich ein Stab gebildet hat, um welchen die Farben der einzelnen Drahtstücke in gleichmäßig wiederkehrenden Zwischenräumen herumlaufen. Dieser Stab wird nun in Scheiben zerteilt, die einzelnen Stücke nebeneinander gelegt und durch Erhitzen zu einer Fläche umgebildet. Nun beginnt das Drehen,

Schwingen, Erhitzen, Wiederabkühlen, das Ausweiten und Beschneiden dieser Glasplatten, und ehe man es sich versieht, ist eine bunte Tasse mit allen möglichen Wölbungen und zierlichen Linien fertig. Es fehlt noch das umlaufende rote Streifchen am Oberrande. Aber schon steht ein anderer Arbeiter da mit seiner Eisenstange und dem erhitzten Klumpen roten Glases daran; er fährt hurtig einmal um den Tassenkopf, und das schmucke, gleichförmig rote Rändchen ist ganz zierlich herumgelegt. (Schneider.)

**Gnade.** Der in Österreich so übliche Titel „Ew. Gnaden" wird italienisch nur durch Lei oder Ella wiedergegeben. Ebensowenig übersetzt man „gnädig" in der Anrede. Gnädiger Herr, gnädige Frau, gnädiges Fräulein nur: signore, signora, signorina.

**Gondel** (go'ndola). Glücklich wer in Italien eine eigene Gondel besitzt oder sich eine solche zu alleiniger Verfügung gemietet hat! Diese Schiffchen werden hier seit mehreren Jahrhunderten in ganz derselben Weise gebaut. Der Schnabel ist lang, schmal und in seinem frei über dem Wasser stehenden vorderen Ende scharf und mit einem Eisen beschlagen, welches höher hinauflaufend an der vordersten Spitze des Schiffes in einem hellebardenartig geformten großen Eisenstück endet. Der Schiffsschnabel ist mit saubergeschnitzten Planken bedeckt. Zwischen ihnen und dem Schiffsboden ist ein kleines Schränkchen für die Garderobe des Schiffers und die Bedürfnisse der Herrschaft eingerichtet. Von dem kleinen Verdeck führen zwei Stufen in den Mittelraum der Gondel, welcher etwa 4 Fuß breit und 9 Fuß lang ist und durch Bretter und darüber gebreitete Teppiche einen flachen warmen Fußboden erhalten hat. In diesem Raume befindet sich der mit Lederkissen belegte und mit Rückenkissen versehene Sitzplatz für zwei Personen, welcher in der Breite der Gondel steht und dieselbe ganz ausfüllt; vor ihm in einiger Entfernung sind rechts und links kleinere, gleichfalls ledergepolsterte Bänkchen angebracht. Über diesen Plätzen und ihrem Zwischenraum erhebt sich aus Holz, überzogen von schwarzem Tuche, das Kämmerchen — il felze —, hinten und vorn senkrecht, an den Seiten unter einem Winkel von vielleicht 70° und oben flach gewölbt. In den Seitenwänden befinden sich je zwei große Scheiben, welche

Land und Leute in Italien.      14

nach vorne und hinten untergeschoben werden können, um große freie Öffnungen zu schaffen. Für schlechtes Wetter oder Heimlichkeit ist ein besonderer Schutz außerhalb des Fensters durch verschiebbare Jalousien gegeben. In der Vorderseite des Kämmerchens ist die verschließbare Tür, deren obere Hälfte gleichfalls mit einer großen Scheibe und einer Jalousie versehen ist. Hinter dem Häuschen erhebt sich das bretterbedeckte Heck (Hinterschiff), auf welchem rechts der Gondelführer steht, der mit seinem lose in einem eigentümlich geformten, halbrund ausgehöhlten Holzknaufe — der sogegenannten forchetta — ruhenden Ruder das Schiff fortbewegt.

Wenn man zum ersten Male diese überbauten Gondeln, an denen alles, was sie an Holz, Bekleidungs= tuch und Leder zeigen, tief schwarz ist, in größerer Anzahl in einem engen Kanal sich aneinander vorbei= drängen sieht, glaubt man, Zeichnungen aus altvenezia= nischer Zeit sich im Traume beleben zu sehen. Später erscheint uns dies alles so gewöhnlich, als wenn es überall so sein müßte, und man findet kaum mehr etwas Auf= fallendes an diesem sonderbaren Fahrzeug. So leicht gewöhnt sich der Mensch an das Außergewöhnliche. Die Gondel selbst ist die verschwiegene Bewohnerin der Kanäle und der Lagunen; jede hat ihre eigene Geschichte; die Gondel ist der Staatswagen und die Droschke Venedigs. Die schwimmende Meerstadt besitzt weder einen Wagen, noch ein Pferd; Rädergerassel und Peitschenknall sind in Venedig unbekannte Töne, an deren Stelle das Rauschen der Wogen und der regelmäßige leise oder laute Ruder= schlag tritt. Die Gondel trägt das Kind zur Taufe, den Arzt zum Kranken, den Toten zur Ruhestätte, den Offizier zu seinem Wachtposten, den Briefträger mit seinen Briefen, kurz alle Stände, den Reichen wie den Armen und Bettler. (Schneider.)

**gorgonzola** (gorgondßö'lä) f. den Art. Käse.

**Gouvernanten.** Die Erzieherin wird einfach als ‹governante› bezeichnet; ist sie jedoch eine geprüfte Lehrerin (diplomata), oder vermag sie zugleich in Musik und fremden Sprachen zu unterrichten, so wird sie als ‹istitutrice› behandelt. Deutsche Erzieherinnen und Lehrerinnen werden allgemein in den Familien nur

„Fräulein" mit deutscher Aussprache genannt, die Eng-
länderinnen einfach «Miss». Die Zahl der Familien,
welche Erzieherinnen halten, ist außerordentlich groß. In
den letzten Jahren ist die deutsche Sprache in Mode
gebracht, und deshalb finden zahlreiche junge Damen
aus Deutschland in ganz Italien ein entsprechendes Unter-
kommen. In den höheren italienischen Ständen gibt es
jetzt viele Tausend junge Männer und Damen, welche
die deutsche Sprache verstehen und oft mit großer Fertigkeit handhaben. In jeder größeren Gesellschaft findet
man daher Gelegenheit, Deutsch zu sprechen. Fast alle
jüngeren Gelehrten und Schriftsteller verstehen die deutsche
Sprache. Leider strömen aber so viele Erzieherinnen aus
Deutschland, Österreich, der Schweiz, Luxemburg und
Elsaß-Lothringen nach Italien, daß nur ein kleiner Teil
Stellung finden kann und gar viele nach monate- und
selbst jahrelangem Warten unverrichteterdinge heimkehren
müssen. Dabei locken gewissenlose Agenten durch Anzeigen in
deutschen Blättern noch fortwährend zahlreiche Lehrerinnen
nach Italien, bloß um ihnen Gebühren abzunehmen,
trotzdem sie ihnen keine Stellen verschaffen. Es ist daher
dringend vor solchen Agenten und ihren Ankündigungen
zu warnen. Erzieherinnen, welche nach Italien wollen,
müssen daher alle Vorsicht gebrauchen. Nur wenn sie
sich dort auf eine befreundete Familie stützen können oder
eine Kollegin ihnen eine Stelle besorgt, mögen sie die
Reise wagen.

**Granatbaum** (melagrano — mĕlāgrā'nŏ). Der in
Italien viel angebaute Granatbaum kann sich an Bedeutung mit Feigen und Apfelsinen nicht messen.
Allerdings liefert der Baum außer seinen Früchten
noch Schätze anderer Art. Er wird nicht groß, bleibt
vielmehr ein kleines Bäumchen oder ein Strauch von
3 bis 5 Meter Höhe. Seine glänzenden lanzett-
förmigen Blätter fallen im Winter ab. Das Schönste am
Granatbaum sind seine glühendroten Blüten, um derent-
willen ja die Pflanze auch in Deutschland in Töpfen gezogen
wird. Die Früchte sind rot gefärbt, sie haben die Größe
eines Apfels. Diese sogenannten Granatäpfel werden in
Italien häufig gegessen. Der Baum wird aber außerdem
auch seiner schönen Blüten wegen angepflanzt, die ebenso

14*

wie die Früchte bei Festlichkeiten, namentlich Hochzeiten, Verwendung finden und hier als Sinnbild der Liebe und Fruchtbarkeit gelten. Die Rinde der Zweige und Wurzeln wird in der Medizin als Bandwurmmittel gebraucht. Der Granatbaum findet sich, ähnlich wie Feige und Olive, in Südeuropa häufig verwildert, er ist aber ursprünglich hier nicht zu Hause; seine Heimat scheint vielmehr Nordafrika zu sein.

**Granatieri** (gränätiä'ri), s. den Art. Infanterie.

**Granita** s. den Art. Gefrorenes.

**Grignolino** (grinjöll'nö). Süßlicher piemontesischer Rotwein.

**Groviera** (gröwiä'rä) s. den Art. Käse.

**Gründonnerstag in Neapel.** Der Gründonnerstag ist ein höherer katholischer Feiertag als der Karfreitag. Der Leib Christi wird als unter der Erde liegend angenommenen. Früher durften darum keine Wagen in der Stadt fahren. Jetzt erstreckt sich das Verbot nur auf die lange Via Roma già Toledo. Hier ist am Gründonnerstag der «Struscio» (strŭ'schö), die Fußgänger=Passeggiata. Ganz Neapel ist da. Die Füßchen der Marchesinnen, Principeßchen und Duchessen, die das ganze Jahr über dies Pflaster kaum betreten und auf der Passeggiata nur an der Villa und allein in ihren Karossen zu sehen sind, wandeln heute, in dunkler, elegantester Toilette am Arm ihrer Herren und Gebieter, umschwärmt von Kavalieren und Verehrern, zu Fuß die lange Straße auf und nieder. Es ist ein ganz befremdlicher Anblick, eine sonderbares Schauspiel — Neapel ohne Wagen, ohne Lärm und Gerassel — nur ein unaufhörliches Gezischel, leise rauschendes Gemurmel von Stimmen und Stimmchen und gedämpftes Geschlürfe von abertausend Füßen und Füßchen, ein eigentümliches Rauschen der den Boden berührenden Seidenroben erfüllt die Luft und dringt wie leises Gebrause ans Ohr.

**Gruß** (saluto). Das italienische Grußverfahren ist ziemlich einfach. Mit buon giorno! guten Morgen!, guten Tag!, buona sera! guten Abend!, buona notte! gute Nacht! ist ziemlich allen Fällen Rechnung getragen. Beim Weggehen sagt man oft addio (s. den Art. Adieu). Sehr gebräuchlich ist auch der Gruß cia'o (tschä'ö), ein

piemontesisches Wort, das von schiavo (servus!) her-
kommt und anstatt addio Personen zugerufen wird, mit
denen man sich duzt.
**Guardia medica** (gꭇꭣä'rd¹ä mä'd¹tä) s. den Art.
Sanitätswache.
**Guardia nobile, guardia palatina, guar-
dia svizzera** s. den Art. Hofstaat des Papstes.
**Gymnasialunterricht.** Der Gymnasialunterricht teilt
sich in zwei streng voneinander geschiedene Gruppen,
von denen die eine, die Gymnasien und Lyzeen, dem
klassischen, die andere, die technischen Schulen und technischen Institute, dem Realunterricht zu dienen bestimmt
sind. Der klassische Unterricht umfaßt als untere Stufe
das Gymnasium (ginnasio — dꬶ¹n-nä'sⁱ꬙) mit fünf, als
Oberstufe das Lyzeum (liceo — lꭎtschä'꬙) mit drei Jahres-
kursen. Der Realunterricht ist ebenfalls in eine untere
Stufe, die scuola tecnica (kꭎꭘö'lä tä'tꭢtä) mit drei und
in eine obere, das istituto tecnico, mit vier Jahresklassen,
geteilt. Das ginnasio-liceo entspricht dem deutschen
Gymnasium. Die scuola tecnica entspricht der deutschen
Realschule; sie unterscheidet sich jedoch von dieser darin,
daß sie das Latein grundsätzlich völlig ausschließt und
dadurch den Übertritt aus den Realschulen in die klassischen Institute unmöglich macht. Das Abiturientenexamen
heißt licenza liceale oder licenza dall' istituto tecnico.

**Haarbürste** (spa'zzola pei capelli). Die in Norddeutschland so übliche Sitte junger Herren aus guter
Gesellschaft, beim Eintritt in ein öffentliches Lokal, sogar
in das Speisezimmer einer Restauration, eine Haarbürste,
bisweilen deren zwei, aus der Tasche zu holen und in
Gegenwart aller ihre durch die Kopfbedeckung vielleicht
etwas gedrückte Frisur wieder in den gehörigen Schick zu
bringen, würde in Italien selbst in der gewöhnlichsten
Kneipe als höchst anstößig angesehen werden.
**Hagel** (la grandine — grä'ndꭳn꬙). Hagelfall wiederholt
sich jährlich in Italien mit fast gleicher Häufigkeit. Zeitweise
hagelt es mit großer Heftigkeit, und während einiger Monate
bleibt der Hagel vollständig aus. Auch sind einige Ortschaften

ganz besonders heimgesucht, andere verschont. Im
Frühjahr sind Gewitter mit Hagelbegleitung häufiger
als im Sommer und Herbst; am seltensten kommen sie
in Mittelitalien vor. Palermo, Cosenza, Sassari, Lecce,
Rom, Siena, Livorno, Florenz, Genua, Mailand, Brescia,
Udine und Belluno haben am wenigsten unter dem
Hagel zu leiden.

**Handel zwischen Deutschland und Italien.** Wie sehr
sich auch handelspolitisch die Beziehungen zwischen Italien
und Deutschland verstärkt und befestigt haben, geht daraus
hervor, daß die Einfuhr aus Deutschland, die 1871 nur
13 Millionen betrug und damals nicht nur hinter Frank=
reich und England, sondern auch hinter Österreich=Ungarn,
der Schweiz, den Vereinigten Staaten, ja hinter den
Niederlanden, Rußland und der Türkei weit zurückblieb,
jetzt mit dem zwölffachen Betrage, nämlich 157 Millionen
an dritter Stelle steht. Noch mehr tritt dieselbe Er=
scheinung in der italienischen Ausfuhr nach Deutschland
zutage, die 1871 sich auf 8 Millionen beschränkte und
jetzt mit 192 Millionen den vierundzwanzigfachen Betrag
und die erste Stelle erreicht. Unter den Einfuhrartikeln
werden Steinkohlen, Erdöl, Baumwollen und Kolonial=
waren wohl stets hervorragen. Neben ihnen kommen
vornehmlich Weizen, Zucker, getrocknete Fische, Maschinen,
Eisenwaren und Gewebe aller Art in Betracht. Doch hat
sich die Einfuhr von Seidengeweben, wollenen, leinenen,
besonders aber baumwollenen Stoffen beträchtlich ver=
ringert. Unter den Ausfuhrwaren werden natürlich die
der Landwirtschaft: Wein, Öl, Baumfrüchte, Rohseide,
Hanf, Eier und Geflügel immer den Vorrang behaupten·
Außer Marmor und Schwefel führt Italien ferner Salz,
Korallen, Konfekt und von Gewerbeerzeugnissen Stroh=
hüte, Holzarbeiten, Handschuhe und auch Lederwaren,
neuerdings auch Seiden=, Leinen= und Baumwollen=
stoffe aus.

**Handeln** (Feilschen). In Italien, dem Lande der Sehn=
sucht, ist noch vielfach beim Einkaufen die alte und veraltete
Form des Handelns im Schwange. Allerdings nicht allge=
mein; denn im Norden des Reiches und selbst in Rom gibt
es massenhaft Geschäfte, welche nicht nur ‹prezzo fisso›
über dem Ladentisch stehen haben, sondern auch unter

diesen festen Preisen nicht verkaufen. Da kann der Fremde, namentlich der Deutsche, für den es durch Bücher und Mitteilungen der Freunde zum Glaubenssatz geworden ist, daß man in Italien die Hälfte bieten müsse, um nicht benachteiligt zu werden, in eine fatale Lage kommen. Er stößt ganz unerwartet auf Widerstand und fühlt sich wegen seines Untergebotes beschämt. „Das gilt bei uns nicht mehr, mein Herr!" hört man da oft, oder: „Sie glauben wohl, sie seien in Neapel?" Neapel ist nämlich noch die Hochburg der Schacherei, aber auch dort gibt es zahlreiche Geschäfte mit festen Preisen.

(Justinus, „Italienischer Salat".)

**Handelshochschulen** s. den Art. Universitäten.

**Handelskammern** (camera di commerce — (kä'märä di kom-mä'rtsche). Um die Handelsinteressen im Auslande wahrzunehmen, haben die Italiener seit 1883 eine Anzahl von Handelskammern an hervorragenden Plätzen des Auslandes eingerichtet. Solche Handelskammern bestehen in Paris und London, in Konstantinopel, Alexandria und Tunis, ferner in Neuyork, San Francisco, Buenos Aires, Montevideo und Rosario de Santa Fé. Zu gleichem Zwecke sind mit Staatsbeihilfe Handelsagenturen in Amsterdam, Beirut, Belgrad, Bengasi, Brüssel, Las Palmas, Liverpool und Nantes eingerichtet. Endlich bestehen, um den Absatz italienischer Weine zu befördern, weintechnische Stationen (stazioni enotecniche) in Berlin, Budapest, Zürich, Buenos Aires und Neuyork. Auch durch Unterhaltung eines zahlreichen, über alle Teile der Welt verbreiteten Konsularpersonals sucht der Staat die italienischen Handelsbeziehungen zum Auslande zu fördern.

**Handschriften** s. den Art. Ausfuhr von Kunstgegenständen.

**Hanfbau in Italien.** Italiens Jahresertrag an Hanffaserstoff wird von der amtlichen Statistik auf etwa 725 000 Meterzentner geschätzt. Der größere Teil — 450 000 Meterzentner — wird in den Provinzen Bologna und Ferrara geerntet, in zweiter Linie stehen die Provinzen Caserta und Neapel mit etwa 250 000 Meterzentner. Am oberitalienischen Hanf, dessen Staude eine Höhe bis zu 4 Meter erreicht, wird die Länge der

Faser, ihre Zähigkeit und Haltbarkeit gerühmt. Der Hanf Süditaliens kommt in zwei Hauptarten vor: die «gigante», die zur Herstellung des Faserstoffes dient, und die «nana» oder «ortichina», die wesentlich zur Gewinnung von Hanfsamen für die Bereitung von Hanföl angebaut wird. Ihre Unterscheidung soll um so schwerer fallen, als sie auch im Gewicht kein nennenwertes, ver= läßliches Unterscheidungsmerkmal bieten. Die gesamte Anbaufläche, die in Italien dem Hanfbau gewidmet ist, wird amtlich auf etwa 107000 Hektar geschätzt, der Ertrag eines Hektars an Faserstoff würde sich danach auf rund 7 Meterzentner Faserstoff belaufen. Nach anderer, auf der Ausfuhr= und nicht auf der Erntestatistik aufgebauter Schätzung wäre indes mit einem viel größeren, bis auf fast 1 Million Meterzentner zu veranschlagenden Ernte= ergebnis zu rechnen, und dies würde dann auch zu einem höheren Ertrage, zu fast 10 Meterzentner pro Hektar, führen. Im Laufe der letzten Jahre, offenbar infolge einerseits des wachsenden Wettbewerbes der ostindischen Jute, des Manilahanfes und der chinesischen Ramiehfaser, andererseits des Rückganges der Segelschiffahrt, sind die Hanfpreise Italiens im großen und ganzen andauernd gefallen, und die Hanferzeuger Italiens klagen deshalb, daß dieser Betrieb im Hinblick auf seinen Aufwand an Arbeit und Kapital nicht mehr lohnend ist. Die Hanf= anbaufläche soll denn auch im Jahre 1893 eine Ver= ringerung erfahren haben. Die gesamte Hanfausfuhr Italiens entspricht, je nach dem Ernteertrage, einem Werte von 35 bis 45 Millionen Lire.

**Hanfspinnerei** f. den Art. Leinenspinnerei.

**Hausierhandel.** Nirgends in der Welt blüht der Hausierhandel so sehr wie in Italien, und wenn man hundertmal gewarnt ist und sich fest vorgenommen hat, nur in angesehenen Geschäften zu kaufen, man wird sich gegenüber diesem unaufhörlichen dringlichen Angebot durch die kleinen Hausierer untreu. Kaum hat man in einem Kaffeehause Platz genommen, so nähert sich auch bereits ein solcher Jünger Merkurs. Er grüßt freundlich und stellt sich bescheiden an einen Nebentisch, wo er unter seinen Schätzen zu kramen beginnt, als ob er dieselben für sich in Ordnung bringen wollte. Während man nach einer andern Richtung sieht, hat er plötzlich seinen Standort verändert. Er läßt von neuem seine Juwelen blitzen, prüft seine Messer, funkelt mit seinen falschen Brillanten und hält einem, wenn man nur einen Augenblick zu ihm hinüberschielt, einen Brieffalter aus durchsichtigem hellem Schildpatt, eine Zigarrenspitze in reizender Form herüber. Man erklärt ihm, daß man weder Briefe schreibt, noch Zigarren raucht. Vergebens! Im nächsten Augenblick überreicht er einem ein Paar Ohrringe aus seinen Korallenblümchen per la Signora, und wenn diese ihm erklärt, daß sie keine Ohrringe trage, so hält der niemals in Verlegenheit zu bringende Verkäufer ein Armband aus verschiedenartig gefärbter Lava hin, in dem jedes Glied ein fein geschnitzter Kopf nach antiken Vorbildern ist. Man fragt nach dem Preise, er nennt ihn, man legt den Gegenstand zurück, er verlangt weniger, man weist ab, er geht, er kommt wieder, und so geht das Spiel fort, bis man Armband und Ohrringe und Zigarrenspitze in stiller Verwunderung über sich selbst in die Tasche steckt. (Justinus.)

**Hausindustrie.** Bezeichnend für die Stufe der industriellen Entwickelung Italiens ist zunächst die weite Verbreitung, welche die Hausindustrie noch jetzt einnimmt. Seide, Wolle, Baumwolle, Leinen und Hanf werden fast in ganz Italien im Hause gesponnen; noch heute begegnet man, besonders im Süden, den Spinnerinnen vielfach im Freien, wo sie die Spindel nach antikem Brauch beim Gehen neben sich herhüpfen lassen. Hauswebstühle für Seide, Wolle und Baumwolle, in geringerem Maße auch für Leinen, sind noch jetzt in vielen Provinzen, sowohl in den Städten als auf dem Lande, in Gebrauch. In vielen Gegenden kleiden sich die Landbewohner noch heute wie zur Römerzeit in Wollenstoffe, die von der Hausfrau aus eigenem Gespinst gewebt worden sind. Es ist bezeichnend, daß die Zahl der Hauswebstühle in den sonst am wenigsten industriellen Provinzen weitaus am stärksten ist. Von 18484 Hauswebstühlen für Wolle entfielen nach der Statistik über die Wollenindustrie von 1895 nicht weniger als 4388 auf die sardinische Provinz Cagliari; ihr kommen die Abruzzen und Kalabrien am nächsten. In anderen Provinzen, wie in Florenz, Umbrien und Novara, wird die Hausweberei von Wollenstoffen in Anschluß an Fabriken und für Rechnung von größeren Unternehmern betrieben. In noch stärkerem Maße arbeitet die Hausweberei von Seide und Baumwolle über den Hausbedarf hinaus für gewerbliche Zwecke. Namentlich wird die Handweberei von Baumwolle in beträchtlichem Umfange in Oberitalien betrieben.

**Heeresstärke.** Die Stärke des italienischen Heeres wird im ‹Annuario Statistico› von 1898 wie folgt angegeben: 1. Stehendes Heer: 784424 Mann, davon unter den Waffen 14414 Offiziere und 216723 Mann; Reserve 6294 Offiziere und 546771 Mann. 2. Mobil-miliz: 482871 Mann, darunter 4523 Offiziere. 3. Territorialmiliz: 2089420 Mann, darunter 5491 Offiziere. Dies ergibt insgesamt eine Sollstärke von 3364605 Mann, einschließlich der Offiziere. Allein die wirkliche Stärke bleibt hinter dieser Riesenziffer ganz erheblich zurück.

**Heidelbeeren** s. den Art. Beeren.

**Heimarbeit** s. Hausindustrie.

**Heirat** (matrimonio). Daß in Italien die Ehen in den höheren Klassen der Gesellschaft oft von Eltern und Vormündern abgemachte Vertragsehen sind, ist zu bekannt, um besondere Erwähnung zu verdienen. Befremdlicher dagegen ist es, daß sogar in Bürger- und Arbeiterkreisen bei der Wahl der künftigen Lebensgefährtin oft der Vorteil entscheidet. Die Heirat ist dann kaum etwas anderes, als eine Art von Kaufvertrag, und man scheint dabei von der Ansicht auszugehen, daß, wie der Appetit beim Essen, die Liebe sich in der Ehe einfinden werde. Wünscht der unternehmende Ladengehilfe die errungenen Kenntnisse für eigene Rechnung zu verwerten, so sieht er sich vor allem nach einer Frau um, deren Mitgift es ihm ermöglicht, ein Geschäft aufzumachen. Soll der junge Bauer das von seinem Vater ererbte Gütchen antreten, so hält er zuerst vorsichtig Umschau unter den Dorfschönen, welche von diesen ihm das beste Stück Ackerland zubringen, und bei annähernder Gleichheit der Aussichten ist dann zehn gegen eins zu wetten, daß er diejenige wählt, deren Acker den seinigen am nächsten liegen. Der junge, noch unbekannte und ungenannte Advokat wirbt um ein reizloses Mädchen, in der Voraus-

setzung, daß deren einflußreicher Vater das Seinige tun
wird, um den ehrgeizigen Schwiegersohn zu einer in der
Politik geltenden Persönlichkeit zu machen, während der
strebsame Architekt, dessen Dienste noch nirgends gefordert
worden, eine Dame freit, deren Vetter die Vergebung
städtischer Bauten in der Hand hält, und der Mann von
Welt erst dann daran denkt, eine Ehe einzugehen, wenn
seine Verluste beim Turf zu einer solchen Höhe ange=
wachsen sind, daß eine Begegnung mit den Gläubigern
anfängt, unbequem zu werden. Die Heirat gilt eben als
ein Tauschhandel, bei welchem jeder der Beteiligten mög=
lichst auf seinen Vorteil bedacht ist. In der Amtsstube des
Notars werden die gegenseitigen Forderungen und Zu=
geständnisse von den Bevollmächtigten erwogen, verglichen
und festgesetzt, und wenn der glückliche Bräutigam nachher
seinen Freunden von seinen frohen Hoffnungen spricht,
zählt er jedenfalls zuerst die greifbaren Vorteile auf, die
ihm aus der geplanten Heirat erwachsen, wogegen die
Braut im Kreise ihrer Jugendgespielinnen frohlockend
mitteilt, wie hoch sich in Zukunft ihre Putzrechnung be=
laufen darf, in anbetracht des reichen Nadelgeldes, das
ihr von dem künftigen Gatten ausgesetzt worden ist.

Hexen (strega — ßtre'gä). Im Volksglauben sind die
Hexen besonders in Süditalien so massenhaft und allüberall
zu finden, daß man sich vor ihnen kaum zu schützen vermag.
Sie gleichen den deutschen Blocksbergdamen auf ein Haar,
reiten wie diese auf Besenstielen, auf den Flügeln des Nacht=
windes, auf Böcken und Schweinen, können sich groß und
klein machen, ja so klein, daß sie durch die Schlüssel=
löcher zu kriechen vermögen. Sie stehlen die Küchen=
kräuter im Garten, verschlingen sie gierig, müssen sie aber
unverdaut wieder ausspeien. Ihre Macht ist groß, sie
haben Gewalt über die Toten, ziehen den Mond an, ent=
fesseln Sturm und Gewitter und machen sich selbst die
Teufel dienstbar. Das ist die geborene Hexe. Im April
nämlich wird die Hexenmutter befruchtet; zu Weihnachten,
in der Nacht vom 24. auf den 25. Dezember, wird die
junge Hexe geboren und sie bleibt Hexe. Nur gegen die
Hexenmännchen gibt es Hilfe: man schneidet eine Rebe
aus, brennt sie an einem Ende an, und wenn sie
glüht, macht man mit ihr auf dem rechten Arm des

Stregone ein Kreuz. Durch nähere Kennzeichen ver=
raten sich die Hexen meist nicht, wer aber die seines
Dorfes kennen lernen will, stellt sich in der Christnacht mit
einer Sichel und einem Bündel Ähren in den Händen an
die Tür der Kirche, was innerhalb derselben „Hexe" ist,
kann am Ende der Messe nicht heraus. Man möchte sie
wohl noch verbrennen, und das Volk mißhandelt sie noch
heute auf arge Weise. Was wirken sie aber auch: sie ver=
breiten Krankheiten, wandeln Liebe in Haß um, erzeugen
Unfruchtbarkeit in der Ehe, Unfrieden in der Familie und
können — verhexen.                                    (Raben.)

**Hier.** Auf Briefadressen: Città, z. B. Herrn N., hier
oder hierselbst Signor N., Città. — Als Antwort des
Dieners auf den Ruf seines Herrn nur: signore!; bei
Leuten der niederen Stände hört man in demselben Falle
die Antwort eccomi, beim militärischen Appell: pre-
sente!

**Hilfsvereine** s. den Art. Arbeiterorganisation.

**Himmelfahrt Mariä in Messina.** Strahlend liegt
die Augustsonne auf den Straßen Messinas, in denen sich
seit dem frühen Morgen eine zahllose Menschenmenge
drängt, welche erwartungsvoll auf den Beginn eines
Schauspiels harrt, welches das höchste kirchliche Fest der
Stadt einleitet, das Fest der Himmelfahrt der heiligen
Jungfrau Maria. Die Himmelskönigin hat Messina bereits
seit dem Jahre 43 n. Chr. in ihren besonderen Schutz
genommen. Der Beginn des Festes wird am 14. durch
einen profanen Umzug eingeleitet. Die Köpfe der Zu=
schauer bedeutend überragend, erscheinen zwei riesige Fi=
guren: der Riese und die Riesin, vom Volke grifone und
mata genannt. Sie werden von der Zunft der Lastträger
feierlich dahergetragen; beide hoch zu Roß: er ein Mohr
in römischer Kriegertracht, sie eine grob modellierte Figur,
eine Mauerkrone auf dem Haupte, vielleicht eine Verkör=
perung der Stadt Messina. In welcher Beziehung die
beiden zum Feste der Hl. Jungfrau stehen? Wer weiß das
noch zu sagen! Das Volk meint, der grifone sei ein
Menschenfresser gewesen, seine Frau, die mata, habe aber
die bedrohten Messinesen durch das Läuten eines Glöck=
chens vor seiner Ankunft gewarnt. Nach einer Vorfeier und
einem Hochamt in der alten Kathedrale Messinas, einer

aus der normannisch-sarazenischen Zeit stammenden Kirche, deren köstliche Decke zum Teil schon durch das Feuer, welches bei der Totenfeier Heinrichs VI. ausbrach, zerstört wurde, bildet den Glanzpunkt des Festes der in den Nachmittagsstunden des 15. August stattfindende Umzug zu Ehren der Himmelfahrt Mariä. An dem Tage stehen die Menschen eng geteilt wie eine Mauer auf den geschmückten Straßen. Gewaltige Böllerschüsse leiten den Festzug ein. Hoch, haushoch über den Köpfen der Zuschauer erhebt sich das Gerüst der «bara», des turmartigen Aufbaues, das den Hergang der Himmelfahrt der Hl. Jungfrau anschaulich machen soll. Auf der Spitze der Pyramide steht die Gestalt der Himmelskönigin, die ihre Schutzbefohlenen segnet. Auf versilbertem Eisengerüst eine wunderliche Zusammenstellung von silbernen Wolken, zwischen denen Sonne und Mond erscheinen, von bunten Blumen und Wachsfiguren. Hoch über den Gestirnen steht Gott-Vater in wallendem Gewande, auf seiner ausgestreckten Rechten die Hl. Jungfrau in Sternenkleid und Krone. Zu Füßen der Pyramide sieht man eine Kapelle mit dem Leichnam der Maria, um welchen Knaben, die die zwölf Apostel darstellen, herumwandeln. Wie diese Figuren sich bewegen, so bewegt sich die Sonne mit den Engeln, die an ihren Strahlen hängen, so bewegt sich der Mond um seine Achse, so bewegt sich der Engelreigen, und schließlich dreht sich auch die ganze Pyramide, und in all der wirbelnden, funkelnden Pracht gleißt und glitzert die strahlende Sonne. Hunderte von Menschen ziehen auf das Gebot der geleitenden Priester gleichmäßig an den Seilen, durch welche das Gerüst auf Kufen vorwärts bewegt wird. Der tausendstimmige Schrei: «Evviva Maria!» erfüllt die Luft. Von allen Balkonen winkt man mit Tüchern, Fahnen flattern. Tausend Arme strecken sich inbrünstig zur Madonna empor. Überall Leben, überall Bewegung; das Gerüst selbst scheint lebendig geworden zu sein. So zieht die bara durch die Straßen Messinas, in denen erst allmählich das «Evviva Maria» verhallt.

**Hoch, Höchst** und **Allerhöchst**, in Verbindung mit Fürwörtern zur Bezeichnung fürstlicher Personen, bleibt unübersetzt, z. B. (Aller)höchst-sie Sua Maestà, Sua

Altezza. Ebensowenig gibt es Ausdrücke, die unserem „hochselig" entsprechen; z. B. der hochselige König il defunto re.

**Hochschulen** f. den Art. Universitäten.

**Hochzeit in Sardinien.** Am Hochzeitsmorgen versammeln sich die beiden Sippen in den Häusern des Bräutigams und der Braut, und wenn die Stunde der kirchlichen Trauung naht, begeben sich die Brüder der Braut nach der Wohnung des Bräutigams, um ihn und die Seinen nach dem Hause der Braut zu führen. Den Zug begleiten Frauen mit Körben auf dem Kopfe, die die Geschenke der Schwiegermutter und zuweilen auch anderer naher Verwandten enthalten: je neun Brote und neun Kuchenherzen. Vor dem Hause der Braut wird Halt gemacht, und diese tritt nun in ihrem schönsten Schmuck vor ihre Eltern, die, umgeben von den nächsten Verwandten, mit großer Würde im Zimmer sitzen, küßt dem Vater die Hände und bittet um Verzeihung für ihre Verfehlungen und um den elterlichen Segen. Die Eltern umarmen ihre Tochter und wünschen ihr unter reichen Tränenströmen alles nur denkbare Glück, wobei die einfachen Leute in ihrer Leidenschaft und Ergriffenheit oft wunderbar rührende Worte finden. Dann wird der Zug zur Kirche geordnet. Vor der Braut schreiten ein Knabe und ein Mädchen mit bändergeschmückten Lichtern, neben ihr zwei nahe weibliche Verwandte des Bräutigams gleichfalls in großer Toilette, hinter ihr folgt dieser zwischen zwei nahen männlichen Verwandten der Braut und dann die übrige Verwandtschaft und Freundschaft. Vielfach begeben sich die beiden Sippen auch getrennt zur Kirche und vereinigen sich erst auf dem Heimwege. Auf diesem geht das junge Paar zusammen, von allen Seiten unter dem Rufe: «Buona fortuna! Viva los isposos!» mit Weizen, dem Sinnbilde des Segens, überschüttet. Die Teller, auf denen man ihn bereit hielt, werden in Scherben geworfen. Auf der Schwelle des Hauses umarmt die Mutter unter beiderseitigem Tränenerguß die junge Frau, der nun alle Begleiter des Hochzeitspaares — los accumpanzadores — ein Geschenk machen müssen: meistens ganze oder halbe marenghi — zwanzig oder zehn Franken in Gold —, doch wird auch Silber- und

Papiergeld nicht zurückgewiesen. Sie haben dafür das Recht, die Beschenkte auf die Wangen zu küssen, wovon man beim eigentlichen Volke mit schallendem Schmatzen Gebrauch macht. Nach dem Schlusse des Mahles muß das junge Paar sich vor aller Augen küssen, und dieser feierliche Augenblick ist das Zeichen zu einer allgemeinen Küsserei. Ist das der Glanzpunkt des Festes, so ist doch auch der vorhergehende Schmaus nicht übel. Aus der langen Speisenfolge seien nur Spanferkel, Lämmer, Rebhühner, Schnepfen, Forellen und Aale erwähnt. Das junge Paar erhält als ersten Gang einen Teller mit Honig. Es hat während des ganzen Mahles von einem Teller und mit einem und demselben Löffel zu essen, was bei besonderen Höhepunkten des ehelichen Lebens wiederholt zu werden pflegt. Gegen Ende des Mahles wird der prattu de brulla (piatto di burla) gebracht, ein Scherzgericht: Knochen, Steine, Stücke von der Korkeiche, stachelige Kräuter und ähnliches. Nach Beendigung des Schmauses folgen die Reden und poetischen Ergüsse zu Ehren des jungen Paares. Die Sarden haben eine starke poetische Ader; Leute, denen die Fibel ein geheimnisvolles Buch ist, machen aus dem Stegreif die schönsten Sinnbilder und Gelegenheitsgedichte, bei denen man freilich mit der Versform nicht gar zu scharf ins Gericht gehen darf. Sie besingen jedes frohe Ereignis, die Taten der Banditen, die Ereignisse eines Jagdtages, die Tugenden eines Verstorbenen; ein wahrer Dichterwettkampf aber erhebt sich bei Hochzeitsfesten. In Nuoro wird bei diesen auch ein eigenartiges heimatliches Lied von vier Burschen gesungen, das heißt gesungen eigentlich nur von einem und zwar in höchst eintöniger Weise, während die drei anderen die Begleitung übernehmen. Darin wird die junge Frau gepriesen als ein Wunder vor dem Volke, als reines Gold und feines Silber, eine Rose, in frischem Buschwald geboren, als der Mond im Mai, als der Stern der Nächte, dem der Mond den Hof gemacht habe, und was dergleichen orientalische Überschwänglich= keiten mehr sind. Den Abschluß des Festes bildet viel= fach der Nationaltanz su tondo tondo.  (W. Hörstel.)

**Höflichkeit** (cortesia — kortessä). Die gefällige Art des Verkehrs, in dem Liebenswürdigkeit vorherrscht, ohne daß

sie zur Aufdringlichkeit ausartet, ist dem Italiener aller
Klassen eigen. Auf der Straße herrscht freundliche Rück=
sichtnahme gegeneinander, im Theater herrschen seine
Formen. Niemals wird in den italienischen Straßen
ein Fremder wegen seines ungewohnten Anzuges und
Benehmens angeglotzt oder belästigt; kaum daß jemand
seinethalben einen Augenblick den Kopf umdreht. Be=
sonders im Restaurant kommt man sich helfend entgegen;
kein neugieriges Anstarren des Eintretenden. Dagegen
ist es gewiß, daß der Gegenübersitzende freundlich seine
Hilfe anbieten wird, läßt man seine Blicke suchend über
den Tisch gleiten, um das etwa entferntstehende Salz=
fäßchen zu finden; der Italiener lacht nicht, wenn ein
Ausländer seine Sprache radebrecht, er hilft ihm im
Gegenteil freundlichst ein. Der Fremde wird gut tun,
in der ersten Zeit seine Aufmerksamkeit auf alle diese
Kleinigkeiten zu richten, um sich vor Verstößen zu schützen;
Sache längeren Aufenthaltes und fortgesetzter Beobach=
tungen wird es sein, sichere Erwerbungen auf diesem
Felde zu machen. — Noch sei der Fremde auf einige
Höflichkeitsformeln aufmerksam gemacht, deren Nicht=
beachtung leicht Anstoß erregen könnte. Zunächst vergesse
man nie, jeder kürzeren Antwort oder Redensart das
unerläßliche signore, signora usw. hinzuzufügen, auch
bei Unterhaltung mit Leuten aus den niederen Ständen.
Nimmt man den Vortritt vor jemandem beim Eintreten
in einen Salon, steigt man vor anderen in den Wagen,
so entschuldigt man sich mit den Worten: Scusi,
signore! Besonders gilt dies auch, wenn man im Be=
griff ist, einem andern eine kleine Störung oder Un=
annehmlichkeit zuzumuten: Will ich z. B. hinter jemandes
Stuhl meinen Überzieher, Stock usw. hervorlangen, so
sage ich zu ihm: Permette, signore? oder Perdoni!,
worauf jener antwortet: Faccia pure! oder prego!,
was dem deutschen bitte! entspricht. Auch beim Ver=
neinen der Behauptung eines andern ist der gebildete
Italiener höflich. Wenn schon bei allen gesitteten Völ=
kern Ausdrücke wie: das ist nicht wahr; das ist falsch;
das ist unwahr usw. unter Leuten von Feingefühl
und Bildung ungehörig sind, so wird diese Ungehörigkeit
vom Italiener ganz besonders empfunden, — ja, Aus=

drücke wie: è falso, non è vero werden geradezu als Beleidigungen aufgefaßt und in den besseren Kreisen mit einer Herausforderung zum Duell beantwortet, falls man nicht in aller Form um Entschuldigung bittet. Will man nicht gerade grob sein, so wähle man ja für jede Verneinung eine möglichst passende, nicht verletzende Form; z. B.: Scusi, signore, questo non è esatto oder posso sbagliarmi, ma credo che usw.

**Hofstaat des Papstes.** Der Hofstaat des Papstes ist wohl der zahlreichste, den es in Europa gibt, denn in weiterem Sinne gehören zu ihm die gesamte katholische Hierarchie, alle Kardinäle, Patriarchen, Erzbischöfe, Bischöfe, Äbte und die mit einem speziellen Hoftitel begnadeten Priester der katholischen Kirche in allen Erdteilen, außerdem eine große Anzahl von weltlichen Hofwürdenträgern, drei Leibgarden und zahllose Dienerschaft. Im engeren Sinne besteht der päpstliche Hofstaat — la famiglia della Santità di Nostro Signore — aus vier Hofkardinälen (Cardinali palatini), dem Prodatario, Segretario di Stato, Segretario dei Brevi und Segretario dei Memoriali, aus vier Hofprälaten (Prelati palatini), nämlich dem Oberhofmeister (Maggiordomo), dem Oberstkämmerer (Maestro di camera), dem Auditor des Papstes (Uditore Santissimo) und dem Großmeister des Apostolischen Palastes (Maestro del Sacro Palazzo Apostolico), welcher altem Herkommen gemäß stets ein Dominikanermönch ist; ferner aus neun diensttuenden Geheimkämmerern (camerieri segreti partecipanti), worunter der Geheime Almosenier, der Sekretär für Briefe an Fürsten, der Unterstaatssekretär der päpstlichen Staatskanzlei, der Sekretär für lateinische Briefe, der Mundschenk, der Garderobier, der Sakristan und der Zeremonienmeister. Weiterhin gehören dazu die päpstlichen Hausprälaten, die apostolischen Protonotare, die Auditoren des Tribunals der heiligen Rota, eine große Anzahl von überzähligen Geheimkämmerern und Honorarkämmerern in Rom und extra urbem. Alle diese sind Geistliche, haben den Titel Monsignore und tragen violette Kleidung gleich Bischöfen. Endlich zahl=

reiche Prälaten niederen Ranges mit verschiedenen Titeln und Dienstobliegenheiten.

Der weltliche Hofstaat besteht aus den obersten Erb=ämtern der zwei Assistenten des päpstlichen Thrones (Fürsten Colonna und Orsini) und des Marschalls der heiligen römi=schen Kirche und Hüters des Konklave (Fürst Chigi), ferner aus dem Großmeister des heiligen Hospizes, dem Obersthof=marschall, dem Oberststallmeister, dem Generalpostmeister, den dienfttuenden und Honorar=Geheimkämmerern di cappa e spada; aus dem Generalstabe der drei päpst=lichen Leibgarden, dem Erbbannerträger der heiligen römischen Kirche (Marchese Patrizi); dem geheimen Haus=hofmeister (scalco segreto), dem Leibarzt des Papstes, den päpstlichen Sänftenträgern (bussolanti) und zahl=loser Dienerschaft aller Grade, sämtlich in veilchen=blauen oder kirschroten Talaren, die sich von jenen der Prälaten nur durch Aufschläge in anderen Farben unter=scheiden.

Die drei Leibgarden des Papstes (guardia nobile — svizzera — palatina) und die Hofgendarmerie bilden heute den Rest der ehemaligen päpstlichen Armee. Der Generalstab der adeligen Leibgarde ist ein überaus glänzender und ihre Uniform sehr elegant. Ihr Kommandant (Capitano) hat den Rang eines Generalleutnants; ebenso der Erb=bannerträger der heiligen römischen Kirche. Ihre zwei Leutnants sind Generalmajore, dazu eine Anzahl von Offizieren à la suite mit Oberstenrang; die Garden durchweg Offiziere. Der Generalstab der Schweizer Leib=garde besteht aus dem Capitano mit Oberstenrang und zwei Leutnants mit Majorsrang. Der Kommandant der Palastgarde ist Oberst, jener der Gendarmerie Major. Obwohl außer der letzteren bloß Paradetruppen, halten diese Leibgarden doch sehr viel darauf, eine stramme militärische Haltung zu zeigen und mit Würde aufzu=treten. Sie hatten hierin ein Vorbild in der französischen Besatzung und in den päpstlichen Söldnertruppen aller Nationen. Mit der Mannszucht der Söldner war es allerdings nicht weit her, aber bei Paraden manövrierten sie gut und boten einen guten Anblick, da ihre Aus=stattung fein und kleidsam war.                    (Frank.)

**Hors-d'œuvre** s. d. Art. principii.

**Hotels** (albergo). Das Hotelwesen — wenigstens
was die Hotels ersten Ranges anbelangt — ist vielfach
in den Händen deutscher oder schweizerischer Unternehmer
bezw. Besitzer, und — das kann man wohl sagen —
die Gasthöfe ersten Ranges in Rom, Neapel, Florenz,
Venedig usw. entsprechen in Ausstattung und Einrichtung
allen Anforderungen der Neuzeit. Weniger behaglich sind
selbstverständlich die Hotels zweiten Ranges; ein Vorzug
dieser Gasthöfe ist aber die Unabhängigkeit der Reisenden,
die nach Belieben in dem mit dem Hotel verbundenen
Restaurant oder auswärts speisen können. In größeren
Städten findet man auch Hotels garnis mit gleichen
Zimmerpreisen wie in den Gasthöfen zweiten Ranges.

**Hutabnehmen.** Wäre der Deutsche nicht durch seine
vielen äußeren Merkmale im Auslande überall erkennbar,
so würde man ihn schon durch das Abnehmen des Hutes
in den öffentlichen Lokalen unterscheiden. Der Engländer
nimmt den Hut überhaupt nur im Salon ab, der Italiener lüftet ihn, wenn er in einen Laden oder in ein
Lokal tritt und wenn er dieses verläßt, behält ihn aber —
eine für deutsches Gefühl unfein wirkende Sitte — während des ganzen Abends auf dem Kopfe. (Justinus.)

# J.

**Iettatura** (böser Blick, span. mal de ojo, engl.
evil eye) ist nach altem und weitverbreitetem Aberglauben
die gewissen Personen innewohnende Zauberkraft, durch
Blicke (oder auch durch damit verbundene Worte) andere
Personen oder fremdes Eigentum zu behexen und ihnen
dadurch zu schaden. Bei den Alten faßte man diese Art
der Bezauberung mit dem „Berufen" als fascinatio
zusammen, und die Telchinen, Illyrier, Triballer waren
wegen des bösen Blickes berüchtigt. Die betreffenden Personen sollen sich (nach Plinius) durch doppelten Augen-
stern auszeichnen. Noch jetzt glaubt man in Italien, bei
den Albanesen und Neugriechen, in Irland sowie in
Rußland, Polen und Rumänien sehr allgemein an den
bösen Blick. In Neapel nennt man die betreffende
Person Iettatore (richtiger Gettatore) und die Bezauberung selbst Iettatura, Ausdrücke, die sich auch in

15*

andere Sprachen verbreitet haben. Die Alten kannten
mancherlei Mittel, wie Amulette, Formeln, Handlungen
oder Gebärden, um sich vor der Macht des „faszinieren=
den Blickes" zu schützen. In Italien trägt man zum
gleichen Zweck noch jetzt ein Amulett in Form eines
Hörnchens, oder man macht wenigstens, wenn der böse
Blick droht, eine entsprechende Handgebärde, indem man,
den Daumen zwischen Zeige= und Mittelfinger, die Faust
der gefürchteten Person entgegenstreckt (far la fica, die
Feige zeigen).

Infanterie (fanteri'a). Die italienische Linieninfanterie
ist in 96 Regimenter, jedes zu 3 Bataillonen und 12 Kom=
pagnien, eingeteilt. Darunter befinden sich 2 Regimenter
Grenadiere, welche die Brigata granatieri bilden und
durch die Gardelitzen am Kragen sowie dadurch, daß die
größten Rekruten aus dem ganzen Lande bei ihnen ein=
gestellt werden, eine der deutschen Garde etwa entsprechende
Stellung einnehmen. Übrigens besteht ihr einziges Vor=
recht darin, daß seit einigen Jahren stets je ein Bataillon
der beiden Grenadierregimenter in Rom garnisoniert.
Die übrigen 94 Regimenter unterscheiden sich nur durch
ihre Nummer, sowohl am Käppi als am Kragen der
kurzen Schoßjacke oder Tunika, die mit Ausnahme der
Karabiniers den übereinstimmenden Uniformrock der ganzen
Armee bildet und bei der Infanterie blau ist. Die Offi=
ziere tragen am Ärmel und an der Kopfbedeckung silberne
Verzierungen, die zugleich als Gradabzeichen dienen. Zur
Paradeuniform werden Epauletten mit Raupen getragen.
Die Mannschaft trägt graue Tuchhosen, Schuhe und weiße
Gamaschen. Auf Schildwache, beim Exerzieren und auf
Märschen sieht man sie gewöhnlich im graublauen Sol=
datenmantel, dessen Schöße, um den Schritt nicht zu be=
hindern, nach hinten frackartig eingehakt sind. Die Klei=
dung ist bei allen Truppen zweckmäßig und von gutem
Aussehen; sie wird durchweg sauber und adrett gehalten.
Man wird selbst in kleinen Garnisonen nicht leicht Leute
mit abgetragenen oder geflickten Uniformen sehen. Die
Bewaffnung aller Infanterietruppen besteht aus einem
kleinkalibrigen Magazingewehr mit Haubajonett. Dies
Gewehr ist in den letzten Jahren an Stelle des Vetterli=
gewehres getreten und jetzt im ganzen stehenden Heer in

Gebrauch. Bei feldmäßiger Ausrüstung trägt der Mann an Kleidung, Munition (zum Teil in zwei Patrontaschen, zum Teil im Kalbfelltornister), Proviant, Zeltteilen und Schanzgerät ein Gewicht von 25 kg.

**Ingenieurkorps** s. den Art. Genio.

**Inkunabel (Wiegendruck)** s. den Art. Ausfuhr von Kunstgegenständen.

**Irredentismus** (Irredentismo, Italia irredenta, das unerlöste Italien), Bezeichnung für eine Bewegung in Italien, welche die Befreiung aller italienisch redenden Gebietsteile außerhalb des Königreichs Italien von der Fremdherrschaft und ihre Vereinigung mit Italien erstrebt. Die Bewegung richtet sich also auf die Erwerbung von Südtirol, Görz, Istrien, Triest, Kanton Tessin, Nizza, Korsika und Malta, ja auch von Dalmatien als ehemals venezianischer Besitzung, obwohl dort nur ein Teil der städtischen Bevölkerung italienisch spricht.

**Istituto tecnico** s. den Art. Gymnasialunterricht.

**Italia farà da sè** ("Italien wird ganz allein fertig werden"), die Devise des italienischen Freiheitskampfes von 1849, vom König Karl Albrecht von Savoyen und von Vincenzo Gioberti ausgegangen.

# J.

**Johannisbrotbaum** (carrubo — tár-rū'bö). Hat die Edelkastanie trotz der Stattlichkeit ihres Laubes doch infolge der Hinfälligkeit ihrer Blätter ein mehr mitteleuropäisches Gepräge, so ist ein anderer einheimischer Kulturbaum Italiens, der Johannisbrotbaum, wieder ganz ein Kind des Südens. Das sieht man ihm sofort an seinen fettglänzenden, lederharten Blättern an. Der Johannisbrotbaum ist neben Myrte, Oleander und Lorbeer eine Eigentümlichkeit der niedrigen Buschwälder, der sogenannten Macchien. Er ist ein kleiner, strauchartiger Baum, der sehr schönes, glänzendes, immergrünes Laub trägt. Er besitzt Fiederblätter, deren paarweise stehende Teilblättchen eine länglichrunde Form haben. Der Johannisbrotbaum gehört zu den Schmetterlingsblütlern gleich den Erbsen, Wicken, Bohnen; allein seine Blüten besitzen keine Blumenkrone, desto ausgeprägter

zeigen die großen Hülsen die Zugehörigkeit des kleinen
Baumes zu den Hülsenfrüchten. Was in Deutsch=
land als Johannisbrot in den Südfruchtgeschäften ver=
kauft wird, das sind eben die Hülsen des Baumes.
Sie sind mitunter über 20 cm lang, und der Baum
trägt ihrer meist eine große Menge. Sie sind sehr reich
an Zucker, so reich, daß aus ihnen ein süßer Saft aus=
gepreßt werden kann, der zur Versüßung von allerhand
Speisen benutzt wird. Die Hülsen werden meist roh
gegessen, in manchen Gegenden sind sie aber weniger
geachtet und werden selbst dem Vieh verfüttert. Bekannt
ist die Erzählung aus dem Lukasevangelium der Bibel,
wonach jener verlorene Sohn in der Fremde sich von
Johannisbrot nährte, mit dem man damals die Schweine
fütterte. Der Johannisbrotbaum wird in Italien häufig
angebaut, da seine Hülsen einen guten Handelsartikel
bilden.

**Josephstag** s. den Art. Frittellari.

**Juden.** In ganz Italien wohnen etwa 55 000 Juden.
Die zahlreichsten Gemeinden findet man in Rom, Livorno,
Venedig, Mailand, Turin usw., während in Neapel sehr
wenige, in Sizilien und Sardinien gar keine Juden sind.
Die italienischen Juden sind den Christen gesetzlich gleich=
gestellt. Ihnen steht jede Laufbahn offen, und nicht selten
begegnet man Juden in den höchsten Staatsämtern.

**Jury** s. den Art. Gerichtswesen.

# K.

**Kaffeehaus** (caffè). Die zahllosen Cafés gehören
zu den besuchtesten Einrichtungen. Für manchen Ita=
liener ist das Café von Nachmittag bis Mitternacht eine
zweite Heimat, in der er Zeitungen liest, politisiert, Ver=
bindungen anknüpft, Geschäfte abschließt, Briefe schreibt
und spielt. Besonders unterhaltend ist es, an einem schönen
Abende vor einem Café zu sitzen und bei einer tazza
di caffè oder bei einem vermut die Menge an sich
vorüberziehen zu lassen. In den feineren Cafés nimmt
der den Gast empfangende Kellner die Bestellung ent=
gegen, setzt das Kaffeegeschirr auf den Tisch und ruft
dann einem anderen Kellner, der das Einschenken besorgt,

zu: Versal mit Angabe des Platzes, den der Gast ein=
genommen hat. Der in diesen Lokalen gereichte Kaffee
ist überall vorzüglich und wird in verschiedener Weise
gereicht. Hier einige Ausdrücke: Kaffee ohne Milch:
caffè oder caffè nero (die Taffe 15—25 Ct.); Kaffee
mit Milch: caffè e latte (große Taffe 25—50 Ct.,
kleine Taffe, cappuccino, billiger); Schokolade (cioccolata) koftet 25—50 Ct.; Brötchen (pane) und kleines
Gebäck (paste) das Stück meist 5 Ct.; Brot mit Butter
(pane al burro) 20 Ct. — Groß ist die Auswahl an Eis
(gelato) und granita (f. die Art. Eis und Gefrorenes).
Damen find die ghiacciate, Eiswaffer (limonata von
Zitronen; aranciata von Apfelfinen; di caffè von
Kaffee) und der spremuto, Limonaden mit Fruchtfaft,
befonders zu empfehlen. Beliebt ist auch die gassosa,
eine gazeuse, braufende Zitronenlimonade. In den
Großftädten führen einzelne Kaffeehäufer auch Bier.

**Kalbsbraten** (arrosto di vitello) wird, wie alle
Braten, meift ohne Sauce gereicht.

**Kälte.** In der kälteren Jahreszeit kann man auch
in Neavel tüchtig frieren. Befonders ist die Fußkälte
in den Wohnungen empfindlich. In dünnen einfohligen
Stiefeln bewegt man fich dort auf glafierten Fliefen,
Zement= und Mofaikfußböden oder auf Marmorplatten,
kurz auf allem außer auf Holz. Die fliegenden Teppiche
nützen hierbei nichts, und es helfen weder rauchende
Kamine, noch die alten, glänzenden Meffingkohlenbecken
(bracieri) oder die transportabeln römifchen Schwarzblech=
öfchen, deren lange, dünne Röhren durch ein in die
Scheiben gefchnittenes Loch den Rauch ins Freie führen.
Man friert eben, und ob der Diener die Zimmertür offen
ftehen läßt oder nicht, macht nicht viel Unterfchied. Aller=
dings ist der Italiener gegen die Kälte abgehärtet. Auch
in den höheren Ständen ist Unempfindlichkeit gegen Kälte
fehr verbreitet. Der Gebrauch geheizter Zimmer ist in
Mittel= und Süditalien trotz des im Winter mitunter
ziemlich ftrengen Froftes keineswegs allgemein üblich. In
Rom find felbft in den neueren Stadtteilen viele Häufer
ohne Heizvorrichtung geblieben. Wird es ungemütlich kalt,
fo behält man den Überrock oder Mantel im Zimmer
an und wickelt die Beine in eine Decke, oder man behilft

sich mit dem Kohlenbecken, dem braciere, und ist ganz
vergnügt, wenn dadurch eine Zimmerwärme von 9—10°
Reaumur erreicht wird. Bei einer Witterung, bei der
Deutsche sich bereits in den Stuben einzuwintern anfangen,
sieht man Italiener noch im Freien sitzen; man begegnet
älteren und jüngeren Herren, die sich bei einer Temperatur von 5 und 6° im einfachen Rock oder im leichten
Sommerüberzieher mit Behagen im Freien ergehen. —
Vergl. den Art. Winter in Italien.

Kamin s. die Art. Kälte, Ofen.

Kamorra s. Camorra.

Karneval. Der Karneval des Südens! Sobald wir
seiner gedenken, gaukelt sich uns ein buntes Bild vor die
Augen von mehr Farbe als Deutlichkeit des Umrisses.
Ein Gesumme und Gedränge der Masken, ein Fächer-
schlag oder der gedämpfte Schall der Tamburinschellen,
dann wieder helles Lachen, ein Auf und Nieder von
Stimmen, das Plätschern der fröhlich bewegten Menschen-
wogen —. „...Schon ist der ganze Korso ein durcheinander-
flutender Menschenstrom geworden," schrieb noch vor drei
Jahrzehnten ein begeisterter Deutscher über den römischen
Karneval, „in welchem sich die Wagenreihen kaum fort-
bewegen können. Wie müde Schwimmer dem Lande,
so streben wir dem Ruhehafen unseres Balkons zu, den
wir unter neckendem Confettiregen endlich erreichen.
Welch ein Blick von da oben nach unten und nach
den Seiten! Welch eine ungeheure Festhalle, deren Ge-
wölbedecke der sonnige Frühlingshimmel, deren Seiten-
wände die mit Tausenden von Teppichen geschmückten
himmelansteigenden Paläste sind, und die durchflutet und
durchjauchzt ist von dem buntesten und märchenhaftesten
Menschengewimmel! Alle Häuser bis zu den höchsten
Dachstübchen mit fröhlichen Menschen an Fenstern und auf
Balkonen Kopf an Kopf gefüllt; unter tausenderlei
Masken zwischen Dominos und unverkleideten Menschen:
Griechen, Türken, Mohren, Perser, männliche und weibliche Pulcinells, rote, gehörnte Teufelchen, Doktoren,
Advokaten, Quacksalber mit riesigen Klistierspritzen und
fußlangen Uhrschlüsseln; das alles rennt und springt oder
windet und drängt sich unter tausend Scherzen und
Späßen neckend durcheinander; je weiter der Karneval

vorrückt, desto reicher, lustiger das Maskenleben. Auch
die vornehme Welt beteiligt sich daran, doch aber
nur verstohlenermaßen. Blickt man vom Balkon auf
dieses Treiben hinab, so ist der Anblick in der Tat einzig
zu nennen; am meisten entzückten mich diese Tausende
und Abertausende der schön geschwungenen Linien, welche
zwischen Fenstern und Balkonen, straßauf und =ab
durch die unaufhörlich erneuten Confettiwürfe und
Blumensendungen in der Luft gebildet wurden. Da
hier Tausende fort und fort dies Spiel betreiben, entsteht
die Täuschung, als sei das Ganze ein festgezaubertes
Bild. Die Luft erscheint belebt durch die blütenweißen
Confettischauer, deren Schimmer man sieht, soweit das
Auge reicht, durch die unzähligen Blumen, Sträuße,
Kränze, Kronen, durch all das Duftende, Bunte, Blühende
und Glänzende, was von Balkon zu Balkon, von Fenster
zu Fenster und von unten nach oben auf und nieder
schwebt und wirbelt..." —

So war es in den früheren Jahren. Alles aber, was
oben geschrieben ist, hat nunmehr nur noch geschichtlichen
Wert. Der italienische Karneval ist tot. „Nun ist der Narr=
heit ein Ende," würde Goethe schreiben. Auf den Straßen
Roms und Venedigs sieht man noch ein paar Masken.
In den Theatern und Tanzsälen finden noch einige
veglioni (s. ds.) statt. Besonders in Mailand und Turin
bekommt man noch Maskenzüge zu sehen. Das alles aber
ist weit entfernt, dem alten südlichen Karneval zu ähneln.
Die alte Fröhlichkeit ist verschwunden; die Masken selbst
sind schweigsamer geworden; das Volk, das Land hat
andere Sorgen, und der Karneval ist für immer be=
graben. Was tot ist, kann nicht wieder belebt werden. —
Vergl. auch die Art. Confettiwerfen, Moccoliabend.

**Karsonnabend in Florenz.** Die Florentiner, die noch
an den Überlieferungen ihrer Väter festhalten, sind am
Karsonnabend auf nichts so sehr bedacht, als sich den
Anblick zweier für ihre Vaterstadt so bemerkenswerten
Vorgänge nicht entgehen zu lassen, nämlich den des
Umzugs mit dem Heiligen Feuer und den des scoppio
del carro (Explosion des Karsonnabendwagens).

In der Kirche Dei Santi Apostoli werden drei an=
geblich vom Heiligen Grabe herrührende walnußgroße

Steinstücke aufbewahrt, aus denen während der Auf=
erstehungsfeier das heilige Feuer geschlagen wird. So=
dann wird eine Kerze damit angezündet, die in
einer altertümlichen, kunstvoll gearbeiteten Laterne steckt,
an der das welfische Wappen, ein Adler, der einen
Drachen zermalmt, angebracht ist, da die Bewachung der
Steinreliquien vor Zeiten den Capitani der Welfenpartei
anvertraut war. Nun bildet sich ein kleiner Umzug
zur Überbringung des Heiligen Feuers nach dem Dome.
An der Spitze desselben schreiten zwei Donzelli (Rats=
diener) in höchst malerischem Aufzug: Zylinder, rotweißem
Wams und Hosen, desgleichen Strümpfen und auf der
Brust dem Florentiner roten Lilienwappen. In der Hand
tragen sie blaue Fähnchen mit den goldenen Delphinen,
dem Wappen des Patriziergeschlechtes Dei Pazzi, denen,
wie wir später sehen werden, die Stadt zufolge der Über=
lieferung den Besitz der Heiliggrabreliquien verdankt.
Auf die Ratsdiener folgt das Kreuz, von dem ein weißer
Tuchstreifen niederhängt. Vier Ministranten mit großen
Leuchtern, und hinter ihnen der Diakon in weißer Dal=
matika mit der das geweihte Licht enthaltenden Laterne.
Während diese Prozession sich nach dem Dome bewegt,
ist jedermann berechtigt, dieselbe anzuhalten, um sich eine
Kerze an dem Heiligen Feuer anzuzünden. Im Dome
angelangt, wird der dreiarmige Leuchter im Chore an=
gezündet, und es beginnt nun hier die Auferstehungsfeier.

Der Ursprung dieser Zeremonie ist, wie bereits
oben angedeutet wurde, auf die Patrizierfamilie Dei
Pazzi zurückzuführen. An dem ersten Kreuzzuge beteiligte
sich auch ein Angehöriger dieses Patriziergeschlechtes mit
einem Fähnlein Toskaner in so hervorragender Weise,
daß er von Gottfried von Bouillon ganz besonders aus=
gezeichnet wurde. Während seines Aufenthaltes in der
Heiligen Stadt war er von dem sehnlichsten Wunsche be=
seelt, für seine Vaterstadt eine Reliquie vom Heiligen
Grabe sich zu verschaffen. Endlich gelang es ihm auch,
die Wachsamkeit der türkischen Wächter zu täuschen und
sich in den Besitz von drei Steinsplittern zu setzen. Die
Sache wurde jedoch schnell entdeckt, die Wächter büßten
ihre Nachlässigkeit mit dem Leben, und der toskanische
Kreuzritter lief große Gefahr, in die Hände der Ungläu=

bigen zu fallen. Um ſeine Verfolger irrezuleiten, ließ er
dem Pferde die Hufe verkehrt anſetzen, erreichte glücklich
die Meeresküſte und endlich ſeine Vaterſtadt, wo er
ſeinen mitgebrachten Schatz dem Stadtrate zum Geſchenke
machte, welch letzterer ihn ſeinerſeits der Kirche San
Biagio übermachte. Seit jener Zeit ſtammt der all-
jährliche Umzug mit dem Heiligen Feuer. Nach dem
im vorigen Jahrhundert erfolgten Abbruch der Kirche
San Biagio (hl. Blaſius) gelangten die Steine in die
Kirche S. Apostoli.

Im Verlaufe der Zeit geſellte ſich zu der Zeremonie des Umzugs mit dem Heiligen Feuer noch diejenige des scoppio del carro (Exploſion des Karſonnabendwagens). Als Spenderin der Reliquien tat
ſich die Familie Dei Pazzi bei den öffentlichen Aufzügen
am Karſonnabend, die früher ein viel großartigeres Gepräge als heute trugen, ſtets in beſonderer Weiſe hervor.
Im 14. Jahrhundert erhielten die Pazzi das Vorrecht
vom Stadtrate, vor der Kathedrale einen eigens er-
bauten Wagen aufzufahren und beim Anſtimmen des
Gloria bei der Auferſtehungsfeier bei hellem Tageslichte
ein regelrechtes Feuerwerk abzubrennen, und dieſe Sitte
hat ſich bis auf den heutigen Tag erhalten. Der gegenwärtig bei der Feier verwendete Wagen ſtammt aus
dem Jahre 1622. Es iſt ein vierſtöckiges Ungetüm und
gleicht in ſeinem Bau annähernd einer rieſigen Tumba.
Das Jahr über wird er in einem beſonderen Schuppen
aufbewahrt, um alljährlich am Karſonnabendmorgen,
beſpannt mit vier weißen, großgehörnten, bänder- und
kranzgeſchmückten Ochſen, von der Via Porta al Prato
über Piazza V. Emanuele ſeinen Triumphzug nach dem
Dom anzutreten. Hier werden die Ochſen ausgeſpannt,
und das trutzige Gefährt bildet einen ſchreienden Gegenſatz zu dem marmorſchimmernden Kampanile des Giotto,
der ſeinen Lilienarm gegen das makelloſe Blau des
Himmelsgewölbes emporreckt. Der Wagen iſt reich mit
Flitterwerk und Bändern geziert, welche die Feuerwerkskörperchen verhüllen.

Der ganze Domplatz hat ſich inzwiſchen mit einer dichten
Menſchenmenge angefüllt, welche voll Ungeduld den Augenblick erwartet, wo der ſchwarze Wagenkoloß ſeine Feuer-

raketen ausſpeit. Die Entzündung der Feuerwerkskörperchen
geſchieht mittels einer Art Rakete, die wegen ihrer Form
colombina (Täubchen) genannt wird. Zu dieſem Behufe
iſt von der mit den Delphinen und der Mauerkrone ge-
ſchmückten Spitze des Wagens eine Schnur nach der Brüſtung
des Chores gezogen, wo einem Feuerwerker die Entzündung der Brandrakete mit dem Heiligen Feuer anvertraut
iſt. Wenn nun die frohlockenden Klänge des Gloria an
den Wölbungen des Domes ſich brechen und von der
Feſtung St. Giorgio ein Kanonenſchuß den Mittag an-
kündet, iſt der Höhepunkt der Feier gekommen. Der
Feuerwerker ſetzt die colombina in Brand, welche nun
ziſchend und funkenſprühend über den Köpfen der dichtgedrängten Menge an der Schnur zu dem Wagen hinaus-
ſauſt, um, wenn er deſſen Feuerkörperchen angezündet,
auf demſelben Wege wieder in den Chorraum des
Domes zurückzukehren. Das Geknatter der berſtenden
Raketen, das ſich hundertfältig an den Wölbungen des
Domes bricht, die zum frohlockenden Sturme geſchwellten
Klangwellen der Orgel und die mächtig erſchallenden
Stimmen des Kirchenchores bilden nun einen Auf-
erſtehungshymnus von geradezu überwältigender Wirkung.
Wenn der durch die Exploſion verurſachte Qualm ſich
etwas verzogen hat, werden die Ochſen wieder angeſpannt
und der noch übrige Reſt der Feuerwerkskörper wird
auf der Piazza di S. Firenze abgebrannt, wo die Lei-
tungsſchnur zur Entzündung nach dem Palaſte Dei Pazzi
gezogen iſt. Das Hauptintereſſe iſt jedoch immer auf
die Feier am Domplatze gerichtet. Hier zerſtreut ſich
nun wieder die gewaltige Menge, in geräuſchvoller Weiſe
ſich ihre Eindrücke mitteilend. Für den toskaniſchen
Bauern bildet die Exploſion des Karſonnabendwagens
ein Ereignis erſten Ranges. Iſt es doch für ſein naives
Gemüt eine ausgemachte Sache, daß ein geſegnetes Jahr
von dem glücklichen Vonſtattengehen der Entzündung des
Feuerwerks durch die colombina abhänge. Wenn die
colombina nicht regelrecht ihren Weg an der Schnur
zurücklegt, ſondern, wie es mitunter geſchieht, unterwegs
ſtecken bleibt, ſo betrachtet er dieſes als ein Vorzeichen
von allen möglichen Übeln, und er macht auf ſeinem
Heimwege ſeinem Unmute in draſtiſchen Ausdrücken Luft.

Kartenspiel (giuoco delle carte — bG<sup>u</sup>o'lò be'l–lä tä'rtä); ein Spiel Karten un mazzo di carte. Die gewöhnlichsten italienischen Kartenspiele sind briscola, picchetto, calabresella, scopa, tarocchi (das Tarock), ba'zzica. Das beliebteste, gewissermaßen das National= kartenspiel ist das tresette (das Tresett) [s. diesen Art.]. Unter den Hasardspielen findet man faraone (das Pharo), macao (das Makao), trenta quaranta (das Trente et quarante) und lanzichenecchi (das Landsknecht). Die verschiedenen Farben (semi) heißen: quadri (Karo), cuori (Herz), picche (Pik), fiori (Treff).

**Karwoche in Kalabrien.** Wer heutzutage während der Fastenzeit, besonders aber während der Karwoche nach Kalabrien kommt, wähnt sich um mehrere Jahr= hunderte ins dunkelste Mittelalter zurückversetzt. Die äußeren Gebräuche haben sich so unverändert erhalten wie die Gefühle der urwüchsigen, aufbrausenden Bevölkerung, wie ihr unerschütterlicher Glauben an ein Jenseits voll von schauerlichen Qualen und übermenschlicher Seligkeit. Hier mögen nur einige der auffallendsten Beispiele er= wähnt sein: Allabendlich vom Aschermittwoch bis zum Sonnabend vor Ostern zieht ein Vermummter, angetan mit einer weißen Kutte und einer Kapuze, aus welcher nur die Augen hervorglühen, durch die meisten Ortschaften. Er schwingt ununterbrochen eine große Glocke, bei seinem Herannahen stiebt Jungkalabrien erschrocken auseinander, die Frauen fallen vor der Tür ihrer Behausung auf die Knie und sagen inbrünstig ein Ave=Maria und ein Vaterunser nach dem andern. Der Mahner singt un= unterbrochen eine eigenartige Kantilene, zwar etwas ein= tönig, der man jedoch einen gewissen dichterischen Schwung nicht absprechen kann:

> „Laßt uns daran denken, Brüder und Schwestern,
> Daß wir sterben müssen,
> Wenn wir am wenigsten daran denken:
> Heute rot, morgen tot;
> Glücklich, wer für sein Seelenheil sorgt;
> Nur wer Gutes tut, findet Erbarmen."

Vielleicht noch eigentümlicher ist eine andere Andacht, la coroncina, die statt des üblichen Rosenkranzbetens an jedem Freitag der Fastenzeit vor sich geht, das heißt an

den Tagen, an denen das Fasten von den Gläubigen am
strengsten innegehalten wird, weil der Überlieferung nach
Christus an einem Freitag gestorben ist. Die Handlung, zu
der nur Männer zugelassen werden, nimmt ihren Anfang
um 7 Uhr abends. Die Kirche, ganz mit schwarzen
Tüchern behängt, ist von dem Widerschein einiger Kerzen
nur spärlich beleuchtet. Vor den Stufen zum Hauptaltar
liegt auf einem Teppich «Gesù morto» — der tote
Christus. Kaum ist der Schlußsatz der Predigt, die das
Leiden Christi zum Gegenstand hat, gesprochen, so werden
alle Lichter gelöscht und das Miserere wird angestimmt.
Dann werden zu Füßen des Christusbildes nur ein paar
Kerzen angezündet, und während die treugläubige Ge=
meinde das Stabat mater singt, schleppen sich kräftige
Männer und Knaben paarweise, mühsam auf den Knien
friechend, von dem unteren Ende der Kirche zum Haupt=
altar. Auf dem ganzen Gange machen sie von den
Geißeln, die sie auf ihre Schultern schwingen, den aus=
giebigsten Gebrauch. Ans Ziel gelangt, küssen sie in=
brünstig die Füße und die Wundmale des Christusbildes.
Die Feier schließt mit den wehmütigen Klängen des
«Libera me, Domine, de morte aeterna...» Eine
schauerliche Andacht, die den Dichter, den Philosophen
zum Nachdenken zu nötigen, den Künstler jedoch in helles
Entzücken zu versetzen vermag.
Vom Gründonnerstag früh bis zum Mittag des
Ostersonnabends lassen alle Handwerker, die ein ge=
räuschvolles Handwerk treiben, wie Schmiede, Weber u. a.,
die Arbeit gänzlich liegen. Die Eifrigsten halten ein
„überstrenges" Fasten — la trapassione — (soviel
wie Überkarwoche). In den meisten Familien deckt
man den Tisch nicht mehr, die Wohnung wird nicht
mehr gefegt, keine Waschung vorgenommen. Am Kar=
freitag grüßen sich die Leute nicht, die Frauen kämmen
sich nicht, in jedem Haushalt wird aber Brot gebacken.
Am Ostersonnabend wird kein Feuer angezündet, ehe
das «fuoco sacro» — geweihte Feuer —, das in
der Kirche angezündet und verteilt wird, in die Wohnung
getragen worden ist. Die ersten glühenden Kohlen, die
man an diesem Feuer entzündet, dienen dazu, die
Gespenster aus dem Hause zu vertreiben, das Haus

vor der ‹iettatura› — dem bösen Blick — zu hüten. Diese so wichtige Handlung heißt ‹sfumicari› (Ausräuchern).

Noch sehenswerter und vom sittlichen Standpunkt unvergleichlich bedeutender ist der Umzug am Karfreitag. Wegen der vielen Gruppen, die die verschiedenen Leidensstationen plastisch darstellen, wegen des Reichtums und der Mannigfaltigkeit der Trachten haben wir es mit einem kirchlichen Mysterium, mit dem tiefsinnigsten aller Mysterien, das sich in seiner ganzen Ursprünglichkeit bis zu dem heutigen Tage erhalten hat, zu tun. Einen hervorragenden Anteil haben an diesen kirchlichen Schaustellungen die „Geißler" — vattenti (battenti). Es sind Leute aus dem Volk, nur mit Hemd und Unterhose, die bis zum Knie aufgekrempelt ist, bekleidet. Die meisten pflegen sich vorher Mut anzutrinken, bearbeiten sich dann aber mit einem Holzscheit die Schenkel und den Rücken mit einer Überzeugung, die einer besseren Sache würdig wäre. Wenn die so gegeißelten Körperteile entzündet und krebsrot geworden sind, bringen die Selbstpeiniger vermittelst eines großen Stückes Kork, an dem Glassplitter befestigt sind, die mißhandelten Teile zum Bluten. Haben sie die gewünschte Wirkung erreicht, dann machen sie sich durch eine Binde aus schwarzer Seide, die sie sich über das Gesicht legen, unkenntlich und fangen an, wie besessen durch den ganzen Ort zu laufen. Am Abend stillen sie den Blutverlust, indem sie sich mit lauwarmem Wasser waschen, in welchem sie Rosmarin gekocht haben. Oft schleppt eine Anzahl dieser süditalienischen Derwische einen Ecce-Homo, einen Jüngling mit dem unvermeidlichen roten Mantel, dornengekrönt, der mit gekreuzten Armen eine Rute gegen die Brust drückt und mit den Wundmalen des Heilandes geziert ist, hinter sich her. Jetzt ist jedoch dieses barbarische Treiben, dank dem Dazwischentreten des Bischofs von Reggio, stark im Abnehmen. Desgleichen sind die ‹giudei› — Judäer —, die barfuß, angetan mit langen weißen Kutten, eine Kapuze über dem Kopf und einen Strick um die Hüften, diesen Zügen voranschritten, abgeschafft worden. Drei von diesen Juden — sie waren immer zu acht — trugen auf den Schultern schwere hölzerne Kreuze, ein anderer trug, an der Brust durch Stricke festgebunden, eine hölzerne Säule, alle schleppten am linken Fuß lange, schwere, eiserne Ketten, die auf dem holprigen Wege unheimlich klirrten.

Endlich bricht der langersehnte Tag, der Ostersonntag, herein. Berühmt ist der Umzug von Bagnara, zu welchem sich Zuschauer aus ganz Kalabrien einfinden. Früh am Nachmittag tritt aus der Hauptkirche ein bunter Zug, an dessen Spitze, umgeben von der Geistlichkeit in festlichem Ornat, der wiederauferstandene Heiland selbst — «u signuruzzu» — schreitet. Die Volks= haufen, die ihm folgen, bekunden ihren Jubel in ge= räuschvollster Weise. Kurz darauf tritt aus derselben Kirche ein zweiter Umzug, geführt von der Madonna. Die Schmerzensreiche hat noch nichts von der Wieder= erstehung des Sohnes erfahren und ist in tiefstem Gram versunken; ein Trauergewand umhüllt sie vom Scheitel bis zur Sohle. Die Kapellen, die ihr das Geleit geben, spielen nur Trauermärsche, das Volk, das sich ihr an= schließt, verhält sich still und würdig, wie bei einem Leichenzuge. Beide Umzüge schlagen entgegengesetzte Wege ein. Ersterer hält bei der Kirche delle Anime del Purgatorio — der Seelen im Fegefeuer —, der zweite in der Nähe des Marktes an. Der heilige Jo= hannes, dargestellt von einem frisch rasierten Bauern, der eine blonde Lockenperücke und einen roten Mantel trägt, fängt nun an, von einem Umzug zum andern zu gehen — die sogenannten viaggi (Gänge) — zu dem Zweck, die Madonna nach und nach auf die ihr bevor= stehende Freude vorzubereiten. Bei dem siebenten viaggio hat es der freundliche Bote schon so weit gebracht, daß der Chor die Gnadenreiche offen trösten darf:

> „Heil, Heil dir, Maria!
> Ich bringe dir freudige Kunde!
> Mein Herz schwelgt in Jubel,
> Dein Sohn ist wiedergeboren!"

Bei dem elsten Gang können die Zuschauer sehen, wie der Teufel der Madonna ihren herannahenden Sohn, der sich wieder in Bewegung gesetzt hat, zeigt, wie die Mutter freudig ihm zuwinkt. Die Menge harrt auf der Straße, auf den Balkonen, von den Fenstern aus auf die

Begegnung mit immer wachsender Ungeduld. Bei dem zwölften Gang führt der Teufel — gerade auf dem Markt — den Sohn in die Arme der seligen Mutter und fällt vor dem Paare auf die Knie. Aus tausend und abertausend Kehlen steigt mit Urgewalt der Ruf zum Himmel: „Friede mit dir, Maria! Dein Kummer hat sich in Freude verwandelt!"

An erheiternden Zwischenfällen ist dabei, wie jeder sich leicht vorstellen kann, kein Mangel. So muß der Darsteller des Christus auf dem Wege nach dem Kalvarienberge barfuß das schwere Kreuz schleppen, straucheln, hinfallen und mit größtem Gleichmut die Verhöhnungen und die Schläge der Schergen ertragen, in deren Mitte der römische Zenturio auf einem Schimmel thront. Zwischen dem Darsteller des Christus und demjenigen des Schergen, der ihm auf dem Hinweg erbarmungslos zugesetzt hatte, entspann sich, wie ein Chronist erzählt, vor einigen Jahren während des Imbisses, der vor dem Abstieg eingenommen wird, ein heftiger Streit, wer von beiden seine Rolle am besten gespielt hätte. Die Gemüter ereiferten sich so, daß beschlossen wurde, beim Abstieg die Rollen zu vertauschen. Der ursprüngliche Christus, ein von Gesundheit strotzender kraftvoller junger Mann, dem die Schultern noch von den vielen erhaltenen Schlägen brannten, ließ sich die Gelegenheit nicht entgehen, Rache zu üben, und zahlte, sobald der andere sich stellte, als ob er strauchelte, ihm die Hiebe mit Zinsen heim. Beim ersten Fallen begnügte sich der umgewandelte Scherge damit, mehr für sich als für die anderen, leise zu murmeln: „Bruder, du spielst deine Rolle wirklich gut," als aber bei dem dritten Fallen der andere mit Schlagen nicht aufhören wollte, riß ihm die Geduld, und allen vernehmlich rief er aus: „Kreuzschockschwerenot! Wenn du nicht aufhörst, zerschlage ich dir das Kreuz auf dem Kopf!" Man kann sich die Erregung vorstellen; selbst die drei Marien und die Klagefrauen, die, um ihre Rolle besser zu spielen, sich wochenlang kasteien, vermochten nicht ernst zu bleiben. Jesus hatte auf sich selbst geflucht! Wer aber keinen Spaß verstand, war die gestrenge Mutter des ersten Darstellers! Mehrere Tage lang durfte er nicht über ihre

Land und Leute in Italien.　　　　　16

Schwelle, mit der Begründung, sie wolle mit einem so verruchten Schergen nichts mehr gemeinsam haben.

(E. Gagliardi in der „Vossischen Zeitung".)

**Käse** (cacio — ta'ischö oder formaggio — fermä'd-ĝĕ). Die bekanntesten italienischen Käsesorten sind: parmigiano (aus Parma) Parmesankäse, gelb und pikant; stracchino feiner, butterartiger Streichkäse; Gorgonzola (Ort bei Mailand), sehr scharf und fett; cacio cavallo geräucherter Kuhkäse; pecorino Schafkäse; provatura Büffelmilchkäse; dann groviera oder (in Rom) sbrinze Schweizerkäse; formaggio d'Olanda Holländer Käse.

**Kasino** s. den Art. Circolo.

**Kassationshof** s. den Art. Gerichtswesen.

**Kastanienbaum** s. den Art. Maronenbaum.

**Katholische Kirche.** Kaum in einem andern Lande hat die letzte Hälfte des vorigen Jahrhunderts so gewaltige politische Veränderungen mit sich gebracht, wie in dem Lande, „das Meer und Alpen säumen". Begreiflicherweise mußte dies für die kirchlichen Verhältnisse von den tief einschneidendsten Folgen sein. Wenn päpstliche Schmeichler den Syllabus Pius' IX. vom 8. Dezember 1864 einen „Markstein in der Zeitgeschichte" und einen „Wendepunkt zu einer Weltperiode mit noch ungeahnten Entwickelungen" nannten, so gilt das in viel treffenderem Sinne von der ‹Breccia bei Porta Pia›, durch welche am 20. September 1870 die italienischen Truppen in der „ewigen" Roma ihren Einzug hielten und der weltlichen Herrschaft der Päpste ein Ende bereiteten. Die römische Kirche konnte ihren eigenen „Kirchenstaat" nicht halten. Denn nur 1507 Stimmen von den 167000 berechtigten Stimmen der katholischen Römer im Kirchenstaate stimmten beim Plebiszit am 2. Oktober dagegen, daß der Kirchenstaat dem Königreich Italien einverleibt und Rom die Hauptstadt des Gesamtkönigreichs mit damals rund 27 Millionen Einwohnern unter der nationalen Trikolore und dem Zepter des savoyischen Königshauses wurde. Von den jetzt 32 Millionen Bewohnern des Landes sind alle bis auf einen kleinen Bruchteil römisch-katholischen Glaubens.

Im nachfolgenden beschäftigen wir uns vom kirchlich-staatlichen Standpunkte aus nur eingehender mit der römisch-katholischen Kirche Italiens, da die Anhänger der

griechisch-katholischen Kirche nur in Neapel, Messina und
Barletta förmliche Gemeinden nebst Kirchen haben; sie
sind uniert. Bis 1848 nahm in allen Staaten der
apenninischen Halbinsel, Sardinien miteinbegriffen, der
Klerus der römischen Kirche samt den religiösen Orden
eine Ausnahmestellung ein. Sie waren frei von der
weltlichen Gerichtsbarkeit, von Staats- und Grundsteuern,
genossen zahlreiche andere Freiheiten und hatten die
öffentlichen Unterrichts- wie Wohltätigkeitsanstalten ganz in
ihrer Hand. Das Königreich Sardinien ging in der Neu-
ordnung der Dinge voran und hat mehr oder weniger Geist
und Inhalt seiner Gesetzgebung später auf das ganze Königreich Italien übertragen. Durch das Gesetz vom 25. August
1848 wurden nebst den Jesuiten auch die Damen vom
Hl. Herzen Jesu aus dem sardinischen Staatsgebiete ausgeschlossen. Das Gesetz vom 1. März 1850 unterstellte alle
kirchlichen Wohltätigkeitsanstalten der Aufsicht der Staatsbehörden. Die Freiheit von weltlicher Gerichtsbarkeit und
öffentlichen Lasten und Abgaben wurde für Priester und
Klosterbrüder (Welt- und Ordensgeistlichkeit) durch Gesetz
vom 9. April 1850 beseitigt. Ein anderes Gesetz vom
4. Juni 1850 verbot den geistlichen Anstalten, Geschenke oder Vermächtnisse ohne königliche Genehmigung
anzunehmen, während das Gesetz vom 23. Mai 1851
auf die Einkünfte der „toten Hand" eine jährliche Steuer
legte. Natürlich nahm der Klerus diese einschneidenden
Gesetze nicht so ruhig hin und wehrte sich in der Presse
wie im Parlament, auf der Kanzel wie im Beichtstuhl aus
Kräften dagegen, so daß am 5. Juli 1854 ein neues
Gesetz erschien, welches harte Strafen für alle diejenigen
festsetzte, die darauf ausgingen, Gesetze und Einrichtungen
des Staates verächtlich zu machen.

Man muß staunen, woher ein Cavour den Mut
nahm, angesichts Frankreichs und Österreichs, mit
denen der Vatikan im Bunde war, diesen „Kultur-
kampf" zu beginnen und durchzuführen. Allein die
politischen Verhältnisse Europas unterstützten ihn in besonders günstiger Weise. So brachte denn 1855, das
Jahr des Krimkrieges, in Sardinien das Gesetz vom
29. Mai, kraft dessen innerhalb Sardiniens alle religiösen Orden und Vereine, soweit sie sich nicht mit Predigt

16*

und Seelsorge oder mit Unterricht und Krankenpflege beschäftigten, aufgehoben und ihre Güter und Besitztümer vom
Staate eingezogen wurden, um aus deren Erlös eine besondere, von den staatlichen Finanzen unabhängige Kirchenkasse für Kultuszwecke (cassa ecclesiastica) zu bilden.
Der Gang der politischen Ereignisse gestattete es, das
Gesetz vom 29. Mai 1855 durch Verfügungen der königlichen Kommissarien auf die einverleibten Landesteile aus-
zudehnen. Das Gesetz vom 7. Juli 1867 über die Neu-
ordnung des kirchlichen Vermögens und über die Aufhebung der Klöster und Kirchengüter für das ganze Königreich sprach allen derzeitigen Insassen der aufgehobenen
geistlichen und weltlichen Orden und Vereine (Bruder-
schaften) die Ausübung aller bürgerlichen und politischen
Rechte zu und sicherte ihnen zugleich eine jährliche
Einnahme je nach dem Alter der Berechtigten von 360
bis 600 Lire (die Mitglieder der Bettelorden erhielten
250 Lire). Dasselbe Gesetz verwandelte die bisherige
„Kirchenkasse" in einen Kultusfonds (Fondo per il
culto), dessen Einnahme im wesentlichen aus 5 Prozent
Rente bestand, die der Staat für die eingezogenen und
veräußerten Kirchengüter zu leisten hatte, während er dafür
alle Ausgaben für kirchliche Zwecke (Pensionen, Gehälter,
Lasten, Unterhaltung der Gebäude) bestritt. Von der
Einziehung ausgeschlossen blieben sämtliche Kirchen und
Kapellen zu gottesdienstlichem Gebrauch mit Zubehör und
Schmuck, ferner die bischöflichen Residenzen nebst damit
verbundenen amtlichen Gebäuden, wie Priesterseminaren und
denjenigen Klöstern, welche den Provinzen oder Gemeinden
für öffentliche Zwecke (Schulen, Asyle, Hospitäler) überwiesen worden waren. (Fischer.) — Vergl. den Art. Kirche.

**Katholischer Gottesdienst für Deutsche** s. den Art.
Seelsorge für deutsche Katholiken.

**Kavallerie.** Die 24 Regimenter der italienischen
Kavallerie führen sämtlich Säbel und Karabiner mit
Bajonetten; die 10 ersten, die Lanciers, sind außerdem
mit Lanzen bewaffnet. Jedes Regiment zählt 6 Eskadrons bei einem ziemlich starken Friedensstand von 165
Mann und 151 Pferden. Um diese starke Truppe besser
zu leiten, ist jedes Regiment in 2 Halbregimenter von
je 3 Eskadrons geteilt und wird von einem Stabs-

offizier kommandiert. In jedem Regiment ist ein Zug als Pioniere ausgebildet und mit Werkzeugen und Spreng= stoffen zum Zerstören der Eisenbahnlinien, Brücken u. dgl. versehen. Auch die sorgfältige Ausbildung der Mann= schaft im Schießen und das Bajonett ihrer Karabiner weisen darauf hin, daß man von dieser Waffe im Ernst= fall eine überwiegend defensive Haltung erwartet. Ihre kleine Zahl läßt die Bildung großer Reitergeschwader nicht zu, auch verbieten sich mächtige Reiterattacken in Italien meist durch die Beschaffenheit des Geländes und die Kultur des Bodens. Alle diese Verhältnisse weisen der italienischen Kavallerie eine bescheidenere Stellung in der Armee an, als sonst von den Reitertruppen angenommen zu werden pflegt. Soll doch selbst König Viktor Emanuel in Hinblick auf die geringe Tätigkeit, die der Kavallerie in seinen Feldzügen beschieden gewesen ist, scherzend gesagt haben:

„Wenn du willst lange leben auf Erden,
Mußt du Kavallerist zur Kriegszeit werden.“

**Kinderheilstätten** s. die Art. Ferienkolonien, ospizi marini.

**Kirche.** Die Vorrechte des zu Rom residierenden Papstes als des geistlichen Oberhauptes der katholischen Kirche sind durch das Gesetz vom 13. Mai 1871 geregelt, auf welchem Gesetz auch das Verhältnis der Kirche zum Staate beruht. Der Kirche steht die freie Ernennung zu allen geistlichen Ämtern und Pfründen zu. Im König= reich Italien bestehen 49 Erzbistümer, 221 Bistümer und 20465 Pfarreien; die Zahl der katholischen Weltgeistlichen beträgt gegen 100000. Durch das Gesetz vom 7. Juli 1866 wurde die allmähliche Aufhebung aller Klöster und religiösen Körperschaften, mit Ausnahme einer Anzahl solcher für Krankenpflege und Unterricht, beschlossen. Ende 1892 waren im ganzen 42529 religiöse Körperschaften aufgehoben, 18528 blieben bestehen. Von den auf Grund der Aufhebungsgesetze eingezogenen Gütern der religiösen Körperschaften wurden Liegenschaften im Werte von 138,9 Millionen Lire berechtigten Dritten überwiesen. Die vom Staate übernommenen unveräußerlichen Gebäude haben einen Wert von 85,1, die veräußerten Güter einen solchen von 649 Millionen Lire. Die Mitglieder der aufgelösten Klöster erhalten vom Staat Jahresgehälter

(1892: 6,7 Millionen Lire). — Vergl. den Art. Katho=
lische Kirche.

**Kirchenbesuch.** Alle katholischen Kirchen stehen täglich
von morgens 5 oder 6 bis abends 8 oder 9 Uhr offen;
auch finden wenigstens bis 10 Uhr oder selbst bis mittags
heilige Messen statt. Der Besuch ist jedoch gering, aus=
genommen wenn eine Trauung, stets vormittags, eine
Beerdigung usw. stattfindet. An Sonn= und noch mehr
an Festtagen sind dagegen die Kirchen meist sehr gefüllt,
ebenso bei den Abendpredigten in der Fastenzeit und in
der Karwoche. Sonntags kann man, je nach der Stunde,
die verschiedensten Schichten der Bevölkerung in den
Kirchen versammelt finden. Morgens früh, bei den ersten
hl. Messen, sind weibliche und männliche Dienstboten sowie
Arbeiterinnen, weniger häufig Arbeiter, fast ausschließ=
lich unter den Andächtigen vertreten. Dann kommen die
kleineren Leute, der wohlhabendere Bürgerstand, bis zuletzt,
um 12 und 1 Uhr, zu den letzten hl. Messen, gewöhnlich
die reichste und vornehmste Gesellschaft sich einstellt.
Deshalb ist die messa dell' una in mehreren Kirchen
wegen der Toilettenpracht der dabei erscheinenden Damen
bekannt. In den ärmeren Vierteln aber sieht man um
dieselbe Stunde oft Leute in der Kirche, welche eben aus
der Werkstätte kommen. Denn gar viele müssen den
Vormittag des Sonntags arbeiten. Predigten finden
vormittags gewöhnlich drei= bis viermal, um 6, 8, 10 und
12 Uhr statt, natürlich in Verbindung mit den heiligen
Messen oder den Hochämtern (Messen mit Gesang). Beim
Hochamt, das um 10 oder 10$^1$/$_2$ Uhr beginnt, wird die
ganze Messe feierlich gesungen, wobei die Priester mit
dem Chor abwechseln, welcher stets aus tüchtigen geschulten
Sängern besteht und von einer kleinen, im Chor befind=
lichen Orgel begleitet wird.

**Kirchliche Einteilung.** Das jetzige Königreich Italien
ist eingeteilt in die päpstliche Diözese Rom, 6 Urbikar=
diözesen, 73 unmittelbar dem Heiligen Stuhl unter=
worfene Diözesen, 37 Erzbistümer, 155 Suffragan=
bistümer, 11 exemte Abteien und Prälaturen. Das
Bistum Rom regiert der Papst durch einen Kardinal=
vikar. Ihm, als Bischof von Rom, sind unmittelbar
untergeben die 6 suburbikarischen Bistümer, zugleich Sitze

der 6 Kardinalbischöfe. Ferner sind dem Papst unmittel=
bar unterstellt 12 Erzbistümer (ohne Suffraganate); dann
61 Bistümer.

Klima. Zu den großen Vorzügen Italiens gehört
auch sein herrliches, außerordentlich mildes Klima, das
es dem Wall der Alpen, dem überall wirksamen Einfluß
des Meeres und der günstigen südlichen Lage ganzer
Landschaften verdankt. Es lassen sich drei Gebiete
unterscheiden: das Pogebiet, Mittelitalien und Süditalien,
zu welchem die ligurische Küste zu rechnen ist. Das
Pogebiet ist gegen den direkten Einfluß des Mittel=
ländischen Meeres durch hohe Gebirgsmauern geschützt
und öffnet sich nur noch gegen die Adria. Daher ist das
Klima festländischer: heiße Sommer und kalte Winter.
Die Jahresextreme betragen für Mailand $30^0 - 10^0$
(abs. Extr. $38^0 - 12^0$), Alessandria $35^0 - 11^0$ (abs.
Extr. $37^0 - 18^0$). Die Winterkälte wird hier nicht durch
Luftübertragung, sondern durch Ausstrahlung im Gebiet
selbst bedingt. An den südlichen Abhängen der Alpen
(insbesondere an den Seen) ist der Winter etwas milder
als in der Ebene; Nordwinde sind zwar häufig, aber da
es Fallwinde (Nordföhn) sind, so sind sie verhältnis=
mäßig warm. Die Riviera ist im Norden durch hohe
Gebirge geschützt und bildet eine klimatische Oase mit
voller Mittelmeerflora, wie man sie erst in Süditalien
wiederfindet. In Mittelitalien, südwestlich vom Apennin,
ist der Winter kälter als an der Riviera, aber wärmer
als an der adriatischen Abdachung. Mittlere Jahres=
extreme: Rom $35^0 - 4^0$ (abs. Extr. $37^0 - 6^0$), Ancona
$35^0 - 4^0$. Süditalien (mit Sizilien) hat ein ausge=
sprochenes Mittelmeerklima, am östlichen Apennin sind
die Sommerregen häufiger als im Westen; der Winter
ist sehr mild, so daß keine Unterbrechung in der Vege=
tation eintritt und nur die Berge längere Zeit von Schnee
bedeckt sind. Eine klimatische Schattenseite ist für Italien
die weite Verbreitung der Malaria, die hervorgerufen wird
durch im Boden stagnierendes Süßwasser und bei großer
Hitze vegetierende Mikroorganismen; sie herrscht daher
nur vom Juli bis September, macht aber ganze Land=
schaften, wie die Maremmen von Toskana und die römische
Campagna, unbewohnbar. In den kühleren Jahreszeiten

(der Regenzeit), wo also die Gewässer fließen, schwindet die Malaria. (Vergl. den Art. Malaria). Auch der trockene Schirokkowind, der von Süden her weht, ist lästig und zuweilen der Vegetation schädlich.

**Klima in Rom.** Unbeschreiblich ist der Zauber der südlichen Landschaft und des südlichen Himmels. Die Reinheit der Luft, die Stärke des Lichtes lassen alle Umrisse mit einer wunderbaren Schärfe hervortreten und geben den Farben eine unbeschreibliche Kraft und Sättigung. Die Sterne des Nachthimmels strahlen mit einem im Norden unbekannten Glanz aus der tiefen Himmelsbläue, vor allem glänzt der Jupiter herrlich, und nicht selten sieht man sogar die dunkle Hälfte der Mondscheibe mit unbewaffnetem Auge. Sonnenauf= und =untergang gießen ein Meer von Gold, Purpur und Violett über den Horizont aus; und wenn man in dieser Farbenglut die Kuppeln, Türme und die Häusermasse der Ewigen Stadt schwimmen oder die Gipfel der Berge in rosigen Schimmer getaucht sieht, der durch die feinsten Abstufungen zum tiefsten, ihren Fuß umhüllenden Blau übergeht, dann glaubt man sich der Wirklichkeit entrückt; dieser Anblick ist in der Tat wie ein schöner Traum. Und dieser Herrlichkeit muß man nicht etwa einen langen Winter hindurch entbehren. An kalten und rauhen Tagen fehlt es freilich nicht. Die römische Tramontana oder der Nordwind hat eine schneidende Schärfe, und die armen Kranken, die nach Rom in der Hoffnung kommen, hier einen ewigen Frühling zu finden, sind um so mehr zu bedauern, als die Wohnungen nur einen sehr unvollkommenen Schutz gegen die Kälte gewähren. Aber die Schönheit der Landschaft leidet unter dem Einfluß des Winters nicht wesentlich, ja es ist die Frage, ob sie durch ihn nicht vielmehr gewinnt.

Die von der Sonnenglut braungedörrten Flächen der Campagna überziehen sich im Winter wieder mit Grün, die Gipfel der Berge, wenigstens des Sabinergebirges, schmücken sich mit glänzendem Schnee, aber der Soracte tut dies sehr selten; in Rom selbst fällt nur sehr selten Schnee und bleibt am Tage auch in sehr kalten Wintern nur in Weinbergen und Gärten, nie auf der Straße liegen; aber Eiszapfen hängen freilich zuweilen

tagelang an den Springbrunnen. Die Laubbäume be=
halten ihre Blätter bis in die Mitte des November,
obwohl natürlich in der letzten Zeit mit sehr herbstlicher
Färbung, einige noch länger, belauben sich aber auch erst
sehr spät im Frühling; völlig grün wird es erst wieder
im Mai. In Rom selbst indessen und in seiner nächsten
Umgebung sieht man im Winter doch nicht viele kahle
Bäume, da sie in der Mehrzahl immergrün sind: Pinien,
Lorbeerbäume, immergrüne Eichen, Orangen, Ölbäume,
Zypressen und andere. Myrten gibt es in Rom wenig.
Palmen nur einzelne in Gärten. Auch auf dem Boden
stirbt die Vegetation nicht aus, namentlich Efeu und
Akanthus mit großen dunkelgrünen, schön gelappten
Blättern überziehen weite Strecken; Rosen blühen
mindestens bis in den Februar. Schon im Januar
bedecken sich die Wiesen mit den Blumen, die wir
im Norden als erste Boten des Frühlings zu begrüßen
pflegen: blauem und gelbem Krokus, Perlhyazinthen,
Tausendschönchen, Anemonen in allen Farben, weiß,
scharlach, gelb, violett, duftenden Veilchen in Fülle und
zahlreichen anderen Wiesenblumen.

Nach dem italienischen Sprichwort: «Candelora,
inverno va fuora» beginnt schon mit dem Februar der
Frühling, die Lichtmesse fällt auf den 2. dieses Monats. Die
Mandelbäume, obwohl blätterlos, sind dann mit weißen
und rötlichen Blüten überschüttet, um die auch wohl im
warmen Sonnenschein Insekten schwirren und Schmetterlinge
flattern. Tage, an denen das Thermometer 12—15⁰ R
zeigt, sind im Januar und Februar nicht selten, und
wenn auch später Frost eintritt, so pflegt dieser der er=
wachenden Vegetation, namentlich den Mandelblüten nicht
zu schaden. Im März schreitet der Pflanzenwuchs mit
Macht vorwärts, wenn auch die Laubbäume meist nur die
ersten Triebe zeigen. Im April reifen die Erdbeeren, und
grüne, unreife Mandeln, die man in Salzwasser ißt,
werden dann schon feilgeboten; zuweilen hat man am
Geburtstage Roms, am 21. April, schon reife Kirschen.
Im Mai vollendet sich die Entfaltung der Vegetation,
Mai und Juni sind die schönsten Monate; im Juli be=
ginnt die Glut der römischen Sonne bereits das Grün
zu versengen und Malaria zu erzeugen, deren verderbliche

Miasmen bis in den September hinein das bösartige römische Fieber, febbre perniciosa, verbreiten, das nicht selten tödlich wird. Im Oktober ist die Luft wieder völlig gereinigt, und die Landschaft übt in der duftigen Verklärung der herbstlichen Beleuchtung einen wundervollen Reiz. (Schneider.) — Vergl. die Art. Reisezeit in Italien, Sommer und Winter.

**Klöster** f. den Art. Katholische Kirche.

**Klub** f. den Art. Circolo.

**Kommunalstraßen.** Wie in Frankreich, so unterscheidet man auch in Italien National-, Provinzial- und Kommunalstraßen, als die drei Stufen der öffentlichen Wege, für welche zu sorgen der Staat, die Provinzen und die Gemeinden gesetzlich verpflichtet sind. Neben diesen Straßen stehen die nicht vorgeschriebenen Kommunal-Vizinalwege der allgemeinen Benutzung gleichfalls offen. Die Verpflichtung der Gemeinden zur Errichtung öffentlicher Straßen ist durch ein im Jahre 1868 ergangenes Gesetz geregelt worden. Danach liegt ihnen ob: die Herstellung von Fahrwegen zur Verbindung des Hauptorts der Gemeinde mit der Kreisstadt oder dem nächstgelegenen größeren Bevölkerungsmittelpunkt und mit Eisenbahn und Hafen, ferner zur Verbindung der bedeutendsten Wohnorte des Gemeindebezirks untereinander. Zur Ausführung dieser Straßenbauten wird den Gemeinden ein bestimmter Zuschuß vom Staat und von der Provinz geleistet. Der bei Erlaß des Gesetzes aufgestellte Plan sah im ganzen etwa 75000 km solcher vorgeschriebenen Gemeindestraßen vor, wovon etwa 32000 km bereits vorhanden waren. Der Gesamtaufwand für die Vollendung der noch fehlenden Straßen wurde auf 662 Millionen geschätzt. Ende 1897 betrug die Gesamtlänge der vollendeten oder im Bau begriffenen Gemeindestraßen 58000 km; es waren also in dreißig Jahren 26000 km in Angriff genommen und größtenteils fertiggestellt worden. Die Ausgaben hierfür wurden bereits bis Ende Juni 1889 (spätere Angaben liegen nicht vor) auf 316 Millionen berechnet, wovon der Staat 64,5, die Provinzen 34 Millionen beigesteuert hatten. Durch die schlimme Finanzlage, welche dem Baukrach folgte, sah sich der Staat genötigt, das Gesetz von 1868 im Jahre 1894 außer Kraft zu setzen, so daß seitdem eine Verlangsamung eingetreten ist. Außer den Gemeindestraßen waren Ende 1894 6915 km Staats= und 39925 km Provinzialstraßen vorhanden, so daß das ganze Netz der gesetzlich vorgeschriebenen Wege 104000 km betrug. Dazu kommen noch die nicht vorgeschriebenen Ge= meindefahrstraßen, über deren Ausdehnung seit längerer Zeit keine Angaben veröffentlicht worden sind, die man aber nach früheren Mitteilungen auf mindestens 30000 km schätzen darf, — alles in allem ein Netz fahrbarer Straßen von 130—140000 km. Das ist wenig gegen Frankreich, wo dies Netz sich 1856 auf 543000 km belief. Aber es ist für Italien schon ein sehr fühlbarer Fortschritt, um so fühlbarer, als sich das Straßennetz auf alle Provinzen verteilt und auch diejenigen reichlich bedenkt, die früher ganz unwegsam waren. (Fischer.)

**Kompott.** Die Italiener sind keine Süßmäuler. Man hat in Italien keine süßen Kompotte, sondern nur Rum=Eingemachtes: Kirschen, Pfirsiche, Weinbeeren in Guazzo, d. h. in Weingeist, ohne jeden Zusatz von Zucker. Kompott in deutschem Sinne ist ein ganz neuer Einfuhr= artikel, der aber in die bürgerlichen Küchen noch nicht eingeführt worden ist.

**Konditor (Konditorei).** Das Kandieren bildet die Grundlage eines wichtigen Gewerbes, das sich an den italienischen Höfen entwickelt hat: der Konditorei. Bereits im Altitalienischen ist kandieren und kondieren, candire mit dem alten lateinischen Verbum condire vermischt worden, das heutzutage den Sinn von anmachen, würzen hat, ursprünglich aber vielmehr soviel wie einmachen, ein= legen bedeutete. Condire le frutta wurde neben can- dire, confettare gesagt; daher eben der Titel Con- ditore oder Konditor, der in Deutschland üblich ist und eigentlich einen Kanditor bedeutet. Jetzt heißt der Kon= ditor in Italien gewöhnlich confettiere (konfet-ti̯ä'rä) oder confetturiere (konfet-tūri̯ä'rä), wie confiseur in Frankreich; was die Deutschen eine Konditorei nennen, ist jedoch in Italien eine pasticceria (päßtīt-schēri̯ā). Man findet in einer solchen die Näschereien, die Kuchen und die paste dolci wieder, die die Deutschen von den Italienern übernommen und zum Teil verballhornt haben: z. B. die sogenannten Baisers, die hier meringhe heißen

und auch in Frankreich nur unter der Bezeichnung merin-
gues bekannt sind, ferner die sogenannten Makronen,
die diesen abgeschmackten (auf einer gröblichen Verwechse=
lung mit den maccheroni beruhenden) Namen auch in
Frankreich führen und in Paris als macarons verkauft
werden, in Italien selbst aber nach den dazu verwandten
bitteren Mandeln amarini oder amaretti heißen.
«Amarini Signori!» rufen die umherziehenden Bäcker auf
den Straßen. Daneben findet man Gefrorenes und
Liköre. (Kleinpaul.) — Vergl. auch den Art. Süßigkeiten.

**Konfekt** s. den Art. confetti.

**Kongregationen** s. den Art. Katholische Kirche.

**Konsumsteuer.** Reichhaltig und einträglich ist die
Konsumsteuer, welche die Zölle, die verschiedenen Fabrika=
tions= und die inneren Verzehrssteuern umfaßt. Die
Haupteinnahme liefern die Zölle, die sich namentlich seit
dem Übergang Italiens vom Freihandel zu einem mäßigen
Schutzzollsystem (1884 und 1887) bedeutend gehoben
haben. Neben den zum Schutze inländischen Gewerbefleißes
eingeführten Schutzzöllen auf Eisengeräte, Maschinen und
Erzeugnisse der Weberei werden zahlreiche reine Finanzzölle
erhoben, durch welche die Preise unentbehrlicher Bedürf=
nisse, wie des Erdöls, des Zuckers, des Kaffees, leider eine
in anderen Ländern unbekannte Höhe erreichen. Beispiels=
weise beträgt der seiner Einträglichkeit wegen eifersüchtig
gehütete Zuckerzoll nicht weniger als 88 Lire für den
Doppelzentner, genau das Dreifache des Wertes der Ware.
Das Pfund Zucker, das in Deutschland im Kleinverkehr
30 Pf. kostet, wird in Italien mit 80—90 Ct. bezahlt.
Der zum Schutze der einheimischen Landwirtschaft ein=
geführte Getreidezoll stellt bei seiner Höhe eine sehr wirk=
same Staatseinnahmequelle dar. Unter den Fabrikations=
steuern sind nach der Beseitigung der Mahlsteuer die
Abgaben für die Erzeugung und den Verkauf spirituöser
Getränke, Steuern auf Bier und kohlensaures Wasser,
ferner die 1894 neu eingeführte Steuer auf Erdöl, auf
Streichhölzer, auf Gas und auf elektrische Kraft zu er=
wähnen.

**Konsumvereine** (cooperativa di consumo — kōōpĕ-
rätī'wä dī tonkū'mō). Die cooperative di consumo
nehmen in der wirtschaftlichen Entwickelung Italiens eine

wichtige Stelle ein. Ebenso wie die deutschen Konsum=
vereine umfassen sie meist Mitglieder der verschiedensten
Berufsstellungen, bisweilen auch nur Angehörige eines
Standes. Sie kaufen Waren (Kleider, Möbel, insbesondere
Lebensmittel usw.) im großen ein und geben sie mit mäßigem
Aufschlag ab. Im Gegensatz zu den deutschen Konsumver=
einen dürfen die italienischen cooperative di consumo
auch an Nichtmitglieder verkaufen. Ihre Zahl beträgt
gegenwärtig über 2000. Die größten unter ihnen sind
die mailändische Unione cooperativa mit 7000 Mit=
gliedern und einem Geschäftsumsatz von etwa 6 Millionen
Lire, sowie die Unione militare mit dem Sitz in Rom,
mit 17000 Mitgliedern und einem Geschäftsumsatz von
über 7 Millionen Lire.

**Konvikte.** Die ursprüngliche Gestalt der italienischen
Mittelschule, die des Konvikts, ist nicht bloß in den etwa
einhundert Priesterseminaren, von denen viele namentlich
in den neapolitanischen Provinzen auch Laienschüler auf=
nehmen, beibehalten worden, sondern sie beherrscht noch
heute einen großen Teil derjenigen Anstalten, die von
Körperschaften, Stiftungen und Privaten ins Leben ge=
rufen wurden. Die amtliche Statistik gibt die Zahl der
Konvikte für männliche Schüler im Jahre 1895 96 auf
919 mit 58839 Zöglingen an, begreift dabei aber auch
Wohlfahrtsanstalten, wie Waisenhäuser, Blindenanstalten
usw. ein. Indessen ist es nicht zweifelhaft, daß sich unter
dieser Zahl eine beträchtliche Anzahl von Gymnasien und
Lyzeen befinden. Vierzig dieser Konvikte sind Staats=
anstalten, meist ehemalige Jesuiteninstitute, die eingezogen
und in Alumnate von Gymnasien oder Lyzeen umge=
wandelt worden sind. Die Mehrzahl von ihnen wird
durch den Vorsteher der Schulanstalt, bei der sie ein=
gerichtet sind, verwaltet; eine Anzahl aber hat noch die
frühere Verfassung behalten und führt eigene Rektoren
an der Spitze. Vor einigen Jahren wurden mehrere
Convitti nazionali nach vorgängiger Verständigung
zwischen dem Unterrichts= und dem Kriegsministerium
unter militärische Leitung gestellt; dem Erziehungs=
personal wurden Offiziere beigegeben, die Zöglinge er=
hielten Uniformen und wurden, ungefähr wie unsere
Kadetten, nicht bloß unterrichtet, sondern auch disipliniert

und stramm gehalten. Aber troß des Beifalls, den an= gesehene Schulmänner dem Unternehmen schenkten, hat man diesen Versuch fallen lassen, weil sich in der Presse und in der Kammer lebhafter Widerspruch gegen die mit demokratischen Anschauungen unverträgliche Militarisierung nationaler Erziehungsanstalten erhob.

**Körperbeschaffenheit.** In seinem für den Schulgebrauch der oberen Elementarklassen bestimmten Buch La Patria nostra gibt Angelo De Gubernatis folgende Schilderung des italienischen Volkstypus: „Der Italiener ist von mittlerem Wuchs und trägt den Kopf hoch und frei auf starkem Nacken; er hat eine breite Brust, bewegliche Glied= maßen und kräftige Muskeln. Sein Haar ist meist schwarz und dicht, die Augen ausdrucksvoll und lebhaft, seine kraftvolle und wohltönende Stimme befähigt ihn ebenso zum Befehl wie zum Gesang. Er ist von ungemein ge= wecktem Geist, der Begeisterung leicht zugänglich, aber zu gleicher Zeit fähig, sich zurückzuhalten und ihren Ausdruck zu mäßigen; unter dem Anschein der Natürlichkeit voll von berechnender Vorsicht; fast ausnahmslos mäßig in Speise und Trank, eine Eigenschaft, die den italienischen Arbeiter in fremden Werkstätten besonders hochgeschätzt macht." Diese Schilderung, in der einige der hervor= stechendsten Kennzeichen des Italieners zusammengefaßt sind, bewährt sich auch bei näherem Eingehen auf die körperliche und geistige Begabung des Volkes als zu= treffend; sie ist auch, obwohl sie mehr die Lichtseiten als die Schattenseiten betont, nicht allzu ruhmredig.

Wer Italien von Norden her betritt, nimmt zunächst mit Erstaunen wahr, daß ihm in den Alpentälern von Pie= mont, der Lombardei und Venetien vielfach Menschen von hohem Wuchs, mit blondem Haar und hellen Augen be= gegnen. Je weiter er ins Land hineinkommt, desto mehr vermindert sich das Körpermaß der Bewohner und desto überwiegender wird der schwarzhaarige und dunkeläugige Typus. Dieser beherrscht den Süden fast ausschließlich. Die vereinzelten großen blondhaarigen Menschen, die man hier und da im Neapolitanischen oder gar auf Sizilien noch vorfindet, stellen sich, wenn man Gelegenheit hat, ihre Abkunft zu erfragen, meist als Abkömmlinge von Schweizern heraus, die bis 1860 zu Tausenden in den

Fremdenregimentern der Bourbonenzeit im Lande ver=
weilt haben und vielfach dauernd dort geblieben sind.

Diese Wahrnehmungen, die sich jedem Reisenden auf=
drängen, stimmen mit den Ergebnissen der wissenschaft=
lichen Beobachtungen über die Körperbeschaffenheit der
Italiener durchaus überein. Nach den Messungen, die
von Militärärzten an mehreren hunderttausend Rekruten
bei ihrer Einstellung in die Armee gemacht worden
sind, beträgt das Verhältnis der Größen von 1,70 Meter
und darüber in ganz Italien 17,632 vom Hundert
der Gemessenen. Dieser Durchschnitt steigert sich in
Oberitalien; er nimmt an Dichtigkeit zu, je mehr man
sich dem Abhang der Alpen nähert, und erreicht seine
größte Höhe in den venezianischen Provinzen. Aber
auch Piemont und die Lombardei sowie ein großer Teil
von Toskana weisen mehr oder minder starke Über=
schreitungen der Durchschnittszahl auf. Dagegen beginnt
der Durchschnitt bereits in Mittelitalien zu sinken. Süd=
lich von Rom, das sich vermöge des stattlichen Körper=
wuchses seiner Bevölkerung noch über den Durchschnitt
erhebt, wird die Beimischung der Großgewachsenen immer
geringer, sie sinkt auf 14, 11, 8 und 5 Prozent und er=
reicht in Sardinien, das noch hierunter zurückbleibt,
den tiefsten Stand. Für die kleinen Gestalten von
weniger als 1,60 Meter Körperlänge beträgt das Durch=
schnittsverhältnis im ganzen Lande 18,225 Prozent.
Dieser Durchschnitt beginnt schon in vielen Teilen Mittel=
italiens zu sinken, er wird in Oberitalien immer geringer
und bleibt in mehreren venezianischen Provinzen unter
9 Prozent zurück. Dagegen wird er in Süditalien fast
ausnahmslos überschritten und steigert sich in Kalabrien,
im südlichen Sizilien und in fast ganz Sardinien auf
über 30 vom Hundert. Ähnlich ist das Verhältnis der
Blonden zu den Braunen.                    (Fischer.)

**Korso.** In fast jeder Großstadt Italiens blüht der
Korso, welcher Sommer und Winter stattfindet, soweit
es das Wetter erlaubt und eigentlich ein recht anspruchs=
loses Vergnügen ist. In Neapel «Villa Nazionale», in
Florenz «Cascine», zu Rom auf dem «Pincio» und
der «Villa Borghese» (jetzt «Villa Umberto I») oder
«Villa Doria Pamphili» fährt in der späten Nach=

mittagsſtunde — das iſt alſo kurz vor dem Diner — alles, was zur Hautevolee rechnet oder gerechnet werden will, hintereinander in beſter Toilette ſeine Equipage, ſeine wohlgepflegten Roſſe, ſeine Kutſcher und ſeine Diener aus, und zwar in zwei, drei Reihen dicht nebeneinander her, ſo daß die Inſaſſen jedes Gefährts innerhalb der üblichen Wagenpolonaiſe ein- oder mehreremal Gelegenheit haben, einander zu begegnen, ſich zu begrüßen und anzulächeln, neue Erſcheinungen zu beſtaunen, zu kritiſieren, Toiletten zu ſtudieren. Die dazu wiederholt in der Woche ſpielende Kapelle gibt dieſer Revue eine gewiſſe harmoniſche Stimmung, die Anweſenheit des Königs, der Königin oder einiger Principi oder Fürſten der Börſe oder Königinnen der Bühne oder hervorragender Mitglieder der Fremdenkolonie — namentlich Engländer — gibt dem Korſo einen intimen Reiz, und das Kopf an Kopf gedrängte, auf- und niederwallende Publikum gibt dem farbenreichen Bilde die Staffage. — Auf der Terraſſe des Pincio, gegenüber der Muſik, machen in der Regel die Equipagen eine zeitlang Raſt, die Kavaliere ſteigen aus, machen den ihnen bekannten Damenkutſchen Beſuche, bringen ihnen Blumen und Neuigkeiten, und dort, im Anblick der kuppelreichen Ewigen Stadt, entſpinnt ſich ein liebenswürdiges Plauder- und Courmachſtündchen, um welches Paris und London Rom beneiden könnte. Mit dem letzten Ton der Muſik fährt Wagen an Wagen wieder nach der Stadt zu, und in dem Korſo und den anſtoßenden Straßen gibt es einen ſo gewaltigen Andrang ſchimmernder Equipagen und Toiletten, daß der Verkehr der ohnehin gefüllten Straßen halbe Stunden lang völlig unterbrochen iſt, und es der ganzen Höflichkeit dieſer niemals drängenden und treibenden Menſchen bedarf, daß ſich der unentwirrbar erſcheinende Wagen- und Menſchenknäuel ſtets faſt geräuſchlos und ohne den mindeſten Unfall löſt.

**Kreditgenoſſenſchaften** ſ. den Art. Volksbanken.

**Kriegsakademie** ſ. den Art. Offizierſchulen.

**Krippen.** Anſtatt des Weihnachtsbaumes werden in Italien ſowohl in den Kirchen als in den Familien Krippen aufgeſtellt, die bis Epiphania, wo die heiligen drei Könige dazu geſetzt werden, ſtehen bleiben. Bekannt ſind die großen Krippendarſtellungen in den römiſchen

Franziskanerkirchen von Ara Coeli, wo der bambino, ein hochverehrtes Bild des Jesuskindes, auf dem Stroh liegt, und von S. Francesco a Ripa. In beiden Kirchen werden von Weihnachten bis Epiphania mittags von 12 bis 4 Uhr von kleinen Kindern auf einer Estrade Ansprachen und Gedichte zu Ehren des Jesuskindes vorgetragen. — Vergl. den Art. Weihnachten in Rom.

**Küchengewächse.** Die Küchengewächse sind in Italien mannigfacher als in Deutschland, und auf den Krautmärkten der großen Städte pflegt um die Springbrunnen herum eine verwirrende Menge Wurzeln, Blätter und Knollen aller Art den musivischen Steinboden zu bedecken und die Auswahl zu erschweren. Manches davon ist in Deutschland nicht bekannt oder nicht gebräuchlich und das Bekannte erscheint in zahlreichen Abarten; auch stammen die deutschen Gemüse, wie schon ihr Name lehrt, zumeist aus Italien, nur wenige sind ursprünglich in Deutschland heimisch. Noch mehr aber erstaunt man über die große Anzahl wildwachsender Pflanzen, die der Landmann, ja auch der Städter zur Nahrung verwendet. Je nach den Landschaften ist dieser Gebrauch verschieden, immer aber sehr mannigfaltig. Jede Jahreszeit bringt aus den Bergen und Gebüschen, vom Rande der Felder und Wege, auch von den Bäumen irgendwelche zarte Blättchen, junge Sprossen, Wurzeltriebe, Blütenknospen u. dgl., die entweder die Suppe würzen oder zu einem Gemüse verkocht werden, roh oder gesotten mit Öl, Essig, Salz und Pfeffer einen Salat abgeben. Aus ihrer großen Zahl kennt die deutsche Küche nur etwa die Kapernknospen: man tut sie in die Speisen und weiß in der Regel nicht, daß man mit jedem dieser kleinen Köpfchen eine der herrlichsten Blumen — ein weißer Kelch mit einem Büschel lilablauer Staubfäden — in unentwickelter Knospe verzehrt. — Vergl. den Art. Gemüse.

**Kulturbäume.** Von der Südgrenze Deutschlands bis zur Nordgrenze Italiens ist der Weg nicht allzu weit. Aber welch ein Unterschied im Klima und in der Pflanzenwelt! Und dieser Unterschied tritt ohne jede Vermittlung auf. Die gewaltige hohe Alpenkette, die den Südrand Deutschlands umsäumt, ist schuld daran, daß der Übergang von der einen Zone in die andere so ganz unver-

Land und Leute in Italien.                    17

mittelt erfolgt. Die hohe Gebirgswand verursacht es, daß Süddeutschland kaum wärmer, stellenweise sogar rauher ist als Norddeutschland; andererseits ist sie es auch, die Oberitalien wärmer macht, als andere Landesteile unter denselben Breitengraden sonst sind. Die Alpen halten die nordische Luft ab, sie gleichen südwärts gerichteten Mauern, an denen die Wärme sich fängt und sich häuft. So treten wir denn, wenn wir die Alpen überschritten haben, in ein Gebiet ein, das uns völlig fremd anmutet. Auf den Fluren sehen wir Mais und Reis, in den Gärten wachsen fremdartige Gewächse, in den Parkanlagen stehen Bäume von tropischem Aussehen, überall in Wald und Gestrüpp treten uns die lederartigen, glänzenden Blätter immergrüner Pflanzen entgegen. Italiens Gewächse gehören zu der Flora des Mittelmeergebietes. Es ist ein sonniges, glückliches Gebiet. Die Wärme übt ihre befruchtende Kraft, und die Nähe des Ozeans verhindert, daß die Sonne das Land versengt und ausdörrt. Es ist kein Wunder, daß sich die ältesten Kulturvölker am Mittelmeer ansiedelten. Hier herrschte nicht die entnervende Hitze der Tropen, aber ein mildes, warmes Klima sicherte doch dem Menschen ein fröhliches, leichtes Dasein. Das Mittelmeergebiet ist auch, wenn nicht die Heimat, so doch die Wiege vieler bedeutsamer Kulturpflanzen, von hier und besonders von Italien her hat Europa die Gerste, die Hauspflaume, die Sauerkirsche, den Weinstock, den Walnußbaum und noch manche andere wertvolle Pflanzen erhalten.

Manches nützliche Gewächs, das sich in dem nordischen Klima nicht einbürgern konnte, hat Italien jedoch für sich behalten. Besonders sind es eine Reihe von Kulturbäumen, die in Italien so häufig angepflanzt werden, daß wir sie als italienische bezeichnen möchten, selbst wenn sie hier nicht ihre ursprüngliche Heimat haben und auch in anderen Ländern des Mittelmeergebietes angepflanzt werden. Man braucht Namen wie Orangen und Zitronen nur zu nennen, um an das glückliche Land zu denken, das einst mit seiner Kunst und seiner Wissenschaft das Land der Germanen zum geistigen Erwachen brachte. Der Orangen- und der Zitronenbaum sind es vor allem, die durch ihre immer-

grünen Blätter den Eindruck des Südländischen in der
Vegetation der italienischen Ortschaften erhöhen. Denn
alle Gewächse Italiens sind keineswegs immergrün. Es
gibt hier auch verschiedene Baumarten, die im Winter
ihr Laub verlieren. Neben den immergrünen Eichen
wachsen ja in Italien auch Eichen, Ulmen, Pappeln.
Die Buche wächst auf den Höhen der Gebirge, und
die Hopfenbuche, die der Hainbuche verwandt und
ähnlich ist und wie sie das Laub wechselt, bedeckt in
großen Beständen die Apenninen. Die niedrigen Buchen-
wälder, die für Italien wie für das ganze Mittelmeergebiet so kennzeichnend sind — Macchien werden sie
genannt —, bestehen zwar zum Teil aus Myrten, Lorbeer,
Oleander und Johannisbrotbäumen, aber sie haben auch
ihre laubwechselnden Gehölzarten. In der Nähe der
menschlichen Ansiedelungen aber würden vielleicht die
immergrünen Gewächse vor den Obstbäumen, namentlich
Kirschen, Pflaumen und Birnen in den Hintergrund treten,
wenn die Zitronen und Orangen fehlten.

(Curt Grottewitz.)

**Kultusfonds** s. den Art. Katholische Kirche.

**Kunstdenkmäler** s. die Art. Ausfuhr von Kunstgegenständen, Pflege der alten Kunst.

**Kursbuch.** Kursbücher sind an allen italienischen
Bahnhöfen und bei den Zeitungsverkäufern erhältlich.
Das beste ist der ‹Orario ufficiale delle strade ferrate &c.› in größeren und kleineren Ausgaben. Außerdem sind noch zu empfehlen: ‹l'Indicatore generale
delle strade ferrate›, ‹la Guida Orario generale
pel viaggiatore in Italia› u. a. m. Zu bemerken ist,
daß in allen italienischen Kursbüchern die Tagesstunden
von 1 bis 24 gezählt werden. — Vergl. den Art. Stundenzählung.

## L.

**Lacrimae Christi** s. die Art. Wein, Weinbau.

**Landarbeiter** s. den Art. Tagelöhne.

**Landbevölkerung.** Betrachtet man die Ortschaften
Italiens, die, von weitem gesehen, so anziehend sind, in
der Nähe, so ist alles so traurig, so völlig elend, daß
der anfänglich vorherrschende Eindruck des Malerischen

17*

schwindet und von dem Mitleid für die Menschen völlig
ausgelöscht wird. «Le nostre plebi non mangiano»,
heißt es in einem 1898 erschienenen Buche. Die un=
genügende Ernährung des Volkes gehört zu den für den
Zustand Italiens vorzugsweise bezeichnenden Erscheinungen.
Unter allen Ländern Europas ist der Fleischgenuß hier am
geringsten. In den italienischen Krankenhäusern wird die
durch unverdauliche Nahrungsmittel herbeigeführte Magen=
erweiterung besonders häufig beobachtet. Von dem aus
den Donaufürstentümern eingeführten Getreide wird das
durch Havarie verdorbene und folglich wohlfeile zuerst
verbraucht. Daß die Lage der Landbevölkerung eine
schwere Gefahr für den Staat in sich birgt, haben ein=
sichtige Vaterlandsfreunde schon vor mehr als zwanzig
Jahren ausgesprochen. Nur Unverstand oder Verblendung
kann leugnen, daß die wirtschaftliche Frage in Italien
eine landwirtschaftliche ist, und daß die Zukunft des
Landes auf einer besseren Bodenverteilung und einer
besseren Regelung der ländlichen Arbeiterverhältnisse
beruht. Etwa der dritte Teil der Gesamtbevölkerung
lebt vom Landbau. Aber Bauernhöfe mit selbständigen
Eigentümern gibt es sehr wenig, und die Sprache
hat für Bauer nicht einmal ein Wort; denn contadino heißt ebensowohl der Pächter, Knecht und Tage=
löhner, wie der Besitzer auf dem Lande. Einen sehr
unvollkommenen Ersatz für den fehlenden Freibauernstand
gewährt die sehr verschieden beurteilte, vorzugsweise in
Toskana heimische Mezzadria ein Teilbau, wobei der Be=
sitzer dem Bebauer den Boden gegen einen Anteil (meist
die Hälfte) des Rohertrags überläßt; diese von Jahr zu
Jahr gehenden Verträge setzen sich nicht selten durch
Geschlechter fort. Aber selbstverständlich ist auch die Lage
des Teilbauern eine unsichere und abhängige, besonders
wenn er Vorschüsse oder Stundung der Pacht erbitten muß.
Ein Hauptübelstand der ländlichen Zustände ist ferner,
daß das Außerhalbwohnen der Grundherren und die
dadurch herbeigeführte Einschiebung von Zwischenstellen
zwischen Gutsherrschaft und Landbevölkerung die Regel
bildet. Die Großpächter (mercanti di campagna) ver=
pachten Ackerteile an Afterpächter, so daß der Boden
eine vierfache Rente zu tragen hat: für den Grundherrn,

den Groß= und die Afterpächter, endlich den Bebauer,
dessen Lage die ungünstigste ist. Wo Latifundienwirtschaft
vorherrscht, wie in Süditalien und Sizilien, überlassen
die Besitzer die Leitung des Betriebes und die Herrschaft
über die Leute meist ganz und gar Verwaltern (fattori).
Dort nimmt das ländliche Massenelend mit seinen Be=
gleiterscheinungen den größten Umfang an.

Die bisherigen Versuche zur Verbesserung der Bodenver=
teilung sind nicht nur völlig erfolglos geblieben, sondern
haben das Übel noch verschlimmert. Die veräußerten Kron=
und Kirchengüter, sowie das durch Entwässerung und Aus=
trocknung gewonnene Land sind von Großkapitalisten an=
gekauft und so die Latifundienwirtschaft, an der das
heutige Italien in viel höherem Grade leidet als das
alte, noch erweitert worden. Die Extensivkultur, die
beim geringsten Aufwand für Betrieb und Löhne die
höchste Verzinsung des im Boden angelegten Kapitals
ergibt, hat daher noch zugenommen. Gründlich kann hier
nur durch ein gesetzlich geregeltes Enteignungsverfahren
geholfen werden. Die Technik des Betriebes ist vielfach
noch eine überaus rückständige. Das unzweckmäßig be=
wirtschaftete Land überwiegt entschieden. Italien ist trotz
aller Vorzüge seines Klimas und trotz der unverdrossenen
Arbeitsamkeit der Landbevölkerung seit 1885 beständig
und in zunehmendem Maße darauf angewiesen, einen
Teil seines Bedarfs an Brotfrucht durch Einfuhr zu decken.
Die in vielen Gegenden üblichen Pacht= und Arbeits=
verträge liefern den wirtschaftlich Schwächeren schutzlos
der Willkür und erbarmungslosen Ausbeutung des Be=
sitzenden aus. Alle wahren Vaterlandsfreunde verlangen
eine gesetzliche Regelung dieser Verträge, die sich noch immer
in demselben Zustande befinden wie vor hundert Jahren,
durch Bestimmungen, wie sie P. Villari für Sizilien
aufgestellt hat: Erstreckung der Pachtverträge auf längeren
Zeitraum, Verbot der Afterverpachtung und der aus der
Feudalzeit fortgeschleppten außerordentlichen Frondienste,
Verteilung des durch Unfälle verursachten Schadens auf
Pächter und Eigentümer, Bestimmung eines Höchstmaßes
der Zinsen bei Vorschüssen. Dringend notwendig ist aber
auch eine Hebung des kaum mehr als dem Namen nach
bestehenden Agrarkredits, dessen geringe Entwickelung dem

Wucher, dem Krebsschaden der Landwirtschaft, den größten
Vorschub leistet; für Hypotheken steigen die Zinsen bis
zu 10 und 12 Prozent. Die bis jetzt gemachten Versuche,
der Verschuldung der kleinen Landwirtschaft entgegen-
zuwirken, haben wenig gefruchtet, und die Zusammenstürze
von Agrarbanken, die zu diesem Zwecke gegründet waren,
haben unheilbaren Schaden angerichtet.

Die Lage der Landbevölkerung hat sich seit 1860
nicht verbessert, sondern verschlimmert, am meisten durch
den Steuerdruck und dessen höchst ungerechte Verteilung. An Versuchen der Regierung, die Steuerkraft
der Leistungsfähigeren schärfer heranzuziehen, hat es
nicht gefehlt, aber sie scheiterten regelmäßig am
Widerstand der parlamentarischen Interessenvertretung.
Durch diese Überbürdung werden jahraus, jahrein Tausende von kleinen Eigentümern besitzlos oder zur Auswanderung gedrängt. Unter den Landarbeitern bilden
die Festangestellten (salariati stabili) eher die Minder-
heit, das Proletariat der Tagelöhner (braccianti
manovali) die Mehrheit. Die Löhne sind wegen des
geringen Wettbewerbs der Industrie sehr niedrig, für
Männer im Durchschnitt wenig über eine Lira, für Weiber
weniger (50—60 Ct.), und dieser targe Lohn wird oft
noch durch Abgaben an Vermittler gekürzt, am meisten
aber durch das in vielen Betrieben herrschende Trucksystem.
Die von Pasquale Villari in den Lettere meridionali (1878, 2. Ausg. 1885) und anderen gegebenen Berichte über das Massenelend der ländlichen Bevölkerung
in den einzelnen Provinzen sind von einer schauerlichen
Gleichförmigkeit. Zwar stammen sie großenteils aus den
sechziger und siebziger Jahren des vorigen Jahrhunderts
und einige aus noch älterer Zeit; aber die Fortdauer der
Zustände, die sie schildern, ist bei der Fortdauer der sie
mit Notwendigkeit bedingenden Ursachen auch ohne aus-
drückliche Zeugnisse unzweifelhaft, und auch an diesen
fehlt es nicht. Mögen auch hier und da Besserungen eingetreten sein, so können sie doch nicht viele wesentliche
Änderungen herbeigeführt haben. In der Provinz Mailand
waren 1884—1891 36 Landarbeiterausstände. Die letzten
heftigen Unruhen bei Vercelli machten aller Welt bekannt,
daß die Tagelöhner in den Reisfeldern noch nicht 80 Ct.

erhielten und einen Lohn von 1 Lira nicht durchsetzen konnten. Die Provinz Mantua, wo in derselben Zeit 35 Ausstände waren, ist der Hauptherd der Pellagra. Diese ist eine Folge der Not, an der dort 20000 Familien leiden, die bei härtester, von früh bis spät währender Arbeit vielfach von verdorbenem Maismehl leben. Die Pellagra, eine stete Begleiterin des Maisbaues, befällt nur die Feldarbeiter, gewinnt stets durch schlechte Ernten eine größere Verbreitung, ist erblich und hat häufig Geisteskrankheit zu Folge.

Das Hauptgebiet der Latifundien, des Außerhalblebens, der Willkür und Tyrannei der fattori, des Extensivbetriebes, der niedrigen Löhne und des Massenelends ist, wie gesagt, der eigentliche Süden. Nach allen Berichten aus den letzten Jahrzehnten des 19. Jahrhunderts fand man in beiden Kalabrien, der Basilicata und Apulien überall wenige Reiche, unter ganzen, täglich mit dem Hunger kämpfenden, durch Leiden abgestumpften oder zur Verzweiflung getriebenen Bevölkerungen; und schwerlich haben sich diese Zustände bis heute wesentlich geändert. In Kalabrien, wo 1893 zwei Drittel des Bodens im Besitz von zwanzig Baronen waren, herrschte die Weidewirtschaft vor. Die Feldarbeiter verdienten bei einer dreizehnstündigen Arbeit 0,85 bis 1,25 Lire, die Arbeiter in einer Bergamottölfabrik in Reggio mit siebzehn Stunden einer hauptsächlich nachts betriebenen Arbeit 1,25 Lire. Die Nahrung bestand in gesottenen oder in Öl getauchten Kräutern und schwarzem Brot. Die dies Elend ausbeutenden Wucherer ließen sich oft von einer Lira 1—2 Soldi wöchentlich als Zinsen bezahlen. Die Auswanderung war so groß, daß manche Flecken zuweilen in einem Jahre zweihundert Köpfe verloren.

Apulien ist wohl der am weitesten zurückgebliebene Teil des Festlandes, dessen Gewinnung für die Kultur zu den schwersten Aufgaben des modernen Italiens gehört, eine wahre Italia irredenta. Sein Tafelland, eine ungeheure (70 km lange, 4—5 km breite), seit vier Jahrhunderten dem Ackerbau entzogene Steppe, die nur von November bis Mai von gewaltigen, aus den Abruzzen herabsteigenden Herden belebt wird, könnte die Kornkammer von ganz Italien sein. Allerdings sind durch die 1865 begonnene Förderung des Ackerbaues auf diesem Gebiete bereits große Fortschritte erzielt worden, aber im Vergleich mit dem, was noch zu tun bleibt, sind sie gering. Wer die volkswirtschaftlichen Verhältnisse des Landes nicht kennt, schrieb Gregorovius 1874 beim Anblick der unabsehbaren Mandelgärten der Gegend von Andria, möchte glauben, daß die in solcher paradiesischen Fülle der Natur lebenden Menschen in Reichtum schwelgen, und er wird dann mit Verwunderung wenige reiche Leute unter mühselig ihr Leben fristenden Bauern und Tagelöhnern vorfinden. Die Bevölkerung erschien ihm stumpfsinnig, unter dem Druck eines Jochs trauriger, seit Jahrhunderten ertragener Lebensbedingungen, in hilfloser Verlassenheit, ohne Bewegung, ohne Hoffnung, in einem Zustande von Erstarrung, von der Welt vergessen und selbstvergessen. Zu den augenscheinlichsten Beweisen des landwirtschaftlichen Gepräges der wirtschaftlichen Frage gehört der Umfang der bäuerlichen Auswanderung. Die ländliche Bevölkerung beträgt 35 v. H. der Gesamtbevölkerung, stellt aber 70 v. H. der Auswanderung. In den drei Jahren 1895 bis 1897 wanderten jährlich etwa 81000 bis 99000 Landbewohner für immer, 31000 bis 35000 zeitweise aus. Ihre Hauptziele waren Argentinien und Brasilien, wo die schon über eine Million zählenden Ansiedler eine nationale Zukunft haben. — Vergl. den Art. Auswanderung. (Prof. S. Friedländers „Aus Italien".)

**Landwirtschaft** s. den Art. Ackerbau.

**Latifundien** s. den Art. Siziliens Erwerbsverhältnisse und Landbevölkerung.

**Lawn-tennis** s. den Art. Fußball.

**Lazzaroni** (läd-järö'nt). Die Lazzaroni sind eine dem neapolitanischen Volksleben eigentümliche Menschenklasse, die besitz-, ja zum Teil obdachlose Bevölkerung, das Proletariat von Neapel, das unter dem schönen, milden neapolitanischen Klima zu einem ganz eigentümlichen Völkchen verwachsen ist und sich von der besitzlosen Masse oder dem Proletariat anderer großen Städte, namentlich der nordischen, wesentlich unterscheidet, wo unter vielen Mühen der Lebensunterhalt, die Sicherheit und der Schutz gegen Sturm, Regen, Schnee, Kälte und die ganze Unbill der Witterung errungen und erzwungen werden muß. Anders hier in der südlichen Natur, die überall zu frohem Ge-

nuſſe einladet und wenig Anſtrengung von den Genießen=
den fordert; das Obdach und die Kleidung können entbehrt,
die notwendige Nahrung, ja ſogar manche Annehmlichkeit
ohne große Anſtrengung gewonnen werden. Obgleich
ohne eigenes Dach und Fach, iſt des Lazzarones Be=
finden ſelbſt in der größten Zerlumptheit ſeiner Kleidung
und ohne allen Beſitz dennoch kein bejammernswerter, ja
in einem gewiſſen Sinne vielmehr ein beneidenswerter
Zuſtand. Er iſt in ſeiner Zerlumptheit noch nicht nackt
und elend, denn er kann den deckenden Schutz der Klei=
dung bei der Milde der Luft gar leidlich entbehren, er
bedarf zu ſeinem Nachtſchlaf nicht des ſchirmenden Daches
und der ſchützenden Fenſter einer eigenen Wohnung. Die
Schwellen der Paläſte, die Hallen der Kirchen gewähren
ihm Schutz und Bequemlichkeit genug zu ſeiner nächt=
lichen Lagerſtätte, und faſt überall findet er ſchattige
Orte, um hier, der Sonnenhitze entzogen, zu mehr=
ſtündigem Mittagsſchlaf ſeine Glieder auszuſtrecken, denen
der harte Stein eine willkommenere Lagerſtatt ſcheint als
das weichſte Federbett. Er hat nicht für den andern
Tag zu ſorgen, da jeder einzelne Tag des ganzen langen
Jahres ihm die Möglichkeit eines vergnüglichen Lebens
gewährt; zu jeder Tageszeit entleert die Campagna felice
das Füllhorn ihrer Gaben, Obſt und Gemüse, in Über=
fluß, und das fiſch= und muſchelreiche Meer ſchüttet
einen Reichtum von Nahrungsmitteln in die Netze oder
wirft ſie an ſeine Geſtade, daß er ſie für ein geringes
zu ſeiner Nahrung erwerben kann. So iſt das Leben des
Lazzarones, ſo dürftig und elend es auf den erſten Blick
erſcheint, keineswegs ein ſolches. Sein Verdienſt iſt zwar
unſicher, aber wenige Pfennige befriedigen nicht nur die
Bedürfniſſe ſeines Magens, ſondern verſchaffen ihm auch
noch manche Ergötzlichkeiten, die ſich ſelbſt ein vermög=
licher Bewohner des Nordens verſagen muß. Man halte
ihn nicht für einen bloßen Faulenzer; wenn es ſein
muß, geht er auch rüſtig an die ſchwerſte Arbeit, wozu
aber ſoll er ſich anſtrengen, da ſeine Bedürfniſſe nur ſo
gering ſind? (Schneider.)

**Lebensdauer** ſ. den Art. Geſundheitspflege.

**Lebensmittel** (viveri — wi'wäri). Ein Gang durch die
Markthallen oder auch durch die Straßen der größeren Städte

gibt ein übersichtliches Bild der reichen Fülle von Lebens=
mitteln, über welche der Italiener verfügt, und die nicht
zum geringsten Teile dazu beitragen, das Leben in seinem
Lande angenehm zu gestalten. — Die vier großen Ab=
teilungen der Markthallen: Fleisch, Fisch, Gemüse und Obst,
streiten sich hinsichtlich der Menge und Güte förmlich um den
Vorrang. Besonders die Abteilung der Fische überrascht
durch ihre, dem Meere abgewonnenen Schätze, welche täglich
frisch abgeladen werden und zum Teil noch leben. Da=
neben dehnen sich in reicher Auswahl verschiedene Hummer=
sorten und die Austernkörbe aus (vergl. den Art. Fische).
Die Fleischhalle glänzt durch Geflügel, die Gemüsehalle
durch ihren Reichtum an Spargelsorten, durch die Haufen
von Blumen= und Rosenkohl, Tomaten, Eieräpfeln und
endlich durch ihre Nebenabteilung: den Butter= und Käse=
handel. — Die Tische der Obstabteilung sind, je nach
der Jahreszeit, mit Weintrauben, Nüssen und allen
anderen bekannten Fruchtsorten überladen, wozu der
Süden seine Schätze so reichlich hinzufügt, daß der Preis
oft geringer ist, als der für einheimische Erzeugnisse. —
Gegenüber dieser Fülle ist die Annahme wohl gerechtfertigt,
daß sich in Italien gut leben läßt; gleichwohl ruft die Frage
nach den Preisen bald eine Herabminderung dieses Hoch=
gefühls hervor. Zwar ist das Fleisch z. B. billiger als in
Deutschland; aber Salz, Zucker, Kaffee, Spiritus, Holz,
Kohle, alles ist viel teurer als in irgendeinem Lande
Europas. Daher kommt es, daß der Lebensunterhalt,
sobald man sich nicht auf Obst und Gemüse beschränken
will, in Italien teurer ist als irgendwo anders.

**Leberwurst**, wörtlich übersetzt salsiccia di fegato;
die Italiener kennen aber eine solche Delikatesse nicht!

**Leghe di resistenza** (Kampfverbände) s. den
Art. Arbeiterorganisation.

**Leidenschaft.** Bei der Leidenschaftlichkeit der italie=
nischen Gemütsart bringt die entfesselte Eigenart größere
Gefahren mit sich. Haß, Zorn und Eifersucht, die der
Deutsche nur in der Einzahl kennt, sind dem Italienischen
durchaus in der Mehrzahl geläufig: gli odi, le
ire, le gelosie schlagen in der Seele des Italieners
tiefe Wurzeln und reißen ihn nicht selten zu zügellosen
Ausbrüchen und schlimmen Taten hin. Rachsucht hat sich

zu einem Trieb ausgebildet, der in dieser Stärke in anderen Ländern kaum bekannt ist. Una bella vendetta bildet für viele, die durch Wort oder Tat eine Kränkung erfahren haben, ein Lebensziel, das sie mit Aufbietung aller Geisteskräfte und mit Einsetzung des eigenen Lebens zu erreichen streben. Die „Göttliche Komödie" ist ein gewaltiges Denkmal dieser landesüblichen Rachbegier. Ein gewaltiges, häßliches Denkmal ist aber auch die Statistik der Verbrechen gegen das Leben. Noch gegenwärtig kommen alljährlich 3 — 4000 zur obrigkeitlichen Kenntnis. Zieht man nur die Fälle in Betracht, die strafgerichtlich abgeurteilt werden, so erreichen auch diese (für die drei Jahre 1892—1894 durchschnittlich 2329) eine Zahl, welche diejenige anderer Kulturländer weitaus übertrifft. Nach der von Bodio mitgeteilten Statistik wurden im Jahre 1892 Verbrechen gegen das Leben abgeurteilt: in Italien 2160 Fälle (7,10 auf 100000 Einwohner), in Frankreich 609 (1,75), in Deutschland 535 (1,06), in Spanien 849 (4,73). Die Verhältniszahl dieses schwersten Verbrechens war hiernach in Italien viermal höher als in Frankreich, mehr als sechsmal so hoch als in Deutschland und überstieg selbst Spanien um fast fünfzig Prozent. Der traurige Vorrang im Mord und Totschlag (primato nei reati di sangue), den bereits vor längerer Zeit ein hervorragender Kriminalist für sein Vaterland zu beanspruchen gezwungen war, dauert zum tiefen Schmerz italienischer Vaterlandsfreunde noch in der Gegenwart fort. Über die Beweggründe, durch welche die Verbrechen gegen das Leben herbeigeführt werden, liegen bis zum Jahre 1889 amtliche Aufzeichnungen vor. Sie ergaben für dies Jahr, daß unter 2264 von den Schwurgerichten abgeurteilten Fällen nicht weniger als 35,3 v. H. aus Rache oder Haß, 18,9 aus Jähzorn, 10,6 aus Liebe oder Eifersucht, aus Eigennutz oder Gewinnsucht hingegen nur 15,7 v. H. begangen waren. Hiermit stimmt die Wahrnehmung überein, wonach die ohne Vorbedacht und in der Leidenschaft begangenen Tötungen in der Regel etwa zwei Drittel der Gesamtzahl der Verbrechen gegen das Leben ausmachen. Es ist daher nicht unbegründet, wenn man ihre Häufigkeit zum größten Teil auf die Leidenschaftlichkeit des Volksgemütes zurückführt. (Fischer, a. a. O.)

**Leinen= und Hanfspinnerei.** Wie die Seiden= und die Wollindustrie, so ist auch die Leinen= und Hanf= spinnerei und =weberei in Italien alten Datums; sie stützt sich gleich jenen auf weitverbreitete Hausindustrie und auf Rohstoffe, die ursprünglich ausschließlich vom Inlande selbst geliefert wurden. Das letztere ist zum Teil noch jetzt der Fall; namentlich wird Hanf in Italien in solcher Menge und Güte gebaut, daß er nicht nur für den heimischen Bedarf ausreicht, sondern in ziemlicher Menge ausgeführt wird. Seit dem Übergang zum Großbetrieb hat sich die ausländische Jute den einheimischen Roh= stoffen zugesellt und wird in großen Mengen, viel= fach mit Hanf und Leinen in den gleichen Anlagen, verarbeitet. Eins der bedeutendsten Unternehmen auf diesem Gebiet ist die Aktiengesellschaft Lanificio e Canapificio Nazionale, mit dem Sitze in Mailand, die in drei großen Anlagen in Fara und Cassano an der Abba und in Crema, sämtlich in der Lombardei, die Leinen=, Hanf= und Jutespinnerei im großen betreibt und gegen 3500 Arbeiter beschäftigt.

**libbra.** In Italien wird meistens nach chilo und nicht mehr nach libbra (Pfund) gerechnet; wo aber die libbra noch immer im Gebrauch ist, wiegt sie nicht ein halbes Kilo, sondern nur 333 Gramm.

**Liceo** s. den Art. Gymnasialunterricht.

**Litör** (liquore — likö're) s. den Art. Getränk.

**Limonata,** Limonade. Unter dem Wort Limo- nata versteht der Italiener nur Zitronenlimonade (Zitrone limone). Andere Limonaden nennt der Italiener bibite; una bibita di lampone (Himbeerlimonade) usw.

**Lincei** s. den Art. Accademia dei Lincei.

**Literatur, neuere italienische.** Keinem, der sich auch nur ein wenig mit der italienischen Literatur beschäftigt hat, wird es entgangen sein, daß Italien von allen Kulturländern dasjenige ist, welches in der eigentlichen neueren Zeit am spätesten in der Weltliteratur eine Rolle zu spielen begann. Die Ursachen dieses literarischen Schlafes in Italien sind mannigfacher Art. Leopardi war im Jahre 1837 gestorben; Manzoni hatte im Jahre 1840 die zweite, sprachlich verbesserte Auflage seiner «Promessi Sposi» veröffentlicht. Im nächsten Zeit-

raum wurden von den Alpen bis zum Ätna viele Ge=
dichte und Novellen, viele Bühnenstücke und Romane ge=
schrieben; aber wenn auch die Literatur dieses Zeitraumes
bei den Italienern der fünfziger und der siebziger Jahre des
vorigen Jahrhunderts lebhaften Anklang fand, wenn auch
hier und dort ein Funke wahrer Kunst darin hervorblitzte,
heute denkt fast niemand mehr an jene damals so ge=
feierten literarischen Schöpfungen. Und es ist nicht zu ver=
wundern. Während des ganzen vorigen Jahrhunderts, bis
zum Jahre 1870, hatte Italien nur einen Gedanken, nur
eine Sorge, nur ein Streben: die Erlangung seiner
politischen Einheit und Unabhängigkeit. Alles in Italien,
das wirkliche wie das geistige Leben, alles war von
jenem hohen Ideale beherrscht. Vaterland und Freiheit
waren der Gegenstand der lyrischen Dichtung, und die Dra=
matiker brachten sie auf die Bühne. Francesco Guerrazzi
erklärte, er wolle einen Roman schreiben, weil er eine
Schlacht nicht liefern könnte. Massimo D'Azeglio schrieb
zwei große Romane, um die Vaterlandsliebe wach zu
halten. Als die Gegner von Alessandro Manzoni nicht
mehr wußten, was sie ihm vorwerfen sollten, schleuderten
sie gegen ihn die Anklage, fünfhundert Seiten und dreißig
Jahre fleißiger Arbeit auf eine Liebesgeschichte verwendet
zu haben, anstatt des Vaterlandes zu gedenken. Das
Vaterland war also das einzige, was die Kunst begeistern
konnte; aber dadurch wurde auch die Literatur nur eine
auf die augenblickliche Lage gerichtete.

Wenn nur jener auf die damalige Lage gerichteten Lite=
ratur eine lebensfähige gefolgt wäre! Aber nichts von dem.
Es fehlte für eine solche neue Literatur ein geeigneter Boden,
oder besser, der Boden war vorhanden, er war sogar frucht=
bar, aber zu viele Steine, zu viel Gestrüpp bedeckte ihn. Hätte
jemand versucht, Samenkörner auszustreuen, der Wind
hätte sie sogleich verweht. Und es war ein furchtbarer
Wind, einer der gefährlichsten, der gefährlichste vielleicht
für die Kunst: der politische Wind. Wie gesagt, Italien
war bis zum Jahre 1870 nur von einem Gedanken, dem
der politischen Einheit, beherrscht. Es waren siebzig Jahre
der riesenhaftesten Kämpfe, des grausamsten Märtyrertums,
des reinsten Heldentums. Was Wunder also, daß jeder
Italiener, nachdem er jenes Ideal verwirklicht sah, nur

daran dachte, die Einheit des Vaterlandes zu befestigen,
ebenso wie er früher nur daran gedacht hatte, sie zu erlangen? Aber daher kam es auch, daß alle sich kopfüber
auf die Politik stürzten. Es war ein allgemeiner Rausch
von Politik, von Parlamentarismus und Ministerialismus.
Jeder, der sich für einen klugen Kopf hielt, begehrte sogleich — aus Begierde nach Volkstümlichkeit oder von dem
aufrichtigen Wunsche erfüllt, dem Vaterlande zu dienen —,
ein Ministeramt oder wenigstens einen Sitz im Parlament. Deshalb sehen wir Dichter und Kritiker, Roman-
und Geschichtschreiber, Bildhauer und Baumeister, Männer
der Wissenschaft und des Pinsels, die die Feder oder den
Meißel oder die Brennblase verlassen, um die politische
Tribüne zu besteigen. Die italienischen Schriftsteller der
ersten Hälfte des 19. Jahrhunderts hatten aus der Literatur eine vaterländische Waffe gemacht, die Nachfolger
gingen in den täglichen politischen Händeln auf. Aber
das bedauerlichste dabei ist, daß diese Teilnahme der
Künstler und Schriftsteller an dem öffentlichen Leben nicht
das einzige, ja, nicht einmal das kleinste der Übel ist,
die jener politische Rausch zeitigte. Die traurigsten Folgen
sind vielmehr in dem Gepräge zu erblicken, das der Jour-
nalismus nunmehr empfing. Das Zeitungswesen, ein
glorreicher Fortschritt neuerer Zeit, wird ohne Zweifel in
der Geschichte der Zivilisation eine der ersten Seiten
füllen. Kein anderes geistiges Mittel kann in den
Händen des Schriftstellers eine wirksamere Waffe sein, als
jenes Blatt Papier. Man denke sich nun Zeitungen wie
die italienischen, in denen fast niemals ein Wort über
Kunst und Literatur zu lesen ist, und man wird begreifen,
wodurch in zweiter Linie die langsame Entwickelung der
italienischen Literatur verschuldet wird.

Der literarische Schlaf des neuen Italiens hat aber noch
andere Ursachen. Italien erlangte am 20. September 1870
seine politische Einheit; es war aber weit davon entfernt,
auch seine geistige und sittliche Einheit zu gewinnen.
Zwischen Nord- und Süditalien gab es nur eine politische Gemeinschaft. Die Literatur, die Gefühle und die
Gedanken waren ganz entgegengesetzter Natur. Man braucht
nur an die geistigen Zustände zu denken, die noch heute
in Süditalien und auf den Inseln herrschen, um zu er-

kennen, wie weit Italien noch immer von einer sittlichen und geistigen Einheit entfernt ist. Und noch viel schlimmer ist es mit der wirtschaftlichen Lage, von der immer alle Lebensäußerungen eines Landes abhängen, seines leiblichen ebenso wie seines sittlichen und geistigen Lebens. Die päpstliche und die bourbonische Regierung hatten den größten eignen Vorteil davon, das Volk in seinem Müßiggang zu lassen, nachdem sie es in der gröbsten Unwissenheit gelassen hatten. Selbst das jetzt herrschende Haus Savoyen tat durchaus nichts für die Insel Sardinien, die auch unter seinem Zepter stand. Es war daher unmöglich, innerhalb weniger Jahre bei einem solchen Stande der Dinge Abhilfe zu schaffen. Das neue Italien befand sich in einem solchen Irrsal politischer und wirtschaftlicher Fragen, daß dreißig Jahre der neuen Regierung schwerlich genügt hätten, sie zu lösen; auch nicht, wenn diese Regierung immer gut gewesen wäre. Wie hätte man da wohl Liebe zur Literatur und Kunst bei einem Volke erwarten können, das eben noch in der dunkelsten Unwissenheit und in dem schrecklichsten Elend geschmachtet hatte?

Das ist das Italien der Jahre 1860 bis 1880. Nun, das Buch und das Bühnenstück sind keine Mächte, die ohne weiteres von selbst eingreifen können. Das eine wie das andere braucht sein Publikum und geht zugrunde, wenn jenes ausbleibt. Der Schriftsteller ebenso wie jeder andere Künstler wird nur dann seinen Siegeszug halten, wenn er ein Publikum gefunden hat, das ihn versteht und ihn anhören will oder kann. Aber wie hätte ein Dichter oder Romanschriftsteller in Italien unter solchen Verhältnissen Erfolg haben können? Wenn daher auch Italien in den letzten Jahren der eben geschilderten Zeit Männer besaß, die fähig und willens waren, der Lyrik oder dem Roman oder dem Theater einen neuen Aufschwung zu geben, so fanden diese doch kein Gefolge; und nur ihrer Seele, ihrer Begeisterung, ihrem hohen künstlerischen Glauben verdanken wir es, wenn sie mit unerschütterlichem Vertrauen warteten, bis auch für Italien und seine Kunst glücklichere Tage anbrechen würden. Jetzt scheinen endlich diese Tage gekommen oder doch in nächster Nähe zu sein. Carducci wirkt nicht mehr, aber man sieht schon den Sieg und die reichlichen Früchte seines Schaffens. D'Annunzio, Fogazzaro, Verga, De Amicis, Pascoli, Matilde Serao, auch sie haben gesiegt. So bedeutsam erschien die literarische Produktion dieser letzten Jahre, daß man sie sogar als eine neue lateinische Renaissance bezeichnete. Sind wir wirklich schon so weit? Wollte jemand schon eine bestimmte Richtung, ein bewußtes Hinstreben nach einem einheitlichen Ziele suchen, er würde sich vergeblich bemühen. So viel aber steht fest, daß, wenn man auch nicht von einer lateinischen Renaissance sprechen darf, doch in Italien ein kräftiges Wiederaufblühen der Literatur zu verspüren ist. Der Samen, den man während der letzten Jahre der eben dargestellten Zeit ausgestreut hat, fängt jetzt an zu keimen.

Aber welcher Art war dieser Samen? Und ferner: wurde er gesät und zur Entwickelung gebracht allein durch italienische Kräfte, oder kam noch fremder Einfluß hinzu? Auf dem Gebiete der Lyrik herrscht noch immer Giosuè Carducci, dieser Erneuerer der italienischen Dichtung, dieser begeisterte Klassiker, der es verstand, neuzeitliche Gedanken in klassisches Gewand zu kleiden. Giosuè Carducci als Mann, als Bürger und als Künstler, eine strotzende Kraftnatur, ein durch und durch heidnischer Geist, begann zu dichten, als in Italien Politik und Religion sich feindlich gegenüberstanden, als der letzte Schimmer der Romantik im Erlöschen war, als die Dichter in ihrem Bestreben, der Lyrik durch volkstümliches Empfinden eine neue Quelle zu eröffnen, die Plumpheit mit der Einfachheit, die Gemeinheit mit der Natürlichkeit verwechselten. Die italienische Dichtung floß über von Frömmelei und Empfindelei, von Seufzern und Tränen.

> Sempre avanti
> ci dan questo cibreo;
> questo cibreo del cuore in versi e in prosa
> col solito guazzetto
> di quella secrezïon muccosa
> che si chiama l'affetto.

„Immer setzt man uns dieses Ragout vor: dieses Ragout des Herzens, in Versen und Prosa, mit der gewöhnlichen Sauce jener schleimigen Ausscheidung, die man Gefühl nennt."

Und gegen das alles lehnte sich Carducci auf. Ein stolzer Patriot, ein unversöhnlicher Republikaner, — wenigstens damals, denn jetzt . . . doch davon nicht an diesem Orte, — ein heftiger Atheist, griff er sofort diese weinerliche, religiös-romantische Poesie an, und in Liedern voll glühender Leidenschaft besang er die Errungenschaften des modernen Geistes. Vermöge seiner fleißigen geschicht= lichen und literarischen Untersuchungen ließ er die Ita= liener das frühere Leben ihres Volkes wieder durchleben, er schilderte es ihnen in einer erhabenen Synthese, in einer begeisterten, wahrhaft künstlerischen Form. Gleichzeitig vollendete er seine glänzende dichterische Laufbahn von dem „Hymnus an Satan" bis zu den ‹Odi barbare› und bis zu dem ‹Ça ira›. „Ich wollte die Natur und das menschliche Empfinden in offener Auflehnung gegen den Druck des Dogmas und des Feudalismus zeigen." Das war sein Programm, und ihm blieb er treu, während sich andererseits seine Lyrik zu einer solchen Höhe empor= schwang, daß er, nach dem Urteil eines deutschen Kritikers, nach Heines Tode der größte Dichter Europas ist.

Aber er verursachte eine gewaltige Umwälzung in der italienischen Dichtung, nicht nur, was Inhalt und dichterische Empfindung betrifft. Auch die dichterische Form verfeinerte er und bildete sie zu hoher Vollendung aus. Er meinte, daß die Eingebung gewiß eine große, ja die wichtigste Rolle in der Kunst spielt; aber er meinte auch, daß die Dichtkunst ihre Wärme aus einem, wie er sich ausdrückt, „durch ein liebevolles Studium erwärmten Gehirn" schöpfen muß. Er hatte klassische Studien gemacht. Der Klassizismus war ihm gleichsam angeboren; und so ward für ihn der Klassizismus, der für andere eine Fessel, eine unverletzbare Regel war, nur die würdige Form für seine echt modernen Gedanken. Die Kraft und Energie, mit der Carducci für seine umgestaltenden Gedanken eintrat, sein mit allen Mitteln geführter Kampf gegen die übertriebene Empfindelei und gegen die weichliche romantische Dichtung, seine freie und kühne Ausdrucks= weise, seine beißende und schonungslose Satire: das alles rief gegen Carducci einen Sturm der Entrüstung hervor. Aber die Zeit gab ihm Recht; die Dichtkunst erneuerte sich nach den Wegen, die er ihr gewiesen hatte.

Land und Leute in Italien.                                    18

Die jüngsten italienischen Dichter, wie Pascoli, Marradi, D'Annunzio, Mazzoni usw. besitzen zwar alle ihre besondere Eigenart, ihnen schweben manche neue Ideale vor, in ihren Gedichten kommen auch neue Anschauungen zum Ausdruck, doch sind sie alle mehr oder weniger Schüler Carduccis.

Während nun Carducci die literarische Welt Italiens durch seine Gedichte in Erregung und Spannung versetzte, hatte sich in allen Ländern Europas fast gleichzeitig eine neue literarische Richtung herangebildet: der Naturalismus war auf allen Gebieten der Literatur rastlos vorgedrungen und hatte einen entscheidenden Sieg davongetragen. Ich brauche hier nicht auf die ganze Geschichte des modernen Naturalismus einzugehen. Ein direkter Abkömmling des Materialismus, ist der literarische Naturalismus um 1870 entstanden und beherrschte allein mehrere Jahre lang die französische wie die deutsche und die italienische Literatur. Die Fortschritte der physikalischen und biologischen Wissenschaften hatten die allgemeine Kultur dermaßen durchdrungen, daß man fast allgemein die physische Energie als die erste Energie der Welt ansah. Nun, die Kunst sollte eigentlich keiner besonderen Zeit, keinem Lande angehören; denn sie ist universell. Aber in Wirklichkeit steht sie immer unter dem Einfluß des herrschenden Gedankens; und daher kam es auch, daß sie vor dreißig Jahren der damals herrschenden Lebensanschauung folgte und sich von dem neuen philosophischen und wissenschaftlichen Leben mitbeeinflussen ließ. Daß diese Literatur dem Geschmack des Publikums entsprach, daß der Materialismus, aus der Wissenschaft in die Literatur übertragen, mit den Gefühlen und den Gedanken jener Jahre übereinstimmte, das beweist zur Genüge der Erfolg, den diese neue Kunstrichtung in ganz Europa hatte. Die Seele war aus ihrem Bereich vertrieben, und die Materie drang überall ein. In dem Roman, ebenso wie in der Lyrik und auf der Bühne erschien nunmehr der Mensch in seinem reinsten physiologischen Wesen, mit allen von der Gattung geerbten Sinnen, mit all den Eigentümlichkeiten, die ihre Entwickelung dem gesellschaftlichen Milieu verdanken. Und da auch ein starker Freiheitsgeist überall herrschte, da — wir möchten sagen — jedermann sich auflehnte gegen alle Rücksichten, denen die

Kunst bis dahin unterworfen war; da alle Welt von
dem Wunsche erfüllt war, die ganze natürliche und
soziale Wahrheit immer und überall laut zu verkünden,
wie sie auch klingen mochte, so durften die Anhänger der
neuen literarischen Richtung in der physiologischen Schilderung des Menschen sich die ungebundenste Freiheit gestatten. Dazu kam noch, daß diese Entwickelung der
materialistischen Anschauungen von den ungeheuern Fortschritten des demokratischen Geistes begleitet war. Auch
die breite Masse des Volkes, auch die niedrigsten Schichten
hatten nunmehr Zugang zu dem öffentlichen Leben und
damit zur Kunst erhalten. Und die Folge davon konnte
nur die eine sein: Einerseits verschwanden nach und nach
die konventionellen Lügen, die in der Kunst bei der
Schilderung der höheren Klassen noch immer beliebt
waren; und auch diese höheren Klassen wurden von nun
an mit der ungeschminktesten Wahrheit — nach der Anschauung des Künstlers war es wenigstens eine Wahrheit —
dargestellt. Andererseits begannen nunmehr auch die
untersten Klassen Gegenstand der Kunst zu werden. Die
Novelle, die Lyrik, das Drama, der Roman, alles stieg
bis zu den tiefsten sozialen Schichten hinab; und da man nunmehr vor keiner Wahrheit der Darstellung zurückschreckte, so
erreichte man noch nie gekannte Grenzen der Wirklichkeit.

Ob das alles ein Segen oder ein Übel ist, das mag
vorläufig dahingestellt bleiben. Was Italien anbelangt,
so erreichte seine Literatur — abgesehen von wenigen
Ausnahmen — bei weitem nicht jenen krankhaften Über-
reiz der Sinne und der Liebesleidenschaften, wie
etwa die französische. Doch auch die Italiener hul-
digten der neuen literarischen Richtung. Praga, Ro-
vetta, Antona-Traversi und Verga auf der Bühne;
Stecchetti und D'Annunzio — wenigstens der D'Annunzio der ersten Jahre — in der Dichtung; Verga,
Matilde Serao, Capuana in dem Roman: alle
folgten, wenn auch mit Originalität und ohne die
eigene Art zu verleugnen, den Spuren Zolas und
seiner Schüler. Giovanni Verga vor allen gab der
Entwickelung des neuen italienischen Romans den ersten
Anstoß, und ihm gebührt, dank seinem feinen Kunstsinn
und seiner tiefen Beobachtung, der erste Platz unter den

18*

italienischen Veristen. Er ist aber auch unter den Großen der einzige, der dem naturalistischen Glauben treu geblieben ist. Stecchetti hat den Verismus so weit getrieben, daß er nicht mehr ein Naturalist, sondern — wie sollen wir sagen? — ein Pornograph geworden ist. Die anderen haben viel Wasser in ihren Wein gegossen. D'Annunzio ist vom Verismus zum Symbolismus, zum Mystizismus übergegangen. Matilde Serao, die beste italienische Schrift=stellerin der Gegenwart, hat sich an die Cavalieri dello Spirito, an die Ritter des Geistes angeschlossen.

Ein solches Schicksal hat übrigens der Naturalismus nicht nur in Italien gehabt. Auch in den anderen Ländern hat seine unbedingte Herrschaft in der literarischen Welt nicht lange gedauert. Seit mehreren Jahren macht sich schon eine gewaltige Reaktion gegen ihn bemerkbar, die ihn umzustürzen droht, und sein Sturz wird nicht lange auf sich warten lassen. Diese Reaktion ist übrigens nur ein Teil jener allgemeinen Reaktion, die sich in dem Gewissen und in dem Geiste des gegenwärtigen Zeitalters vollzieht: die allgemeine Reaktion gegen die positive Wissenschaft und den Materialismus. Unser Jahrhundert gleicht, so=zusagen, einem alten Manne, der nach einem lasterhaften Leben auf dem Sterbebette nach dem Priester verlangt, um sich mit Gott zu versöhnen. Unser Zeitalter hat den Triumph des Materialismus und des Verismus ver=kündet, die Gleichheit der Menschen und die Unantastbar=keit der Freiheit anerkannt, das Reich der Vernunft und der Wissenschaft ausgerufen. Jetzt kehrt man plötzlich zum Mystizismus zurück, und der Wissenschaft prophezeit man den Zusammenbruch. Dieser Umschwung ist unverkenn=bar. Wenn auch nicht der Glaube, so erwacht doch wieder das religiöse Gefühl oder wenigstens jene peinigende und stechende Empfindung des Geheimnisses, welche uns den Glauben vermissen läßt. Die Ursachen dieser Gedanken=entwickelung sind in erster Linie sozialer und politischer Natur. Dazu kommen selbstische Gründe und dann gewiß auch geheime Ursachen, die aus den Tiefen unserer Seele entspringen. Wie dem auch sei, diese Reaktion hat sich auch in der Literatur vollzogen.

Die ehemaligen Schüler Zolas sind die ersten, die sich von ihrem Meister trennen. In Deutschland, in

Rußland, in Norwegen ertönen neue, laute Stimmen, die nicht nur ein neues philosophisches und soziales Evangelium verkünden, sondern auch der Kunst einen neuen Weg weisen. In Italien stellt sich an die Spitze dieser neuesten literarischen Bewegung einer der bedeutendsten modernen Schriftsteller, der Romandichter Antonio Fogazzaro. Nicht daß er zu der Fahne des Idealismus erst jetzt geschworen hätte, nur um den Widerstand gegen den Naturalismus zu fördern. Antonio Fogazzaro, eine reine Menschenseele, eine feine Künstlernatur und ein großer Geist, hatte von jeher dem Kultus des Ideal-Schönen gehuldigt. Auch als der Naturalismus überall triumphierte, stand er allein da, gleich einem mächtigen Leuchtturm, durch seine Gedichte und Romane ein weites, helles Licht verbreitend. In den letzten Jahren aber verfaßte er nicht nur idealistische Romane und Dichtungen, er hielt auch Vorträge und schrieb Zeitungsartikel, um der materialistischen Kunstrichtung einen Damm entgegenzustellen. Um ihn sammelte sich alsbald eine Schar Jünger, die sogar den Namen Cavalieri dello Spirito (Ritter des Geistes) annahmen.

Leider verfiel auch die Gegenbewegung gegen den Naturalismus in bedauernswerte Übertreibungen. Ich brauche hier nur an die sehr oft unverständlichen Symbolisten und an die sogenannten Intellektuellen zu erinnern, fast alles krankhafte Gemüter, die die ganze Welt für banal halten, deshalb nach neuen Freuden suchen, ihre Empfindungen zu verfeinern trachten und nur von geistigen, schwärmerischen Dingen träumen. Auch diese neuen Schulen haben ihre Anhänger in Italien gefunden, als ersten unter allen den allumfassenden D'Annunzio. Ja, von Gabriele D'Annunzio kann man getrost behaupten, er verkörpere in sich alle literarischen Richtungen des modernen Italiens. Ein zügelloser Sensualist, übertrifft er mitunter in seinen Gedichten und Romanen den brutalsten Naturalismus selbst eines Zola. Ein begeisterter Ästhetiker, will er in seinen Romanen, in seinen Dramen und in seinen Gedichten den Triumph der Schönheit verkünden, er will uns davon überzeugen, daß die Betrachtung der Schönheit der einzige Zweck des Lebens ist. Ein phantastischer Dekadent, verkündet er, daß das Wort das einzige Werkzeug der Dichtkunst sei. Ein träumerischer Idealist, hat er einige Seiten geschrieben, die mit den besten Fogazzaros verglichen werden können. Was für Triumphe ihm diese seine mannigfaltige Kunst verschafft hat, das wissen die Deutschen, das wissen die Ausländer so gut wie die Italiener. Dem Siegeszuge der D'Annunzioschen Werke ist auch größtenteils der Glaube an das Wiederaufblühen einer neuen romanischen Renaissance zu verdanken. Aber sind wir wirklich schon soweit?

Vor dreißig Jahren, kann man sagen, gab es in Italien noch keine moderne Literatur. Sind in dieser kurzen Frist so bedeutende Schritte getan, daß man schon so kühne Hoffnungen hegen darf? Die Italiener und ihre romanischen Brüder stehen so sehr unter dem Einfluß von Nietzsche, Ibsen und Tolstoi, daß es schwer wäre, jetzt schon von einem Rinascimento latino zu sprechen. Aber an einem Wiederaufblühen der italienischen Literatur kann man nicht mehr zweifeln. Die fünfziger, die sechziger und siebziger Jahre, wo alles im Schlaf lag, sind schon lange, sehr lange vorüber. Zahlreiche Dichter und Romanschriftsteller haben in den letzten Jahren der italienischen Literatur Werke gegeben, die mit den besten der anderen europäischen Länder wetteifern können. Und nicht minder günstige Aussichten eröffnet die Zukunft. Der Widerstreit zwischen den verschiedenen Richtungen wird hoffentlich recht bald beigelegt sein und auch in Italien wertvolle Früchte gezeitigt haben. Es kann einen bewundernswerten ausgesprochenen Materialismus und einen bewundernswerten ausgesprochenen Idealismus geben. Die große, wahre Kunst ist aber beides zu gleicher Zeit. Weder Naturalismus noch Idealismus sind Erfindungen neuerer Zeit. Homer und Dante, Shakespeare und Goethe sind gleichzeitig große Naturalisten und Idealisten. Alle großen Künstler haben immer zuerst die Seele und den Körper des Menschen zergliedert, um alsdann plastische Gestalten zu schaffen. Naturalismus und Idealismus müssen sich gegenseitig ausgleichen und vervollständigen. Dann wird man wieder eine wahre, große Kunst haben: die große Kunst, die über allen Schlagwörtern steht. (Gustavo Sacerdote,

„Entwickelung der modernen italienischen Literatur".)

**Logen.** Die großen Theaterlogen, in denen acht und mehr Personen bequem Platz haben, sind während und nach der Vorstellung wie eine Art geöffneter Zimmer, in deren Tiefe man sich den Augen des Publikums ganz entziehen und ungestört hofmachen und sein Gefrorenes einnehmen kann. Bei den häufigen Wiederholungen der Stücke ist es erklärlich, daß die Theaterbesucher nur bei Arien und anderen ausgezeichneten Partien Aufmerksamkeit zeigen und daß mehr geplaudert, als nach der Bühne hingehört wird. Fällt aber die beliebte Arie befriedigend aus, dann bricht ein allgemeiner Beifallsdonner los, und «bis! bis!» erschallt es aus allen Kehlen. Dieser Aufforderung an die Sänger muß unbedingt Folge geleistet werden, ebenso wie einem zuweilen fünfmal hintereinander erfolgenden Hervorruf, ehe der Fortgang des Stückes möglich wird. Es dauert nach solchen Bewunderungs- und Freudenausbrüchen oft minutenlang, bis den «Basta»-Rufern, die genug des Jubels haben, ihr Recht wird.

**Lorbeer.** Von den Macchiengewächsen wird besonders der Lorbeer kultiviert. Dieser Baum ist neben der Myrte vielleicht die bekannteste aller italienischen Gehölzpflanzen, bekannt in seiner ganzen äußeren Form. Denn andere italienische Kulturgewächse, wie Orange und Zitrone, Olive und Johannisbrotbaum, sind mehr durch ihre Früchte und sonst nur dem Namen nach bekannt. Aber der Lorbeer, als Symbol des Ruhms, als eine Zierpflanze, die sich auch in Deutschland sehr leicht ziehen läßt, ist in seiner ganzen Pflanzengestalt fast so bekannt wie die Myrte, die allerdings noch weit volkstümlicher ist. In Deutschland gilt der Lorbeer als stolze, immergrüne Blattpflanze, aber mancher, der ihn noch nicht zu Gesicht bekommen, hat doch wenigstens das Blatt eines solchen in der Tunke des mit Recht so beliebten marinierten Herings oder Rollmopses bemerkt. Denn außer zum Sinnbilde der Ehrung für Kriegstaten und für künstlerische Schöpfungen dient der Lorbeer auch in seinen Blättern als ganz materielles Gewürz. Das ist indes keine Schande für ihn, denn unter den Gewürzbäumen, die an und für sich sehr kostbare, gewinnbringende Pflanzen sind, nimmt er neben dem Zimt-, Muskat- und

Gewürznelkenbaum die erste Stelle ein. Auch der Lor=
beerbaum erreicht wie viele andere Kulturbäume Italiens
nur eine geringe Höhe. Bei ihm liegt aber die Schön=
heit ganz in der stattlichen, immergrünen Belaubung, und
die kommt an einer kleinen Pflanze fast mehr zur Gel=
tung, als an einem großen Baume.

Lotto vergl. den Art Staatslotto.

# M.

**Mafia** oder **maffia** (mā'fiä). Die Mafia ist ebenso
wie die Kamorra eine Sonderart des Verbrechergenossen=
schaftslebens in Süditalien. Alle diese Verbindungen,
mögen sie heißen wie sie wollen, unterscheiden sich von=
einander nur durch ihre Satzungen, deren Hauptgrund=
züge dennoch überall die gleichen sind: blinder, rascher,
unerschütterlicher Gehorsam gegen die Oberen; unbedingtes
Schweigen über die Mitglieder der Verbindung und über
ihre verbrecherischen Unternehmungen; körperliche, mora=
lische und pekuniäre Hilfe für die Genossen, besonders
die eingekerkerten; über alles und jedes Benachrichtigung
an die Oberen, unter keiner Bedingung aber Anrufung
der Behörde. Die Übertretung einer dieser Hauptvor=
schriften gilt als Verrat und wird mit dem Tode
bestraft.

Mitglied kann werden, wer einen Notfall zu ent=
schlossener Erledigung bringen will. Erst muß er Beweise
geben von Unempfindlichkeit, Tollkühnheit und Unter=
werfung, worauf er sich einem längeren oder kürzeren
Noviziat zu unterziehen hat. Die Einführungsgebräuche
sind in den verschiedenen Provinzen verschieden. Muster=
gültig sind die bei den Mafiosen von Girgenti
üblichen. Hier wird der Neuling den Abteilungsvorstehern
durch zwei wohlverdiente Mitglieder vorgestellt. In
dem Zimmer tritt er vor den Tisch, auf dem irgendein
papiernes Heiligenbild liegt. Seine Paten stechen ihm
in den Daumen der Rechten und lassen das Blut über
das Heiligenbild tröpfeln. Darauf muß der Neuling den
folgenden Eid leisten: „Ich schwöre auf meine Ehre, der
Brüderschaft treu zu sein, wie die Brüderschaft sich mir
treu erweisen wird. Wie man dieses Bild mit meinem

Blute verbrennt, so werde ich mein Blut für die Brüder=
schaft vergießen, und wie diese Asche nicht wieder Papier
werden und dieses Blut nicht wieder flüssig werden kann,
so kann ich die Brüderschaft nicht wieder lassen." Hierauf
wird das Bild an der Kerze entzündet und verbrannt.
An anderen Orten kommt es vor, daß der neu zu
Weihende auf ein Kruzifix einen Schuß abgeben muß,
um darzutun, daß er nicht zögern würde, irgendwelche
Person, selbst die ihm teuerste, zu töten.

Was die Tätigkeit der Mafia anbelangt, so ist sie,
wie gesagt, ein Bund, der auf öffentlichem oder privatem
Gebiet einen unrechtmäßigen, auf angemaßter Macht be=
ruhenden Einfluß zugunsten und zum Vorteil seiner An=
hänger mit erlaubten und unerlaubten Mitteln ausübt,
ein Staat im Staate, eine Vergewaltigung gesetzlicher Zu=
stände durch ungesetzliche. Das gewöhnliche Leben der Mafia
gründet sich auf eine einfache, sichere Operationsbasis. Die
Mafiosen erheben nämlich von allen Großgrundbesitzern
und reichen Leuten ihrer Gegend — gutwillig oder mit
Gewalt — eine Art Tribut, und es dürfte nicht un=
wichtig sein, auch diese Wirksamkeit der Mafia einmal
näher zu betrachten. Hier tritt eine der wichtigsten
Persönlichkeiten der Gesellschaft, der curatolo, in Tätig=
keit. Dieser Mann erscheint oder schickt einen seiner
Freunde zu einem Grundbesitzer und macht ihn in ehrer=
bietigem Tone darauf aufmerksam, daß sein augenblicklicher
Feldhüter ein Dummkopf, ein unzuverlässiger Geselle ist
und er ihm einen weit tüchtigeren vorschlagen könnte.
Zögert der Gutsbesitzer oder lehnt gar ab, so zieht man
sich zurück; doch schon nach einigen Tagen findet er
seinen Garten verwüstet, seine Weinstöcke abgeschnitten,
und als Zeichen der Drohung hat man auf seine Äcker
Salz gestreut und ein Kreuz aufgepflanzt. Sehr selten
nimmt der Besitzer zum Gericht seine Zuflucht. Wozu
auch? Er könnte ja doch nur unbestimmte Verdachtsgründe
äußern und einen wirklichen Beweis nicht beibringen.
Und selbst wenn er es könnte, so würde der Schuldige
mit ein paar Tagen Gefängnis davonkommen, die Ge=
sellschaft dem unklugen Besitzer aber mit einem Gewehr=
schuß Lebensart beibringen. Darum schickt der Besitzer,
nachdem man ihm einen solchen Streich gespielt hat, ge=

wöhnlich seinen Feldhüter fort, läßt den Anführer der Mafia kommen und bittet ihn, er möge ihm einen Feld= hüter nach seinem Geschmack schicken. Auf diese Weise findet das Mitglied der Mafia eine anscheinend ehrliche Beschäftigung mit wenig Arbeit; denn man braucht nur zu wissen, daß er mit der Mafia in Verbindung steht, und die kleinen Felddiebe werden sich wohlweislich fern= halten; er hütet die Besitzung mehr mit seinem Einfluß als durch persönliche Tüchtigkeit. Natürlich versteht es sich von selbst, daß, wenn er auch die kleinen Diebe eifrig verfolgt, er sich gerade deshalb berechtigt glaubt, seinen Herrn nach Kräften zu bestehlen; dieser weiß das alles, hält aber klugerweise den Mund. Handelt es sich um die Übertragung einer öffentlichen oder privaten Arbeit, soll etwa eine Mühle oder ein Gut öffentlich ver= steigert werden, so tritt die Mafia ebenfalls in Tätigkeit. Sie gibt den ausschlaggebenden Persönlichkeiten zart, aber deutlich zu verstehen, daß das Geschäft dem oder jenem zugeschlagen werden müßte; ein Augenblinzeln, eine kleine Bemerkung, und die Käufer entfernen sich ruhig, ohne auch nur ein Wort zu entgegnen. Ein andermal hat die Gesellschaft kein Interesse daran, sich in die Versteigerung zu mischen; aber selbst dann sucht sie möglichst ihren Vorteil herauszuschlagen. Ein paar Genossen teilen den Bewerbern mit, sie könnten die Sache ruhig weiter ver= folgen, man würde ihnen freie Hand lassen, natürlich vor= ausgesetzt, daß sie einige hundert Lire bezahlen.

So lebt und wirkt die sizilianische Mafia. So eigen= artig ihre Einrichtung ist, und so ausschließlich sie sich auch auf das arme, unterdrückte, mit Steuern belastete Sizilien beschränkt, so hat sie doch jenseits des Ozeans ein Seitenstück gefunden, den berühmten Tammany=Ring von Newyork. Hier wie dort hat man es mit den Ungesetzlichkeiten einer Gesellschaft zu tun, die zu erklären die Kriminalanthropologen berufen sind. Wir haben uns nur auf die Tatsachen beschränkt, ohne Schlüsse daraus ziehen zu wollen. (Nach P. Lombroso und Fried= länder.) — Vergl. die Art. Camorra und Mala vita.

**Maggiolata** (mäd-Gola'tä — Maifest). In allen Ecken und Enden drängt sich der Mai den Vorübergehenden auf. Blumenmädchen bieten Blumen feil — die Blumen

sind frisch, die Mädchen sind welk. Wenn es einen Mai
gibt, so atmet man ihn in Toskana. Der Mai spricht nicht
nur aus den Gärten, sondern spricht und sprach schon vor
Jahrhunderten aus den Herzen der Florentiner. Schon
zu Dantes Zeit zogen an den Abenden im Mai Chöre
durch die Stadt und längs des Arno, und mancher Florentiner brachte seinem Liebchen ein Ständchen dar. Und
es fanden sich die Herren und Damen in den Gärten der
Patrizierfamilien und sangen Lieder auf den wunder-
schönen Mai. Man spielte die Flöte und man tanzte
auch dazwischen und schenkte einander Blumen, bewarf
einander mit Flieder. Das waren die maggiolate, —
erquickend schon durch die Musik des Wortes. Auch Dante
nahm daran teil und mochte wohl bisweilen in dem heitern
Spiel manches Geheimnis, manchen Schmerz ersticken. Ihm
hatte der Mai süßes Glück gebracht, um es ihm bald wieder
zu nehmen. Am calendimaggio, dem ersten Tage des
Monats, schaute er zum erstenmal Beatrice. Der Liebe
und dem Schmerz des Mai entsprossen, war die «Divina
Commedia» also ein Maienkind, eine maggiolata der
Hölle und des Paradieses. Die maggiolate sind in
Toskana nicht ganz abgekommen. Von älteren Land-
leuten hört man noch erzählen, wie sie als junge Männer
des Abends mit blühenden Zweigen unter den Fenstern
ihrer Schönen auf und ab spazierten und durch sehn-
suchtsvolle Lieder die spröden Herzen, die dort hinter
der Mauer klopften, zu erweichen suchten. Wenn man vor
die Tore von Florenz oder auf die Hügel geht, kann man
noch heute einen Nachhall jener liebenswürdigen Fröhlichkeit vernehmen, die sich in der Vorzeit über Toskana er-
goß. Im nahen Pistojesischen stolzieren kleine Scharen
von Jünglingen durch den Mai, den Sternen und der
Liebsten zu huldigen. Einer trägt einen dichtbelaubten
Maienbaum, an dem Blumen und Zitronen hängen, ein
anderer einen Korb voll Rosen. Die Liebhaber halten
vor den Häusern der Angebeteten. Die dami und die
Damen beschenken und besingen einander. Man singt von
den Zitronen und Rosen, welche blühen, von den Damen
und Herren, welche lieben. Man reimt den limone mit
dem padrone, die rosa mit der sposa (Braut). Die
schöne Rosina muß opfervoll genug sein, sich um

des Reimes willen einer blühenden spina (Dorn) zu ergeben.

> . . . Ora è di Maggio e fiorita è la spina,
> Noi salutiamo la bella Rosina.
> Ora è di Maggio e gli è fiorito i rami,
> Salutiam le ragazze coi suoi dami
> Ora è di Maggio e gli è fiorito i fiori
> Salutiam le ragazze co' suoi amori . . .

**Magistrato** (mädGI̱s̱trä'tö) nicht zu verwechseln mit dem deutschen Magistrat. Magistrato nennt man in Italien jeden Justizbeamten, und magistratura den gesamten Richterstand. Dem deutschen Magistrat entspricht im Italienischen das Wort giunta. — Vergl. die Art. Giunta und Gerichtswesen.

**Mahlzeit!** Die Gewohnheit, nach dem Essen „Mahlzeit" oder „gesegnete Mahlzeit" oder etwas Ähnliches zu wünschen, ist dem Italiener völlig unbekannt. Höchstens hört man manchmal den Gastgeber vor dem Essen den Gästen ‹buon appetito› wünschen.

**Mahlzeiten.** In den großen italienischen Städten ißt man gewöhnlich dreimal täglich: morgens Frühstück (la colazione — kōläts̱i̱ō'ně), zwischen 12 und 2 Uhr Gabelfrühstück (colazione alla forchetta), abends zwischen 6 und 8 Uhr desinare oder pranzo. La cena (tsche'nä — Abendessen) fällt meist weg; oft aber si cena d. h. man ißt noch Abendbrot nach dem Theater. In der Provinz dagegen nennt man desinare oder pranzo das Mittagessen; die cena findet dann abends zwischen 6 und 9 Uhr statt.

**Maialatura** s. den Art. Schweinefleisch.

**Maifest** s. den Art. maggiolata.

**Mais** s. den Art. Ackerbau.

**Maisbrei** (polenta) wird besonders in Oberitalien sehr viel gegessen. Das Maismehl wird in kochendem Wasser mit etwas Salz etwa eine halbe Stunde lang zu einem festen Brei gerührt, alsdann mit Buttersauce oder Tomaten und Parmesankäse aufgetragen.

**Majolika.** Toskana ist auch der Hauptsitz eines der schwunghaftesten Kunstgewerbe Italiens, der Töpferkunst. Die Porzellanfabrik des Marchese Ginori in Sesto Fiorentino in der Nähe von Florenz ist bereits 1735 begründet worden; sie zählt nächst Meißen und Sèvres zu den ältesten in Europa und hält den alten Ruf, den ihr Porzellan unter dem ursprünglichen Fabriknamen la Doccia genießt, auch gegenwärtig durch ausgezeichnete künstlerische und gewerbliche Erzeugnisse aufrecht. In dem sehr bedeutenden Betriebe, der über 7 Hektar umfaßt, sind dreizehn= bis vierzehnhundert Arbeiter beschäftigt. Von geringerem Umfang, aber von nicht minder kunstgewerb= licher Bedeutung ist die Majolikafabrik von Joseph Can= tagalli Söhne vor der Porta Romana in Florenz, in welcher höchst geschmackvolle Gefäße mit Nachbildung der edelsten Majolikamalereien der italienischen Renaissance hergestellt werden. Wie hier die Schüsseln und Teller aus Urbino, Gubbio, Faenza als Vorbilder für die Wiederaufnahme eines alten heimischen Kunstgewerbes dienen, so hat Antonio Salviati in der von ihm be= gründeten Glasfabrik auf der Laguneninsel Murano die altvenezianische Kunst der Glasfabrikation zu neuem Leben erweckt und zu neuem Weltruf erhoben. — Vergl. den Art. Glasfabriken.

**Makkaroni.** „Makkaroni! Jedem echten Italiener von jenseits des Rubikons pocht das Herz bei diesem Namen, wie dem Schweizer, wenn er seinen Kuhreigen hört, und man muß ihm diese unschuldige Freude gönnen, hängt doch gleichsam ein Stück seines Volkstums selber an dem langen Faden dieses himmlischen Teiges. Dem Neapolitaner sind sie der wahre Lebensfaden seiner Parze, und um sein Dasein wäre es geschehen, wenn der einmal zu Ende ginge. Uns selbst, wir müssen es bekennen, klingt der Name nicht ohne gefühlvolle Regung der Seele. Makkaroni haben wir gegessen zu Turin, wie sie, in zierliche Büschel aufgestutzt, noch die kärgliche Zutat eines französischen Frikassees bildeten; wir haben sie in Genua verschluckt, mit pomodoro und Ärger, weil es verdrießlich ist, hundert Meilen weit nach dem Anblicke des Meeres zu reisen und dann eine Mauer vorgebaut zu finden. Makkaroni haben wir in Pisa ver= schlungen, langgezogen und verwickelt wie die Händel dieser alten Republik mit ihren freundlichen Nachbarn, und an Bord des „Castore" mußten wir es erleben, wie siebzehn Erwachsene und drei Kinder über den Anblick der betäubten Maffaroni feekrank wurden. In Neapels dunftigen Straßen, wo die unendlichen gelben Schnüre, zu Millionen und über Millionen an langen Stäben hängend, wallende Spaliere längs der Mauern bilden, haben wir mehr als ein wimmelndes Stelldichein lüfterner Fliegen auf diefen gelben Teppichen belaufcht, und zu Amalfi felbft, dem berühmten Fabrikort diefer Götter= fpeife, lernten wir an geheimer Zeugungsftätte das Wefen jener geheimnisvollen Maffe begreifen, die fich oft als grauer Niederfchlag um den Rand der Maffaroni= fchüffel lagert. Was aber follen wir von euch fagen, ihr unübertrefflichen Maffaroni im Hôtel de Rome auf S. Lucia, die ihr in zwölffach verfchiedener Bereitung der Speifefarte beffern Schmuck gebt, als mancher Leichen= rede die Dutzende von aufgezählten Tugenden des Ver= ftorbenen? Auf hoher, golfüberfchwemmter Terraffe genoffen, im Angeficht des dunkelblauen Vefuvs, des fchimmernden Sorrents und linienfchönen Capri, wurdet ihr zu ebenfovielen Bändern, die alle diefe reizenden Sehens= würdigfeiten um fo fefter mit der Erinnerung verfnüpfen. Was aber gar von euch römifchen Maffaroni, die, wenn wir tagelang im Straßengewirr der ewigen Stadt herum= geirrt, ftets zum ficheren Ariadnefaden wurden, den todesmüden Fuß nach dem rettenden Hafen des «Lepre» zu geleiten? Eine maffaronifche Poefie fonnten nur die Römer erfinden, weil fie fo poetifche Maffaroni hatten. Die Maffaroni von Siena und Florenz waren aalglatt und reinlich wie Gemütsart und Sprache der Toskaner, die von Venedig hatten ein verdrießliches Anfehen, viel= leicht weil fie fchon mit der rivalifierenden Polenta zu fämpfen hatten; in Trieft endlich famen fie wieder nur als fpärliche Beilage von fünftlichen Gerichten auf die Tafel. Wir ftanden an der Schwelle von Italien, und die Stunde der Trennung fchlug, glichen fie da nicht, ängftlich in goldgelbe Ringe fich frümmend, den gefprungenen Saiten einer Harfe, deren letztes Lied er= flungen?"

So fchrieb vor einigen Jahren ein deutfcher Ge= lehrter in feiner „Äfthetifchen" Wanderung in Sizilien (vergl. Schneider, „Italien in geographifchen Lebens= bildern"); und wenn ihm fo fehr das Herz pochte, fo

muß man wohl denjenigen Recht geben, die behaupten,
daß die Makkaroni den Lebenszweck vieler Neapolitaner
ausmachen. In der Tat werden die Makkaroni in Unter=
italien direkt angebetet. Wenn der Lazzarone einen Teller
voll Nudeln hat, mit Butter oder Paradiesäpfelsauce be-
gossen und mit geriebenem Käse bestreut, so tauscht er
mit keinem König der Welt. Er läßt sie sich wohl
gleich in die Mütze oder in den Hut geben, jedenfalls
geht er gar nicht erst ins Wirtshaus, denn die Sitte,
unter freiem Himmel aufzutragen und dem Publikum
Teller mit abgemessenen Portionen hinzusetzen, ist in Neapel
allgemein, — er nimmt seinen Teller in die eine Hand,
mit der andern Hand hebt er seine Makkaroni in die
Höhe: den Kopf zurückgewandt, labt er sich einen Augen=
blick am Anblick der niederhangenden Götterspeise und
fängt mit offenem Munde die herabträufelnde Butter
auf. Das ist der Vorgeschmack der Seligkeit; dann ver=
schlingt er die dicken, röhrenförmigen Nudeln auf einmal,
wie eine Chreule oder eine Schlange frißt. Er vertilgt
auf diese Weise in drei Minuten ein Kilogramm. Er
vertilgt noch einmal soviel, wenn man's ihm bezahlt.
Aber nicht nur dem Lazzarone, sondern jedem echten
Italiener schmecken nun diese langen, schlüpfrigen
Nudeln vorzüglich, so daß er sie zu seiner Nationalspeise
erkoren hat. Was nun den Ursprung der Makkaroni
anbelangt, so reicht er in das Altertum zurück. Schon
die Römer fertigten sie mit einer Walze, die zum
Kneten diente und maccaro genannt wurde. Aus maccaro
ist später das italienische Wort Makkaroni gebildet worden.
Die ersten Makkaroni wurden in Neapel verzehrt, und
der Landstrich um den Golf von Neapel wird als das
Heimatland der Makkaroni angesehen. In den Orten,
die den Golf von Neapel einsäumen, gibt es heute viele
Fabriken, die die Makkaronierzeugung im großen be=
treiben. Zur Herstellung können fast alle Mehlsorten
dienen, doch werden Weizenmehle bevorzugt. Eine Knet=
maschine bereitet den Teig, der dann in einen erwärmten
Zylinder kommt. Aus diesem Zylinder, dessen Boden
eine Art Sieb bildet, kommen die Makkaroni in ver=
schiedenen Längen heraus, werden auf lange Stangen ge=
reiht und dann auf eigenen Terrassen in der Sonne zum

Trocknen aufgehängt. Neapel hat im Jahre 1901 laut
Ausweis der Handelskammer 75215 Zentner Makkaroni
ausgeführt, wovon 19171 Zentner nach Amerika gingen.
In der Stadt Neapel selbst werden jährlich etwa 150000
Zentner Makkaroni verzehrt. Sie sind das Leibgericht
des Arbeiters, erscheinen aber auch oft auf dem Tisch
des wohlhabenden Bürgers. Um 1 Kilogramm Makkaroni zu kochen, benötigt man 6 Kilogramm Wasser; sobald
das Wasser wallt, gibt man die Makkaroni mit 30 Gramm
Salz hinein und läßt sie fünfzehn bis zwanzig Minuten kochen; dann wird das Wasser abgegossen, und die
Makkaroni werden mit Tomatensauce oder Butter übergossen und mit geriebenem Käse bestreut auf den Tisch
gebracht. Sie sehen dann sehr einladend aus, was man
von dem Nudelgericht, welches der neapolitanische Straßen-
junge in der Makkaroni-Straßenküche erwirbt und vor
Wonne schnalzend hinunterschlingt, gerade nicht behaupten
kann. Die Makkaronifabrikation ist aber durchaus nicht
ein Monopol Süditaliens, sondern wird in großem Maß-
stabe auch z.B. in Genua betrieben. In Deutschland
gibt es Makkaronifabriken in Aachen, Magdeburg, Halle,
Dresden usw.

**Makronen** s. den Art. Konditor.

**Malaria** (vom italienischen mala aria, schlechte
Luft, Sumpfmiasma, Sumpfluft) ist eine manchen
sumpfigen Gegenden, besonders den Maremmen an der
Südküste von Italien und den Pontinischen Sümpfen
bei Rom, eigene krankmachende Einwirkung auf lebende
Wesen. Zur Zeit wird die Entstehung der Malaria auf
giftige Mückenstiche zurückgeführt, deren Wirkung bald nach
kürzerer, bald nach längerer Zeit erfolgt; bald tritt die
Malaria nur in unmittelbarer Nähe der Sümpfe hervor,
bald aber erstreckt sie sich auch auf weitere Entfernungen
oder tritt selbst seuchenartig auf. Die Heftigkeit der Malaria
wird bedingt durch eine von hohen und dichten Wäldern
umschlossene oder von Bergen eingegrenzte, den Winden
unzugängliche Lage der Sümpfe, durch einen schweren
moorigen Boden, durch Sonnenhitze, welche diesen dem
Austrocknen nahebringt, durch Seewasser und noch mehr
durch die Vermischung des Seewassers mit süßem Wasser,
in welchem dann alle Lebewesen zugrunde gehen und das

Fäulnismaterial sich häuft, sowie durch die Eigenartigkeit
der Abend= und Nachtzeit vermehrt. Außer in den Ma=
remmen und den Pontinischen Sümpfen treten die Wir=
kungen der Malaria besonders in der Lombardei, wo der
Reisbau eine jährliche Bewässerung der Felder nötig
macht, hervor. Unter dem Einfluß des Malariagifts ent=
stehen die schwersten Fieberformen, die nicht selten zu
Milzinfarkten und Abszessen, zu Leberabszessen, zu Siech=
tum und Tod führen (Malariakacherie). Das vorzüglichste
Arzneimittel ist das Chinin in großen Dosen (1—5 g
täglich). — Vergl. den Art. Gesundheitspflege.

**Mala vita.** Unter dem Ausdruck mala vita (mā'lä
wī'tä — schlechtes Leben) versteht man in ganz Italien das
Verbrecherleben im allgemeinen (donna di mala vita
= Straßendirne). Die lombardische teppa, der piemon=
tesische barabbismo, die neapolitanische camorra, die
sizilianische mafia, dies sind die wichtigsten Erscheinungen
der mala vita, wenn auch teppa und barabbismo durch=
aus nicht mit camorra und mafia gleichgestellt werden
können. In einigen süditalienischen Provinzen aber ist
mala vita der besondere Name für Geheimbünde vom
Schlage der Kamorra und der Mafia. Jeder Italiener und
vielleicht auch mancher Ausländer wird sich z. B. des be=
rühmten Prozesses der mala vita erinnern, der Anfangs
1891 vor dem Schwurgericht zu Bari mit der Verurteilung
von — sage und schreibe — 175 Angeklagten endigte,
größtenteils unreifen Burschen, die sich unter jenem
Namen und mit Anwendung aller den politischen Sekten
abgelernten Abzeichen zu einer ausgedehnten Verbrecher=
bande zusammengetan hatten. In diesem Zwecke und in
ihren Mitteln gleicht also die mala vita vollständig der
Kamorra und der Mafia. Höchst eigenartig ist der Eid,
den die Mitglieder der mala vita leisten müssen: „Mit
einem Fuße im Grabe und mit dem andern an der Kette,
schwöre ich, Vater und Mutter zu verlassen, um den Zweig
der Umiltà (Demut, Unterwerfung im schlechtesten Sinne)
zur Blüte zu bringen und die Sekte der Ehrlosen zu zer=
stören.“ Nach diesem Eide wird der Geweihte als Ge=
vatter begrüßt und hat die Ehre, der Erste zu sein bei
der nächsten von der Hauptversammlung beschlossenen
impresa. Der italienische Schriftsteller Colacino be=

Land und Leute in Italien.                                    19

richtet noch mehr über die Sprache der Verbündeten. Ist ein Bruder in Gefahr so ruft er: „Hundert hab' ich durchgemacht und mit diesem hunderteins!" Hört ihn einer der Brüder, so muß er ihm Hilfe und Schutz angedeihen lassen. Um sich zu erkennen zu geben, dient die an den anderen gerichtete Frage: „Habt Ihr ein Zigarrenstümpfchen? Mir schmerzt der Backzahn." Die Antwort ist: „Ich hab' eins." Das Gespräch nimmt dann folgenden Verlauf: „Wie spät habt Ihr?" — „Meine Uhr geht dreißig Minuten nach." — „Seit wann geht sie so?" — „Seit dem 25. März." — „Wo wart Ihr an diesem Tage?" Hier wird der Ort genannt, wo er eingeweiht wurde. „Wer war da?" — „Schöne Leute." — „Zu wem betet Ihr?" — „Zu Sonne und Mond." — Vergl. außerdem die Artikel Camorra, Mafia.

**Malocchio** (mălo't-kö — Böses Auge) s. den Art. Iettatura.

**Mandelbaum** (mä'ndorlë). Die Mandel ist ein kleiner strauchartiger Baum, nimmt sich aber recht gut aus und macht mit ihren langen Weidenblättern einen sehr anmutigen Eindruck. Sie gleicht übrigens ganz und gar dem Pfirsich; ja sie gleicht ihm so täuschend, daß beide Bäume ohne die Früchte kaum voneinander zu unterscheiden sind. Besonders schön ist die Mandel zur Zeit der Blüte. Gleich dem Pfirsich blüht sie vor Ausbruch des Laubes, und zwar schon sehr früh im Jahre, in Italien bereits im Januar oder Februar. Und die schönen, großen Steinobstblüten sind rötlich wie die des Pfirsichs, meist aber heller oder ganz reinweiß. Die Früchte reifen im Herbst. Nach ihnen unterscheidet man drei Arten der Mandel: die bittere und die süße Mandel, die beide eine harte Steinschale besitzen, und die Krach- oder Knackmandel, die eine leicht zerbrechliche Schale hat. Die Verwendung der Früchte ist bekannt. Die Mandel stammt ursprünglich aus dem Kaukasus und Nordafrika. Sie ist aber schon zur Zeit der alten Griechen und Römer in das europäische Mittelmeergebiet gelangt. Ihrem ziemlich weit nordwärts hinaufreichenden Vaterlande entsprechend, erweist sie sich als sehr wenig empfindlich. Der Mandelbaum gedeiht als solcher auch in Deutschland noch ganz gut. Dort blüht er im März und April, und obwohl zu dieser Zeit oft

noch Schnee= und Frostwetter herrscht, so leiden die
Blüten doch recht wenig darunter. Sie sind außerordentlich unempfindlich. Allein wenn auch der Baum
den deutschen Winter sehr gut aushält, so werden seine
Früchte doch in Deutschland in der Regel nicht reif.
Dazu ist der deutsche Sommer zu kurz, und hieran
scheitert in Deutschland die Nutzung des Mandelbaumes,
obwohl er als Zierstrauch häufiger angepflanzt wird. Der
Mandelbaum wächst außerordentlich rasch und er trägt
auch sehr bald. In einigen Jahren nach der Aussaat
liefert er bereits die ersten Früchte. Er ist gar nicht an-
spruchsvoll, er gedeiht sogar in trockenem, leichtem Boden
am besten. Er verhält sich also auch in seiner schnellen
Art zu wachsen und in seinen Bodenansprüchen ganz
wie der Pfirsich. (Grottewitz.)

**Maresciallo** (märeschä'l-lö). Die hohe militärische
Würde eines Feldmarschalls gibt es im italienischen Heere
nicht. Nur bei den carabinieri (s. d.) und bei den
guardie di pubblica sicurezza (s. Polizei) hat man
einen maresciallo, was etwa Gendarmeriesergeant bedeutet.

**Marine.** Auch für die Marine besteht die allgemeine
Dienstpflicht. Die Dienstzeit beträgt achtzehn Jahre. Die
dienstpflichtige Mannschaft teilt sich in drei Kategorien.
Zur ersten gehören die für die Marine wirklich Ausgehobenen. Sie dienen vier Jahre aktiv, gehören acht
Jahre als Urlauber zur Reserve und treten dann auf sechs
Jahr zur Seewehr (riserva navale) über. Die aus-
gelosten Überzähligen bilden die zweite Kategorie und gehören zwölf Jahr zur Reserve, sechs Jahre zur Seewehr.
Die aus Familiengründen dienstfrei Erklärten kommen als
dritte Kategorie sofort auf achtzehn Jahre zur Seewehr.
Das Offizierkorps der Marine teilt sich in die Seeoffiziere
und in die Marineingenieure (genio navale) ein, die
wiederum die Schiffbau= und die Maschineningenieure
umfassen. Die Seeoffiziere werden auf der der deutschen
Marineakademie in Kiel ähnlichen accade'mia navale
in Livorno von Militär= und Zivillehrern in Kriegs= und
Marinewissenschaften sowie in den zum Seewesen gehörigen Fertigkeiten ausgebildet. Die Schiffbauingenieure
erhalten die allgemeine Ausbildung der Ingenieure und

19*

werden auf Schiffbauschulen für ihr besonderes Fach vor=
bereitet; das Offizierkorps der Maschinisten ergänzt sich
hauptsächlich aus Unteroffizieren der Marine, welche die
zur Beförderung nötigen allgemeinen und Fachkenntnisse
auf der Maschinistenschule in Venedig zu erwerben Ge=
legenheit haben. Nach dem letzten statistischen Jahrbuch
betrug die Stärke des gesamten Personals der italienischen
Kriegsmarine Ende 1898 102872 Köpfe, darunter 2359
Offiziere. Von dieser Gesamtzahl gehörten 1760 Offiziere
und 55706 Mann zur ständigen Flottenmannschaft
(corpo reale equipaggi), darunter 33670 Reservisten,
und 44807 Mann zur Seewehr. Das jährliche Aus=
hebungskontingent für den aktiven Seedienst ist seit 1872
von 1100 Mann auf gegenwärtig 4500 Mann gestiegen.
Sowohl für Kriegszwecke als für die Verwaltung ist
Italien in drei Marinedepartements oder nach deutschem
Sprachgebrauch in drei Stationen eingeteilt, jede mit
einem Hauptkriegshafen als Sitz des Kommandos, der
Werften, Arsenale und sonstigen Marineanstalten. Die
Station Spezia umfaßt die Festlandsküste von der
französischen Grenze bis Terracina, sowie Sardinien und
Elba. In Spezia besitzt sie nicht nur den stärksten Kriegs=
hafen Italiens, sondern einen der ersten und wichtigsten
des Mittelmeeres. Für die zweite Station, welche die
Festlandsküste von Terracina bis zum Kap St. Maria in
Leuca an der Südostspitze von Italien sowie Sizilien
umfaßt, dient bis zur Vollendung des Hauptkriegshafens
in Tarent noch immer Neapel als Stationssitz, obwohl
dieser Hafen gegen feindliche Angriffe kaum anders als an=
griffsweise zu verteidigen ist. Der dritten Station, Venedig,
liegt der Schutz der ganzen Ostküste ob.       (Fischer.)

**Marionettentheater.** Es ist die Zeit zum Beginnen;
man ruft: „Anfangen! Anfangen!" Die Musik be=
schwichtigt — welche Musik! In der Ecke des palchettone
sitzen eingedrückt drei Musikanten, erzdurchtönende Männer,
langausatmende Tubabläser, die von den pelasgischen
Tyrrhenen abzustammen scheinen, welche die ersten Tuben
nach Italien in die Stadt Tarquinii gebracht haben. Ihre
Musik ist niederreißend, wahre Ruinenmusik; trotz des
Heulens, Pfeifens, Schreiens und trotz all dem schrillen
Spektakel blasen die Musikanten mit unerschütterlicher

Standhaftigkeit, und es fährt bisweilen durch das Chaos der Töne ein armstarker schrecklicher Trompetenstoß. Nun werden die Puppen spielen, und wir können die herrlichsten Geschichten sehen: den Kaiser Karl und die Paladine, den Orlando, den Medoro, den Lancelot, den Zauberer Malagis, den Sultan Abdurrhaman, die Melisandra, den Ruggero, den König Marsilio und die Königin Ginevra; wir können ganze Völkerschaften von Mohren und Sarazenen und die schrecklichsten Schlachten anschauen. Heute spielen sie die schöne Geschichte ‹Angelica e Medoro› oder ‹Orlando furioso e li Paladini›. Der Vorhang geht auf, die Puppen erscheinen, da kommt der tapfere Orlando und sein Schildknappe Pulcinella mit einem Schwung und gleichsam durch die Luft; jener ist vom Scheitel bis zur Sohle gepanzert und das Schwert Durandals ist in seiner Hand befestigt. Der Pulcinella trägt die weißen Hosen, den großen weitärmeligen Rock und die spitze, weiße Kappe. Die Puppen sind zwei Fuß und darüber hoch, ihre Glieder höchst gelenkig; sie leisten alle menschenmöglichen Bewegungen mit einer burlesk-komischen, steifen Grandezza, wobei das Klopfen ihrer hölzernen Beine, auf denen sie beständig balancieren, um sich aufrecht zu erhalten, das fortwährende Aufhüpfen und die puppenhafte Gebärdung zu dem Pathos der von obenher unsichtbar deklamierenden Stimmen eine ganz ergötzliche Wirkung hervorbringt. Allmählich gewöhnt sich das Auge an die Maße dieser Gliederchen, indem es die natürlichen Verhältnisse herabstimmt, und wenn nun eine Marionette nicht gehorchen will und plötzlich eine nachhelfende Menschenhand herunterfährt, so erscheint diese dem Auge als eine ungeschlachte Riesenhand und als etwas Unnatürliches.

**Mark** (Geldstück: un marco, due marchi usw.). Die deutsche Reichsmark ist = 1 Lire 25 Ct., 20 Mark = 25 Lire. — Vergl. den Art. Münzfuß.

**Markthallen.** Markthallen findet man heutzutage nur in den norditalienischen Städten und in Neapel. In Süditalien spielt sich aber der Gemüse-, Obst-, Fisch- und Fleischhandel, ebenso wie das ganze Leben noch immer hauptsächlich auf öffentlicher Straße, vor den Läden oder vor den Häusern ab. — Vergl. den Art. **Lebensmittel.**

**Marmorwerke.** Unter den Steinbrüchen ragen die Marmorbrüche von Carrara durch die Schönheit und den hohen Wert ihres Materials hervor. Die Apuaner Alpen, die sich parallel der Hauptkette der Apenninen an der Ostküste der Riviera dicht am Meer bis zur Mündung des Serchio hinziehen, bilden bei Carrara und bei Massa einen fast ausschließlich aus Marmor bestehenden Gebirgsstock, der geradezu unerschöpfliche Lager weißen, rötlichen und bläulichen Marmors enthält. Bei den genannten Städten sind über vierhundert Brüche im Betriebe, aus denen gegen zwei Millionen Tonnen Marmor gewonnen werden. Unmittelbar an die Brüche schließen sich zahlreiche Werkstätten, in denen die Blöcke entweder für künstlerische Zwecke hergerichtet, vielfach auch gleich soweit bearbeitet werden, daß den Bildwerken demnächst nur noch die letzte Vollendung gegeben zu werden braucht, oder in Platten für Tische und sonstiges Hausgerät zersägt werden. Die Marmorindustrie dieses Bezirks beschäftigt in Gruben und Werkstätten gegen 12000 Arbeiter; der Marmor aber bildet sowohl in Blöcken als bearbeitet einen wegen seiner Schönheit und Feinheit Italien eigentümlichen, überall hochgeschätzten Ausfuhrgegenstand.

**Maronenbaum** (castagno — kästä'njö). An Stattlichkeit des Aussehens, an Größe des Bodens, den er einnimmt, ist der Maronenbaum, die Edelkastanie, unter den Kulturbäumen an erster Stelle zu nennen. Man darf diesen Baum durchaus nicht mit der in Deutschland eingebürgerten Roßkastanie (ippocastano — ïr-põ-kä'stänö) verwechseln, denn beide Bäume besitzen zufällig sehr ähnliche Früchte, im übrigen aber haben sie nicht das geringste miteinander zu tun. Die Edelkastanie ist der Deutschen Rotbuche und Eiche nahe verwandt, sie gehört also zu den Kätzchenblütlern und hat als solcher unscheinbare Blütenstände, aber im übrigen ist sie ein mächtiger, gewaltiger Baum und kann bis 35 Meter Höhe erreichen; sie wird auch sehr alt, zäh und fest im Holze und kann gleich der Eiche viele Jahrhunderte überdauern. Die Edelkastanie ist der eigentliche Waldbaum Italiens, der in diesem waldarmen Lande große Bestände bildet. Die Früchte der Edelkastanie (Maronen) sehen denen der Roßkastanie sehr ähnlich und sind, wie jene, von einer Schale umgeben, die steife Stacheln oder Borsten trägt. Die Früchte selbst, deren ein bis drei Stück in jeder Schale enthalten sind, gleichen in ihrer braunen, allerdings nicht glänzenden Farbe und ihrer gewölbten Form den Samenkernen der Roßkastanie. Die Maronen sind reich an Stärkemehl, sie werden entweder roh, öfter aber geröstet oder auch in anderer Zubereitung gegessen. Sie haben in Italien wie überhaupt in Südeuropa eine sehr große Bedeutung; für die ärmere Bevölkerung spielen sie in vielen Gegenden dieselbe Rolle wie in Deutschland die Kartoffeln in armen Gebirgsgegenden. Die Maronen bilden auch einen wichtigen Handelsartikel, sie werden in sehr großen Mengen nach dem nördlichen Europa ausgeführt. — Vergl. Marrone.

**Marrone** (mar-ró'ne). Der Italiener macht zwischen castagna und marrone einen bedeutenden Unterschied. Castagna ist die gewöhnliche eßbare Kastanie; marrone dagegen heißt eine besondere Art eßbare Kastanie, die größer und auch süßer ist als die gewöhnliche castagna.

**Maschinenfabrikation.** Am stärksten tritt das Bestreben, in Italien eine einheimische Industrie zu erziehen, in der Metallbearbeitung zu Tage. Auf diesem Gebiete war Italien bis in die neuste Zeit in hohem Grade vom Auslande abhängig. Auch steht sein Hüttenwesen noch jetzt hinter demjenigen der Kohlen und Eisen erzeugenden Länder sehr weit zurück. Gegenden, in denen sich die Hochöfen so nahe aneinanderreihen und die großen Stahl- und Eisenwerke so dicht beieinander liegen, wie in Yorkshire, am Niederrhein und in Oberschlesien, besitzt Italien nicht. Die Silber- und Bleihütten, welche von einer englischen Gesellschaft in Pertusola am Golf von Spezia errichtet worden sind, das Kupferwerk Torretta bei Livorno, die Eisenblechwerke bei Piombino und in der Valle Camonica sind vereinzelte Anlagen; Eisen und Stahl werden an manchen Orten Piemonts und neuerdings in den Hochöfen von Terni verhüttet, aber nicht ausreichend, um den Bedarf zu decken. Dagegen hat die Bearbeitung des Eisens seit kurzem sehr erhebliche Fortschritte gemacht. Während früher fast der ganze Eisenbedarf der Eisenbahnen vom Unterbau bis zum rollenden Material, ferner die Eisenkonstruktionen für Häuserbau, die

Panzer, die Maschinenausrüstung, die Geschütze und die
Geschosse der Kriegsflotte aus dem Auslande bezogen
werden mußten, ist hierin eine durchgreifende Änderung
eingetreten. Die italienische Marine hat sich teils durch
Errichtung eigener Werften, teils durch die Heranziehung
der großen Schiffbauanstalten an der Riviera und in
Livorno in Beziehung auf die Erbauung ihrer Kriegs=
schiffe vom Auslande unabhängig gemacht. Durch die
Unterstützung des tatkräftigen Marineministers Brin ist
das größte Eisen= und Stahlwerk Italiens, die Hochöfen=
gesellschaft von Terni, in den Stand gesetzt, in ihren
Anlagen Panzer und Geschosse zu erzeugen, die früher
aus St. Etienne, von Armstrong oder von Krupp bezogen
wurden. In Terni, in Savona, in den Walzwerken von
Toskana und der Lombardei werden Eisenbahnschienen
und Eisenträger für Baukonstruktion hergestellt. Das
rollende Material der Eisenbahnen wird gegenwärtig zu
einem großen Teil von lombardischen und piemontesischen
Anstalten erbaut. Dampfschornsteine, Gas= und Wasser=
leitungsröhren werden in Terni und in den Werken von
Vobarno im Brescianischen, einem alten Sitz der früheren
Eisenindustrie des Landes, hergestellt.

Vielleicht die bedeutendsten Fortschritte hat die
Maschinenfabrikation aufzuweisen. Eine Menge von Ma=
schinen, die sonst eingeführt werden mußten, werden
jetzt in Italien gebaut. Tosi in Legnano, der Dampf=
maschinen für die verschiedensten Betriebe verfertigt, hat
sich neuerdings mit besonderem Erfolg auf die Herstellung
von Maschinen zum Antrieb der Dynamos für elektrische
Beleuchtung gelegt. Seine Maschinen haben einen so
guten Ruf, daß sie vielfach auch im Auslande ver=
wendet werden; von Südamerika und Ägypten, aber
auch von der Schweiz, England und Deutschland werden
Tosi=Maschinen für diese Zwecke bezogen. Zur Zeit
helfen diese Maschinen Buenos Aires, Santiago, Kairo,
Melbourne und einzelne Anlagen in Wien und Berlin
elektrisch beleuchten. Andere Fabriken in Mailand und
Bologna stellen die für die Umwandlung der Wasserkraft
in Elektrizität erforderlichen Turbinen her. Die Maschinen=
bauanstalt „Elvetica“ in Mailand hat neuerdings sogar
angefangen, Lokomotiven für rumänische und dänische

Eisenbahnen auszuführen. Als eine beachtenswerte Leistung der italienischen Metallindustrie ist endlich zu erwähnen, daß Drähte für Telegraphen und andere elektrische Leitungen, die früher durchaus vom Auslande her bezogen wurden, neuerdings in inländischen Fabriken hergestellt und sogar nach Spanien und Ägypten ausgeführt werden. Freilich bleibt auch auf diesem Gebiet noch viel zu tun übrig. Die Spinn- und Webemaschinen der Textilindustrie, die Maschinen der nicht unbeträchtlichen italienischen Papier= fabriken, der weitaus größte Teil der auch in Italien in rascher Ausdehnung begriffenen elektrischen Anlagen werden auch jetzt noch vom Auslande bezogen. (Fischer.)

**Maulbeerbaum** (gelso — ᵈᵍᵉ̆ˡˡᶻᵒ̄). Eine nicht unbedeu= tende Rolle spielt in Italien der weiße Maulbeerbaum. Er wird allerdings nicht wegen seiner Früchte, sondern wegen seiner Blätter angebaut, die bekanntlich das beste Futter für die Seidenraupen geben. Er ist ein stattlicher Baum mit einer breiten Krone und recht ansehnlichen Blättern, die eine schiefherzförmige Gestalt besitzen. Allerdings sind die Blätter selbst an einem und demselben Baume etwas wechselnd, oft besitzen sie mehr oder minder tiefe Einschnitte, so daß sie sich den Blättern des Feigen= baumes nähern, mit dem der Maulbeerbaum ja nahe verwandt ist. Die Blüten, die in getrennten Geschlechtern kugelförmig angeordnet sind, haben nichts Auffallendes. Aus ihnen gehen die weißen, beerenartigen Früchte her= vor, die einen faden, süßlichen Geschmack haben und meist nur von Kindern gegessen werden. Der Maulbeer= baum ist ziemlich abgehärtet, er gedeiht auch in milderen Gegenden Deutschlands. Im Frühjahr schlägt er sehr spät aus, so leidet er nicht durch Fröste. Kurzum, er ist ein Baum, dem selbst ein etwas rauheres Klima als das italienische noch zusagen würde. Er stammt nämlich aus China. Hier wurde er schon in den allerältesten Zeiten angebaut. Nach Europa kam der weiße Maulbeerbaum erst ziemlich spät, nach Griechenland zwar schon zu Justinians Zeit, nach Toskana und damit nach Italien aber erst im Jahre 1340. Die Seidenzucht selbst aber wurde hier schon um ein Jahrhundert früher betrieben. Man fütterte die Seidenraupen aber nicht mit dem Laub des weißen, sondern des schwarzen Maulbeerbaumes, den

Südeuropa schon bedeutend früher von Persien her erhalten hatte. Die Blätter des letzterwähnten Baumes
eignen sich jedoch nicht so gut als Nahrung des Seiden-
wurmes, dessen Gespinst bei solcher Fütterung minder-
wertig bleibt. Dagegen sind die Früchte des schwarzen
Maulbeerbaumes weit edler als die des weißen. Um der
Früchte willen wird jener daher auch schon seit dem
Altertum in Italien angebaut. Allerdings ist die Bedeutung des schwarzen Maulbeerbaumes, der im übrigen
genau so aussieht wie der weiße, nicht allzu groß. Zumal in Italien gibt es eine solche Auswahl herrlicher
anderer Früchte, daß die Maulbeeren davor in den
Hintergrund treten müssen.

**Maultier** (mulo). Die Genügsamkeit und die Sicherheit im Klettern durch die Berge gibt besonders im
Süden von Italien dem Maultier den Vorzug vor dem
Pferde, das bei den Alten weniger das arbeitende
Zugtier, als der edle Kriegsgefährte des Menschen war.
Ein Zug beladener Maultiere im Gebirge, hoch über der
schroffen Felswand sich fortbewegend und von eigenartigen
mulattieri begleitet, oder da, wo es gute Straßen gibt,
ein Wagen mit vier raschen, schellenbehängten Maultieren
bespannt, gewährt ein schönes, malerisches Bild.

**Medizinischer Aberglaube.** Der medizinische Aberglaube, dieser alte Kurpfuscher, lebt noch immer und steht
in größerem Ansehen als der vornehmste Doktor und
Professor der Medizin. Seine Apotheke hat ihresgleichen
nicht an Reichtum der Heilmittel. Der Vater vererbt sie
auf den Sohn, durch Jahrhunderte sind sie auf uns gekommen, vom Fortschritt der modernen Zeit unberührt.
Varro, dieser hochgelehrte alte Herr, rät dem Manne,
der einen bösen Fuß hat, den Boden zu stampfen, aus-
zuspucken und siebenundzwanzigmal, mit nüchternem
Magen, ein gewisses Zaubersprüchlein zu sagen. Das
Zaubersprüchlein, das jetzt dabei angewendet wird, lautet:

> Öl von Jesu Christ
> Löscht den Schmerz zur Frist!
> Öl aus der Luzerne
> Jeden Schmerz entferne!

Denn Lampenöl, besonders aus der Lampe, die vor den
Heiligenfiguren auf der Kommode brennt, auf einen

Lappen gegossen und Ruß vom Boden eines Kessels daraufgeschabt, ist die Heilsalbe.

In der italienischen Provinz Lecce hängen kreißende Frauen, um die Geburtswehen zu lindern, einen gewissen Stein über ihrem Bett auf, pietra pregna (pregno schwanger) genannt, und will bei einem Kranken kein Mittel mehr verschlagen, so muß eine seiner Verwandten zwei Steine von der Schwelle des Hauses einer verrufenen Dirne herbeischaffen, die dann dem Kranken auf die Brust gelegt werden. Diese gewiß eigenartige Handlung soll an die unmoralischen Priesterinnen von Tyrus und Sidon erinnern.

In einigen Gegenden Italiens wäre es unmöglich, von einem Weibe aus dem Volke die Nadel zu erhalten, mit der sie eigenhändig das Fleisch eines noch warmen Leichnams durchstochen. Mit dieser Nadel kann man jeder Gefahr ruhig entgegengehen. Zahnschmerzen wird niemals derjenige bekommen, der zur Kirche des heiligen Dominikus wallfahrtet und dort mit den Zähnen den Strang der Glocke zieht. Ein schlimmerer Gast ist die Rose (Erysipelas). Sie sucht als böser Geist die verschiedenen Körperteile heim und würde durch Medizin aus der Apotheke nur noch grimmiger gemacht werden. Diesem Geiste muß man schmeicheln, ohne seinen Namen zu nennen, ihn höflich bittend überlisten, das Haus zu verlassen. Die Ärztin nimmt das an ihrem Rosenkranz hängende Kreuz und berührt damit die kranken Stellen des Patienten unter dem Spruche: „Ich zeichne dich mit dem Namen Jesu. Ich bitte dich im Namen der allerheiligsten Maria, zurückzugehen." Diese Anrede ist an die Rose gerichtet. Bauchschmerzen Erwachsener werden geheilt, wenn man ein Brot unter einen Feigenbaum wirft und die Hunde herbeiruft, es zu fressen:

> Veni u cani
> E si mancia lu pani.

Bei Kindern auf Sizilien heilt man sie, wenn man ihnen in den After einige mit Tabaksaft getränkte Petersilienblätter steckt und zu dieser Operation singt:

> Petersilchen, Petersilchen,
> Lös' die Milch dem lieben Kindchen.
> Petersilchen, Petersilchen,
> Heil' es schnell und lauf' zum Ätna.

Dabei müssen die Frauen ringsum dreimal ausspucken. Das Blut der Eidechse hilft gegen Engbrüstigkeit, doch muß man das Tierchen am ersten Tage des Neumondes fangen. Will die Frau eine kranke Brust heilen, so trinkt sie von dem Wasser, von dem vorher eine Katze getrunken; sie würde nicht erkrankt sein, wenn sie bei=zeiten drei Schlucke von dem Wasser genommen, in wel=chem man die Brothese gelöst. Feigenmilch und Ohren=schmalz helfen gegen Warzen und trotz der Wasmuthschen Hühneraugenringe in der Uhr gegen Hühneraugen, doch kann man diese auch zählen; soviel man alsdann deren hat, soviel Maiskörner nimmt man, wirft sie in den Abort, und wenn sie sich auflösen, schwinden auch die calli (Warzen) dahin. Das Muttermal des Kindes vertreibt die Mutter, indem sie an der Tür einen Jüng=ling abpaßt, der zufällig mit einer Rose vorüberkommt, sich dann die Rose schenken läßt, diese in Wein kocht und das Mal damit abwäscht.

Der endlosen Zahl aller Frauen=, Männer= und Kinderkrankheiten kann nicht Erwähnung getan werden, aber zahlreicher fast als die natürlichen Doktorenkrank=heiten sind die zufälligen Verletzungen, wie Verbrennungen, Verrenkungen, Brüche, Bisse und Stiche von Tieren und — wir sind in dem mit dem Messer sehr gewandten und stets bereiten Unteritalien — die Verwundungen und Wunden; ihnen hat Antonio de Nino in seinen «Usi e Costumi abruzzesi» ein breites Kapitel eingeräumt. — Vergl. auch den Art. Amulette.

**Meile** (il miglio — mī′ljŏ, Plur. le miglia): ungefähr 1½ Kilometer.

**Methodisten.** Die (amerikanische Episkopal=)Metho=distenkirche evangelisiert in Italien seit dem Jahre 1873. Sie zählt 1482 Anhänger in 12 Gemeinden und 40 Stationen, welche von 25 Geistlichen und 6 Evan=gelisten versorgt werden. 32 Lehrer unterrichten in Tages= und Abendschulen 795 Schüler. Die Sonntags=schulen besuchen 1063 Schüler. Die „Theologische Schule" dieser Kirche mit 9 Lehrkräften befindet sich in Rom, wo auch die Leitung in einem stattlichen Bau ihren Zentralsitz hat. Kirchen bezw. Standorte sind in Adria, Alessan=dria, Atessa, Bari, Bologna, Dovadola, Florenz, Foggia,

Forli, Genua, Mailand, Neapel, Palermo, Pavia, Perugia, Pisa, Pontedera, Reggio Emilia, Rom, S. Marzano, Oliveto, Sestri, Spinazzola, Terni, Turin, Venedig, Venosa (dazu in der Schweiz: Genf und Lausanne, in Österreich: Triest).

**Mezzadria** (med-ßädri'ä — Teilbau). Der eigentliche klassische Ackerbauvertrag der italienischen Landwirtschaft ist der Teilbau, dessen Wesen darin besteht, daß der Eigentümer einem Unternehmer die Bewirtschaftung einer bestimmten Bodenfläche oder auch bestimmte Anpflanzungen auf derselben gegen einen Anteil am Rohertrage überläßt. In dem Heimatlande dieser Wirtschaftsform, in Toskana, ist dieser Anteil in der Regel die Hälfte, und daher stammt seine Bezeichnung als mezzadria. Nach toskanischem Brauch pflegt die mezzadria eine Fläche von durchschnittlich 12 ha zu umfassen. Der Grundherr bleibt Eigentümer des ganzen Bestandes und aller Verbesserungen; die Hälfte ihres Wertes aber wird dem Teilbauer zugute gerechnet. Der Vertrag geht von Jahr zu Jahr; da indessen beide Teile bei zufriedenstellenden Leistungen ein starkes Interesse an längerer Dauer des Vertrages haben, so pflegt er stillschweigend verlängert zu werden und setzt sich nicht selten durch ganze Geschlechter sowohl von Grundherren als von Teilbauern fort.

In anderen Gegenden wendet man die Teilung des Rohertrages namentlich bei solchen Anpflanzungen an, welche, wie der Weinbau und die Pflege der Frucht- und der Ölbäume, eine besondere Aufmerksamkeit und eigenes Interesse des Bestellers verlangen. So ist in Piemont, in der oberen Lombardei, im Venezianischen und Neapolitanischen der Brauch weitverbreitet, die Erträgnisse des soprasuolo, das ist dessen, was sich über den Boden erhebt, also der Wein- und Baumpflanzungen, nach Verhältnis zwischen dem Grundherrn und dem Unternehmer zu teilen, während letzterer für die Überlassung des Bodens selbst, also für Körner- und Wiesenbau einen festen Pachtzins zu entrichten hat. Andere Formen des Teilbaues sind die Meliorationsverträge (contratti a miglioria), bei denen der Unternehmer zur Ausführung von Verbesserungsarbeiten dadurch angeregt wird, daß er nach Durchführung der Verbesserung einen Teil des verbesserten Grundstückes zum Eigentum erhält und den Rest als Teilbauer bewirtschaftet, oder daß nach Beendigung der Vergütung das Gut von neuem abgeschätzt und der ermittelte Mehrwert zwischen dem Grundherrn und dem Unternehmer geteilt wird.

Die Vorzüge und die Nachteile des Teilbaues haben eine ganze Literatur hervorgerufen. Seine Vorteile bestehen wirtschaftlich vorzugsweise darin, daß er dem Teilbauer auf einem für alle Arten von Anbau geeigneten Boden gestattet, seine Arbeitskraft das ganze Jahr hindurch zweckmäßig und nutzbringend zu verwenden, und daß er eine Interessengemeinschaft zwischen dem Grundherrn und dem Unternehmer herstellt, die dem Grundstück zugute kommt. Seine Lobredner sind geneigt, ihm das Hauptverdienst an dem hohen Grade der Einträglichkeit zuzuschreiben, den der Landbau in vielen Gegenden Toskanas erreicht hat. Sozial gewährt die mezzadria, namentlich wo sie unter so liberalen Bedingungen stattfindet wie in Toskana, und wo ihre Nachteile durch lange Zusammengehörigkeit gemildert werden, nach manchen Richtungen hin einigen Ersatz für den fehlenden Freibauernstand. Sie ermöglicht dem Teilbauern eine auskömmliche Lebenshaltung; der ihm zufallende Ertragsanteil ist nicht unbedeutend; er belief sich in einem von Sidney Sonnino in seinem Aufsatz über das Meiersystem in Toskana (Hillebrands ‹Italia› I, 111 f.) mitgeteilten Beispiel für ein Teilgut von 11,45 ha im zehnjährigen Durchschnitt auf 2667,52 Lire. Andererseits hemmt der Teilbau durch Zerlegung des Grundstückes in kleine Flurstücke die Vornahme durchgreifender Verbesserungen, die Beschaffung vervollkommneter Geräte, namentlich landwirtschaftlicher Maschinen, die Herstellung großer, für die Düngung notwendiger Viehbestände. Auch bleibt der Teilbauer bei der Kürze der Vertragszeit in unsicherer Lage und in Abhängigkeit, so daß er dem freien, selbständig wirtschaftenden Bauer sozial und politisch keineswegs gleichgestellt werden kann. (Fischer.)

**Militärärzte.** Das Sanitätskorps ist in besondere, auch schon im Frieden bestehende Formationen geteilt, von

deſſen 12 Kompagnien jedem Armeekorps eine beigegeben
iſt. Dieſe Truppe ſteht unter dem Befehl der Militärärzte, die in Italien noch mehr als in Deutſchland
durchaus militäriſch organiſiert ſind. Die Sanitätsoffiziere werden mit den übrigen Offizieren vollſtändig auf
gleichem Fuße behandelt; ſie tragen eine ganz ähnliche
Uniform und führen die Titel ihrer militäriſchen Rang-
ſtellung, vom tenente medico zum capitano medico, maggiore uſw. bis zum mediziniſchen General-
major hinauf. Die Ausbildung der Sanitätsoffiziere, die
teils den Truppenteilen und den Truppenkommandos
beigegeben ſind, teils dem Dienſt der Sanitätskompagnien
und der Militärlazarette vorſtehen, erfolgt auf der Mili-
tärmediziniſchen Schule (scuola d' applicazione di
sanità militare) in Florenz, die im Anſchluß an die
ausgezeichnete mediziniſche Fakultät der florentiniſchen
Hochſchule eingerichtet iſt. Das italieniſche Sanitätskorps
weiſt einen Friedensbeſtand von 3 Generalmajorärzten,
15 Oberſten, 28 Oberſtleutnants, 71 Majors, 280 Haupt-
leuten und 286 Leutnants auf; die Sanitätskompagnien
zählen an Sanitätsunteroffizieren und Gemeinen zuſammen
3025 Mann.

**Minestra.** Während der Begriff „Suppe" in
Italien auf die Brotſuppe und allenfalls auf die Fiſch-
ſuppe, die Muſchelſuppe, die Bohnenſuppe und die
Schotenſuppe beſchränkt geblieben iſt, hat ſich für die
Suppe überhaupt das Wort minestra eingebürgert, ein
echt italieniſches Wort, ſoviel wie das Adminiſtrierte,
das Gereichte und Aufgetragene ſchlechthin. Sobald die
Suppeneinlage nicht in Brot, ſondern in Reis oder
Nudeln beſteht, ſpricht der Italiener nicht mehr von der
zuppa, ſondern von der minestra. Und auch hier
wieder iſt die eigentümliche Verſchiebung der Begriffe zu
beobachten, daß dem Volke die eingelegten Teigwaren,
die in Italien bekanntlich in großer Auswahl und in
ausgezeichneter Qualität vorhanden ſind, allmählich als
die Hauptſache erſchienen, ſo daß die Nudeln ſchlechthin
zur minestra avancierten und auch dann noch minestra
hießen, wenn ſie ohne alle Fleiſchbrühe adminiſtriert,
nur mit Butter und Parmeſankäſe aufgegeben wurden.
Man hat alſo in Italien eine minestra al brodo und

eine minestra asciutta. Auf jeder Speisekarte stehen unter der Hauptrubrik «Minestre» die minestre al brodo, d. h. Reis, oder Nudeln, oder Tortellini usw. mit Bouillon, und die minestre asciutte, zu der die auch in Deutschland so bekannten Risotto und Makkaroni gehören, welche mit Butter, mit sugo, mit Saucen in ganz unglaublichen Mengen aufgetragen und verzehrt werden. Der Italiener besitzt eine ganz besondere Ge= schicklichkeit, dies wurmartige Gericht zu essen; er bedient sich der Gabel und des Löffels und dreht und wendet diese beiden Werkzeuge wie der Trommler die Trommel= schlägel oder wie die Spitzenklöpplerin die Klöppel so schnell hin und her, bis die Schüssel leer ist. Wer da= gegen das verlangt und erhält, was man in Deutschland unter „Suppe" versteht, d. h. eine minestra al brodo, und wofür eine ganze Reihe dort wenig bekannter Einlagen: Reis, Nudeln, Fleckchen, Sterne, Törtchen und Hütchen zur Verfügung stehen, wird in bezug auf Menge und Art überrascht sein; nur zu Hause kann der Deutsche zu dem Genuß dieser kräftigen Fleischbrühe kommen, welche dem Gaste für wenige Soldi in großen, zwei Teller füllenden Glocken überreicht werden, und dieser Vorzug allein söhnt mit manchem Mangel aus.

**Mittagessen** s. den Art. Mahlzeiten.

**Moccoliabend.** „Es ist oder, besser gesagt, es war der Schlußakt des römischen Karnevals. An den Fen= stern, auf den Balkonen, von den höchsten Dachstübchen und Dachöffnungen herab zucken kleine Flämmchen empor. Sie mehren sich mit Blitzesschnelle, bald sind es Hun= derte, bald Tausende. Der Korso in seiner ganzen Aus= dehnung vom Obelisken auf der Piazza del Popolo bis zum venezianischen Palast hat sich in einen einzigen Licht= strom verwandelt, in eine Straße von Lichtflammen, welche wie Sterne in der Luft zu wandeln scheinen. Alle Wagen sind mit Lichtern und Wachsfackeln besteckt, alle Insassen tragen Lichterchen in den Händen, die sie durch Vorhalten von Drahtmasken oder in Papierlaternchen gegen die Angriffe aller derjenigen zu schützen suchen, die von allen Seiten unermüdlich und oft mit Gefahr bemüht sind, ein Lichtlein auszulöschen. Die bunten Masken, die schönen Aufzüge der Frauen, all die Farbenpracht

und Schönheit, das Bunte, Blitzende, Glänzende des
Schmuckes, die prachtvollen Kutschen mit ihren vor Jubel
und Lust strahlenden schönen Mädchen und Frauen in
den entzückendsten Trachten, die schnaubenden Rosse, das
ganze farbenbunte Durcheinander der sich auf und nieder
drängenden, springenden, tanzenden, rennenden Tausende
und Abertausende: das alles erscheint in diesem wogen-
den und flutenden Lichtmeer tausendfach gehoben und
verschönt von den wunderbarsten Lichtblicken und Streif-
lichtern. In dieser kurzen Stunde des Moccoliabends —
denn viel länger währt die Herrlichkeit nicht — kann
man mit vollem Rechte sagen, daß alle Römer, ja alle
Anwesenden zu Kindern geworden seien. Ein Krieg aller
gegen alle hat begonnen; jeder ist Angreifer und An-
gegriffener zugleich. Wo der stärkste Atemzug zum Aus-
blasen des Moccolo nicht hinreicht, erfindet die List alle
möglichen Arten von Auslöschmaschinen, Hüte und
Taschentücher werden in Bewegung gesetzt, ja selbst auf
darüber- oder nebengelegene Balkone wird der lustige
Kampf übertragen, Tücher an langen Rohrstäben werden
von oben herab, von unten hinauf wie Fahnen ge-
schwenkt, um die Moccoli auszulöschen; man erwehrt sich
ihrer, so gut man kann, sucht sie mit Stöcken und Rohrstäben zu parieren oder mit den Händen zu erhaschen
und abzureißen: — gelingt das eine oder das andere,
der lauteste Jubel begleitet dies. Keinem Worte, keinem
Versprechen ist zu trauen, selbst die Bitte, seine ausge-
löschte Kerze an der deinen anzünden zu dürfen, ist das
Mittel, auch die deinige unter dem nachfolgenden Jubel-
rufe: ‹senza moccolo! senza moccolo!› auszu-
blasen, und überall empfängt dich das anmutig neckende:
‹Senza moccolo, oh che vergogna!› (Ohne Moccolo, o welche Schmach!)“ — So schrieb vor vielen
Jahren ein begeisterter Romreisender; heute aber ist der
römische Moccoliabend eine armselige Parodie des alten
Glanzes, und die Beschreibung des deutschen Schriftstellers
will hier nur als Erinnerung an die „gute alte Zeit“ dienen.

**Moraspiel.** La Morra oder Mora, ein schon im
Altertum bekanntes Spiel, wobei die beiden Spieler die
geschlossene Faust emporheben und plötzlich zu gleicher
Zeit eine beliebige Anzahl Finger ausstrecken, indem jeder

Land und Leute in Italien.                    20

dabei die Zahl nennt, die er der Summe aller von beiden
Spielern hingehaltenen Finger entsprechend glaubt. Wer
diese richtig erraten hat, gewinnt, während das Spiel
ungültig ist, wenn beide richtig raten oder keiner die
wirkliche Zahl trifft. In Italien wird Mor(r)a mit wahrer
Leidenschaft und mit großem Lärm gespielt, so daß man
sehr oft von der Straße aus das Geschrei der Spieler,
die ihre Zahl allzulaut nennen, hören kann.

**Morgen** (mattino). „Guten Morgen" heißt im
Italienischen «buon giorno» oder seltener «buon dì».
«Buon mattino» wird nie gesagt.

**Mortadella** s. den Art. Schweinefleisch.

**Mozzonari:** Mozzonaro (mot-ßõnä'rõ) nennt man
in Neapel den Stummelsucher und -händler. Das richtige
italienische Wort dafür ist ciccaiuolo (tschik-kãᵘõ'lõ).
Bist du, lieber Leser, jemals durch die Strada del
Molo in Neapel eingewandert, so wirst du schwerlich
haben umhin können, die Mozzonari zu bemerken, die
dort in größerer Anzahl als in irgendeinem anderen
Stadtteil zu finden sind. An anderen Orten bekommt
man zwar häufig einen einzelnen Mozzonaro zu Gesicht, der vielleicht auf den Stufen eines Kirchenportals
faulenzt oder sich im heißesten Winkel einer Piazza sonnt.
Hier aber ist der Mittelpunkt des Handels mit alten
Zigarrenenden, und hier versammeln sich die Händler,
eine so zerlumpte, schmutzige und verwahrloste Gesellschaft
kleiner Betteljungen, wie sie nur irgendeine Stadt Europas
aufzuweisen hat. Jeder von ihnen hat seinen Warenvorrat auf einem alten Zeitungsblatt vor sich ausgebreitet
liegen, sorgfältig abgeteilt in kleine Häufchen zu je acht
oder neun Stummeln. Jede Abteilung ist genau sortiert
nach der Güte der Zigarren, von denen sie herrührt, und
kostet einen Soldo. Die Mozzonari sind nämlich fast die
einzigen Händler in Neapel, die wirklich feste Preise haben
und mit denen man vergeblich feilscht; obwohl auch sie
der menschlichen Schwachheit Rechnung tragen, insofern
sie einen allgemeinen Haufen halten, aus dem jeder
Käufer sich einen Stummel auswählen darf. Du möchtest
nun wohl wissen, wie sie überhaupt Käufer für solchen
schmutzigen Abfall finden können. Warte nur ein paar
Augenblicke, und du wirst es erfahren. Zunächst aber

fasse einmal den Jungen ins Auge, der an der Ecke der
Straße lungert, die zum Zollamt und zur Landungsstelle
hinabführt. Er heißt Peppiniello und ist etwa zwölf
Jahre alt. Peppiniellos Vorrat besteht heute morgen
aus elf Häufchen ausländischer Zigarrenstummel und
bildet die Freude und den Stolz seines Besitzers,
obwohl dieser über den genauen Marktwert seiner
Ware etwas unsicher ist. Falls ein Matrose von
verwöhntem Geschmack und beschränkten Mitteln zufällig
vorbeikommen sollte, so würde er wahrscheinlich ein an=
ständiges Angebot für diese Stummel machen. Doch er
ist so sehr überzeugt, daß sein Warenvorrat heute der beste
auf dem Markt ist, daß es ihm einstweilen gar nicht um
den Verkauf dieser Stummel zu tun ist; weiß er doch,
daß die ungewöhnliche Ausstellung Kunden für seine
übrigen Vorräte herbeilocken wird. Dieses besondere
Häufchen ist die Errungenschaft eines verwegenen Streif=
zuges, den er am gestrigen Abend in das Grand Café
unternommen, wo sein Rückzug von einer Gesellschaft
gutmütiger Ausländer gedeckt wurde. Als er sich in
Sicherheit befand und von der Mitte der Straße aus seinen
Dank durch Gebärden abstattete, warfen sie ihm ein paar
Soldi zu, und einer von ihnen, der voraussetzen mochte,
ein kindisches Verlangen nach den verbotenen Freuden
des Tabakgenusses sei der Beweggrund seiner Verwegen=
heit, fügte eine Zigarre hinzu, die er soeben erst ange=
zündet hatte. Da liegt sie jetzt, zuoberst auf dem Zei=
tungsblatt. Peppiniello ist fest entschlossen, sie nicht unter
acht Centesimi loszuschlagen; sie muß mindestens zehn wert
sein, sagt er sich. Wer aber soviel für eine Zigarre aus=
geben will, wird es leider vorziehen, sie in einem Laden
zu kaufen. Doch siehe da, ein Handwerker in seinem
Arbeitsanzug bleibt einen Augenblick stehen, legt zwei
Soldi hin, rafft zwei Haufen zusammen, die er in ein
Stück Papier einschlägt und im Weitergehen in seine
Tasche steckt. Das ganze Geschäft ist das Werk von ein
paar Sekunden gewesen und hat nicht einziges Wort ge=
kostet. (Grant, „Neapolitanisches Volksleben".)

**Mücken.** Die Mücken (zanzara — bßándsá'rä) bilden
— nebst den Bettlern — die unangenehmste Plage in
Italien. Im Sommer und Herbst, in den warmen

20*

Gegenden oft selbst im Winter treten sie überall, be=
sonders aber in der Nähe von Kanälen und Teichen
zahlreich auf. Um sich gegen sie zu schützen, muß man
vor allem während der Dämmerung die Fenster schließen.
Guten Schutz bieten dann die zanzariere (Musselin=
vorhänge) um die Betten. Wird man dennoch gestochen,
so reibt man die Geschwulst am besten mit sehr ver=
dünnter Karbolsäure ein.

**Münzfuß.** Seit dem Jahre 1865 ist zwischen Italien,
Frankreich, Belgien, Griechenland und der Schweiz ein
Münzvertrag (Convenzione monetaria latina —
Lateinische Münzkonvention) abgeschlossen worden, der
die beteiligten Staaten verpflichtet, ihre Gold= und Silber=
münzen gleichwertig auszuprägen. Italien rechnet also
nach dem französischen Münzfuß. Rechnungsmünze ist die
lira = 1 Frank = 80 Pfennig. Die lira hat 100 centesimi
(centimes). Das kupferne Fünfcentesimistück heißt soldo
und nach soldi wird vielfach gerechnet: cinque soldi
= 25 Ct. = 20 Pf., dieci soldi = 50 Ct. = 40 Pf. In
Kupfer gibt es noch Stücke zu 1, 2, 10 Ct.; außerdem
gibt es in Nickel Stücke zu 20 Ct., in Silber Stücke
zu 1, 2 und 5 Lire (letztere scudi — scudi genannt), in
Gold Stücke zu 10, 20, 50 und 100 Lire. Als Papier=
geld hat man die Biglietti di Stato (Staatsbanknoten)
zu 5, 10, 25, 50, 100, 500 und 1000 Lire, die Biglietti
der Banca d'Italia sowie die Biglietti der Banca di
Napoli und der Banca di Sicilia. Alle anderen Bank=
noten sind ungültig. Was die silbernen Münzen an=
belangt, so werden nur die seit 1863 geprägten Stücke
mit dem Bilde der Könige Viktor Emanuel II., Humbert I.
und Viktor Emanuel III. in Zahlung genommen. Sämt=
liche ausländischen Silber= und Kupfermünzen — mit
Ausnahme der Fünffrankenstücke der lateinischen Münz=
konvention — sind außer Kurs.

**Museen.** Italien ist das Land der Museen. Eben
deshalb, weil sie so zahlreich und so kostspielig sind, ist die
italienische Regierung gezwungen, um sie verwalten zu
können, dieselben nur gegen ein Eintrittsgeld zu öffnen.
An Sonn= und Festtagen jedoch ist der Eintritt frei.
Künstler und Kunstgelehrte, die sich als solche ausweisen,
erhalten außerdem eine Freikarte.

# N.

**Nachtisch.** Der Nachtisch (frutta) ist nicht allzu sehr von dem deutschen verschieden. Allerdings findet man hier frische Feigen und Datteln, Sorben (Elsbeeren) und die in Deutschland völlig unbekannten Finocchi (Vergl. den Art. Fenchelwurzel). Was aber die Apfelsinen und Mandarinen anlangt, die in vollen Schüsseln vor den Gast gestellt werden, so muß man die überraschende Bemerkung machen, daß, je weiter man in Italien nach Süden vordringt, die Apfelsinen desto saurer werden, und man muß nach Berlin gehen, um wirklich duftende, fleischige, süße Früchte kennen zu lernen.

**Namenstag** (onomastico — önömá'stïtö oder einfach la festa) bezeichnet den Tag, der im Kalender als das Fest desjenigen Heiligen verzeichnet ist, dessen Namen jemand trägt. Die Feier desselben vertritt in Italien die Stelle des in Norddeutschland üblichen Geburtstages. Das „Ausrichten" des Festes sowie die Beglückwünschung geschieht am Vorabend. Geschenke sind aber nur unter nahen Verwandten üblich. Um so zahlreicher sind die Spenden an Blumen.

**Nationalstraßen** s. den Art. Kommunalstraßen.

**Nationalvermögen.** Der bekannte Volkswirt Prof. Pantaleoni hat, unter Zugrundelegung der durch die Erbschaftssteuer festgestellten Vermögensumsätze und unter Berücksichtigung der dabei vorgekommenen Umgehungen, das Gesamtvermögen der italienischen Nation für 1875/80 auf 45,5, 1880/85 auf 51, 1885/90 auf 54 Milliarden berechnet, wovon auf Grundbesitz 33, auf bewegliches Vermögen 16 Milliarden entfallen. Demgegenüber ergeben sich auf Grund ähnlicher Berechnungen, deren Ergebnisse in Bodios lehrreicher Schrift über einige Wertmesser der wirtschaftlichen Entwickelung Italiens zusammengestellt sind, für Frankreich und England folgende Zahlen:

|  | Gesamtvermögen | Grundbesitz | Mobiles Vermögen |
|---|---|---|---|
| Frankreich . . | 210 | 115 | 95 Milliarden, |
| England . . . | 250 | 90 | 160 „ . |

Den jährlichen Vermögenszuwachs der italienischen

325

Nation schätzt Bodio nach Abzug des Anteils, der davon Ausländern zufällt, auf eine halbe Milliarde, während dieser Zuwachs in Frankreich auf 3 und in England auf $3\frac{1}{2}$ Milliarden jährlich berechnet worden ist.

Neapel von heute. Seit zwölf Jahren haben wir es nicht gesehen; der Gesamteindruck war indes derselbe oder doch fast der gleiche. Freilich hat sich vieles, viel geändert, und überall, auch auf den Ausflügen, scholl es uns entgegen: tutto cambiato, molto cambiato. Ob zum Vorteil oder zum Nachteil? Das hängt vom Geschmacke der Reisenden ab. Wer mehr auf den Komfort, auf die Bequemlichkeit sieht, wird die Veränderung günstig beurteilen können und empfinden; Neapel hat sich in jeder Beziehung mehr „zivilisiert", sich den Anforderungen des modernen Reisepublikums mehr und vollständiger angepaßt, dafür aber für unsern Geschmack viel an Eigenart verloren. Das heutige Neapel ist nicht mehr die eigenartige südtalienische Stadt mit ihrer echten, unverfälschten Volkstümlichkeit, es ist mehr eine moderne Großstadt geworden. Elektrische Straßenbahnen durchziehen alle Straßen und Plätze und Verkehr und geordneter Verkehr anderen Großstädten kaum noch nachsteht. Nur die «Via Roma», der ehemalige «Toledo» mit seinem Treiben und Lärmen, ist von den Straßenbahnen noch verschont geblieben, offenbar weil der zu große Verkehr und die geringe Breite der Straße sie nicht gestatten. Wenn man das ehemalige eigenartige Leben und Treiben der Neapolitaner, die alle ihre häuslichen und sonstigen Geschäfte auf der Straße verrichten, auf den schmalen Trottoirstätten kochen, backen, sich waschen und reinigen, noch sehen will, dann muß man sich besonders in den Rest der übriggebliebenen «strade strette» fahren lassen, wo man dieses ergötzliche und malerische Schauspiel nicht nur mit den Augen und Ohren, sondern auch mit der Nase genießt. Die Straßen sind elektrisch beleuchtet, die «magazzini», «ristoranti», Cafés usw. ebenfalls; einen Neunuhrladenschluß gibt es noch nicht, auch von der Sonntagsruhe wird nur vereinzelt Gebrauch gemacht. Die schlechten einspännigen «carrozze» mit ihren kleinen, schmuck geschirrten Pferdchen, die mit erstaunlicher Schnelligkeit die bergigen Straßen und Wege hinan- und

hinabstürmen, mit den nichtuniformierten ‹cocchieri›, die
teils wie die Wiener Fiaker wie Kutschergentlemen, teils wie
zerlumpte Bettler aussehen, daß man Angst hat, sich ihnen
anzuvertrauen, sie sind zwar noch da, aber nicht mehr
in so erheblicher Anzahl. Die Bettler sind seltener ge=
worden; es mag sein, daß das Aprilwetter viele abhielt,
ihrem Berufe nachzugehen; auch die kleinen Bengels, die
sonst hunderte von Schritten vor dem Fremden ihre
Purzelbäume schlugen und dafür ihren Tribut begehrten,
sind ziemlich selten geworden. Die meisten dieser halb=
wüchsigen Burschen machen sich jetzt durch die Rechnung
auf die Eitelkeit der Frauen das Geschäft leichter, sie
bitten die Damen mit der Anrede ‹belle madame›
(schöne Madame) um einen Soldo, den sie natürlich
für die Schmeichelei viel eher erhalten als für die Purzel=
bäume. Von der besonderen Gattung der neapolitanischen
Bettler, die mit Verachtung gegen ihre sonstigen italie=
nischen Kollegen nicht ‹un soldo›, sondern ‹due soldi›
verlangten, auch nur einen zu entdecken, ist uns diesmal
nicht gelungen. Die Geldwechsler begnügen sich bescheiden
mit 50 Centesimi bis zu einer Lira bei nur 100 Mark;
nur ein alter, offenbar noch aus der guten alten Zeit,
versicherte mir unter allen möglichen und unmöglichen
Beteuerungen, daß er bei 122 Lire für unsere Scheine,
die beinahe so schön blau sind wie die Grotte von Capri,
entschieden Geld zulege, denn das deutsche Geld sei so
fürchterlich im Kurs gesunken und eben erst infolge eines
Telegramms noch mehr, daß wir sicher glaubten, so=
eben wäre der Krieg erklärt worden. In den Ge=
schäften, die jetzt durchgehends „feste Preise" ange=
schrieben haben, kann man zwar noch handeln, aber
lange nicht mehr mit dem Erfolge, dessen man früher
sicher war und bei dem man stets die Genugtuung mit
sich nahm, den schlauen Neapolitaner übers Ohr gehauen
zu haben, um von dem nächsten Bekannten oder einem
Eingeborenen zu erfahren, daß er noch billiger angekommen
war. Gebote von 25 Prozent des geforderten Preises,
die früher meist glatt angenommen wurden, darf man
nicht mehr wagen, höchstens 10 bis vielleicht 20 Prozent
sind manchmal noch abzuhandeln; in einem Geschäft hieß
es kurz, höchstens ein Rabatt von 5 Prozent würde be=

willigt, sonst müßte der Handel unterbleiben. Um die Probe zu machen, ob es wirklich Ernst sei, boten wir für die gesamten ausgesuchten Waren etwa 7 Prozent weniger, aber man ließ uns tatsächlich von dannen ziehen. — Molto cambiato! Auch die Restaurationen und Hotels sind molto cambiati. Überall macht sich der Einfluß der Zunahme des reisenden Publikums und namentlich der Deutschen, die den erheblich größten Anteil beisteuern, geltend. Bequemlichkeit, Komfort, Eleganz haben große Fortschritte gemacht, die letztere vielleicht für einen Reisenden, der mehr ästhetisch als materiell genießen will, einen zu großen. Nicht nur in den großen „eleganten" Hotels, sondern auch in den kleineren, in denen es früher „gemütlich" herging, z. B. in Sorrent, wird jetzt abends „Toilette gemacht", die Damen erschienen zum „Diner" in großem «evening dress», die Herren in Smoking, und merkwürdig, überall haben wir die gleiche Beobachtung gemacht, daß weniger die Engländer als unsere lieben Landsleute diese englische Sitte einzuführen und durchzuführen scheinen.

**Nebengerichte** werden mit der Suppe zugleich aufgetragen und bestehen aus Radieschen (radi'ci), Oliven (olive), Anchovis (acciughe), Butter (burro), Melone (melone) usw. In Restaurants großen Stils werden sie oft unverlangt auf den Tisch gebracht und verteuern, wenn sie nur irgendwie berührt sind, die Mahlzeit nicht unbeträchtlich. Will man diese Mehrausgabe sparen, so bestelle man dieselben von vornherein ab. — Vergl. den Art. principii.

**Nebiolo,** roter piemontesischer, delikater Wein mit feinem Aroma, etwas teuer.

**Neujahr** (capo d'anno). Prosit Neujahr! buon anno! buon capo d'anno! — Vergl. die Art. Besuch, strenne.

**Nudeln.** Die gebräuchlichsten Nudeln sind: maccheroni, spaghetti (dünnere maccheroni), tagliatelli (meist im Hause und mit Eiern gemacht), lasagne (breite Nudeln), fidelini (ganz dünne Nudeln). Man ißt die Nudeln entweder mit Butter und Käse (al burro), oder mit Sauce (al sugo), oder mit Fleischbrühe (al brodo). — Vergl. den Art. Minestra.

# O.

**Ofen** (stufa). Die großen norddeutschen Kachel=
öfen sind in Italien unbekannt. In den meisten Privat=
wohnungen befindet sich im Salon und in den größeren
Schlafzimmern nur ein Kamin (un camino), der frei=
lich durch seinen Aufputz mit Stutzuhren, Vasen usw. jedem
Zimmer zum Schmuck dient, aber seinen eigentlichen Zweck,
die Heizung des Raumes, nur höchst unvollkommen
erfüllt. Seit einigen Jahren sind sogenannte Stahlblech=
öfen, die mit geringem Kohlenaufwande brennen, in
Aufnahme gekommen. In den großen Hotels aber ebenso
wie in den Bibliotheken usw. ist in den letzten Jahren
Zentralheizung eingeführt worden.

**Offiziere.** Dem äußeren Auftreten der italienischen
Offiziere merkt das Auge des Laien weder ihre militärische
Ausbildung, noch die sozialen Erschwerungen an, welche
durch die Rekrutierung aus zwei gesellschaftlich erheblich ver=
schiedenen Klassen sich notwendig ergeben müssen. Wer es
nicht weiß, daß ein Drittel der Offiziere aus ehemaligen
Unteroffizieren besteht, wird es an ihrem Auftreten und an
ihrer Haltung nicht merken. Der Unterschied der Stände tritt
in Italien bei der Ungezwungenheit und Anmut, mit der alle
Klassen der Bevölkerung sich bewegen, äußerlich wenig stark
in die Erscheinung. Auch befähigen den Italiener seine
Menschenkenntnis und sein angeborener Takt, sich in jeder
Lage vorzüglich zurechtzufinden; seine schnelle Auffassung
bringt ihn über die Lücken der Schulbildung und den
Mangel äußeren Schliffs rasch hinweg. Die Hauptsache
aber liegt doch wohl in dem Ernst und der Hingebung,
mit welcher die Offiziere, gleichviel welcher Herkunft, sich
den Pflichten ihres Berufs widmen. Die langmütige
Geduld, mit welcher sie die militärische und die allgemein
menschliche Erziehung der oft keineswegs leicht zu behan=
delnden jungen Mannschaft leiten, ist jedes Lobes würdig.
Klagen über zu rauhe Behandlung der Untergebenen
seitens der vorgesetzten Offiziere werden in Italien kaum
vernommen. Auch im Verkehr untereinander und mit
Zivilisten zeigen die italienischen Offiziere ein freundliches,
nicht sich abschließendes Wesen. Es verdient erwähnt

zu werden, daß Duelle sowohl zwischen Offizieren unter sich als zwischen Offizieren und Zivilisten viel seltener sind, als man bei dem feurigen Geblüt der Italiener und der vielfachen Gelegenheit zu Reibungen annehmen sollte. Von den 103 Duellen, welche die Statistik für 1896 aufwies, hatten 15 zwischen Offizieren, 13 zwischen Offizieren und Zivilisten, 75 zwischen Zivilisten statt= gefunden. (Fischer.)

**Offizierschulen.** Als Vorbereitung für den Offiziers= beruf sind zwei militärisch organisierte und geleitete Schulen vorhanden: für Infanterie und Kavallerie die Scuola militare in Modena und für die Artillerie und Ingenieure die Militärakademie (accade'mia mili= tare) in Turin. In beiden Anstalten treten die Offiziersaspiranten, unter Nachweis der erforderlichen Kenntnisse, ohne vorherigen Dienst bei der Truppe ein. Sie werden durch Unterricht in den Kriegs= wissenschaften und durch praktische Dienstunterweisungen soweit gefördert, daß sie beim Verlassen der Schule das Offiziersexamen ablegen; nach bestandener Prüfung werden sie zu Leutnants ernannt. Die Infanterie= offiziere werden dann sofort in die Regimenter ein= gestellt; die der Kavallerie haben zuvor die Reitschul= kurse in Pinerolo und Rom durchzumachen. Die jungen Artillerie= und Genieoffiziere endlich treten aus der Turiner Militärakademie in die gleichfalls in Turin be= findliche Artillerie= und Ingenieurschule (Scuola di ar= tiglieria e genio) über und werden dort zwei Jahre lang fachmäßig für ihren Beruf vorgebildet, ehe sie zur Truppe kommen. Den praktischen Dienst bei der Truppe lernt demnach der junge Offizier in Italien bei allen Waffengattungen erst dann kennen, wenn er nach voll= endeter Durchbildung zu ihr übertritt. Man hält es in Italien mit dem Ansehen der Offiziere nicht für verträg= lich, sie bei der Truppe ausbilden zu lassen. Die Nach= teile, die sich hieraus ergeben, liegen auf der Hand; sie sind indessen nicht so groß, wie es dem an deutsche Ver= hältnisse Gewöhnten scheinen möchte. Denn auf den militärischen Instituten wird eine nicht geringe Zeit auf praktischen Truppendienst verwendet; die Zöglinge sind zu diesem Zweck in Kompagnien und Batterien formiert und müssen den Dienst völlig wie bei der Truppe tun. Andererseits kommt der italienische Offizier mit dem Fühlen und Denken des gemeinen Mannes, das der deutsche Offizier als Junker und Fähnrich kennen lernt, bei der Truppe in engere Berührung als sein deutscher Kamerad, weil die soziale Scheidewand zwischen den Offizieren und der Mannschaft bei weitem nicht so scharf gezogen ist wie in Deutschland. (Fischer.)

**Öl und Ölbaum.** Für die Länder am Mittelmeer hat der Ölbaum eine so große wirtschaftliche Bedeutung, daß kaum ein anderer Baum für andere Gegenden ihm verglichen werden kann. Diese Bedeutung stammt aber nicht von heute oder gestern, sondern reicht bis in das graue Altertum zurück. Schon in den ältesten Büchern der Bibel finden wir eine große Anzahl von Hinweisen auf den Ölbaum, was sich sehr leicht daraus erklärt, daß dieser Baum mit seiner wertvollen Frucht für die nach Palästina zurückgekehrten Juden bald eine Hauptquelle des Wohlstandes, ja des gesamten Nationalreichtums wurde. Aber nicht nur den Juden, sondern auch den alten Griechen war der Ölbaum wertvoll, denn diese weihten ihn als heiligen Baum der Göttin Athene. Der Ölbaum bildet heutzutage in vielen Ländern am Mittelmeer große Haine, die den Gegenden ein reiz= volles Gepräge verleihen. Italien besitzt ungefähr 100 Millionen solcher Bäume. Um aber die Bedeutung dieser Zahl auch nur einigermaßen richtig würdigen zu können, muß man sich vergegenwärtigen, daß z. B. in ganz Deutsch= land der Bestand an Obstbäumen nur auf 165 Millionen geschätzt wird.

Im allgemeinen stellt der Ölbaum keine großen Anforderungen an den Boden, auf dem er wächst. Die Unterschiede des mageren und fetten, des trockenen und feuchten Standortes machen sich in bezug auf den Wuchs und die Früchte bemerkbar, lassen aber doch ein mehr oder minder gutes Gedeihen der Pflanze zu. Die an den Küsten des Mittelmeeres reich auftre= tenden porösen Kalkböden sind die besten Gegenden für ergiebige Ernten liefernde Ölbaumpflanzungen. Auch der sonst wenig fruchtbare Granitboden Korsikas liefert diesem eigenartigen Gewächs noch genug Nahrung. Da dieser

Baum Gegenden mit etwas trockenem und durchlässigem Boden liebt, so erklärt es sich, daß er in Bezirken mit reichlichen Niederschlägen nicht gedeiht. Große Wärme des Sommers mit genügender Trockenheit und dann milde, wenn auch etwas feuchte winterliche Temperaturverhältnisse, das sind die Bedingungen, die der Verbreitung des fruchttragenden Olivenbaumes die Grenzen weisen. Da dieser Baum auch im Winter sein schönes, grünes Laub behält, ist es erklärlich, daß er auch für diese Zeit ein gewisses Wärmebedürfnis hat, das ihm z. B. die Wärmeverhältnisse Deutschlands nicht gewähren können. Tritt Kälte nur auf kurze Zeit, und zwar ohne eisige Niederschläge auf, dann kann dieses Gewächs Kältegrade bis —12, ja bis —16 Grad Celsius vorübergehend ertragen, wenn die neue Keimung nicht schon zu weit vorgeschritten ist. Steht aber der Baum im Saft, dann können ihm schon Kältegrade von —8 Grad Celsius den Tod bereiten. Der Ölbaum, oder wie er auch heißt, der Olivenbaum, blüht in kleinen, weißen Trauben. Sie gleichen etwa denen des Ligusters, der in deutschen Wäldern wächst und häufig als Heckenpflanze verwendet wird. Mit diesem Strauche ist der Ölbaum nahe verwandt, in seinem Aussehen sticht er aber sonst doch sehr von dem anmutigen Liguster ab. Aus den Blüten des Ölbaumes gehen längliche, 3—4 Zentimeter lange Früchte hervor, die anfangs rötlich oder grünlich aussehen, später aber mehr oder minder schwarz werden. Diese Früchte, die Oliven, reifen von November bis Januar. Sie sind es, aus denen das so geschätzte Baum= oder Olivenöl gewonnen wird. In Deutschland ist dieses Öl eigentlich mehr ein Luxus, man würde sich schließlich ganz gut auch ohne dasselbe behelfen können. Aber im Mittelmeergebiet spielt es eine ganz andere Rolle, es ersetzt dort sehr oft die Butter und das Schmalz.

Für die Gewinnung des Öls werden mit Vorliebe die kleinfrüchtigen Bäume herangezogen. Das Verfahren der Ölgewinnung ist heutzutage noch in vielen Gegenden ein äußerst primitives. Professor Th. Fischer fand z. B. in Südwestmarokko eine Ölmühle, die aus einer aufgemauerten, zementierten, kreisförmigen Plattform bestand, deren Oberfläche ein flaches Becken, eine

Art kreisrunden Troges bildete. Darin stand senkrecht ein Mühlstein, der in der Mitte durchbohrt war und mit Hilfe eines durchgesteckten Baumes von Menschen oder Tieren in kreisende Bewegung gesetzt wurde. Der Stein zermalmt so die Oliven, mit denen das flache Becken gefüllt ist und die immer wieder darunter geschoben werden, bis sie einen weichen, schwarzen Brei bilden; dieser wird dann in Körbe gefüllt, welche aus Zwerg= palmenfasern geflochten sind. Die gefüllten Körbe kommen in die Presse. Diese besteht aus einem wagerechten, sehr schweren Olivenstamme, der auf der einen Seite durch ein Schraubengewinde auf die Körbe herabgedrückt wird, bis dadurch das Öl ausgequetscht ist. Das Öl fließt in ein gemauertes Becken, aus dem es zum Verkauf in Schläuche gefüllt wird. Verfahren dieser Art liefern verschmutztes und ranziges Öl. Da aber auch in Italien und Spanien nach dieser, im übrigen wenig ergiebigen Weise manchmal gearbeitet wird, so gehen alljährlich große Werte verloren. In einem modernen Betriebe werden die bei beginnender Reife gepflückten Oliven auf Horden zum Trocknen ausgebreitet und durch mäßiges Pressen vom Öl befreit. Hierbei wird das beste Speiseöl gewonnen. Der übrigbleibende Olivenbrei wird nach= gepreßt, doch dürfen die Kerne dabei nicht zerstört werden. Dieses Verfahren liefert auch noch gutes Speiseöl. Bei der dritten Pressung wird sehr starker Druck angewandt, und man erhält noch Maschinenöl, Öl zum Brennen und Öl zur Seifenfabrikation. In einem so arbeitenden mo= dernen Dampfbetriebe werden aber auch noch die Trester mit kochendem Wasser behandelt und ausgepreßt; endlich wird dem nun noch verbleibenden Brei der letzte Ölrest auf chemischem Wege genommen. Mit Hilfe von Watte wird das Speiseöl in dunklen, kühlen Räumen einer durch= greifenden Klärung unterzogen und kommt, nachdem man es noch einige Zeit hat ruhig stehen lassen, zum Versand. Die Rückstände der letzten Pressung finden teils Ver= wendung als Brennstoff, teils als Düngemittel. Wie wichtig ein gutes Gewinnungsverfahren für den Wert des erzielten Öles ist, dürften folgende Zahlen dartun: gutes Olivenöl aus zweckmäßigen Dampfbetrieben bringt von hundert Kilo 76—92 Mark, während für das mit ver=

altetem Verfahren gewonnene Erzeugnis nur 44—52 Mark gezahlt werden. Wenngleich im Handel die geruchlosen Olivenöle von klarer, gelber Farbe bevorzugt werden, so dürfen diese Eigenschaften doch nicht als Zeichen besonderer Güte betrachtet werden, da dieses Öl in bezug auf Farbe, Geschmack und Geruch sehr verschieden ausfällt.

Die Olive selbst wird auch als Nahrungsmittel verwendet und getrocknet oder in Salzwasser eingemacht genossen. (Rudolf Gerber.)

**Olivenbaum** s. den Art. Ölbaum.

**Omelette** (frittata). Wird verschieden zubereitet, oft mit Tomaten oder Schoten, Spinat, Artischocken usw.

**Onorevole** (Abk. on.) s. den Art. Anrede.

**Opere pie** s. den Art. Wohltätigkeit.

**Orangenbaum.** Der Orangenbaum ist eine der wichtigsten Kulturpflanzen Italiens und wird überall in den Gärten der Ortschaften und in besonderen Pflanzungen angepflanzt. Von Italien aus kommen auch die meisten Orangen in den Handel. Gleichwohl wächst der Baum hier nicht ursprünglich wild, er wurde vielmehr erst aus dem wärmeren Asien hierher gebracht, ja, die wichtigste Spielart des Orangenbaumes, die Apfelsine, kam sogar erst im sechzehnten Jahrhundert von China her nach Südeuropa. Der Orangenbaum ist nicht gerade sehr hoch, aber er ist ein sehr schöner Baum. Auf einem ziemlich glatten, dunkelgrauen Stamm sitzt eine sich weit ausbreitende Krone. Sehr schön sind die Blätter dieses Baumes. Von länglich eirunder Form, vorn in eine Spitze ausgezogen, am Rande nur wenig gekehlt, besitzen sie ein hartes, straffes Gefüge und eine vornehme, dunkelgrüne, glänzende Farbe. Der Orangenbaum hat weiße oder weißrosafarbene Blüten, die in kleinen, traubenartigen Sträußen stehen. Sie besitzen einen starken Wohlgeruch. Die Blüten sind nach der Fünfzahl gebaut, aber sie enthalten zahlreiche Staubfäden. Die Früchte sind rund, rotgelb und an beiden Enden eingedrückt. Im übrigen aber unterscheiden sich die Früchte der einzelnen Spielarten sehr bedeutend; namentlich sind die bittere Pomeranze, die süße Pomeranze und die Apfelsine im Geschmack leicht auseinanderzuhalten. Es gibt eine stattliche Anzahl von Sorten, über einhundertfünfzig sollen in Italien angebaut werden. Die Schalen der Pomeranzen besitzen zahlreiche Drüsen, die ein ätherisches Öl enthalten. Überhaupt sind in den Blättern und Früchten der Bäume wohlriechende Essenzen enthalten, die in Parfümerien und zur Bereitung von Likören vielfach verwendet werden. Die Kultur des Orangenbaumes erfordert, namentlich in Norditalien, einige Aufmerksamkeit, etwa so wie in Norddeutschland der Wein. Die Orange ist ja eine halbtropische Frucht, sie hat sich allerdings dem Mittel=meerklima ziemlich angepaßt. Aber in Norditalien tritt doch bisweilen Kälte und Schneewetter ein, und wenn das kalte Wetter einige Zeit anhält, so leiden die Orangen=bäume darunter gar sehr. In solchen kühleren Lagen gibt man den Bäumen im Winter einen Schutz, indem man sie durch Gerüste von Brettern verdeckt. Der Orangen=baum liebt guten, fruchtbaren Boden; eine Pflanze, die so große, saftige Früchte liefert, verbraucht natürlich auch eine Menge Nahrungsstoffe. In guter Erde aber wird der Orangenbaum auch eine Pflanze von wunderbarer Schönheit, die mit ihrem glänzenden, dunkelgrünen Laub und ihren goldgelben Früchten so recht das Ideal eines südländischen Fruchtbaumes ist. (Grottewitz.)

Orden. Wie in Deutschland gibt es auch jenseits der Alpen Zeiten, in denen sich volle Ströme königlicher Huld in Form von Ordensverleihungen ergießen. In Deutschland fällt sie auf den ersten Monat des Jahres, zu Neujahr und zu Kaisers Geburtstag. In Italien sind es drei Tage, die in Betracht kommen, nämlich ebenfalls Neujahr, Königsgeburtstag und der Verfassungstag. Dem König von Italien stehen folgende Orden zur Verfügung: der Orden der Annunziata, zugleich der höchste Orden der Monarchie, wird verliehen wie der preußische Schwarze Adlerorden. Jeder Cavaliere della SS. Annun-ziata ist dann Vetter des Königs. Dann folgen die Orden der SS. Maurizio e Lazzaro, della Corona d'Italia, l'ordine militare di Savoia, l'ordine civile di Savoia, l'ordine del Lavoro. Bei den Orden des Corona d'Italia und des SS. Maurizio e Lazzaro hat man mehrere Klassen, von denen die unterste die des Cavaliere (s. ds.) ist; dann folgt Cavaliere ufficiale,

dann Commendatore, Grand' ufficiale, Gran Croce.
Die anderen Orden haben nur eine Klasse.

**Ospizi marini** (Seehospize) s. den Art. Ferienkolonien.

**Osterei und Osterhase.** Den Osterhasen freilich kennt
man in Italien nicht. Er, der als „verliebtes Tier" der
altdeutschen Fruchtbarkeitsgöttin ‹Ostara› geweiht war,
wird durch das christliche Lamm vertreten. In Zucker,
Butter und in Wirklichkeit — als solches das wahre
Dulderlamm — ist es die auserwählte Osterspeise, in
allerlei Form, zumeist aber als Braten mit frischen,
grünen Erbsen, neuen Kartoffeln und ersten Artischocken
angerichtet. Die über ganz Deutschland und Rußland
verbreitete Sitte des Beschenkens der „lieben Kleinen"
mit bunten Ostereiern war bis vor wenigen Jahren in
Italien noch ungebräuchlich. Jetzt fehlen die Ostereier,
wohl durch die Schweizer Zuckerbäcker eingeführt, kaum
mehr in besseren Konditoreien.

**Osteria** (Wirtshaus). Die Osterien sind teilweise
recht große, schattige Räume, in die man durch eine Tür
oder im Sommer durch einen Vorhang gelangt, und das
dort verkehrende Publikum ist natürlich nicht dasselbe, dem
man in den feinen Hotels oder in den eleganten Restaurants begegnet. Es wird recht laut gesprochen; oft
sieht es aus, als käme es zu einem heftigen Streit
zwischen den Gästen; aber das täuscht, es sind alles
friedliche, anspruchslose Leute, welche für wenige Soldi
ein Fläschchen von den guten Vini trinken und dazu
etwas essen: denn das Trinken um des Trinkens willen
kennt der Italiener nicht. Man begegnet auch das
ganze Jahr sehr wenigen Betrunkenen. Brot und
Fiaschi stehen auf den Tischen, etwas Käse und ein
paar Apfelsinen genügen als colazione dem Arbeiter,
der seine größere Mahlzeit abends am häuslichen Herde
verzehrt. — Vergl. den Art. Restaurants.

**Osterwoche in Rom.** Erst in der Osterwoche (setti-
mana santa) trifft in Italien der Hauptstrom der
Fremden ein, die kommen, um den eigenartigen Festhandlungen beizuwohnen. Die feierlichen und auf der Welt
einzig dastehenden päpstlichen Verrichtungen werden allerdings seit 1870 nicht mehr abgehalten; die letzte ‹Cap-

pella papale› hielt Pius IX. kurz vor dem verhängnis=
vollen 20. September 1870, nämlich am 8., als er sich
zur Feier von Mariä Geburt nach Santa Maria an der
Piazza del Popolo begab. Damals genoß Rom zum
letzten Male das Schauspiel eines feierlichen päpstlichen
Aufzugs. Nachdem die Italiener sich in den Besitz der
Ewigen Stadt gesetzt hatten, wurden alle, auch die kleinsten
päpstlichen Verrichtungen abgeschafft, und erst Leo XIII.
hielt hier wieder jährlich zwei solcher ‹Cappelle papali›
in der Sixtinischen Kapelle ab, die eine am Jahrestag
des Todes Pius IX., die zweite am Jahrestag seiner
eigenen Papstkrönung. Später, als seine verschiedenen
Jubiläen begannen, kam er auch wieder in die Peters=
kirche herab, aber es handelte sich sozusagen um persön=
liche Festlichkeiten; zu den großen Festen der Christenheit:
Weihnachten, Ostern, Pfingsten, blieb alles beim alten.
Auch Pius X., auf den man auch in dieser Beziehung
große Hoffnungen setzte, führte die aufgehobenen Feier=
lichkeiten nicht wieder ein. Die Fremden haben aber
eigentlich durch die Aufhebung der ‹Cappella papale›
nur gewonnen; denn nun werden die Verrichtungen in
allen Hauptkirchen mit weit größerer Feierlichkeit aus=
geführt, und jedermann kann ihnen leicht beiwohnen,
während in der ‹Cappella Sistina› schon aus Raum=
rücksichten nur eine ganz beschränkte Anzahl zugelassen
werden konnte.

Die Kardinäle und hohen kirchlichen Würdenträger,
die sonst alle den päpstlichen Verrichtungen beiwohnen
mußten, sind nun frei und können ihrerseits den
Festlichkeiten in den einzelnen Kirchen höheren Glanz
verleihen. Der ‹Gran Penitenziere› hat am Palm=
sonntag in San Giovanni, am Mittwoch vor Ostern in
Santa Maria Maggiore und am Karfreitag in St. Peter
die Beichte zu hören. Beichte und Ablaß gehen dabei
in gleich eigenartiger Weise vor sich. In jeder der drei
genannten Kirchen sitzen die ‹Penitenzieri› zur Beichte,
und als Kennzeichen ist an ihrem Beichtstuhl eine lange,
dünne Gerte angebracht, mit der sie nach der Beichte dem
reuigen Sünder, der den Beichtstuhl verläßt und vor ihnen
niederkniet, einen leichten Schlag über den Kopf geben, als
Zeichen der Ablasses. Der Kardinal Gran Penitenziere

Land und Leute in Italien.          21

aber sitzt auf einer Art Thron im Schiff der Kirche und
ist mit einer ganz besonders langen Rute versehen. Wer
ihm beichten will, muß vor ihm hinknien und dann
öffentlich seine Sünden bekennen. Dazu haben natürlich
sehr wenige den Mut, aber die meisten knien nur nieder,
um vom Kardinal den Schlag mit der Gerte und damit
einen Ablaß zu empfangen.

Der Zudrang der Fremden in den einzelnen Kirchen
schwankt je nach den betreffenden Verrichtungen; so
hat zum Beispiel am Karsonnabend San Giovanni
die größte Anziehungskraft, weil gewöhnlich die Taufe
irgendeines Erwachsenen in der alten Taufkirche Kon=
stantins stattfindet. Eingeleitet werden die Osterfeier=
lichkeiten durch die Palmenweihe, nach der die zahl=
reichen Kirchenfürsten, Prälaten und niederer Klerus, alle
einen kunstvoll geflochtenen Palmzweig tragend, in feier=
licher Prozession durch die Kirche ziehen. An Stelle der
deutschen „Palmkätzchen", die doch zugleich ein so anmutiges
Sinnbild des Frühlings sind, bringt das italienische Volk
den Olivenzweig zur Weihe; denn die gebleichten Palm=
wedel aus Bordighera sind teuer und werden nur von
den Wohlhabenden und den Fremden gekauft. Am
«Giovedì santo» (Gründonnerstag) läuten die Glocken
vormittags zum letzten Male, bis sie am Sonnabend das
Osterfest einläuten. In Deutschland sagt man bekanntlich
daß während dieser Zeit die Glocken aller katholischen Kirchen
unsichtbar nach St. Peter wandern, um hier die Weihe
zu empfangen. Die Römer machen am Gründonnerstag
die «Visita delle sette Chiese», d. h. es gehört zum
guten Ton, die heiligen Gräber sieben verschiedener
Kirchen zu besuchen, eine für Rom immerhin ziemlich be=
scheidene Zahl.

Die großartigste und eigenartigste Verrichtung am
Gründonnerstag ist die Waschung des Hauptaltars.
Nach den anderen Verrichtungen, wenn es dunkel zu
werden beginnt, kommt der Klerus in langer Reihe
aus der Sakristei, jeder ein in Form eines Schwammes
geflochtenes Palmblatt in den Händen. Der Altar wird
vollständig abgeräumt, und während der Chor einen
klagenden Psalm anstimmt, gießen drei Kanoniker duf=
tenden Wein über ihn aus. Dann kommen die Priester

paarweise an den Altar und beginnen die ziemlich lange
dauernde Waschung; andere trocknen, wischen zuletzt mit
feinen Linnen nach und bedecken dann den riesigen,
glatten Marmorblock, aus dem der Altar besteht, mit
einem frischen, weißen Altartuch. Inzwischen ist es völlig
dunkel geworden, und nun werden auch noch die 120
Lampen ausgelöscht, die sonst Tag und Nacht an der
Gruft St. Peters brennen. Karfreitag wird besonders in
der Kirche Santa Croce gefeiert, wo die Reliquien des
Leidens Christi ausgestellt werden. In feierlicher Prozession ziehen die katholischen Vereinigungen, voran Prin-
cipe Marc' Antonio Colonna, ein großes, rohes Kreuz
tragend, zu den Reliquien. Dieser Feier wohnt auch
immer die Königin Margherita mit ihren Damen bei.
Am lebhaftesten geht es aber am Karsonnabend zu. Schon
seit Wochen durchzogen Händler die Stadt und erfüllten
mit ihrem eigenartig klangvollen Ruf: ‹Scaccia-ragni›
alle Straßen. Sie machen gute Geschäfte, denn ‹Scaccia-ragni› (riesig lange Spinnenbesen) sind das unentbehrlichste aller Hilfsmittel zur großen Osterreinigung.
Und mag ein Haus sonst auch noch so vernachlässigt sein,
zu Ostern wird es gründlich gereinigt. Auch die Geschäfte, besonders die sogen. ‹pizzicherie› (s. ds.) werden
aufs beste geputzt und geschmückt. Da werden an der
Decke dieser Läden einige hundert Schinken in Reih und
Glied gehängt, dazwischen zartes Grün und große Quasten
aus ausgeblasenen Eiern befestigt, die Wände decken gewaltige, mit bunten Papier- und Goldsternen verzierte
Speckseiten, und aus Käsen und unzähligen großen und
kleinen Konservenbüchsen werden architektonische Kunstwerke hergestellt. Inmitten all dieser eßbaren Herrlichkeit
prangt das Madonnenbild, mit vielen Kerzen und ebenfalls mit Konservenbüchsen und dergleichen verziert.

Wenn dann am Karsonnabend die Glocken „gelöst“
werden, wozu die große Glocke von St. Peter das Zeichen
gibt, verlassen zahlreiche Priester in Chorrock und Stola die
Kirchen und gehen, begleitet von einem Ministranten,
der den Weihwasserkessel trägt, in die Geschäfte und einzelnen Wohnungen. Dort ist das Bett noch besonders
mit feiner Wäsche und Spitzen bedeckt worden, auf dem
frisch gedeckten Eßtisch prangt zwischen Blumen die ‹pizza›

21*

(Osterkuchen) samt Eiern, Salami und Salz, und der
Priester besprengt nun alles mit dem Weihwedel und
spricht den Ostersegen über das Haus. Je mehr der
Vormittag vorschreitet, desto mehr verwandelt sich der
Inhalt des Weihwasserkessels aus dem Flüssigen zum
Festen, denn der Sitte gemäß wirft jede Familie einige
Kupfer= oder auch Silbermünzen in das Gefäß. Eine
hübsche Sitte ist es auch, am Karsonnabend, während
die Glocken in Jubeltönen Ostern einläuten, die Wickel=
kinder von den ungeheuren „Fascie" zu befreien, die sie
bisher so fest umschlossen, daß sie eher Paketen als kleinen
Lebewesen glichen. Man nennt dies: «dare i piedi ai
bambini» (den Kindern die Füße geben). Am Oster=
sonntag kommen in der Frühe die Kinder zu den Eltern,
sie um Verzeihung zu bitten, was bei den meist sehr ver=
zogenen kleinen Römern keine unnötige Förmlichkeit ist;
dann geht die ganze Familie zur Messe, und nach der sehr
üppigen «colazione», bei der außer Eiern, Salami
und «pizza» auch nie das Osterlamm und irgendein
Fisch fehlen darf, begibt sich ganz Rom zu Fuß oder zu
Wagen in die Osterien «fuori delle porte», um hier
bei den Resten des geweihten Ostermahls und dem vor=
züglichen «vino dei castelli» den Tag zu beschließen.

**Ottobrata** (Oktoberfest). Die Ottobrata war ur=
sprünglich nichts anderes als ein Fest der Weinlese,
höchstwahrscheinlich eine Fortsetzung der Dionysien, die
im alten Rom am 23. Oktober zu Ehren des frohen
Gottes Bacchus und der Weinlese gefeiert wurden.
Einen Beweis dafür, daß die Ottobrata eben nur das
Fest der Weinlese war, liefert uns die Tatsache, daß,
da im Jahre 1856 die Reblaus große Verheerungen
angestiftet hatte, im Laufe der nächsten fünf Jahre keine
Ottobrata mehr stattfand. Sonst aber ging es immer
recht lustig zu. Die Chronisten der vorigen Jahrhunderte
finden nicht Worte der Bewunderung genug, um die
Ottobrate zu rühmen, die in der Villa Corsini oder
Villa Panfili oder Villa Torlonia gefeiert wurden. Aber
nicht nur in den fürstlichen Villen fanden glänzende
Ottobrate statt. Das römische Volk ergötze sich auch
ganz allein und in seiner eigenen Art. Bis vor wenigen
Jahren sah man noch in den schönsten Oktobertagen

blumengeſchmückte Karren die Straßen Roms durchqueren. Sobald der herrliche Oktober anbrach, begann die Völker= wanderung vor die Tore und nach den Umgebungen Roms, zu den Wirtſchaftsgärten, wo zahlloſe Schüſſeln Makkaroni, noch zahlloſere gebratene Hühner und die aller= zahlloſeſten Liter weißen Frascatis vertilgt wurden. Zu Fuß oder auf bunten Karren, Frauen und Männer mit allen möglichen Blumen geſchmückt und in ihre ſchönſten maleriſchen Trachten gekleidet, die einen wie die anderen mit koſtbaren Ringen, Geſchmeide und Uhrketten beladen, ſo fuhren ſie alle durch die Via Flaminia oder die Via Sacra zu den Vignate. Dort wurde gegeſſen und ge= trunken, geſungen und getanzt. Oft auch endigte die Ottobrata ſehr tragiſch. Ein kleines Mißverſtändnis, ein heißer Blick auf des andern Frau, und das Meſſer blitzte. Am nächſten Tage aber war ſchon alles vergeſſen. „Wie ſchön war es doch geſtern!"

Am ſchönſten war es immer bei der Ottobrata auf dem Testaccio, dem Scherbenberg. Der Monte Teſtaccio iſt ein etwa 40 Meter vereinzelt über dem Tiber anfragender Hügel von faſt einem Kilometer Um= fang. Wie der Name andeutet, beſteht er aus Scherben= ſchutt; die Scherben lieferten in der Römerzeit die großen irdenen Verſandgefäße, welche meiſt aus Spanien und Afrika kamen und in jener Gegend ausgeladen wurden. Gegenwärtig dient der Hügel zu Keller= gewölben, die mit Weinſchenken verbunden ſind. Und auf dem Teſtaccio feierten die Römer am liebſten ihre Vignate. Den Schluß bildete dann am letzten Oktober= donnerstag der Sturz der — Schweine. Die zwölf ſchönſten Tiere der ganzen Umgebung wurden genommen, geſchoren und liebevoll geſchmückt mit Blumen, Bändern und Schleifen. Dann wurden ſie paarweiſe gebunden. Für jedes Paar ein ſchöner, mit roter Seide bedeckter Handwagen beſtimmt. Das Volk da unten harrte mit großer Ungeduld. Jedes Schweinepaar wurde auf den Wagen getragen. Plötzlich ertönte vom Gipfel des Teſtaccio her ein Trompetenſchall, den unten ein un= geheueres Geheul beantwortete. Die ſechs Handwagen mit ihren ehrwürdigen Inſaſſen ſtürzten den Teſtaccio hinunter. Unten aber, am Fuße des Berges, entſtand

ein furchtbares Gedränge, um sich der Beute zu bemäch=
tigen. Sechs glückliche Zuschauer entfernten sich nach
einigen Minuten des heißesten Kampfes mit ihrer glor=
reichen Siegesbeute, tausend andere trugen nur Beulen und
zerrissene Kleider davon. Die Feier zu Ehren des Wein=
monats war zu Ende. In den letzten Jahren aber ist
— man kann es ruhig sagen — der ganze Kultus des
Weinmonats zurückgegangen. Nicht etwa, daß der Wein=
kultus ausgestorben sei: Bacchus hat noch immer eine
große Anzahl andächtiger Priester und Verehrer; die
Ottobrata aber ist für immer aus dem Vergnügungs=
kalender des römischen Volkes verschwunden. Ein paar
Karren sieht man noch den Korso nach der Porta del
Popolo fahren; an der Villa Borghese halten sie aber
nicht. Die fürstliche Familie kann nicht mehr das Volk
zu dem Schlaraffenbaum einladen, sie mußte vielmehr
ihre Villa unter den Hammer bringen. Auch das Volk
hat für Karnevalsnarrheiten keine Lust oder keinen
Sinn mehr. Vor den Toren Roms wächst nicht mehr
die Vigna, sondern wohnt eine fleißige Arbeiterbevöl=
kerung. Um den Testaccio herum ertönt nicht mehr der
Trubel der Ausflügler, sondern herrscht emsige Arbeit.

## P.

**Pacca.** Legge Pacca s. den Art. Ausfuhr von
Kunstgegenständen.

**Palio** (pā'lĭŏ — Pallium, Fahne) bezeichnet das
Pferderennen, welches abwechselnd je zehn der siebzehn
Kontraden oder Bezirke der Stadt Siena alljährlich zwei=
mal, nämlich am 2. Juli zu Ehren der sogenannten Ma=
donna des Provenzano und am Tage nach Mariä Himmel=
fahrt, am 16. August, veranstalten und dessen Siegespreis
eine Fahne (Palio) mit dem Bilde der Madonna und
den Abzeichen der einzelnen Kontraden ist. Schon mehrere
Tage vor dem Festspiel kann man einen Vorgeschmack
von der Wirklichkeit haben, wenn man jeden Morgen
und jeden Abend den Proben zusieht. Diese dauern
jedesmal nur wenige Minuten, und doch beginnt sich der
Platz schon zwei Stunden vorher zu füllen. Je näher
der Tag kommt, desto mehr wächst die allgemeine Anteil=

nahme. Alles, hoch und niedrig, reich und arm, selbst das Kind denkt und spricht schließlich nur noch vom Palio, erwägt die Wahrscheinlichkeiten des Sieges, bespricht die Pferde, deren Reiter usw. Selbst die Fremden, deren Siena beständig eine stattliche Anzahl beherbergt, werden in diese Anteilnahme hineingezogen, und schließlich haben auch sie ihre Meinung, ergreifen auch sie Partei für diese oder jene Kontrada. Durch die bewimpelten Straßen ziehen Musikbanden, umringt von bunt gekleideten und keck auf= tretenden Burschen.

Am Nachmittag des 16. begaben wir uns mit einigen Freunden zeitig in die Stadt, um ja nichts zu versäumen. Wir gingen in die Kontrada des Selva (Wald). Die Kapelle der Kontrada, wo das Rennpferd gesegnet wird, war noch verschlossen, der Sakristan lud uns aber freundlich ein, ihm in die Rüstkammer der Kontrada zu folgen. Über der Tür eines nahen Hauses war ein Wappen, das ein Nashorn führte, angebracht, darüber die Inschrift: «Società di mutuo soccorso del Rinoceronte». Da nämlich die Kontrada allein die Unkosten für das Palio nicht bestreiten kann, so hat sie ihre Wohltäter und Gönner, die bestimmte Summen bei= steuern. Wappen und Zeichen dieser Gönner schmücken die Wände der Kontradenkapelle. Wir folgten dem Sakristan in das Innere des Hauses. Hier war reges Treiben und buntes Durcheinander. Die auserkorenen Männer der Selva waren eben damit beschäftigt, die funkelnagelneuen Kleidungsstücke aus grasgrünem Stoffe und das Rüstzeug, wie Helme, Panzer, Stiletts, anzulegen. Wir sollten diese Sachen bewundern und belobigen. Es dauerte nicht lange, da stellten sich noch andere Neu= gierige ein, worunter auch solche aus England und Amerika. Bald folgte die Segnung des Rennpferdes. Am Zaume in die Kapelle geführt, stand es vor dem Altare und verneigte das Haupt. Ein Priester, mit Rochet und Stola angetan, trat herzu, betete über dasselbe und besprengte es mit Weihwasser. Kaum war dies geschehen, brachen alle Anwesenden in einen gellen Schrei aus: „Selva!", worauf das Pferd aus dem Kirchlein geführt wurde. Draußen setzte sich der Zug in Ordnung und begab sich zunächst in den Innenhof der Präfektur, darauf

vor das erzbischöfliche Palais, um der weltlichen und
geistlichen Behörde ein Ständchen zu bringen. Jetzt
eilten wir auf die Piazza del Campo, um noch einen guten
Standort zu finden, was uns nur mit Mühe gelang.
Es hatte sich eine ungeheure, dichtgedrängte Menschenmasse
hier eingefunden, die man wegen der oben angedeuteten
eigentümlichen Gestaltung des Platzes von jedem Punkte
aus ganz überschauen konnte. Rundumher waren Tribünen,
Balkone, selbst einige Dächer mit Menschen besetzt. Auf
einem Balkon war der Präfekt der Provinz mit seinem
Beamtenstab, in einem Fenster stand der Erzbischof. Nie=
mand, auch nicht Geistliche und Ordensleute, darf sich
nämlich vom Palio fern halten, wenn er sich nicht die
Ungnade der Sienesen zuziehen will.

Auf einen Mörserschuß hin rückte eine Abteilung be=
rittener Karabiniers ein und säuberte langsam vorgehend die
Reitbahn, welche rund um den Platz geht, von diesem durch
starke Schranken abgesondert ist und für diese Tage mit Sand
dicht bestreut wird. Auf die Karabiniers folgte das Fußvolk
der Straßenfeger; auch sie haben sich heute in ihre sauberste
Uniform geworfen und entfernen nun jedes, auch das kleinste
Hindernis von der Reitbahn. Kein Steinchen, kein Stroh=
halm entgeht ihren wachsamen Augen. Es ertönt ein
zweiter Böllerschuß, augenblicklich läßt die Sturmglocke auf
dem Mangia ihre düsteren Töne erschallen, aus einer auf
den Platz mündenden Straße ergießt sich der Festzug,
der drei Viertelstunden dauert und in dem die Kon=
traden ihre Farbenpracht entfalten. Ein starkes Trom=
peterkorps eröffnete den Zug, ihnen schlossen sich Banner=
träger an, und darauf folgten die Vertretungen der
siebzehn Kontraden mit je elf Mann, die als Ritter und
Schildknappen im langsamen Schritt aufmarschierten. Bei
jeder Gruppe waren zwei Pagen, die ihre Fähnlein
schwangen, von Zeit zu Zeit stehen blieben und allerlei
Kunstübungen damit ausführten, während ein dritter die
Trommel dazu schlug. Lebhaftes Händeklatschen belohnte
oft ihre Fertigkeit. Auf die zehn ersten Kontraden, Oca
(Gans), Pantera (Panther), Chiocciola (Schnecke),
und wie sie alle heißen mögen, folgten Ritter mit den
sienischen Staatsabzeichen, hinter ihnen ein Haufen Helle=
barbiere und schließlich die sieben, am diesmaligen Wett=

rennen nicht teilnehmenden Bezirke. Nachdem noch zwei
Reihen girlandentragender Knaben und Landsknechte vor=
beigezogen sind, folgt langsam und feierlich der schwere, mit
Palio, Fahnen und Trophäen geschmückte Carroccio oder
Heereswagen. Der Festzug nimmt nach und nach Auf=
stellung an der Front des Palazzo Publico, wo die bunt=
scheckigen Farben und Trachten einen herrlichen Anblick
gewähren. Nachdem auch der Carroccio an seinem Ziele
angelangt ist, wird das Palio unter Trompetengeschmetter
von Bewaffneten auf den Balkon des Präfekten gebracht.
Die Aufregung und die Erregtheit der Zuschauer nimmt
mit jedem Augenblick zu.

Da ertönt der letzte Böllerschuß, und es kommen die zehn
Wettrenner mit ihren flinken, ungesattelten Tierchen aus
dem Municipio hervor. Sie stellen sich vor einem über die
Rennbahn gespannten Seile auf. Durch einen Ruck fällt das
Seil, die Wettrenner stürzen in die Bahn und schlagen mit
den Peitschen wütend auf die Pferde und auf die Mit=
bewerber los. Dreimal muß die Runde gemacht werden.
Zweimal kommt Pantera zuerst über das Ziel, aber das Pferd
ermattet, Selva holt ihn ein und kommt ihm beim dritten
Umlauf um zwei Schritte zuvor. Das Jubelgeschrei, das
Händeklatschen der Zuschauer, besonders der Selvalente,
will kein Ende nehmen. Der Sakristan springt auf den
Balkon des Präfekten, ergreift das Palio und trägt es,
von den Seinigen umringt und umschrien, der Selva=
kapelle zu. Durch Seitenstraßen eilen auch wir dahin.
Vor dem Kirchlein stand bereits ein Dutzend Karabiniers,
um Unordnung zu verhindern. Mit Mühe dringen wir
in die Kapelle ein, wo soeben der Priester am Altar das
Tedeum anstimmt. Die Leute des Selvaviertels scheinen
vor Freude und Selbstgefühl von Sinnen gekommen zu sein.
Ich sah einen Vater, der sein zweijähriges Kind hoch in
die Höhe hält und fragt: „Wer hat das Palio gewonnen?"
und das Kind muß antworten: „Selva!" Auf der Straße
wird Wein verschenkt, alle Freunde des Selva müssen
trinken, und bis in die Nacht hinein wird gezecht und
gejubelt. An einem der nächsten Abende wird ein Fest=
essen von der Kontrada veranstaltet; die Bezirkskapelle
ist aber um ein vielbegehrtes Palio reicher.

(P. Livarius Oliger.)

**Pallacorda** f. den Art. Fußball.

**Panettoni** f. den Art. Süßigkeiten.

**Pantalone.** Eine venezianische Maske; der einfältige, gutmütige Kaufmann und Vater, der von aller Welt hintergangen und gelegentlich verliebter Anwandlungen wegen geschraubt wird.

**Papierfabriken.** Unter den im Aufschwung begriffenen Industrien ist die Papierfabrikation zu nennen, die etwa 15000 Arbeiter beschäftigt und der durch die in starker Vermehrung begriffenen Zellulofefabriken vielfach das Rohmaterial geliefert wird. Einer der größten Betriebe dieser Industrie ist die Carteria Italia in Serravalle an der Sesia in der auch sonst so gewerbfleißigen Provinz Novara. Diese von der Familie Avondo begründete Fabrik, die jetzt einer Aktiengesellschaft gehört, wird hauptsächlich durch starke Wasserkraft betrieben; sie beschäftigt 1300 Arbeiter und stellt alle Sorten von Druck=, Schreib= und Luxuspapier her, namentlich auch das Papier für die Zigaretten der Tabaksregie und die Papierunterlagen für die Seidenraupenzucht. Andere bedeutende Papierfabriken befinden sich in Toskana, namentlich in der Umgegend von Pistoja. (Fischer.)

**Papst.** In dem alten Studentenliede heißt es: „Der Papst lebt herrlich in der Welt." Aber ein moderner, reicher Aristokrat oder Finanzbaron würde sich mit der Wohnung und dem persönlichen Haushalt des Papstes gewiß nicht begnügen; er würde finden, daß die Zahl der Säle und Stuben gar zu gering, ihre Ausstattung und Einrichtung gar zu einfach, die Dienerschaft ganz ungenügend sei. Zwar enthält der Vatikan, wo der Papst wohnt, viele tausende Gemächer, der Papst aber bewohnt in dem kolossalen Palast nur wenige bescheiden eingerichtete Zimmer, begnügt sich mit einem Leibdiener, ist höchst anspruchslos in Speise und Trank und führt ein sehr einfaches und eintöniges Leben. Einfach und bescheiden wie seine Lebensweise ist auch die Kleidung des Papstes. Sie besteht aus einem je nach der Jahreszeit weißwollenen oder weißseidenen Talar (sottana), einem breiten Gürtel (fascia) mit goldenen Quasten an beiden Enden, einem weißwollenen oder weißseidenen Käppchen (zucchetto), weißwollenen oder weißseidenen Strümpfen und rotfamtenen oder rotledernen Schuhen, auf deren Oberteil je ein goldgesticktes Kreuz sich befindet. Wenn von dem zeremoniellen Fußkuß gesprochen wird, ist dies nicht so zu verstehen, daß dem Papste der Fuß geküßt wird, sondern der Kuß gilt dem auf die Schuhe gestickten Kreuz. Das an einer goldenen Kette auf der Brust getragene Bischofskreuz (pettorale) und der Bischofsring sind neben der weißen Kleidung die einzigen Abzeichen, durch die sich der Papst von einem gewöhnlichen Priester unterscheidet.

Bei Audienzen trägt der Papst bisweilen einen weißen Talar mit kurzem Kragen (zimarra), auf dem Kopfe eine bis über die Ohren reichende purpurfarbige Mütze (camauro), die für den Winter aus Samt mit Hermelinfutter und -verbrämung und für den Sommer aus Seide ohne Verbrämung gefertigt ist; über dem Talar einen purpurfarbigen, bis zu den Hüften reichenden Radkragen (mozzetta), im Winter aus Samt mit Hermelinfutter und Verbrämung; in Konsistorien über dem Talar ein Chorhemd (rocchetto) aus feinem Leinenstoff mit Spitzenbesatz oder gänzlich aus Spitzen gefertigt und über dem purpurnen Radkragen eine weiße oder purpurfarbige Stola aus Samt, auf welcher Kreuze und die dreifache päpstliche Krone (triregno, uara) über den gekreuzten Schlüsseln in Gold gestickt sind als Symbol der höchsten priesterlichen Gewalt und der Macht, zu lösen und zu binden. Bei großen kirchlichen Zeremonien kommt der Papst auf einem von acht Sänftenträgern getragenen Thronstuhl (Sedia gestatoria) in die Kirche. Über seine Schulter wird ein mit aller erdenkbaren Pracht, mit Gold und mit den kostbarsten Edelsteinen geschmückter Vespermantel gehängt und auf sein Haupt die dreifache goldene Krone (triregno) gesetzt, die mit den kostbarsten Juwelen verziert ist. In der linken Hand hält er einen goldenen Bischofsstab (pastorale), während die rechte frei bleibt, um damit den Segen erteilen zu können. Rechts und links neben dem Thronstuhl begleiten ihn zwei Prälaten, deren jeder einen großen Wedel von weißen Straußenfedern (flabelli) trägt. Beim Eintritt in die Kirche und beim Ausgang wird der Papst von seinem gesamten Hofstaat begleitet: zuerst die drei Leibgarden und die

päpſtliche Gendarmerie, dann die Sänger der Sixtiniſchen
Kapelle, welche das «Tu es Petrus» von Paleſtrina und
das «Ecce sacerdos magnus» von Scarlatti ſingen.
ferner die unteren Hofchargen, die Prälatur, die oberſten
weltlichen Hofämter und unmittelbar vor dem Papſte die
Kardinäle nach Rang und Dienſtalter. zuerſt die Kar-
dinaldiakone, dann die Kardinalprieſter, die Kardinal=
biſchöfe und die Hofkardinäle. Dem Papſte wird ſtets
ein ſilbernes Stabkreuz vorangetragen. Im Chor der
Kirche hinter dem allſeitig freiſtehenden Hochaltar ange=
kommen, ſteigt der Papſt von ſeinem Thronſtuhl, der
Veſpermantel und die dreifache Krone werden ihm abge=
nommen, und er kniet auf der unterſten Stufe des Altars
nieder, um ein ſtilles Gebet zu verrichten. Nachdem er
dies getan, begibt er ſich zu ſeinem Thron. Lieſt der
Papſt die Meſſe, ſo wird er hier von dem Oberzeremonien=
meiſter und deſſen zahlreichen Gehilfen mit den Pon-
tifikalgewändern bekleidet und ihm eine einfache weiß=
ſeidene Biſchofsmütze (infula) aufgeſetzt — die Tiara
wird vom Papſt nicht beim Gottesdienſt, ſondern nur
während des Aufzuges und der Erteilung des apoſtoliſchen
Segens getragen. Auf dem Throne ſitzend, empfängt er
die Huldigung (obbedienza) des ihn begleitenden hohen
Klerus, der ihm kniend Hand und Fuß küßt. Die Meſſe
lieſt der Papſt zum Teil auf dem Throne ſitzend oder
vor dem Throne ſtehend; nur zur „Wandlung" (Kon-
ſekration des Brotes und des Weines und Aufhebung
der Hoſtie und des Kelches) ſteigt der Papſt vom Throne
herab und begibt ſich zum Altar. Während der Wand=
lung wird von der Kuppel der Petersfirche herab ein
feierlich ſchönes Muſikſtück auf den ſilbernen Zinken ge=
blaſen, deren herrlicher Klang bei der vorzüglichen Akuſtik
der Kuppel einen unvergleichlichen Eindruck macht. Nach
der Meſſe wird der Papſt der Meßgewänder entkleidet,
ihm wieder der Veſpermantel umgehängt und die Tiara
aufgeſetzt; er wird auf dem Thronſtuhl zum Altar getragen
und erteilt ſtehend den apoſtoliſchen Segen. (Frant.)

**Päpſtliche Garde** ſ. den Art. Hofſtaat des Papſtes.

**Parlament.** Nach der italieniſchen Verfaſſung wird
die geſetzgebende Gewalt gemeinſchaftlich vom König und
zwei Kammern, dem Senat und der Deputiertenkammer

ausgeübt. Das Zweikammersystem, welches die italienische Verfassung nach dem Vorbilde Spaniens, Belgiens und anderer konstitutioneller Länder beherrscht, kommt auch darin zum staatsrechtlichen Ausdruck, daß die Sitzungs= perioden des Senats und der Deputiertenkammer gleich= zeitig zu beginnen haben und geschlossen werden und Versammlungen der einen Kammer außerhalb der Sitzungs= periode der anderen für ungesetzlich, ihre Akte für null und nichtig erklärt sind. Die Mitglieder beider Kammern haben vor ihrer Zulassung zu schwören, daß sie dem Könige treu sein, die Verfassung und die Gesetze des Staates gewissenhaft befolgen und ihre Dienste ausschließ= lich zu dem unzertrennlichen Wohl des Königs und des Vaterlandes ausüben wollen. Gemeinsam ist ihnen ferner, daß kein Mitglied der Landesvertretung für seine Mei= nungsäußerungen oder Abstimmungen in der Kammer zur Verantwortung gezogen, kein Senator oder Depu= tierter während der Sitzungsperiode ohne vorgängige Zu= stimmung des betreffenden Hauses verhaftet werden darf, außer bei Ergreifung auf frischer Tat, und keiner eine Entschädigung für seine Verrichtungen bezieht. — Vergl. die Art. Abgeordnetenhaus, Senat, Wahlrecht.

**Parmesankäse** (parmigiano — pärmidʒā'no) s. den Art. Käse.

**Paß** (passaporto). Weder an der Grenze Italiens noch in irgendeiner italienischen Stadt wird dem Aus= länder ein Paß abgefordert. Nichtsdestoweniger ist es ratsam, sich mit einem solchen zu versehen, da doch bisweilen, besonders bei Entnahme von Wert= und Ein= schreibebriefen, die Notwendigkeit eintritt, sich auszu= weisen. Auf alle Fälle ist es nicht mehr nötig, das Visum eines italienischen Gesandten oder Konsuls einzu= holen.

**Passage** (una galleria). Fast jede große italienische Stadt besitzt Passagen, d. h. mit Glas bedeckte, an beiden Seiten mit Läden versehene, meist nur für Fußgänger bestimmte Häuserdurchgänge. Neben den über= aus glänzenden Galerien der feinen Stadtviertel (wir erinnern nur an die berühmten galleria Vittorio Emanuele in Mailand und Umberto I. in Neapel) gibt es auch unscheinbare und versteckte. Man wird

gut tun, sich über diese Passagen genau zu unterrichten.
Zunächst ersparen sie einem oft große Umwege; sie
sind die Diagonale, wo die Straßen die Katheten bilden.
Dann geben sie auch Gelegenheit zu den fesselndsten
Studien wegen der dort dichtgedrängten reichen Waren=
auslagen und des unaufhörlich wallenden Menschenstromes.
Endlich aber bieten sie die Möglichkeit, bei Regenwetter
einen Teil des Weges trockenen Fußes zurückzulegen.

**Passatella.** Die Passatella ist ein in Rom sehr
beliebtes, aber auch sehr gefährliches Spiel. Viele Blut=
taten haben ihren Ursprung in diesem Spiel, das wir
hier zu erklären versuchen wollen. Die Bedeutung des
Wortes steht noch nicht völlig fest. Nach einigen be=
deutet es das passarsi il vino l'un l'altro, das gegen=
seitige Hinreichen des Weins, nach andern hat das pas=
sare hier den Sinn von Zeitvertreib: passare il tempo,
ein allerdings sonderbarer Zeitvertreib, wobei man sich
in der Regel auf Kosten einzelner Spielteilnehmer be=
lustigt. Zunächst wird der Vorschlag zur Passatella ge=
macht und ein Mann als conta — wörtlich: er zählt —
bestimmt. Schon in der ersten Entwickelung beginnt die
Leidenschaft zu glühen, denn unter, sagen wir 10, Spie=
lern befinden sich immer einige, die eine kamorristische
Intrige in der Wahl des Conta erblicken. Nunmehr
stellen sich die 10 Personen in einem Kreise auf und
strecken die rechte Hand mit einer beliebigen Anzahl von
Fingern aus. Der Conta zählt die Finger, und da haben
wir bereits das zweite Stadium der Feindseligkeit, denn
einige sind überzeugt, daß der Conta falsch zählt, oder
daß etliche, die gemeinsame Sache mit ihm machen, nach=
träglich die Zahl ihrer Finger danach ausrichten, daß die
Wahl des padrone — Herrn — auf eine bestimmte
Person fällt. Dazu sind beispielsweise 35 Punkte nötig,
während die Höchstzahl der Punkte (Finger der rechten
Hand) bei 10 Personen natürlich 50 beträgt. Der Ka=
morrist rechnet nun blitzschnell aus, wieviel Finger er
zeigen muß, um die Zahl 35 voll zu machen, und ebenso=
viele zeigt er dann, nachdem er die Hand vorher so hin=
gehalten, daß man nicht genau erkennen konnte, wieviel
Finger er ausstreckte. Das schwerwiegende Recht des Conta
ist es nun, bei sich mit dem Zählen den Anfang zu machen;

er zählt rund, bis er ·zu 35 kommt; der Fünfund=
dreißigste wird Padrone im Spiel. Der Padrone hat das
Recht, sich aus dem Kreis der noch übriggebliebenen Acht
den sotto — wörtlich: Unter, also Diener oder dgl. —
zu wählen; selbstverständlich gibt auch diese Wahl zu er=
bittertem Wortwechsel Anlaß. Jetzt darf der Conta zur
bevuta — Trunk — übergehen, und wenn es ihm ge=
fällt, trinkt er den ganzen von allen Teilnehmern be=
zahlten Wein allein aus. Damit wäre freilich der Reiz
des Spiels dahin, und man müßte wieder von vorne an=
fangen. Es geschieht deshalb auch im allgemeinen nicht.
Vielmehr liegt der „Reiz" hauptsächlich darin, daß man
gewisse Teilnehmer am Spiel ohni macht, d. h. sie nicht
zur Bevuta kommen läßt, worüber sich die Betroffenen
natürlich zur maßlosen Belustigung der anderen nicht
minder maßlos ärgern. Das Spielverfahren geht nun
in folgender Weise weiter: Als Zweiter hat der Sotto
das Recht zu trinken, und dann erst gelangt es an den
Padrone, der darauf weiter nichts mehr zu tun hat, als
mandare per licenza, d. h. als irgendein beliebiges
Mitglied zum Sotto zu schicken, um diesen um die Er=
laubnis des Trinkens zu bitten. Beantwortet der Sotto
die Frage: Posso bere? mit sì (ja), so geht der Ge=
schickte trinken und das Spiel nimmt seinen Fortgang.
Nun aber treten zahlreiche Verwicklungen des Spieles
ein. Der Sotto kann beispielsweise die obige Frage be=
antworten mit: „Wenn dieser und jener keinen Durst
hat." Hat aber der andere Durst, so geht der Frager
leer aus. Oder der Sotto erklärt, selbst trinken zu
wollen usw. Bei dem leidenschaftlichen Gemüt des Volkes
kann die wiederholte und beharrliche Verweigerung der
Bevuta das Opfer dieses von der Gesellschaft immer
aufs neue belachten „Witzes" zur Verzweiflung treiben.
Er stürzt sich dann auf den Wein, die andern suchen ihn
zu hindern, und die coltellata, die Messerstecherei, ist da.
Auch umgekehrt sucht man es zuweilen so einzurichten,
daß die Bevuta immer an eine Person gelangt, die in=
folgedessen betrunken wird. Gleichzeitig wird die Wut
derjenigen gesteigert, die leer ausgehen, sich aber nach den
Spielregeln nicht dagegen wehren können. Wie aber auch
das Spiel gehandhabt wird: immer ist es sehr gefährlich.

**Pellagra,** lombardischer oder mailändischer Aussatz, auch mailändische Rose, eine eigentümliche Hautkrankheit in Oberitalien, besonders um Padua herum, befällt nur Land= bewohner, und zwar Frauen leichter als Männer, und rührt vielleicht von einem Pilz her, welcher auf den Mais= pflanzen vorkommt, in die Haut der Landleute eindringt und eigentümliche Krankheitserscheinungen herbeiführt. Das Pellagra entsteht in den Frühlingsmonaten unter Ver= dauungsstörungen, Fieber und Bildung einer umschriebenen, rosenartigen, meist bräunlichroten Entzündung der Haut an den der Luft und dem Sonnenlicht ausgesetzten Stellen, vorzüglich dem Handrücken, welche, nachdem ein Schuppen= ausschlag entstanden, im Herbst allmählich wieder ver= schwindet. Im nächsten Frühjahr kehrt sie aber wieder, das Übel wird immer hartnäckiger und die Beteiligung des Gesamtorganismus immer größer. Der Ausschlag färbt sich immer dunkler braun, die Haut bleibt rauh und rissig; vielfach ist sie auf weite Strecken mit Pusteln und Borken von ekelhaftem Aussehen bedeckt. Auch die Schleimhäute werden allmählich in Mitleidenschaft gezogen; die Mundschleimhaut ist gerötet, aufgelockert und schmerz= haft; es stellen sich Magenschmerzen, Erbrechen, Durch= fall, Sehschwäche oder Doppeltsehen, Krämpfe, Sinnes= täuschungen aller Art bis zu vereinzelten oder an= dauernden Tobsuchtanfällen usw. ein. Zuweilen gehen die Kranken unter allgemeinen Ernährungsstörungen, zu= weilen unter Anzeichen von Gehirnkrankheiten zugrunde. Nur leichte Fälle sind heilbar. (Nach Meyers Konv.=Lexit.)

**Pezzo duro** (păt-ßó du'rc) wörtlich „hartes Stück". — Vergl. den Art. Gefrorenes.

**Pfefferkuchen,** pan pepato oder panforte. Sehr berühmt in Italien il panforte di Siena.

**Pflege der alten Kunst.** Für die Kunst, für die Er= haltung der alten Kunstdenkmäler Italiens geschieht seit Jahren und Jahrzehnten viel. Von der Sorge für die Denkmäler und die Denkmalkunst hat man sich all= mählich auch der Pflege der Kleinkunst wie der Ord= nung und Instandhaltung der Sammlungen zugewendet. Der Staat und die Gemeinden wetteifern im Streben um die Erhaltung der mannigfachen Denkmäler alter Kunst, mit denen Italien wie kein anderes Land ausgestattet ist, wo

uns jeder Bau, jedes Bild, jedes Möbel und jeder kleine
Gebrauchsgegenstand von der langen, großen Vergangen=
heit des Landes erzählt.

Jede Provinz hat ihre Inspektoren zur Beaufsichtigung
der Kunstwerke, in jeder Provinz sind diese seit Jahr=
zehnten bereits aufs sorgfältigste verzeichnet, in manchen
Gegenden neuerdings auch für das Archiv des Kultus=
ministeriums photographiert worden. Nach dieser Richtung
kann Italien allen anderen Staaten als Vorbild dienen.
Aber diese Überwachung, die Fürsorge für die Erhaltung
der Kunstwerke, ihre Wiederherstellung, ihre Aufstellung usw.
ist ein gar schwieriges Ding, zumal in Italien, wo Staat
und Kirche seit langem auf dem Kriegsfuß oder — was
noch schlimmer ist — auf gar keinem Fuß miteinander stehen.
Denn in den Kirchen sind ja die Hauptschätze geborgen;
dort ist aber die Erhaltung am schwierigsten, die Auf=
stellung am ungünstigsten, die Sorge am geringsten. Und
gerade hier scheut man sich einzugreifen. Gelegentlich,
abseits in den kleineren Provinzstädten, stehen wohl Be=
hörden und Geistlichkeit noch in guter Beziehung; dann geht
man Hand in Hand gerade in der Pflege der heimatlichen
Kunst, vereinigt die Bilder aus den Kirchen in den Museen
oder gibt ihnen einen guten Platz in den Kirchen selbst,
stellt sie wieder in ihre alten Rahmen, sorgt für vorsichtige
Wiederherstellung usw. Wo dies aber nicht der Fall ist,
sieht's meist böse aus, da die einen die Sache absichtlich
verkommen lassen und die andern nicht ernstlich einzu=
greifen wagen. So gerade an den Hauptkunststätten
Italiens: in Florenz, Venedig, Rom.

Man trete in Florenz nur in die erste beste große Kirche.
Ich nehme S. Croce, das zum Nationalheiligtum erklärt ist.
Die Kirche ist voll der herrlichsten Grabsteine, die aber als
Pflaster benutzt werden. In wenigen Jahren wird kaum
auf einem mehr als ein dürftiger Rest der Zeichnung zu
erkennen sein. Santa Croce birgt eines der herrlichsten
Standbilder Italiens: die große Bronzefigur des hl. Ludwig
von Donatello; sie steht wohl fünfzehn Meter hoch an der
dunklen Eingangswand unter dem Fenster, so daß sie fast
unsichtbar ist, ein Werk, für das im Handel heute gewiß
zwei Millionen Franken bezahlt werden würden! In
S. Maria Novella, der zweiten prächtigen Brüderkirche

von Florenz, die von oben bis unten voll ist von herr=
lichen Kunstwerken aller Art, sieht's noch schlimmer aus.
Daß Orcagnas Fresken, daß Cimabues Altarbild regel=
mäßig ganz finster sind, versteht sich von selbst: es war
ja von jeher so! Masaccios Gekreuzigter mit den herr=
licheren Stiftern zur Seite, eine der großartigsten Schöp=
fungen der Renaissance, steht an der Eingangswand ganz
im Dunkeln. Noch bedenklicher steht's hier um Ghirlan=
dajos berühmte Fresken. Wer sie seit einem Menschen=
alter Jahr um Jahr gesehen und studiert hat, wird gleich
uns mit Schrecken den raschen Verfall dieser Fresken
wahrgenommen haben. Und wie mit diesem, so geht es mit
manchen anderen herrlichen Freskenzyklen in Italien! Solchen
Schäden gegenüber sollte man sich rechtzeitig fragen, ob
es nicht notwendig ist, diese Fresken ganz abzunehmen
und in Museen unterzubringen, wo sie obenein sehr viel
besser zu sehen wären! Aber ehe man sich zu einem so gründ=
lichen Eingriff entschließt, werden die Kranken — fürchte
ich — ihrem Übel unrettbar verfallen sein! In der Kunst=
welt Italiens spielt nämlich der Bureaukratismus, von
dem ja alle alten Kulturländer ein Lied singen können,
eine vielfach verhängnisvolle Rolle. Da wird alles von
oben regiert, der Minister und seine Räte bestimmen alles!
Die Hunderttausende, die Florenz und Venedig an Ein=
trittsgeldern in die Sammlungen und an Gebühren für
die Ausfuhr von Kunstwerken jährlich einnehmen, werden
vom Ministerium einkassiert und dort ganz nach eigenem
Ermessen verwendet, vor allem für Ausgrabungen, für
die Wiederherstellung von öffentlichen Gebäuden, für Denk=
mäler u. dgl.; die Galerien in Florenz, in Venedig usw.,
die jene Summen aufgebracht haben, können froh sein,
wenn ihnen gnädigst der zehnte Teil davon für diese
oder jene Erwerbung zugewiesen wird. Aber auch diese
Erwerbungen werden meist von oben befohlen; ob
dieses oder jenes Bild oder sonstige Kunstwerk, das bei
der Ausfuhr angehalten oder sonst erworben worden ist,
in der Brera, in den Uffizien oder in der Galerie von
Turin oder Neapel aufzustellen ist, bestimmen wieder aus=
schließlich der Minister und seine Räte, und auf die Ent=
scheidungen von dort muß oft Jahr und Tag gewartet
werden. Das verstimmt natürlich die Beamten der Samm=

lungen, es lähmt ihre Tätigkeit und macht sie ängstlich oder gleichgültig! Wo daher in besonders rührigen Gemeinwesen städtische Kunstsammlungen entstehen konnten, finden wir ein regeres Leben, eine viel freudigere Tätigkeit. Möge man den Grundsatz «L'Italia farà da sè» innerhalb der Verwaltungen Italiens doch mehr zur Geltung bringen; der Kunstpflege würde dies sicherlich nur zum Nutzen gereichen! (W. Bode in der „Vossischen Zeitung".)

**Pfund** s. den Art. libbra.

**Photographische Nachbildungen von Kunstdenkmälern.** Das italienische Altertümergesetz, von dem schon oft gesprochen worden ist (s. die Art. Ausfuhr von Kunstgegenständen, Ausgrabungen, Pflege der alten Kunst) enthält auch über die photographische Nachbildung von Kunstwerken sehr strenge Bestimmungen, die jedem Amateurphotographen, der Italien bereist, bekannt sein müssen. Wir lassen deshalb die wichtigsten unter diesen Bestimmungen folgen und fügen nur noch die Bemerkung hinzu, daß in allen Museen, Galerien usw. das Publikum aufs schärfste beobachtet wird. In dem genannten Gesetz heißt es also:

§ 243. Wer Gegenstände photographieren will, die Eigentum des Staates sind, oder Kostbarkeiten, die in den der Regierung unterstehenden Kunstinstituten aufbewahrt werden, muß ein Gesuch um die entsprechende Erlaubnis an die Behörde richten, die mit der Aufbewahrung des betreffenden Gegenstandes betraut ist. Die photographische Nachbildung der Außenseiten der im Freien (d. h. auf öffentlichen Plätzen usw.) stehenden Denkmäler steht allen frei.

§ 244. Das Gesuch, auf Stempelpapier von 50 Ct., muß den Vornamen, Namen und die Adresse desjenigen enthalten, der die photographische Nachbildung ausführen will, und, wenn nötig, auch den Namen dessen, den er zur wirklichen Aufnahme der Photographie verwendet. Ebenso muß er die Denkmäler oder die Kunstgegenstände oder die Einzelheiten angeben, deren Aufnahme er beabsichtigt. Ferner muß der Zweck angegeben werden, für welchen die Nachbildungen bestimmt sind; viertens muß die Erklärung hinzugefügt sein, daß der Bittsteller die Verantwortung für jeden Schaden übernimmt, der

22*

durch die vorzunehmenden Operationen entstehen könnte, und fünftens muß er ausdrücklich erklären, daß er sich den Bestimmungen des vorliegenden Gesetzes unterwirft.

§ 245. Der Direktor oder die anderen Museums= vorstände, an deren Adresse das Gesuch gerichtet ist, haben das Recht, die Anträge ganz oder teilweise anzunehmen (also auch ganz oder teilweise zurückzuweisen), die Tage und Stunden zu bestimmen, in denen es dem Photo= graphen gestattet ist, zu arbeiten, und, falls mehrere Ge= suche gleichzeitig eingereicht werden, die Reihenfolge zu bestimmen, in der die Photographen zur Aufnahme zu= gelassen werden.

§ 246. Die Entschädigung, die für die photographische Wiedergabe zu zahlen ist, beträgt: a) 1 Lira für jedes Detail der feststehenden Denkmäler (d. h. Gebäude u. dgl.), ferner für die Gegenstände der Kleinkunst (Sachen aus Elfenbein, Bronzen, Waffen, Gobelins, Goldschmuck, Gemmen, Münzen u. a. der Art), ferner für die Gemälde und Skulpturen, deren Photographien selten verlangt werden; b) 10 Lire für die Gemälde und Skulpturen, nach deren Photographien starke Nachfrage ist; c) 1 bis 10 Lire, je nach ihrer Wichtigkeit, für die Gesamtansicht von feststehenden Denkmälern. Der Museumsdirektor hat durchaus freie Hand, zu bestimmen, in welche Klasse jeder zu photographierende Gegenstand gehört, und die zu zahlende Entschädigung festzustellen.

§ 247. Die Photographen erhalten die erbetene Erlaubnis erst, wenn sie die ihnen auferlegte Entschä= digung bezahlt haben und die Quittung darüber vorlegen. Für den Erlaubnisschein ist ein Stempel von 1 Lira zu bezahlen.

§ 248. Die Museumsvorstände haben scharf darauf aufzupassen, daß nicht etwa andere Gegenstände als die, für welche die Erlaubnis erbeten ist, oder daß nicht etwa mehr Gegenstände, als bewilligt sind, photographiert werden. Ebenso haben sie darauf zu achten, daß nicht irgendein Gegenstand beschädigt wird. In dem einen wie in dem anderen Falle wird der Photograph sofort ausgewiesen, und wenn er im Auftrag einer Firma handelt, wird diese für mitschuldig erklärt und ihr die Ausübung der Photographie in allen Kunstsammlungen,

Ausgrabungen und bei den Nationaldenkmälern oder
solchen, die unter dem Schutze des Staates stehen, gänz=
lich untersagt; ihre gerichtliche Bestrafung wird vor=
behalten.

§ 249. Die Photographen sind verpflichtet, innerhalb
der Frist von zwei Monaten, von dem Tage der Erlaub=
niserteilung an gerechnet, dem Direktor des Instituts,
von dem sie die Erlaubnis erhalten haben, ein fehler=
freies und nicht retouchiertes Negativ und zwei positive
Kopien von jedem Originalnegativ zu überreichen. Die
übergebenen Negative bleiben Eigentum des Staates, der
sich ihrer zur Nachbildung mit anderen photomechanischen
Mittel bedienen kann.

§ 250. Jede Auffrischung der zu photographierenden
Gegenstände, d. h. Besprengung mit Wasser usw., um die
ursprünglichen Farben schärfer hervortreten zu lassen, ist
verboten, nicht bloß bei Staatseigentum, sondern auch
bei den Sachen, die juristischen Personen gehören, oder
bei dem Privateigentum, soweit es öffentlich sichtbar ist.

§ 251. Für eine farbige Wiedergabe u. dgl. muß eine
besondere ministerielle Erlaubnis eingeholt werden; diese
kann unter näher zu bestimmenden Bedingungen und gegen
eine besonders festzustellende Entschädigung erteilt werden.

**Pinie.** Einen größeren Wert als Kulturbaum besitzt
in Italien die Pinie, eine Kiefernart. Neben der Zypresse,
die mit ihrer schlanken, hohen, dunklen Säulenform der
Landschaft Italiens einen ganz eigenartigen Zug von
Melancholie gibt, und die uns neuerdings aus den Ge=
mälden Böcklins so seelenvoll anspricht, neben dieser Zy=
presse also ist die Pinie ein ganz besonders auffallender,
das Gepräge der Landschaft bestimmender Nadelbaum der
Apenninenhalbinsel. Er bildet hier große Wälder, wie in
Deutschland die gemeine Kiefer. Aber er wird auch hier
und da sowohl seiner Schönheit als seiner Früchte wegen
angepflanzt. Von der Kiefer unterscheidet sich die Pinie
nicht nur durch ihre weit längeren Nadeln, sondern auch
durch ihre ganze Gestalt. Sie wird nicht ganz so hoch
wie die Kiefer, dafür breitet sich aber ihre Krone flach
schirmförmig aus. Diese eigenartige Form, verbunden
mit dem düsteren, dürren Nadelgeäst der Kiefern, gibt
der Pinie einen Zug von Ernst und altersgrauer Würde.

Sie ist der Baum der heroischen Zeit; unter ihren Schirm=
kronen weilten die schönen Mythengestalten des alten
Griechenland. Dem lustigen Gott der Trinker, dem alten
feisten Bacchus, war der Baum geweiht. In der schönen
Zeit, wo der grobe Unfug noch nicht in einen Gesetzes=
paragraphen aufgenommen war, schmückten die Festteil=
nehmer an der Bacchusfeier ihren „Thyrsusstab", der mit
Epheu und Weinlaub umwunden war, am oberen Ende
mit einem Pinienzapfen. So feierten sie ihre Orgien,
das heißt, sie gröhlten, machten Radau, schossen Kobolz,
verletzten das Schamgefühl, verursachten Aufläufe, be=
lästigten das Publikum und machten Spottverse auf die
Behörden. Griechenland und Rom gingen daran aber
nicht zugrunde, die Pinien gediehen munter weiter und
lieferten ihre Nüsse nach wie vor. Diese Nüsse, wie man
die großen in den Zapfen enthaltenen Samen nennt,
sind den Mandeln im Geschmack vergleichbar. Sie werden
roh und auch zubereitet als Beigabe zu anderen Speisen
gegessen. So liefern denn in diesem glücklichen Lande
selbst die Kiefernbäume große wohlschmeckende Früchte.
Es ist, als wandle sich da unten im Süden alles Herbe,
Rauhe, Unfruchtbare, Ungenießbare in schwellende, süße,
fleischige Fruchtbarkeit um. In der Sonne des Südens,
im Odem des blauen Mittelmeeres gedeiht eine para=
diesische Pflanzenwelt, die reich an schönen fruchtspenden=
den Bäumen ist. (Grottewitz.)

**pizza** f. den Art. Osterwoche in Rom.

**Pizzicheria** (plt-zitśri̇̃'ä). Die wörtliche Übersetzung
von Pizzicheria ist Lebensmittelhandlung; im Berliner
Dialekt würde es etwa Delikateß= und Buttergeschäft be=
deuten, aber die Vorräte sind in allen diesen Geschäften so
erstaunlich, daß man kaum einen Platz darin zum Stehen
findet. Ich habe von einer gewölbten Decke eines solchen
Ladens mächtige Würste in einer Menge herabhängen
sehen, daß man sich in eine Tropfsteinhöhle versetzt
glaubte. Was es hier alles gibt, ist gar nicht zu
sagen: Mortadella, Salami, die schmackhaften kleinen
Leberwürstchen, die wie Kränze das Ladengerüst um=
geben, Thunfisch in großen Fässern, Ölsardinen in
Hunderten blinkender Büchsen mit dem Schlüssel zum
Selbstöffnen, Kuh=, Büffel=, Schafs=, Ziegenkäse, Kon=

ſerven zur Herſtellung der beliebten Tomatenſauce, Preß=
kohlen, Schokolade, Heringe, Erdöl und tauſend andere
Dinge des einſchlagenden Faches. Die Makkaroni in
zwanzigfältiger Form und Größe und Zuſammenſetzung
und unter ebenſovielen Namen ſind in beſonderen Hand=
lungen zu haben und ſtehen in ganz fabelhaften Vorräten
in ſäulenartig aufgetürmten offenen Säcken zum Entzücken
jedes italieniſchen Herzens ausgeſtellt.          (Juſtinus.)

**polenta** ſ. den Art. Maisbrei.

**Polizei** (polizia — polität'ä). Die polizeiliche Zentral=
behörde iſt das Miniſterium des Innern; in den verſchie=
denen Städten wird ſie vom prefetto, sottoprefetto und
sindaco geleitet (ſ. dieſe Artikel). Das Polizeipräſidium
heißt questura, Polizeirevier sezione di pubblica sicurezza, der Polizeidirektor questore; dann hat man:
Polizeikommiſſar commissario oder ispettore di polizia, Unterkommiſſar delegato di pubblica sicurezza,
Schutzmann, Polizist guardia oder questurino. —
Vergl. auch den Art. Carabinieri.

**Poſt** (posta). Über die italieniſche Poſt wird in
einem beſonderen Artikel (Poſtweſen) ausführlich berichtet.
Hier laſſen wir nur die wichtigſten Ausdrücke folgen:
Briefmarke il francobollo; Drucksache stampe
oder stampati; eingeſchriebener Brief lettera raccomandata; Geldbrief lettera assicurata; unter
Kreuzband sotto fascia; Muſter ohne Wert cam-
pione senza valore; Nachnahme rimborso; Paket
pacco postale; Paketadreſſe bollettino; Poſtanwei=
ſung il vaglia postale; Poſtkarte cartolina postale;
poſtlagernd fermo in posta.

**Poſtanweiſung** (il vaglia — wä'ljä — posta'le). Will
man innerhalb Italiens eine Poſtanweiſung ſenden, ſo
bekommt man eine Quittung über die Einzahlung, die
man dem Empfänger zuſchickt. Letzterer erhebt dann
daraufhin den Betrag bei dem Poſtamt ſeines Wohn=
ortes. Zwiſchen Deutſchland und Italien ſind Poſt=
anweiſungen bis 800 Mark zuläſſig. Wer Geld= oder
Wertſendungen auf der italieniſchen Poſt in Empfang
nehmen will, muß ſich durch Vorzeigung des Paſſes (ſiehe
den Art.) oder durch eine der Poſt bekannte Perſon aus=
weiſen. — Vergl. auch den Art. Poſtweſen.

Poſtkreditbriefe ſ. den Art. Poſtweſen.

Poſtpakete aus Deutſchland nach Italien ſind bis zum Gewicht von 5 kg zuläſſig. Das Porto beträgt zwiſchen den beiden Ländern 1,40 Mark (1,75 Lire).

Poſtſparkaſſen ſ. die Art. Sparkaſſen, Poſtweſen.

Poſtweſen. Poſt, Telegraphie und Eiſenbahn ſind die einzigen Verkehrsanſtalten, die in Italien vom Staate betrieben werden. Das Fernſprechweſen gehört nicht mit zur Telegraphie und iſt überwiegend Privatunternehmern überlaſſen. Wie in der Anlage und Einrichtung, ſo gibt ſich jetzt auch in der Verbreitung der Poſtſtellen ein löblicher Fortſchritt zu erkennen. Ihre Zahl iſt ſeit 1871 bis Mitte 1898 von 3254 auf 7707 gewachſen. Man findet ſie jetzt in Orten, wo man ſie, wie in den Bergtälern der italieniſchen Alpen, gar nicht zu ſuchen wagte. Doch ſind von den 8261 Gemeinden des Landes auch jetzt noch mehr als 2000 ohne Poſtſtelle und für ihren Poſtverkehr lediglich auf den Landbriefträger an= gewieſen. Zweifellos trägt mangelnde Schreibkenntnis weſentlich dazu bei, daß die Zahl der aufgelieferten Briefe ſo langſam wächſt. Sie hat ſich von 100 Millionen im Jahre 1872 bis 1898 auf nur 170 Millionen geſteigert. Stärker iſt natürlich die Zahl der erſt 1874 eingeführten Poſtkarten (von 8,8 Millionen auf 94 Millionen) gewachſen. Bei einer Geſamtzahl von 597 Millionen Poſtgegen= ſtänden aller Art kamen im Jahre 1897/98 durchſchnitt= lich auf jeden Italiener 17,9 Poſtſachen, während dieſe für den ganzen Verkehr des Landes wichtige Ziffer in der Schweiz 112,4, in Deutſchland 81,2, in Frankreich 55,1, in Öſterreich 40,6 betrug und ſogar in Ungarn (21,3) höher war als in Italien.

Neben dem Analphabetentum ſind an dieſem auffallen= den und betrübenden Zurückbleiben des Poſtverkehrs zweifel= los auch ſehr weſentlich die hohen Gebühren ſchuld. Italien bezahlt unter allen Kulturländern weitaus die höchſten Poſt= taxen. Das einfache Briefporto beträgt im Inlande 15 Cen= teſimi. Für Poſtkarten iſt die Inlandtaxe von 10 Ct. der ausländiſchen ſogar gleich. Im Geldverkehr beſitzt die italieniſche Poſt mehrere Einrichtungen, die der deutſchen bisher fremd geblieben ſind. Hierzu gehören die billigen Poſtanweiſungen für Beträge bis zu 10 Lire, die ſeit

1890 eingeführt sind und im ganzen Lande 10 Ct., also nicht mehr als die einfache Postkarte kosten. Ferner die Postbons (cartoline-vaglia), die man sich über Beträge von 1, 2, 3, 4, 5, 10, 15 und 20 Lire kaufen und innerhalb zweier Monate nach dem Ausgabetage zur Ausgleichung von Zahlungen verwenden kann. Sodann die Postkreditbriefe (titoli postali di credito), die gegen Einzahlung von 200—5000 Lire auf Höhe der eingezahlten Summen in Gestalt eines Kreditbüchleins ausgefertigt und zur Abhebung in Beträgen von 50—1000 Lire bei jedem Postschalter präsentiert werden können. Die wichtigste und erfolgreichste Einrichtung dieser Art sind die im Jahre 1875 ins Leben gerufenen Postsparkassen.

Alle diese Veranstaltungen stellen der Einsicht und Rührigkeit der italienischen Postverwaltung ein rühmliches Zeugnis aus. Sie erheben zugleich hohe Anforderungen an die Leistungsfähigkeit und Zuverlässigkeit des Postpersonals. Nach den Wahrnehmungen, die man bei längerem Aufenthalt im Lande und aus den Berichten der Verwaltung sammeln kann, entsprechen die italienischen Postbeamten diesen Anforderungen in erfreulichem Maße. Klagen über Briefverluste kommen natürlich auch in Italien vor. Aber sie sind dort nicht häufiger als anderwärts auf ein Verschulden der Post zurückzuführen.                    (Fischer.)

**Präfekt** (prefetto). In jeder der 69 italienischen Provinzen (s. df. Art.) steht ein Präfekt an der Spitze der Provinzialverwaltung. Er waltet für die politische, die allgemeine Landes- und Gemeindeverwaltung als unmittelbarer Vorgesetzter, während er über die Provinzialbeamtenschaft der Finanzen, der Landwirtschaft, der Post und der öffentlichen Arbeiten die Oberaufsicht ausübt. Der Präfekt ist kraft seines Amtes zur Vertretung der Staatsgewalt in seiner Provinz berufen; unmittelbar dem Minister des Innern unterstellt, ist er dem gesamten Staatsministerium für die Aufrechthaltung der Ordnung, für die Wahrung der Autorität und der Rechte des Staats verantwortlich; ihm steht als Abgeordnetem des Ministeriums die oberste Zivilgewalt in seinem Amtsgebiet zu. Er ist ferner zur Repräsentation verpflichtet und wird zu ihrer Ausübung in den Stand gesetzt durch freie Dienstwohnung in dem von der Provinz errichteten Präfekturpalast, durch ein für italienische Verhältnisse hohes Gehalt (9—12 000 Lire) und durch Repräsentationsgelder, die in den Hauptprovinzen bis zu 15 000 Lire steigen. Der politische Charakter der Präfekten kommt auch darin zum Ausdruck, daß ihre Ernennung von keiner amtlichen Befähigung abhängig ist, sondern lediglich nach dem freien Ermessen des Ministeriums erfolgt. Weder Dienstalter in der Beamtenlaufbahn, noch Prüfungen verleihen irgendwelchen Anspruch auf Berücksichtigung. Häufig werden politische Persönlichkeiten ohne vorherige Beamtenlaufbahn, Deputierte, Ministerialdirektoren usw. zu Präfekten ernannt. Wie bei der Ernennung, so machen sich auch bei der Versetzung oder Zurückziehung der Präfekten nicht selten Lokaleinflüsse, namentlich der Abgeordneten der Provinz, geltend.

**Preise, feste** f. den Art. Neapel.

**Preiselbeeren** f. den Art. Beeren.

**Presse** f. die Art. Evangelische Presse, Zeitungen.

**Pretore, preture** f. den Art. Gerichtswesen.

**Presepe** f. den Art. Krippe.

**Prete.** Il prete heißt eigentlich der Priester; in Italien nennt man aber auch prete (in einigen Städten monaca — Nonne) ein hölzernes Gestell, das man zum Bettwärmen mit einem Wärmtopf in das Bett stellt. (In München und Württemberg „Mönch".)

**Principii.** Die principii sind die Horsd'œuvres der deutschen Tafel, die nur die Bestimmung haben, durch ihre Schärfe die Sinne anzuregen und die Eßlust zu reizen, also die sogenannten crostini, will sagen Weißbrotschnitten mit Butter bestrichen und mit Acciughe oder Anschovis belegt, oder Pastetchen mit Geflügelragout gefüllt, oder Muscheln, Langusten, Hummermayonnaise. Neben dem dunkelgrauen flüssigen oder körnigen echten Kaviar gibt es auch eine einheimische Sorte, den rötlichen, gepreßten und geräucherten Pökelrogen der Meeräsche, der den Namen bottarga führt, von altersher in den italienischen Klöstern als Fastenspeise dient und vorzüglich in Alghero auf der Insel Sardinien, in Trapani auf Sizilien, in der dalmatinischen Stadt Makarska und in Missolunghi hergestellt wird. Auch der Thunfisch selbst wird mariniert und sott'olio als Horsd'œuvre aufgetragen; das frische Fleisch, das wie Rindfleisch aussieht,

wird zur Zeit des Fanges in Sizilien gekocht und auf
dem Roſt gebraten; und nicht bloß das Öl genießt man,
ſondern auch die eingelegten grünen Oliven ſelbſt, die
geſünder ſind und weit einladender ausſehen als die
engliſchen Mixpickles. Alle dieſe Appetitbiſſen oder principii werden in Italien zierlich angerichtet, von Anfang an beim Decken der Tafel auf den Tiſch geſetzt und
gewöhnlich vor der Suppe, in Toskana erſt nach der
Suppe genoſſen.                          (Kleinpaul.)

**Procuratore del re** (Staatsanwalt) ſ. den Art.
Gerichtsweſen.

**Produktivvereine** (cooperative di produzione).
Neben den Volksbanken und Konſumvereinen ſind in
Italien die Produktivvereine ſehr ſtark verbreitet, welche
die Ausführung größerer Arbeiten übernehmen, bei denen
die Handarbeit überwiegt. Die italieniſche Regierung ge-
währt ihnen dann, unter der Bedingung, daß ſie wirklich
die Hebung der unterſten Arbeiterklaſſen fördern, manche
Vorrechte in bezug auf Befreiung oder Ermäßigung von
Gebühren und auf Bevorzugung bei öffentlichen Arbeiten.
Gegenwärtig gibt es in Italien etwa 1200 Produktivvereine.

**Profeſſoren.** Den Titel Profeſſor führt in Italien
jeder Lehrer an einer höheren Schule, ja ſelbſt an einem
Gymnaſium, während die Lehrer an der Volksſchule ebenſo
wie die Lehrer an Muſikkonſervatorien, Komponiſten, Ka-
pellmeiſter uſw. den Titel maestro führen. — Vergl. den
Art. Univerſitätsprofeſſoren.

**Proſit!** In ganz Italien ſagt man ‹alla Sua salute!› Der Römer aber ſagt noch immer ‹prosit!› Ja
er bildet ſogar den Plural des Wortes, und wenn er zu
mehreren Perſonen ſpricht, dann ſagt er: ‹prositi!›

**Proteſtanten in Italien.** Der Annuario Statistico
Italiano von 1904 zählt (Superficie e popolazione
S. 72) unter den Ausländern 20 538 Proteſtanten, deren
Geſamtzahl ebenda auf 65 596 angegeben wird. Im Jahre
1872 waren es ihrer nur 58 651. Bis 1882 war ihre
Zahl nach einer eigenen, nichtſtaatlichen Zählung auf etwa
62 000 gewachſen. Im Zeitraum 1872—1901 hat ſomit
ein Wachstum von etwa 12 Prozent ſtattgefunden. Bedeutend kann dieſer Fortſchritt für eine die kleine Min-
derheit bedeutende Glaubensgemeinſchaft nicht genannt

werden. Das geht auch ſchon aus den Zahlenangaben des Annuario hervor, welche für die Proteſtanten 1872 mit 0,22, 1901 dagegen mit 0,20 Prozent angegeben ſind. Troß dieſer geringen Zahl ſind die Anſtrengungen des Proteſtantismus nicht unbedeutend. — Vergl. auch die Art. Evangeliſche italieniſche Kirche, Evangeliſche Kirchen, Evangeliſche Preſſe.

**Provatura** ſ. den Art. Käſe.

**Provinzen.** Von den Einteilungen, in die das italieniſche Staatsgebiet nach ſehr verſchiedenen Geſichtspunkten zerfällt, iſt die wichtigſte und am meiſten durchgreifende die in Provinzen, deren nicht weniger als 69 vorhanden ſind. Um die Überſicht über dieſe große Zahl von Verwaltungsbezirken etwas zu erleichtern, pflegt man ſie auf Grund der alten geographiſchen und geſchichtlichen Landesverbände in 16 Landſchaften (regioni) zuſammenzufaſſen, wonach ſich in der natürlichen Gliederung Italiens die Provinzen wie folgt gruppieren:

A. **Oberitalien.** 1. Piemont: Aleſſandria, Cuneo, Novara, Turin. 2. Ligurien: Genua, Porto = Maurizio. 3. Lombardei: Bergamo, Breſcia, Como, Cremona, Mailand, Mantua, Pavia, Sondrio. 4. Venezien: Belluno, Padua, Rovigo, Treviſo, Udine, Venedig, Verona, Vicenza. 5. Emilia: Bologna, Ferrara, Forli, Modena, Parma, Piacenza, Ravenna, Reggio.

B. **Mittelitalien.** 6. Toskana: Arezzo, Florenz, Groſſeto, Livorno, Lucca, Maſſa = Carrara, Piſa, Siena. 7. Marken: Ancona, Ascoli = Piceno, Macerata Peſaro = Urbino. 8. Umbrien: Perugia. 9. Latium (Lazio): Rom.

C. **Unteritalien:** 10. Kampanien: Avellino, Benevento, Caſerta, Neapel, Salerno. 11. Abruzzen und Moliſe: Aquila, Campobaſſo, Chieti, Teramo. 12. Baſilicata: Potenza. 13. Kalabrien: Catanzaro, Coſenza, Reggio di Calabria. 14. Apulien: Bari, Foggia, Lecce.

D. **Inſeln.** 15. Sizilien: Caltaniſetta, Catania, Girgenti, Meſſina, Palermo, Syrakus, Trapani. 16. Sardinien: Cagliari, Saſſari.

**Provinzialrat.** Der Provinzialrat (consiglio provinciale — konßi'ljō prōwintſchā'le) iſt eine Vertretungskörperſchaft von 20 bis 60 Mitgliedern (je nach der Einwohnerzahl der Provinz), die von den zu den Ge=

meindewahlen berechtigten Einwohnern in einem nach
den Ämtern (mandamenti) geordneten Wahlverfahren
auf fünf Jahre erwählt wird und die sich durch all=
jährliches Ausscheiden eines Fünftels der Mitglieder
erneuert. Der Provinzialrat wird alljährlich im August
vom Präfekten zu Sitzungen berufen, die mehrere Wochen
zu dauern pflegen, und wählt seinen Vorsitzenden sowie
dessen Stellvertreter selbst. Er stellt den Voranschlag
der Verwaltungsausgaben fest und ernennt die Beamten
für die Verwaltung der von der Provinz unterhaltenen
Anstalten und für die Besorgung der ihr vom Staate
übertragenen Angelegenheiten. Hierzu gehören einerseits
die von der Provinz eingerichteten oder von ihr über=
nommenen Wohlfahrtseinrichtungen, wie Kranken=, Irren=,
Waisen= und Findelhäuser, Erziehungsanstalten, nament=
lich Mittelschulen, andererseits die Errichtung und In=
standhaltung der Provinzialstraßen und sonstigen Ver=
kehrseinrichtungen. Zur dauernden Beaufsichtigung dieser
Beamten der Provinz und zur fortwährenden Aus=
übung der dem Provinzialrat obliegenden Geschäfte be=
steht ein ständiger Ausschuß, die deputazione provinciale, ein Kollegium von sechs bis zehn Mitgliedern
und zwei bis vier Stellvertretern, das vom Provinzialrat
aus seinen Mitgliedern erwählt wird und sich alljährlich
um die Hälfte erneuert. Dieser Ausschuß führt die eigent=
liche Selbstverwaltung der Provinz.	(Fischer.)

**Provinzialstraßen** s. den Art. Kommunalstraßen.

**Pulcinella.** Die Erscheinung des Pulcinells oder
Policinellos ist bekannt. Er trägt eine schwarze Halb=
maske mit etwas vorstehenden Backenknochen, zwischen
denen eine weit auslegende Adlernase prangt. Der untere
Teil des Gesichts bleibt unbedeckt. Auf dem Haupte
sitzt eine hohe weiße Mütze in Zuckerhutform. Eine als
Tasche weit auf den Leib herabhängende weiße Bluse und
breite weiße Hosen bilden die Kleidung, also eine Art
Hanswurst oder Kasperle mit schwarzem Gesicht. — Auf
der neapolitanischen Bühne spielt er eine große Rolle.
Er vereinigt die Haupteigenschaften des niederen, gut=
mütigen, neapolitanischen Volkes. Dazu ist er ein Schlecker,
ein Hasenfuß, ein Ignorant, ärmer als Hiob, er ver=
lacht den Reichtum, die Wissenschaft. Die Religion respek=

tiert Pulcinella bis zur Bigotterie. Die Priester ver=
höhnte er selten. Solch' ein Geselle mußte der alten
Regierung behagen. Die Vorliebe des Königs Ferdinand
für die Bühne, von der herab solche Lebensweisheit ver=
kündet wurde, läßt sich begreifen. Während der Revolu=
tion war Pulcinella reaktionär. Er machte sich über den
Fortschritt lustig, der so viele Steuern mit sich brachte,
über jene Freiheit, die den lieben Bettelpöbel in Armen=
häusern einschließen wollte und jeden armen Teufel gleich
in die Spitäler steckte. Pulcinella hatte den lieben Pöbel
für sich, der ihn so gut verstand und der in den südlichen
Provinzen die Opposition per se bildete. Kein Wunder,
daß er, unerschöpflich an humoristischen Einfällen, der Lieb=
ling des neapolitanischen Volkes wurde und blieb. Tau=
sende von Witzworten und glücklichen Wortspielen gingen
aus San Carlino bleibend ins Volk über. (Keller.)

## Q.

**Quittungen** (ricevuta, quietanza) müssen in Italien
mit einer Marke (s. den Art. Stempelmarke) gestempelt
sein, auf welche der Aussteller das Datum des Zahltages
und seinen Namen schreibt. Wer es unterläßt, dieser
Vorschrift nachzukommen, setzt sich der Gefahr aus, mit
einer hohen Geldstrafe belegt zu werden.

## R.

**Radfahrsport.** Der Radfahrsport ist auch in Italien
sehr beliebt und verbreitet; in allen großen Städten,
besonders aber in Turin und Mailand, finden jährlich
nationale und internationale Rennen statt; in ganz Nord=
und Mittelitalien sind die Straßen sehr gut; besonders
die Umgegend von Mailand, Turin, Verona und Bologna,
dann die oberitalienischen Seen und die Riviera bieten
zu Radtouren sehr günstige Gelegenheit. Ausländischen
Radfahrern empfiehlt es sich, die Mitgliedschaft des ita=
lienischen Radfahrerbundes Turing Club Italiano (Haupt=
sitz: Mailand; Eintritt 2 Lire, Jahresbeitrag 5 Lire)
zu erwerben. Mitglieder dieses Bundes erhalten sehr
schöne topographische und geographische Karten, Stadt=

pläne, außerdem Auskünfte über alle Fragen und besondere Vorteile in den Gasthöfen und an der Grenze, wo sie am Zollamt nichts zu zahlen haben. Radfahrer dagegen, die weder dem Turing Club, noch einem anderen der großen Verbände angehören, haben an dem italienischen Grenzzollamt 42 Lire 60 Ct. Zoll in Gold zu erlegen; beim Verlassen des Landes erfolgt dann, allerdings nicht immer ohne Schwierigkeiten, die Rückzahlung des eingezahlten Geldes. — Vergl. den Art. Fahrrad.

**Rechnungshof.** Der Rechnungshof (la Corte dei conti) nimmt eine unabhängige Stellung ein und bildet ebenso wie der Staatsrat ein Kollegium. Ihm sind politische, administrative und richterliche Geschäfte von hoher Bedeutung übertragen. Politisch hat er zu walten, indem er alle von den Ministern ausgehenden Erlasse vor ihrer Veröffentlichung einer Prüfung ihrer Gesetzlichkeit zu unterziehen, mit seinem Beglaubigungsvermerk zu versehen und zu buchen hat. Diese Vorbeugungsprüfung, die den italienischen Rechnungshof von der deutschen Behörde dieses Namens wesentlich unterscheidet, ist nicht eine bloße Förmlichkeit, sondern von erheblich tatsächlicher Bedeutung. Denn wenn die Minister eine Maßregel, die der Rechnungshof mit seinem Beglaubigungsvermerk zu versehen ablehnt, dennoch für notwendig halten, so können sie zwar verlangen, daß die Verfügung mit Vorbehalt eingetragen und zur Ausführung gebracht wird, aber sie sind alsdann gesetzlich verpflichtet, bei der Kammer unter der Angabe der Gründe, wegen deren die Maßregel notwendig und unaufschieblich erschien, eine nachträgliche Genehmigung nachzusuchen. Als Verwaltungsbehörde hat der Rechnungshof die Rechnungen der öffentlichen Behörden zu prüfen, soweit dies nicht von der Provinzialbehörde geschieht, sowie bei Feststellung von Pensionen und bei der Ausgabe von Schatzanweisungen mitzuwirken. Als richterliche Behörde endlich entscheidet er entgültig über die Haftpflicht der Staats- und Gemeindebeamten aus Anlaß ihrer Rechnungslegung. Um den Mitgliedern des Rechnungshofes (ein Chefpräsident, zwei Vizepräsidenten, zwölf Räte und zwanzig obere Rechnungsbeamten — ragionieri) die für die Ausübung ihrer Obliegenheiten erforderliche Unabhängigkeit zu sichern, sind sie in Rang und Gehalt

sowie . in richterlicher Stellung den Staaträten gleich=
gestellt. Ihre Versetzung in den Ruhestand oder sonst
unfreiwillige Entfernung aus dem Amte kann nur durch
königlichen Erlaß in Übereinstimmung mit dem Gutachten
einer aus den Präsidenten und den Vizepräsidenten des
Senats und der Deputiertenkammer bestehenden Kom=
mission bewirkt werden. (Fischer.)

**Rechnungsoffiziere.** Das Rechnungswesen des Heeres
ist durchaus militärisch organisiert; die Rechnungsoffiziere
(tenenti, capitani usw. bis zu tenenti-colonnelli di
Contabilità), die größtenteils aus Unteroffizieren hervor=
gehen, sind teils, wie die deutschen Zahlmeister, in die
einzelnen Truppenteile eingestellt, teils versehen sie den
Rechnungsdienst bei den Truppenkommandos, den mili=
tärischen Anstalten und in der Militärverwaltung.

**Rechtsanwälte.** Die Rechtsanwaltschaft ist ein Beruf,
der den Italienern nach ihrer ganzen Anlage, der be=
henden Auffassung, der geriebenen Schlauheit, dem Be=
dürfnis zum öffentlichen Auftreten und der ungemeinen
Redefertigkeit sehr bequem liegt. Seine Anziehungskraft
wird noch wesentlich erhöht durch den weiten Widerhall
gerichtlicher Erfolge sowie durch einflußreiche Stellungen
in der Gemeinde=, Provinzial= und Staatsverwaltung, zu
denen einem begabten Anwalt der Zutritt erleichtert ist.
Im Parlament sowohl wie in den Provinzial= und Ge=
meindevertretungen finden sich Anwälte in Überzahl,
denen namentlich von den Bänken der Abgeordneten jede
politische Laufbahn offen steht. Statt diesen Verlockungen
durch scharfe Auswahl ein Gegengewicht zu bieten, haben
Gesetzgebung und Brauch in Italien förmlich gewetteifert,
dem Andrange der Jugend das Tor zur Rechtsanwaltschaft
möglichst weit zu öffnen. Gesetzlich besteht in Italien die
freie Rechtsanwaltschaft im weitesten Sinne des Wortes:
jeder, der die Befähigung zum Rechtsanwalt nachgewiesen
hat, kann sich in die Rechtsanwaltsliste eintragen lassen
und ist dadurch ohne weiteres zur Ausübung bei allen
Gerichtshöfen und Berufungsgerichten berechtigt. Der Nach=
weis der Befähigung setzt Absolvierung des Studiums der
Rechte sowie eine zweijährige Tätigkeit bei einem Rechts=
anwalt oder im gerichtlichen Vorbereitungsdienst voraus;
er wird durch Ablegung eines praktischen Examens beim

Berufungshof geführt. Welche Triumphe die italienische Rednergabe vor Gericht feiert, welche Redeströme des An= walts vor dem Richterkollegium oder gar des Verteidigers vor den Geschworenen sich ergießen, davon kann man sich im Norden kaum eine Vorstellung machen. Noch weniger von der Lebhaftigkeit, der Natürlichkeit und der Ein= dringlichkeit des Mienenspiels und der Gebärden, mit denen der italienische Anwalt seinen Vortrag begleitet und unterstützt. Solche Verteidigungsreden üben auf die süd= ländische Zuhörerschaft einen zauberischen Reiz aus, sie reißen sie zu stürmischen Ausbrüchen des Entzückens und der Bewunderung hin und bringen den Namen des Redners sofort in aller Mund. (Fischer.) — Vergl. den Art. Advokaten.

**Regata.** Eine Regatta umfaßt nach dem heutigen Sprachgebrauch eine größere Reihe verschiedener Wett= rudern. Sie ist daher von verhältnismäßig längerer Dauer, nimmt gewöhnlich die volle Hälfte eines Tages in Anspruch und wird gelegentlich erst in zwei oder drei Tagen zum Abschlusse gebracht. Die bekanntesten Regatten für Ruderfahrten finden in Turin und Rom statt. Veranstaltet werden sie entweder unter dem Pa= tronat eines oder mehrerer Ruderklubs, oder durch die letzteren im Verein mit den Behörden, oder durch die Studenten, oder endlich durch Komitees, in denen alle diese Volksklassen vertreten sind. Zu der Teilnahme an den Wettfahrten werden sowohl Herrenruderer als ge= werbsmäßige Ruderleute zugelassen. Einige sind für die letzteren, andere für die ersteren allein, wieder andere für die Mitglieder bestimmter Ruderklubs, noch andere für alle Kämpfer ohne Unterschied offen. Hinsichtlich der Fahrzeuge wird Sorge getragen, möglichst viele Arten ins Spiel zu bringen. Die großen Regatten geben daher gewissermaßen eine Zusammenfassung aller im einzelnen vorkommenden Ruderkämpfe. Für jede Wettfahrt werden Preise ausgesetzt, bestehend aus Geldsummen, goldenen und silbernen Bechern, Modellen silberner Ruder und Steuer= räder, und verliehen durch die Ruderklubs, die städtischen Behörden, die Mitglieder des Komitees oder freigebige Beförderer des Spiels. Da unter solchen Verhältnissen die Regatten als Anziehungspunkte vieler verschieden=

Land und Leute in Italien. 23

artiger Interessen dienen, so bietet die Gegend der Fluß=
ufer, von wo die Wettfahrten ausgehen, an Regattatagen
den belebtesten Anblick dar. Bunte Flaggen und Bänder,
welche von den Gebäuden herniederwehen, von hohen, mast=
baumartigen Stangen, von Zelten und Kaufbuden, die sich
mit geputzten Zuschauern füllen und von auf= und ab=
wogendem Volk umschwärmt sind. Fahrzeuge aller Art,
Reiter und Reiterinnen sowie Fußgänger eilen von allen
Seiten herbei; die Weisen der am Ufer aufgestellten Musik=
kapellen schallen ins Land hinaus, der Fluß wimmelt
von Booten, und die saftig grüne Wald=, Wiesen= und
Hügellandschaft, durch die er sich hinwindet, dient dem
Menschengewühl als anmutigster Hintergrund. Übrigens
fehlt es auch bei den Regatten nicht an Wetten auf die
Aussichten des Kampfes, und manche verwandte Erschei=
nungen der Rennbahn werden an dem Flußufer er=
neuert. Alles in allem jedoch sind es körperliche Volks=
spiele im besten Sinne des Wortes, die hier zur Dar=
stellung kommen, und in guter Gesellschaft, bei schönem
Wetter ihnen beizuwohnen, lohnt sich auch für den außen=
stehenden Zuschauer wohl der Mühe. — Vergl. auch den
Art. Rudersport.

**Regenmenge.** Die Regenverteilung ist in Ober=,
Mittel= und Süditalien eine ganz verschiedene. In Mittel=
italien gibt es im Jahre nur zwei Jahreszeiten: die
trockene und die regnerische. In Norditalien gibt es statt
dessen zwei Hoch= und zwei Tiefstände. Es regnet dort
viel, und der Regen ist oft, besonders im Mai und Juni,
von Gewittern begleitet; gewöhnlich regnet es mehr im
Gebirge als im Tale. Am meisten regnet es in den
Provinzen Udine und Belluno, wo die Regenhöhe ein
Höchstmaß von anderthalb Meter erreicht. Diesen folgt
Genua mit 1298 Millimeter; dann die Provinz Vicenza
mit ungefähr 1186 Millimeter Regenhöhe. Die Gegenden
Italiens, wo es am wenigsten regnet, sind: die Capi=
tanata, die Halbinsel Salentinia und Sardinien. Betreffs
der Oberitalien eigentümlichen zwei Hoch= und Tief=
stände bemerkt man, daß die ersteren im Oktober und
im Frühjahr, die zweiten im Januar und Februar
erfolgen. Wenn man die Regenverteilung nach Jahres=
zeiten berechnet, so ergibt sich, daß es in Oberitalien am

wenigſten im Winter regnet, während von Rimini süd=
wärts der höchſte Regenmangel im Sommer herrſcht. Zu
jener Zeit iſt in Sizilien und Sardinien faſt vollſtändige
Trockenheit zu verzeichnen. Am meiſten regnet es in ganz
Italien, mit Ausnahme von Sizilien und Sardinien,
während des Herbſtes. Die Zahl der Regentage iſt je
nach den Ortſchaften ſehr verſchieden: das Po=Tal hat
90 bis 100, Emilia 80 bis 90, Toskana 100 bis 120 Regen=
tage im Jahre; Catania und Syrakus haben die geringſte
Zahl Regentage.

**Regenprozeſſionen.** Wenn von dem verbrannten
Boden keine Dünſte mehr aufſteigen, das Korn auf den
Feldern ſich welkend zu Boden neigt, das Vieh Tag und
Nacht dürſtend nach Waſſer ſchreit, dann verſammeln ſich
die Bauern, geführt von den wohlhabenden Grundbeſitzern,
und beſchließen die Anrufung des heiligen Petrus. Der
Bürgermeiſter gibt ſeine Zuſtimmung und teilt den Be=
ſchluß dem Abte des Heiligtums mit. Das iſt ein ſo großes
Ereignis für das Volk, daß es nun in Maſſe ſich auf den
Weg macht. Die religiöſen Brüderſchaften ſchicken ihre
Vertretungen, dieſe kommen mit ihren in allen lebhaften
Farben prangenden Bannern. Nur der Abt des Heilig=
tums allein, unterſtützt von zahlreichen Prieſtern, hat das
Recht, das Wunderbild von ſeinem Platze zu heben.
Höchſt maleriſch iſt die Nacht vorher, denn fünf=, ſechs=,
ſiebentauſend Perſonen, Männer, Weiber und Kinder, ver=
bringen ſie mitten im Buſchwalde unter leicht errichteten
Zelten, oft ganz unter freiem Himmel, und Tauſende von
Lichtern ſieht man durch das Dunkel flackern. Am andern
Morgen, noch ehe die Sonne aus dem Meere auf=
ſteht, ordnet ſich die Prozeſſion zu vier und vier und
fängt langſam an, ſich zu bewegen. Voran die Männer,
hinter dieſe die Buben und Mädchen, dann die Weiber,
darauf die Kirchenfahnen, der Abt, in einem feſten Glas=
ſchrein das Bild, von kräftigen Burſchen auf den Schul=
tern getragen. In immer gleichen Abſtänden ſtößt der
an der Spitze des Zuges marſchierende Trompeter in
ſein Horn: drei langgezogene, wehklagende Töne. Der
Zug, einen Kilometer lang und länger, windet ſich durch
Wald und Gebüſch, durch Felder und Brachen wie
eine Rieſenſchlange, wie der Heerwurm. Da die Pro=

23*

zession die Bedeutung einer Bußprozession hat, so tragen
viele der Männer große Steinblöcke auf den nackten
Schultern, andere sehr schwere Kreuze, wieder andere
scharfe Dornenkronen auf den Köpfen, daß ihnen das
Blut über die Wangen tropft, Frauen wandern in Büßer=
hemden, Geißelungen finden statt: jeder möchte auf seine
Weise dem Heiligen zeigen, wie sich das Volk kasteit,
um den notwendigen Regen von ihm, der des Himmels
Schlüssel hat, zu erlangen. Fast alle aber tragen einen
großen Ast vom Wacholderbaum oder vom Mastixbaum,
der zur Erinnerung an den Tag im Hause aufbewahrt wird.
Auf dem ganzen Wege werden im Klageton Litaneien und
Gebete abgesungen, die Stimmen der Frauen abwechselnd
mit denen der Männer.                           (Raben.)

**Regioni** s. den Art. Provinzen.

**Reisbau** s. den Art. Ackerbau.

**Reisezeit für Italien.** Die Frage: „Welches ist die
beste Reisezeit für Italienfahrer?" wird sehr oft gestellt und
nicht selten ganz verschieden beantwortet. Wie nun ein alter
Italienfahrer mitteilt, sind die Monate Dezember, Januar
und Februar die allerschlechteste Jahreszeit für ganz Italien,
etwa mit Ausnahme der italienischen Riviera (z. B. San
Remo und Rapallo). Auch der März, der ja im allge=
meinen als der wind= und regenreichste Monat in ganz
Südeuropa gilt, ist als passender Reisemonat nicht recht zu
empfehlen. Vor einem Besuch Italiens in der angege=
benen Zeit kann bei den dort zumeist noch recht mangel=
haften Heizvorrichtungen nicht dringend genug gewarnt
werden. Rauhe, scharfe Winde, empfindliche Kälte, tage=
lange Regen= und Schneefälle (letztere sind sogar selbst
in Sizilien nicht selten) bereiten dann den Reisenden die
bittersten Enttäuschungen. Es ist wirklich höchst auf=
fallend, daß an den „ewig blauen Himmel Italiens",
trotz aller gegenteiligen Erfahrungen, die schon oft genug
in der deutschen Presse veröffentlicht worden sind, noch
heute von unzähligen Nordländern geglaubt wird. Ein
Deutscher fragte gelegentlich seines Aufenthalts in Rom
einen römischen Professor, welches die allerbeste und
welches die allerschlechteste Zeit für einen kürzeren Besuch
dieser Stadt wäre. Darauf antwortete jener: „Die aller=
schlechteste Zeit fängt an, wenn die ersten Luxuszüge aus

Berlin hier ankommen, also Anfang Dezember, und die allerbeste Zeit beginnt, wenn diese Züge wieder ein=gestellt werden, Ende April." Diese Worte sind ihm auch von anderen als durchaus zutreffend bezeichnet worden.

Der April eignet sich besonders in der zweiten Hälfte für Reisende, die Unteritalien oder Sizilien besuchen wollen, aber auch Romfahrern ist er zu empfehlen. Der Mai und der halbe Juni können unbedingt als die günstigste Reisezeit für alle Teile Italiens von Bordighera oder Venedig bis Girgenti und Syrakus empfohlen werden. In der zweiten Hälfte des Juni würde die Temperatur in Sizilien und Neapel wohl den meisten Reisenden schon zu warm erscheinen. Der Farbenzauber, den die Luft, die Seen und das Meer erzeugen, ist aber gerade in dieser Zeit der längsten Tageshelle am wunderbarsten, die Vegetation in der vollsten Prachtenfaltung, so daß jeder Naturfreund die Freude an den entzückenden Schön=heiten, die über der Landschaft in so überschwänglicher Fülle ausgebreitet liegen, mit einigen Schweißtropfen auf seinen genußreichen Spaziergängen in der Conca d'oro bei Palermo oder auf dem Posilippo bei Neapel ganz gern erkaufen wird. Die so gefürchtete Hitze ist dort wahrhaftig nicht so arg, wie sie sich mancher Nordländer vorstellt. Sehr hohe Wärmegrade gehören im Juni immer noch zu den seltenen Ausnahmen. Der freilich schon recht warme Juli eignet sich allenfalls noch für die oberitalienischen Seen und für die von Italienern gern besuchten Badeorte Rimini, Viareggio und andere Küsten=plätze. Der August ist unzweifelhaft jenseits der Alpen der unangenehmste Sommermonat. Der September gleicht in der ersten Hälfte noch so ziemlich seinem Vorgänger, doch in der zweite Hälfte, besonders im letzten Drittel, bringt er in Oberitalien, namentlich auch in Florenz oft schon recht wonnige Tage. Im Oktober ist auf der ganzen Apenninenhalbinsel und Sizilien das Wetter in der Regel köstlich, besonders auch in Rom, doch sind starke Regengüsse leider nicht selten, z. B. in Venedig sogar mit Bestimmtheit zu erwarten. Der November kann als Reisemonat eigentlich nur noch für Mittel= und Unter=italien in Frage kommen; man wird ihn am angenehmsten

wohl in Sizilien finden, doch muß man sich schon auf
viel Regen gefaßt machen.

**Religion.** Beinahe die Gesamtheit der Bewohner des
Königsreichs Italien (99,70 Prozent) bekennt sich zur
katholischen Religion. Protestanten (f. df.) gibt es nur etwa
65596. Juden gibt es nur etwa 50000. Nach den
Bestimmungen des Reichsgrundgesetzes vom 4. März 1848
ist die römisch-katholische Religion die Staatsreligion; die
anderen Kirchen sind dem Gesetz gemäß nur geduldet,
genießen aber freie öffentliche Religionsübung; auch be=
gründet das Bekenntnis keinen Unterschied in der Aus=
übung der bürgerlichen und politischen Rechte. — Vergl.
die Art. Evangelische Kirche, Juden, Katholische Kirche,
Protestanten.

**Religionsunterricht.** Weder am Unterricht, noch
an der Überwachung und Leitung des gesamten öffent=
lichen Schulwesens in Italien nimmt die Geistlichkeit des
Landes irgendwelchen amtlichen Anteil. Sie ist nament=
lich auch von der öffentlichen Volksschule gänzlich aus=
geschlossen. Man bedenke, was dies in einem Lande
sagen will, dessen Bevölkerung bis auf einen verschwindend
kleinen Bruchteil katholisch ist, in einem Lande, dessen
Landbevölkerung bis 1861 fast überall in dem Pfarrer
der Gemeinde die höchste, vielfach die einzige Obergewalt
zu verehren gewohnt war. Die Ausschließung der Geist=
lichkeit vom Unterricht hatte weiter die Folge, daß der Re=
ligionsunterricht in dem Lehrplan der italienischen Schule
immer mehr zurückgetreten, ja tatsächlich fast vollständig
daraus verschwunden ist. Auch in der Volksschule wird
in Religion gegenwärtig nur wahlfrei und vereinzelt,
gewissermaßen hinter dem Rücken der Regierung unter=
richtet, die diesen Teil der Volkserziehung ausgesprochener=
maßen lediglich der Fürsorge der Familie überläßt.

(Fischer.)

**Reproduktion alter Kunstdenkmäler** f. den Art. Aus=
fuhr von Kunstgegenständen.

**Restaurant.** Die Italiener, die bei gewissen Ein=
richtungen eine ungeheure Bescheidenheit bezüglich ihrer
Ansprüche auf Reinlichkeit an den Tag legen, sind an
der Tafel von einer Empfindlichkeit, die in Deutschland
der Wirt sehr übel nehmen würde. Sie putzen das

Besteck am Mundtuch und lassen sich stets ein Glas Wasser reichen, um vor aller Augen die Trauben, die beliebten rettichähnlichen Finocchi, Erdbeeren usw. auszuwaschen. Uns machte es den Eindruck, als ob die Leute mit dieser übertriebenen Reinlichkeit etwas prunkten. Bezeichnend ist auch die Stellung zu den Kellnern. Der Italiener ist mit den Speisen viel wählerischer als der Teutsche, und oft sendet er einen Teil der Gerichte, welche ihm aufgetischt wurden, als nicht nach seinen Wünschen wieder nach der Küche; aber er streitet niemals laut mit der Bedienung, sondern die Verhandlungen werden ganz leise, ich möchte sagen freundschaftlich, geführt. Man erkennt nur an dem eigentümlichen Spiel der Hände, um was es sich handelt, und mit der lächelndsten Miene der Welt nimmt der Kellner die verschmähte Ware zurück. (Justinus, „Italienischer Salat".) — Vergl. auch die Art. Mahlzeiten, Speisehäuser.

**Ricreatori popolari.** In Italien ist das schulpflichtige Alter auf das sechste bis neunte Lebensjahr, und wenn der Junge die Schlußprüfung nicht besteht, auf das zehnte Lebensjahr beschränkt, damit endet aber auch jeglicher Zwangsunterricht, und die Kinder sind den Eltern zurückgegeben, um in frühzeitiger Arbeit an Leib und Seele dahinzuwelken oder bettelnd und umherstreifend aufzuwachsen. Wenn die Knaben dann stark und verständig genug geworden sind, um einen Beruf zu ergreifen, liegen die Schuljahre längst sechs oder sieben Jahre hinter ihnen, und sie haben vergessen, was sie einst an Lesen und Schreiben lernten. Da nun die italienische Regierung sehr wenig getan hat, um zu verhindern, daß der junge Nachwuchs das vergißt, was er vom sechsten bis neunten Lebensjahre mühsam erlernte, hat sich endlich der private Unternehmungsgeist gerührt. In Roms volkreichem Trasteverviertel machte sich das Bedürfnis nach Schulen zuerst fühlbar. Es wimmelte dort am meisten von unbeaufsichtigten Knaben und Mädchen, die zu allem Unfug aufgelegt waren und wild wie die Neger emporwuchsen. So wurde von einem Verein rühriger Bürger die erste derartige Anstalt: Ricreatorio Popolare di Trastevere, begründet. Knaben und Mädchen vom neunten bis sechzehnten Lebensjahre befestigen dort nicht allein ihre Grundkenntnisse, sondern erhalten auch eine auf patriotischer Grundlage aufgebaute sittliche und körperliche Erziehung, die den armen Eltern, Arbeitern und kleinen Beamten, eine Hauptlast abnimmt. Der Unterricht hat nur praktische Ziele im Auge. Auf dem Lehrplan finden wir: Gesundheitslehre, häusliche Ökonomie, Geschichte, Physik, Mechanik, Chemie, Zeichnen, Chorgesang, Musik, Turnen, Schwimmen, Rudern, Schie=ßen u. a. m. Schulgeld wird nicht erhoben. Zahlreiche Wettbewerbe mit kleinen Prämien, meist einem Spar= kassenbuche mit einer bescheidenen Einlage, halten den Ehrgeiz in Atem. Der Unterricht findet in luftigen Räumen statt. Sonntags wird den Schülern auch eine Mahlzeit dargeboten, die man meist auf gemeinsamen Ausflügen verzehrt. Um das Ziel, in eine solche Er= ziehungsanstalt aufgenommen zu werden, aber recht be= gehrlich zu machen, kleiden die meisten „Ricreatorien" ihr Schüler oft von Kopf bis zu Fuß ein, und aus dem ver= lumpten und verlotterten Straßenjungen entsteht eines Tages wie ein Phönix aus der Asche ein frischgewaschener, gekämmter, kleiner Schülersoldat, denn jeder erhält eine schmucke Uniform, für deren Instandhaltung die Eltern haftbar sind. So sieht man denn die Jugend Roms Sonntags und bei den Nationalfesten ihre Umzüge durch die Stadt veranstalten. Voran marschiert die Musik jeder Anstalt, dann folgen kleine Bersaglieri mit wehen= dem Hahnenfederbusch, Garibaldianer mit blutroten, leuch= tenden Jacken, Grenadiere, Alpensoldaten mit kokettem Federhut, Infanterie und alle anderen Uniformen, die sich nur die Einbildungskraft ausdenken kann. An der Spitze jedes Zuges marschiert der Tüchtigste, dessen Ärmel die Gradabzeichen trägt. In schmucken Matrosenblusen folgen die Mädchen. Alles macht einen frohen, hübschen, festlichen Eindruck. Im Jahre 1904 besaß Rom sieb= zehn solcher Volksanstalten mit einer Gesamtzahl von 12000 Schülern, von denen 5000 uniformiert sind. Jede Anstalt trägt den Namen des Stadtbezirks, der sie ins Leben gerufen hat, oder den eines Wohltäters oder einen geschichtlichen Namen. Das Ricreatorio „Umberto I." zählt 900 Schüler und ist mit dieser Zahl das größte. Auch der Vatikan ist mit diesen Anstalten in Wettbewerb

getreten, und eines Tages wurden von Priestern ge=
leitete ähnliche Anstalten ins Leben gerufen, die natür=
lich nach kirchlichen Gesichtspunkten eingerichtet sind, und
deren Schüler ebenfalls Uniformen tragen, freilich weder
die der Schweizergarden, noch der Garibaldianer. Wenn
man von der politischen Seite dieses Wettbewerbes um
die Erziehung der Jugend absieht, so sind diese Be=
strebungen in jeder Weise anerkennenswert, weil sie die
allgemeine Stufe der Volksbildung und Volkssittlichkeit
heben. Aus den Schülerbataillonen werden Männer er=
stehen, die dem Italiener außerhalb seines Vaterlandes
eine andere Stellung erobern werden als die des Aller=
weltskuli, die er heute innehat, nicht aus Anlage und
Neigung, sondern weil die Regierung über aller Demo=
kratie den Volksunterricht ganz vergessen hat.

**Riposo.** Riposo! auf Theaterzetteln heißt nichts
anderes als: Heute geschlossen.

**Risotto.** Neben den Makkaroni und der Polenta
vielleicht die bekannteste italienische Liebhaberei. Der
Risotto wird je nach den verschiedenen Städten in ver=
schiedener Art zubereitet. Der Risotto nach mailändischer
Art (alla milanese) wird trocken, d. h. ungebrüht, einen
Augenblick in Butter gebraten, dann mit Fleischbrühe
gekocht und durch Zugabe von etwas Safran gelb ge=
färbt. Meistens wird diese Reisspeise mit Tomatensauce
und Parmejankäse gereicht. Risotto kann auch in ähn=
licher Art, aber ohne Safran, und mit Geflügelleber,
Pilzen, Tomaten, Schoten (gleich mit eingekocht) zubereitet
werden. Es gehört aber auch hier reichlich Parmejankäse
dazu.

**Rosticceria** (rostít-schérí'ä). Die Rosticcerie
(Bratereien) entsprechen den in Deutschland unter dem
Namen grill-room bekannten Anstalten, welche eine
Restauration mit dem Verkauf hergerichteten Fleisches
verbinden. Die Herstellung der Gerichte geschieht vor
den Augen des Publikums. In langer Reihe stehen die
kupfernen Kochkessel, während an offenen Handfeuern Ge=
flügel und Wild an mechanisch sich drehenden Spießen
gebraten und von Zeit zu Zeit mit Fett übergossen
werden. Die Preise sind billig und die Gerichte sauber
und wohlschmeckend. Man speist à la carte. Oft aber

wird in dem Lokal selbst nur verkauft. Der Verkauf von
Fleisch und Geflügel geschieht nach Gewicht. Ist man
einmal willens oder genötigt, zu Hause zu bleiben, so
tut man wohl, sich ein kräftiges Mahl aus dieser Quelle
zu besorgen.

**Rudersport.** In einem an drei Seiten vom Meere
bespülten, von großen und kleinen Flüssen und Flüßchen
durchzogenen Lande wie Italien liegt die Veranlassung
zur Pflege des Rudersports sehr nahe. Zahlreiche Ruder=
klubs und eine noch reichere Zahl von Privatruderern
geben sich denn auch diesem kräftigenden Vergnügen hin,
das mehr ist als ein bloßer Zeitvertreib. Der englische
Rudersport hat einen fanatischeren Charakter als der
italienische; man denke nur an die Teilnahme der eng=
lischen Studenten, welche dem Ruderschlag so viel Zeit
widmen als der flotte deutsche Student dem Fechtboden
und Bierhaus zusammen. Was den italienischen Ruder=
sport hochhält, ist das wirkliche Vergnügen an dieser
Beschäftigung, zu welcher die Natur die allergünstigsten
Vorbedingungen bietet. Die italienischen canottieri ge=
hören überwiegend den künstlerischen, studentischen und
mittleren Gesellschaftskreisen an. In diesen Kreisen ge=
hört eine derartige Teilnahme an ihnen zum guten
Ton. — Das Rüstzeug der Ruderklubs wird in ele=
ganten Bootshäusern aufbewahrt, welche teils auf den
Flüssen, teils an deren Ufern erbaut sind. Nebenbei
bieten die eleganteren derselben auch noch Platz zu so=
lennen Festessen. — Vergl. den Art. **Regatta.**

**Rugantino** (rügänti'nö), römische Maske, ein ein=
gebildeter, gewalttätiger Mann. Unter diesem Namen er=
scheint in Rom eine humoristische Zeitung in römischer
Mundart.

**Rundreisebillett** s. den Art. **Fahrkarten.**
**Runkelrübe** s. **Zuckerrübe.**

**Salate** (insala'ta). In Italien kommt frischer Salat
täglich in ungeheuren Mengen auf den Tisch; alles, was
auf dem Felde, im Garten, im Walde wächst, wird zu
Salat verwendet, d. h. durch Zusammenrühren mit Essig,

Öl, Salz und Pfeffer vom Gaste selbst oder vom Kellner unter seiner Aufsicht hergerichtet. Einen einzigen findet man in Italien nicht: den, welchen die Deutschen „italienischen Salat" nennen. Um die Zubereitung des Salats zu lehren, bedient sich der italienische Koch eines Sprichwortes: Insalata ben lavata ben salata, poco aceto e bene oliata. (Wörtlich: Salat, gut gewaschen, gut gesalzt, wenig Essig, gut geölt).

**Salterello romanesco,** ein römischer Tanz im Sechsachteltakt, ähnlich der Tarantella.

**Salzmonopol.** Als eine Verbrauchsteuer der schlimmsten Art stellt sich das Salzmonopol dar, das einen Rohertrag von nicht weniger als 73 Millionen und nach Abzug der nur auf 5,4 Millionen in den Etat eingesetzten Unkosten den riesigen Reinertrag von nahezu 70 Millionen einbringt. Italien ist wohl, mit Ausnahme salzloser Länder ohne Kultur, dasjenige Land, in welchem das Salz am teuersten verkauft wird. Im Jahre 1885 war der Salzpreis von 55 auf 35 Centesimi für das Kilogramm herabgesetzt worden. In der Not des Jahres 1897 wurde der Preis wieder auf 40 Centesimi erhöht.

**Sanguinacci** (ßānguinä't-schi). Es sind dies mit Schokolade und Blut gefüllte Würste, die vom Antoniustage an, aber nur in der Karnevalszeit, bereitet und gegessen werden.

**Sanitätswache** (guardia medica — guä'rbiä mä'bītä). In jeder großen italienischen Stadt gibt es in allen Stadtvierteln sogenannte guardie mediche, die Tag und Nacht offen bleiben. Oft aber nimmt man — wenn die guardia medica nicht sehr nahe ist — bei plötzlichem Unwohlsein oder im Unglücksfalle die Hilfe einer Apotheke in Anspruch. — Vergl. den Art. Apotheke.

**Sankt Antonius** s. den Art. Antonius.

**Sankt Joseph** s. den Art. Frittellari.

**Sardinien.** Der rückständigste, stellenweise auf der untersten Stufe der Zivilisation stehen gebliebene Teil des Königreichs ist Sardinien, „das Aschenbrödel Italiens", „ein von der Kultur vergessenes Land". Hier haben sich in manchen Gegenden, besonders der von Nuoro, Sitten und Gebräuche einer fernen Vergangenheit erhalten, ja solche, die aus Urzeiten zu stammen scheinen, wie eine

Haartracht der Hirten, die an die altetruskische erinnert, und ihre Bekleidung mit langen Ziegenfellen; ferner die Sitte, beim Eintritt in ein befreundetes Haus die Waffen auf der Schwelle niederzulegen, und der Tauschhandel mit Nahrungsmitteln. Die zum Teil ausgelassenen Tänze von Männern und Frauen, die eine lange Kette bilden, haben Ähnlichkeit mit den Tänzen wilder Völker, und ebenso der Volksgesang, eine unrhythmische, unharmonische Abwechselung weniger Töne, die langgezogen bald hinsterben, bald in die Höhe schnellen und in ermüdendster Weise ewig wiederkehren. Die Abschließung Sardiniens ist sehr alt. Schon Papst Gregor VII. klagte, daß die Sarden für Rom fremder geworden seien als die Bewohner der äußersten Grenzen der Erde. Die Handelsbeziehungen zu Italien und zum sonstigen Auslande, die im Anfang der (1322 begründeten) aragonesischen Herrschaft noch bestanden, hörten unter dem Druck des Feudalismus, der das ganze bürgerliche und wirtschaftliche Leben lähmte und jeden Fortschritt verhinderte, auf. Der Handel starb ab, der Landbau verkümmerte durch die Überbürdung mit Grundlasten. Infolge des Rückgangs der Bodenbebauung und der Vernachlässigung der Wasserläufe breitete sich die schon im Altertum auf der Insel herrschende Malaria je länger je mehr aus, bald fehlte auf dem so fruchtbaren Boden, durch den die Insel einst die Kornkammer Roms gewesen war, das Getreide zur Aussaat: die Städte leerten sich, die Einwohnerschaft der zweitgrößten Stadt Sassari sank auf 3000, sechs Bischofssitze wurden wegen Mangels an Bewohnern aufgelöst. Es fehlte an Straßen und im Innern an Posten zur Beförderung von Personen und Briefen. Die Weltabgeschiedenheit der Insel war so groß, daß die nach Sardinien gerichteten Schreiben der Regierung zuerst nach Neapel gingen, um von dort mit denen der übrigen italienischen Provinzen befördert zu werden. Die savoyische Herrschaft (seit 1720) brachte keine Besserung. Die Zivilisation machte keine Fortschritte, und die Insel blieb materiell und moralisch von der übrigen Welt geschieden. Der Ackerbau liegt ganz darnieder, sowohl wegen des Mangels an Menschen und Kapital, der allgemeinen Unsicherheit und der Rückständigkeit der Betriebsweise, als namentlich wegen des Steuerdrucks, der hier die höchste Zahl von Zwangsverkäufen zur Folge hat. Die Bleiminen, deren Bau ohne Maschinen betrieben wird, beschäftigen mehrere tausend Arbeiter, deren Los härter ist als das der sizilianischen Bergleute, da die gesetzlich vorgeschriebene Aufsicht fehlt, und sie obenein der Gefahr der Bleivergiftung ausgesetzt sind. Die Zahl der Analphabeten ist die größte im ganzen Königreiche (1890: 66,29 Prozent); ebenso (mit Ausnahme von Latium) die Durchschnittszahl der Verbrechen. (Friedländer.)

**sbrinze** s. den Art. Käse.

**Schafzucht** s. den Art. Viehzucht.

**Schiedsrichter** s. den Art. Gerichtswesen.

**Schlafwagen** s. den Art. Eisenbahnzüge.

**Schlittschuhe** (pa′ttino); Schlittschuh laufen pattinare. Dieses köstliche Vergnügen ist dem Italiener infolge des milden Klimas nur höchst selten gegönnt. In Mailand und Turin jedoch hat man Eisbahnen, die auf das fleißigste von Schlittschuhläufern, Herren und Damen, ausgenutzt werden. — Vergl. auch den Art. Winter.

**Schlitten** s. den Art. Winter.

**Schnee.** Man sieht auch manchmal Schnee in Italien, und zwar am meisten im Monat Januar. Am häufigsten schneit es in Bologna, Urbino, Camerino, Aquila, Potenza; am seltensten in Venedig, Genua, San Remo, Ancona, Livorno, Rom, Neapel, Palermo, Caltanisetta, Syrakus. Die Zahl der Schneefälle ist aber in den einzelnen Wintern sehr verschieden. Durchschnittlich sind sechs Schneefälle im Alpengebiet und im großen Po=Tal, drei in Mittelitalien und zwei in Süditalien zu verzeichnen. In Mittelitalien schneit es manchmal im Herbst; auch fällt mehr Schnee in den am Adriatischen Meere gelegenen Provinzen, als in denen des Tyrrhenischen Meers.

**Schönheitssinn.** Von den mannigfaltigen Geistesgaben des Italieners tritt dem Fremden zuerst und immer wieder am eindringlichsten der stark ausgeprägte und reich entwickelte Schönheitssinn des Volkes entgegen. Die große Geweckheit des Italieners macht ihn für alle Eindrücke der Sinnenwelt ungemein leicht zugänglich; seine stets rege Einbildungskraft steigert diese Eindrücke und erzeugt das Bedürfnis, ihnen einen möglichst wirksamen und harmonischen Ausdruck nach außen hin zu verleihen. Dieser

Schönheitsfinn liegt dem Anteil und dem Verständnis zugrunde, die in weiten Kreisen des Volkes für künstlerische Leistungen und für Kunstwerke aller Art lebendig sind. Die Kunst ist in Italien nicht ein Vorrecht der oberen Klassen, sondern ein Gemeingut für alle, von dem zu genießen sich alle berufen fühlen. Von der Begeisterung, mit der hervorragende Leistungen der Musik, des Gesanges, der Schauspielkunst, der öffentlichen Rede in Italien von allen Klassen der Bevölkerung aufgenommen werden, kann man sich anderwärts nicht leicht eine zutreffende Vorstellung machen. Ein Meisterwerk der Malerei oder der Bildhauerei bildet ein Tagesereignis von allgemeiner Bedeutung und erregt den patriotischen Stolz der Nation. Die Namen und die Schöpfungen der großen Meister der Vergangenheit leben im Munde auch der Ungebildeten fort. Die Gondolieri von Venedig singen Strophen aus Taffos „Befreitem Jerusalem"; Zitate aus Dantes „Göttlicher Komödie" sind allgemein verständlich und werden von Personen gebraucht, die anderwärts von dem Dasein eines Dichters der Vorzeit keine Ahnung zu haben pflegen. Wer Sinn für die Kunstdenkmäler des Landes bezeugt, kann darauf rechnen, in allen Klassen der Bevölkerung Verständnis und Förderung zu finden. Ein Schlächtergeselle, seine Mulde auf der Schulter, sieht einen Fremden einen Brunnen auf der Straße abzeichnen; er tritt hinzu und entfernt sich mit den billigenden Worten: E' del cinquecento. (Fischer.)

**Schuhputzer** (lustrascarpe). An jeder Straßenecke, in jedem Torweg lauern dem Fußgänger Schuhputzer auf, die keinen ungeputzten Stiefel in den Straßen dulden und den Unglücklichen, der in diesen Stiefeln steckt, so lange verfolgen und ihn so handgreiflich auf den zweifelhaften Zustand seiner Fußbekleidung aufmerksam machen, bis er sich, an irgendeiner Mauer lehnend oder in einen Torweg tretend, seine Stiefel putzen läßt. Einige Centesimi — jedoch nicht weniger als zehn — bilden die Bezahlung.

**Schulpflicht** s. den Art. Elementarunterricht.

**Schutzmann** (la guardia) s. den Art. Polizei.

**Schwefelbau.** Der Schwefelbau wird namentlich in den Provinzen Girgenti, Caltanisetta und Catania be=

trieben, und zwar in sehr veralteter Weise. Fast alles geschieht durch Menschenkraft, die billiger ist als Maschinen und Kohlen. Den gewonnenen Rohstoff schichtet man in zylindrischen, gemauerten Ringen (calcaroni) zu lockeren, 5 Meter hohen weißen Kegeln auf und entzündet das Ganze durch unten eingefügtes Reisig. Da sich durch den Brand die schweflige Säure entwickelt, die in den Winter- und Frühlingsmonaten die Saaten vernichten würde, ist der Sommer die eigentliche Herstellungszeit. Nach dem infolge der Einführung des rauchlosen Pulvers eingetretenen Preisrückgang des Schwefels mußten die meisten Gruben die Arbeit einstellen, und die gerade im Sommer, wo die Landwirtschaft ruht, brotlos gewordenen Arbeiter stellten (1892) zu den revolutionären Bünden (fasci) einen großen Beitrag.

Aber auch die Lage der im Schwefelbau beschäftigten Arbeiter (etwa 30000) ist wahrhaft trostlos. Die meisten Gruben sind verpachtet, vielfach unter drückenden und lästigen Bedingungen; die Pächter sind deshalb großenteils in den Händen von Wucherern und suchen sich durch Herabdrückung der Arbeitslöhne schadlos zu halten. Die Arbeit der Bergleute (picconieri), deren Fleiß und Ausdauer sehr gelobt wird, ist überaus hart. Sie arbeiten in einer Hitze, die sie zwingt, den Schweiß mit einer hölzernen Spatel abzuwischen, von Tagesanbruch bis 3 Uhr nachmittags, um dann in die 3 Kilometer oder noch weiter entfernte Stadt zurückzukehren, wo ihre elenden Hütten stehen, und, wenn sie sich gewaschen haben, ihre Bohnensuppe oder eine Pasta zu essen, ohne Wein, den sie nur an Festtagen genießen. In der Provinz Caltanisetta hatten sich Arbeiter in der Nähe eines Bergwerkes gute Unterkunftsräume in Höhlen eingerichtet. Diese wurden ihnen verboten, angeblich als gesundheitsgefährlich, in der Tat aber, weil die Vermieter ihrer Stadtwohnungen, besonders aber die Pächter der Verbrauchssteuer es verlangt hatten. Das Trucksystem zwingt die Bergleute, schlechte Nahrungsmittel für einen höheren Preis zu kaufen, als sie auf dem Markt für gute zahlen würden.

In den größeren Bergwerken schließt die Verwaltung ihre Verträge nicht mit den picconieri ab, sondern mit Unternehmern (partitanti, capopartiti), die sich mit

jenen über den Lohn einigen und jedem in der Regel
einen Vorschuß von 100 Lire geben, den er bei einem
täglichen Verdienst von 3 bis 3,50 Lire zurückzuzahlen
niemals imstande ist, so daß er von seinem Gläubiger
immer abhängig bleibt. Bekanntlich sind die Schwefel=
gruben eine Kinderhölle. Auch wo die Förderung ganz
oder teilweise durch mechanische Mittel erfolgt, wird für
den Transport sowohl auf den Treppen der Stollen als
über der Erde Kinderarbeit angewendet. Knaben tragen
den Schwefel in Säcken oder Körben von der Stelle, wo
er gebrochen wird, bis zu den in freier Luft zusammen=
gestellten Haufen von Rohstoffen und von diesen zum
Schmelzofen. Diese Knaben (carusi) werden von den
picconieri angeworben und bezahlt, gewöhnlich zwei bis
vier von jedem. Im Jahre 1876 standen sie im Alter
von 7 Jahren aufwärts, in der Mehrzahl zwischen 8 und
11 Jahren. Erst jetzt kam ein Gesetz zum Schutze des
Kindesalters zustande, doch sind seine Bestimmungen ganz
ungenügend. Es verbietet zwar, Kinder unter 12 Jahren
in Fabriken, Gruben, Bergwerken und in unterirdischen
Betrieben zu beschäftigen, und gestattet Arbeit von Kin=
dern unter 15 Jahren nur unter der Bedingung ärzt=
licher Bescheinigung ihrer Gesundheit und Tauglichkeit;
aber bei der Ohnmacht der Staatsgewalt gegenüber dem
Eigennutz einflußreicher Industrieller und bei der unge=
nügenden Aufsicht bleibt dieses ohnehin mangelhafte Gesetz
wirkungslos und wird in Sizilien überdies durch falsche
Alterszeugnisse hinfällig gemacht. Manche Knaben sind
Söhne oder jüngere Brüder von Bergleuten, sie haben es
am besten; aber viele sind Waisen oder natürliche Kinder,
also völlig schutzlos, ihr Los ist das härteste. Die pic=
conieri mieten die Kinder für eine Summe von 50 bis
200 Lire, die sie an die Familie zahlen, und durch deren
Rückerstattung die Gemieteten frei werden (der sogenannte
soccorso muto); in der Regel sind die Familien außer=
stande, den Mietspreis oder den noch sehr häufig außer=
dem gewährten Vorschuß von 30 Lire zurückzuzahlen, und die
Sklaverei der vermieteten Knaben dauert 10 bis 20 Jahre.
Sie ist schlimmer als die von Negerkindern, die über der
Erde arbeiten. Daß die carusi von ihren Dienstherren
nur zu oft hart, ja grausam behandelt werden, ist selbst=

verständlich; nicht selten werden sie Opfer unsagbarer Verbrechen. Die picconieri sind selbst schwer um ihre Existenz ringende und dabei oft lasterhafte und gewalt= tätige Menschen; die meisten Verbrechen, besonders Morde, fallen auf die Minengegenden. Entlaufene carusi wer= den, wenn ergriffen, ihren Dienstherren zurückgegeben, die sie dann auf beliebige Weise bestrafen können.

Die unter der Erde verwendeten Knaben, die die Lasten von der Stelle des Bruchs zu den in freier Luft aufgeschichteten Haufen von Rohmaterial tragen, arbeiten 8 bis 10 Stunden täglich, je nach Alter und Kraft der Träger verschieden; dies übersteigt aber meist ihre Kräfte, so daß ihre Gesundheit den schwersten Schä= digungen, besonders Verkrümmungen, ausgesetzt ist. Der Anblick von Kindern in zartem Alter, sagt Sonnino, die gebückt unter ihren Lasten keuchen, könnte selbst die Seele des eingefleischtesten Anbeters der Lehre von der Harmonie der Interessen zu Mitleid und Ingrimm be= wegen. Wir sahen eine Reihe von carusi aus der Mündung eines Stollens emporkommen, in dem die Hitze 40° Réaumur betrug. Ganz nackt, schweißtriefend, unter ihren schweren Lasten krampfhaft angespannt, kamen diese müden und erschöpften jungen Leiber nach einem in einer Gluthitze vollbrachten Aufstieg von 100 Metern in die freie Luft, wo sie während der Durchmessung einer Entfernung von 50 Metern einem eisigen Winde aus= gesetzt waren. Andere Kinder trugen das Mineral von der Abladestelle zum Schmelzofen. Arbeiter füllten ihnen die Körbe, die sie laufend zur Mündung des Ofens schleppten, wo ein anderer Arbeiter sie überwachte, die einzelnen anschreiend, stoßend und peitschend, Szenen, die sich bei jedem Schritte wiederholten. Sonnino schreibt das Scheitern aller Versuche einer Besserung des Minen= wesens einerseits dem Widerstande der Grubenbesitzer, andererseits dem in Italien alles verderbenden Partei= geist zu. (Friedländer.)

**Schwein** s. den Art. Viehzucht.

**Schweinefleisch.** Wenn die alten Griechen und Römer so gut wie die alten Deutschen das Schweinefleisch hoch schätzten und es (mit Plutarch) als das beste, das recht= mäßige betrachteten, so halten es die modernen Italiener

Land und Leute in Italien. 24

vielmehr mit den alten Ägyptern, deren Könige Tag für
Tag nur die Wahl zwischen Kalbsbraten und Gänsebraten
hatten, wozu ihnen eine halbe Flasche Wein gestattet war.
Als das beste Fleisch wird das Schweinefleisch auch in
der Edda hingestellt und daher den Seligen in der Wal-
halla täglich Wellfleisch vom Sährimnir vorgesetzt, wie
denn auch das schlesische Himmelreich aus Schweinefleisch,
Backobst und Klößen besteht. Die Italiener verachten
zwar das Schweinefleisch nicht, sie freuen sich wie die
Deutschen aufs Schweineschlachten, auf die maialatura
zwischen November und Dezember und zählen zu den
berühmtesten Wurstmachern und Schinkenhändlern Europas. In Toskana genießen die Schinken aus dem Casen-
tino, im übrigen Italien die der Abruzzen eines hervorragenden Rufes. Neapel ist eine alte Schinkenstadt und
Bologna eine alte fette Wurststadt, wo man namentlich
die Myrtenwurst, die sogenannte mortadella, mit Myrten-
beeren gewürzte Wurst, lateinisch: Farcimen murtatum
oder myrtatum, in unvergleichlicher Güte herstellt. Aber
das frische Schweinefleisch wird im großen und ganzen
mit Geringschätzung betrachtet, gekocht niemals, überhaupt
nur im Winter genossen und höchstens das Spanferkel
oder Milchschweinchen, frisch am Spieß gebraten, der
Beachtung wert gefunden. Zu Mariä Geburt, am 8. September, wo das Schweineschlachten langsam wieder beginnt,
zieht halb Rom nach Grotta Ferrata, wo dann Jahr-
markt ist, um gefülltes Spanferkel (porchetta) zu essen
und weißen Wein zu trinken. (Kleinpaul.)

**Schweineschlachten** s. den Art. Schweinefleisch.

**Schwertfisch** s. den Art. Fischerei.

**Schwurgericht** s. den Art. Gerichtswesen.

**Scoppio del carro** (skŏ'p-rĭŏ del kä'r-rŏ) s. den Art.
Karsonnabend in Florenz.

**scudo** (sku'dŏ), Fünflirestück, s. den Art. Münzfuß.

**Scuola tecnica** s. den Art. Gymnasialunterricht.

**Seehospiz** s. den Art. Ferienkolonien.

**Seelsorge für deutsche Katholiken.** In allen großen
italienischen Städten, ebenso wie in allen Kurorten
oder doch in ihrer Nähe gibt es deutsche Ärzte, deutsche
Krankenpflege sowie auch deutsche, österreichische und
schweizerische Konsulate, und wenn es auch am besten

iſt, daß man weder der einen, noch der anderen bedarf,
ſo dient es doch ſehr zur Beruhigung, die Gewißheit zu
haben, im Falle der Not Hilfe und Beiſtand bei Lands=
leuten finden zu können. Manchmal aber will man auch
gerne einer deutſchen Predigt und deutſchem Gottesdienſt
beiwohnen, und gar in Krankheitsfällen möchte man um
keinen Preis einen deutſchen Geiſtlichen und deutſche
Pflegeſchweſtern entbehren. Dieſe recht wichtige Frage
ſoll im nachſtehenden auf Grund amtlicher Mitteilungen
ihre eingehende Beantwortung finden. Beginnen wir mit
der deutſchen Seelſorge in Mailand und an den ober=
italieniſchen Seen. In Mailand iſt ein eigener deutſcher
Beichtvater am Dom angeſtellt, der dort alle Tage von
$7^{1}/_{2}$ bis 10 Uhr morgens, alle Sonnabende von 3 bis 5 Uhr
nachmittags, d. h. bis zur Schließung des Domes, im
Beichtſtuhl zu finden iſt; außerdem kann man an den
Sonntagnachmittagen im Kloſter der Grauen Schweſtern
bei ihm beichten; ſonſt iſt er in der Kirche des Kollegs
Leos XIII., Via Montebello 22, zu jeder Zeit zum Beicht=
hören bereit. Die Grauen Schweſtern von der hl. Eliſa=
beth (Mutterhaus in Breslau) haben ihr Kloſter Via Cap=
puccio 18, wo an allen Sonn= und Feiertagen um $3^{1}/_{2}$
Uhr deutſche Predigt und Segensandacht iſt; an den
Sonntagen des Advents und der Faſtenzeit findet dieſer
Gottesdienſt in der Kirche des obengenannten Kollegs
Leos XIII. ſtatt. Dort ſteht auch eine Bibliothek nebſt
Leſezimmer für Jünglinge und Männer zur Verfügung,
für die Damen aber bei den Schweſtern, Via Cappuccio 18,
wo gleichfalls die Marienkongregation für Jungfrauen,
ſowie der Mütterverein ihr Heim haben. Die Schweſtern,
welche einſtweilen noch zur Miete wohnen, nehmen auch
Gäſte auf und üben die Hauskrankenpflege in den Fa=
milien wie in den Hotels und auch, wo es gewünſcht
wird, in den Nachbarorten. Außerdem erteilen ſie im
Kloſter den Kindern Privatunterricht. Die Seelſorge an
den oberitalieniſchen Seen wird gelegentlich von Mailand
aus beſorgt; der im Mailänder Dom angeſtellte Geiſt=
liche geht zur Zeit des Frühjahrs= und Herbſtverkehrs
einigemal hin, bloß um Beichte zu hören. Im allge=
meinen kommen die „Fremden“ von den Seen herüber
nach Mailand, um ihre religiöſen Pflichten (beſonders zu

24*

Ostern) zu erfüllen. In Pallanza, dem Hauptort am Lago Maggiore, bieten die Maristen in ihrem Kolleg den Fremden Gelegenheit, deutsch, französisch oder englisch zu beichten; für Como gilt das gleiche vom Kolleg der Padri Sommaschi. In Gardone Riviera am Gardasee besitzen die Josephschwestern eine gemietete Villa mit Pension und üben Hauskrankenpflege. Es weilen dort fast immer deutsche Geistliche als Kurgäste, bei denen man beichten kann und geistlichen Beistand findet. In Lugano haben die deutschen Krankenbrüder vom dritten Orden des hl. Franziskus (Mutterhaus Waldbreitbach, Diözese Trier) in der Villa Edelweiß (vormals Villa Raffaele) eine Fremden- pension für Kranke, meistens Geistliche, eingerichtet (an zwanzig schöne Zimmer), unmittelbar an der Gotthard- bahnstation gelegen. Die Seelsorge ist dort einem elsässi- schen Franziskaner in eigener Kirche übertragen. Bei St. Anna haben die Menzinger Schwestern ein Kloster mit Mädchenheim.

In Turin liegen die kirchlichen Verhältnisse in der deutschen Kolonie leider sehr im argen. Die Menzinger Schwestern, die eine deutsche Schule ins Leben gerufen hatten, haben Turin verlassen müssen, und damit hat sich der kirchliche Verband der Landsleute aufgelöst. Doch finden die Fremden Gelegenheit, deutsch zu beichten.

In Genua ist deutscher Seelsorger der geistliche Direktor des Istituto Arecco, Via della Crocetta 3. Er hält regel- mäßig jeden Sonntag vom 1. November bis 1. Mai nachmittags in der Hauskapelle des Instituts deutschen Gottesdienst (Predigt und Segensandacht) und bietet dort auch zu jeder Zeit Gelegenheit zum Beichten. Von Genua aus wird für die Winterverkehrszeit die Seelsorge in Nervi und in Rapallo geübt, in Nervi jeden ersten und vierten Sonntag des Monats morgens (mit Predigt) in der Pfarrkirche San Siro, in Rapallo den ersten und dritten Sonntag, morgens, in der Kirche der Patres Sommaschi. In Rapallo haben auch die Grauen Schwe- stern eine Niederlassung, Villa Camilla, Via Sant Am- brogio, wo sie Fremde aufnehmen und Hauskranken- pflege üben. Wie in Genua, so erteilen in Rapallo die Schwestern deutschen und italienischen Privatunterricht. In San Remo ist Sonntag nachmittags 4 Uhr in der

Kapelle in Villa San Pietro deutsche Predigt mit Segensandacht; ebendort Sonnabends von 4 Uhr an und von 2 bis 3³/₄ Uhr in der Kirche Santa Clotilde (Corso Cavallotti 16) Beichtgelegenheit. Im Istituto dell' Immacolata, Via Dante Alighieri, haben wir ein von Franziskanerinnen geleitetes Marienheim für Mädchen; bei den Auxiliatrices des âmes eu Purgatoire eine Volks= bibliothek für Deutsche und nach der sonntäglichen Predigt gesellige Vereinigung der Landsleute.

Die deutsche Kolonie in Florenz besitzt eine eigene Ka= pelle, anstoßend an die Kirche San Niccolò. Dort ist vom 1. Oktober bis 1. Juli an allen Sonn= und Feiertagen um 10 Uhr hl. Messe (deutscher Gesang) mit Predigt und Segensandacht. An allen Wochentagen ist in dieser Kapelle oder in der Kapelle des gegenüberliegenden Klosters der Grauen Schwestern um 7 Uhr die hl. Messe; Donnerstags 3 Uhr Religionsunterricht für die Kinder; Beichtgelegenheit Sonnabends und an den Vorabenden der Feiertage von 3 bis 7 Uhr nachmittags, vor und nach der hl. Messe und auf Wunsch und nach vorheriger Anmeldung zu jeder Tageszeit. Die Grauen Schwestern von der hl. Elisabeth besitzen ein eigenes Haus mit Garten, unmittelbar der Kirche San Niccolò gegenüber, mit Heim für die deutschen Mädchen und mit Pension für Fremde. Dort hat auch der Frauenverein zur Unterstützung bedürftiger Landsleute in Florenz seinen Sitz und alle vierzehn Tage Versammlung. An den Nachmittagen der Sonn= und Feiertage kommt von Quaracchi ein deutscher Franziskanerpater herüber, um Andacht mit Predigt für die Marienkinder zu halten und um Beichte zu hören. Die Schwestern halten auch Schule für die Kinder und bereiten sie zur ersten hl. Kom= munion vor. Leihbibliothek bei ihnen und für die Herren beim Rektor im anstoßenden Villino (mit deutschen Zei= tungen und Zeitschriften), wo gleichfalls der Männerverein seine regelmäßigen Versammlungen an den Sonntag= abenden abhält. Während der Bademonate reist der Rektor von Zeit zu Zeit nach Livorno, dort Gottesdienst zu halten und Gelegenheit zum Beichten zu geben.

In Rom befinden sich die beiden, unter dem Protektorat des Kaisers von Österreich stehenden deutschen National= stiftungen der Anima (Eingang zum Hospiz Via della Pace)

und des Kamposanto neben St. Peter (Via della Sacrestia 14).
In der Anima ist jeden Sonntag 10 Uhr Hochamt
mit nachfolgender deutscher Predigt und Segensandacht;
in der Fastenzeit abends Kreuzweg und Fastenpredigt.
In der Kirche des Kamposanto werden nur zu bestimm=
ten Festen größere Feierlichkeiten veranstaltet (Vorabend
vor Neujahr, Schmerzensfreitag, Karfreitag, Karsonnabend,
Fronleichnam, Pfingsten, Allerheiligen). In beiden Kirchen
ist zu jeder Zeit Gelegenheit zum Beichten, desgleichen an
bestimmten Tagen und zu bestimmten Stunden während
des Gottesdienstes in St. Peter oder im Lateran bei den
dort angestellten deutschen Beichtvätern; ferner im Kolle=
gium Germanikum (Via San Nicola da Tolentino 8), in
der Kirche der Dominikaner (Via Condotti 41), bei den
Franziskanern in Sant' Antonio (Via Merulana) und
anderwärts. Bei der Anima haben der Leseverein (Ver=
sammlung Mittwoch abend von 9 Uhr an), die St. Vinzenz=
konferenz, die Künstlerzunft ihre regelmäßigen Sitzungen;
dort kommt auch für die Wintermonate Sonntag abends
von 6 Uhr an der Gesellenverein zusammen. Die Kreuz=
schwestern, Via San Basilio 8 (Mutterhaus in Ingen=
bohl in der Schweiz), haben Pension für Damen und
üben Hauskrankenpflege; im Hause selber in einem be=
sonderen Teile Spital für Landsleute. Die Grauen
Schwestern von der hl. Elisabeth, Via dell' Olmata 9
(Mutterhaus in Breslau), leiten das Marienheim für deutsche
Mädchen (jeden Sonn= und Feiertag nachmittags 4 Uhr
Predigt und Segen); der St. Elisabeth=Frauenverein zur
Unterstützung armer Landsleute, sowie der Paramenten=
verein haben ebendaselbst ihre regelmäßigen Versamm=
lungen. Ein gleiches bei den Schwestern vom hl. Karl
Borromäus hinter St. Peter und ausnahmsweise in den
beiden anderen deutschen Frauenklöstern, bei den Schwestern
von der Schmerzhaften Mutter, Borgo Santo Spirito,
San Michele, und bei den Salvatorianerinnen, Salita di
Sant' Onofrio 11, beide in der Nähe des Vatikans.
Deutsche Lehrerinnen finden auf Grund eines besonderen
Abkommens in allen Klöstern der Grauen Schwestern in
Italien in bevorzugter Weise Aufnahme.

In Neapel besteht seit dem 17. Jahrhundert eine deutsche
Brüderschaft mit eigener, vor einigen Jahren im oberen

Stadtteile neuerbauter Kirche, Santa Maria dell' Anima am Parco Margherita. Etwas unterhalb wohnen die Grauen Schwestern Corso Vittorio Emanuele 130, mit Fremden= pension. Der Rektor wohnt Piazza Niccolò Amore 6, wo auch das Seemannsheim und der St. Josephsverein (für Herren) seinen Sitz hat, während das Marienbündnis für deutsche Mädchen in dienender Stellung und der Frauenverein zur Unterstützung armer Landsleute bei den Schwestern tagen. In beiden Lokalen Lesebibliotheken. Jeden Sonn= tag 10 Uhr ist deutsche Singmesse mit Predigt in der Kirche der Anima; Gelegenheit zum Beichten dort und im Kloster der Schwestern. — Von Neapel wird die Seelsorge auf der Insel Capri, sowie in Sorrento und an anderen Orten am Golf von Neapel durch den Rektor gelegentlich ausgeübt, ebenso von den Schwestern Hauskrankenpflege. Deutsche Kinder erhalten auch im Kloster Unterricht. In Palermo ist Via Maqueda 151 eine öffentliche Kapelle für die Landsleute geschaffen. Als eigentliche deutsche Kirche gilt die von San Crispino e Crispiniano, Via San Michele Arcangelo 11, wo Sonn= tags $9^1/_2$ Uhr deutsche Singmesse mit Predigt ist. Für Österreich, überhaupt für die östlichen Gegenden bildet Venedig den Durchgangspunkt, und wenn die Zahl dauern= der Wintergäste dort auch gering ist, auf einige Tage wenigstens fesselt doch immer die Lagunenstadt. Auch dort haben die Schwestern von der hl. Elisabeth ein Marienheim und eine Fremdenpension, Sant Angelo, Campo San Benedetto 3968. San Maurizio, in der Pfarrei Santo Stefano, ist deutsche Nationalkirche mit deutschem Gottesdienst und entsprechender Seelsorge.

**Seidenindustrie.** Mit einer Jahreserzeugung, die 1899 4,47 Millionen Kilogramm Rohseide betrug, stellt Italien volle vier Fünftel des europäischen Seidenerzeug= nisses und ein Sechstel der gesamten Seidenerzeugung der Welt, die 1899 auf 30 Millionen Kilogramm an= gegeben wurde. Ein sehr großer Teil der italienischen Rohseide wird ausgeführt, um von den Seidenfabriken des Auslandes, namentlich in Lyon und am Niederrhein, verarbeitet zu werden. Indessen beginnt Italien sich in steigendem Maße auch an der Verarbeitung der Rohseide in Webereien, Bandfabriken und Posamenten zu be=

teiligen. Weitaus der Hauptsitz dieser Industrie ist die
Lombardei. Ihr gehören mehr als die Hälfte der
Seidenspinner, vier Fünftel der Seidenzwirner und neun
Zehntel der Seidenweber von ganz Italien an. Neben
der Lombardei kommen Piemont und Venetien mit nam=
haften, obwohl viel weniger zahlreichen Seidenfabriken in
Betracht. In Mittel= und Südtalien finden sie sich bis
jetzt nur vereinzelt vor. Unter den Handelswaren Ita=
liens nimmt die Seide die erste Stelle ein. Alles zu=
sammengerechnet, pflegt die Seidenausfuhr einen Über=
schuß über die Einfuhr von annähernd 200 Millionen
Lire zu ergeben. Früher wurde dieses mächtige Guthaben
der italienischen Handelsabrechnung ausschließlich durch
die Ausfuhr von Rohseide und Seidenabfällen erreicht.
Auch liefert die Rohseide mit einer Jahresausfuhr im
Werte von 180 Millionen noch gegenwärtig bei weitem
den stärksten Anteil. Es ist jedoch nicht ohne Bedeutung,
daß Italien, das früher beträchtlich mehr Seidenerzeugnisse
ein= als ausgeführt hat, jetzt auch in diesem Punkte, in
einem allerdings bescheidenen Umfange, Ausfuhrland ge=
worden ist.

**Seidenraupenzucht.** Keinen Baum sieht man in
Italien häufiger als die kurze, knorrige Gestalt des
Maulbeerbaumes (gelso), dessen korbartig gebogene
Äste sich reich verzweigen und die im Frühjahr mit
dichten, breiten, glänzenden Blättern bekleidet sind. Diese
liefern die Nahrung der Seidenraupe (baco), die von
ihrem Ausschlüpfen aus dem Ei des Seidenspinners
an 30 bis 35 Tage mit frischen Maulbeerblättern ge=
füttert wird und sich dann in ein dichtes Gespinst ein=
spinnt, um sich darin zu verpuppen. Diese Gespinste, die
Kokons (bozzoli), werden, nachdem das darin einge=
schlossene Tierchen durch starke Erhitzung getötet ist, zu
Rohseide abgesponnen. Die Seidenraupenzucht ist durch
die jahrhundertelangen Erfahrungen der Italiener theore=
tisch zu einer vom Staate sorgsam gepflegten Wissen=
schaft, der Bakologie, praktisch aber zu einem einträglichen
Betriebe entwickelt worden, der einer ungemein großen Zahl
von Landbewohnern Nebenerwerb gewährt. Nachdem es
gelungen ist, die verheerende Fleckenkrankheit der Seiden=
raupe zu überwinden und einen von der Ansteckung dieser

Seuche freien Samen im Inlande zu gewinnen, hat die Seidenraupenzucht Italiens ihre frühere Blüte wiedererlangt. Die Jahreserzeugung an Kokons erhält sich auf der erstaunlichen Höhe von 40 bis 50 Millionen Kilogramm, von denen nahezu die Hälfte auf die Lombardei, je ein Fünftel auf Piemont und die venezianischen Provinzen kommen. Aber auch in Mittel= und Unteritalien werden Seidenraupen gezüchtet, und unter den Bäumen, mit denen unternehmende Landwirte die Hügel der Campagna anzupflanzen beginnen, bemerkt man neben dem Weinstock und dem Ölbaum in der Regel auch junge Maulbeerschößlinge.

**Sekt.** Italien erzeugt Schaumweine, die zum Teil neben französischen Marken bestehen, mit den deutschen es aber zweifellos aufnehmen können. Asti spumante (sprudelnder Landwein) geht ein wie Honig, die Flasche 1 bis 2 Lire. Feiner sind andere piemontesische und sizilianische Sorten (die Flasche 3 bis 3,50 Lire); ganz an den französischen Champagner erinnert die Marke einer Firma in Canelli (die Flasche 4 bis 6 Lire). Alle diese Weine dürften dem an Mosel= und Kaisersekt gewöhnten deutschen Gaumen trefflich behagen. (Barth.)

**Sekundärunterricht** s. den Art. Gymnasialunterricht.

**Selterwasser** (acqua di Selz). Da das kohlensaure Wasser in Kaffeehäusern und Restaurationen nur in Flaschen mit Hebevorrichtung (sifone) und Ausflußhahn gegeben wird, so verlangt man das Selterwasser mit «un sifone». Allerdings wird in Italien Selterwasser allein niemals getrunken; vielmehr verlangt man sehr oft «Vermut con selz», «Soda sciampagna con selz» usw.

**Senat** (senato). Der Senat besteht aus einer gesetzlich nicht begrenzten Zahl von Mitgliedern, welche vom König auf Lebenszeit ernannt werden. Die Prinzen des königlichen Hauses sind aus eigenem Recht Mitglieder des Senats, in den sie mit einundzwanzig Jahren eintreten und an dessen Abstimmungen sie mit fünfundzwanzig Jahren teilnehmen können. Für die übrigen Mitglieder ist ein Lebensalter von über vierzig Jahren und eine Befähigung vorgeschrieben, die entweder durch Bekleidung bestimmter hoher Kirchen= und Staatsämter oder durch hervorragende

Verdienste erlangt wird. Unter den Staatsdienern sind namentlich Minister, die Botschafter und Gesandten, die Präsidenten und Räte der Kassationshöfe und des Rechnungshofes, die Präsidenten und Vizepräsidenten der Appellhöfe und die Oberstaatsanwälte, die Mitglieder des Staatsrats und des obersten Schulrats, die Präfekten, sowie Offiziere des Heeres und der Marine im Generalsrange nach Ablegung einer gewissen Dienstzeit senatsfähig. Ferner können Mitglieder der Deputiertenkammer nach drei Legislaturen und mindestens sechs Sitzungsjahren zu Senatoren ernannt werden. Auch innerhalb dieser einzelnen Klassen steht der Krone die Auswahl unbeschränkt zu. Während der Senat anfangs nur etwa hundert Mitglieder zu zählen pflegte, ist diese Zahl allmählich stark gewachsen und hat schon längere Zeit einen Bestand von mehr als dreihundert Mitgliedern erreicht.

**Senf,** mostarda, senapa, sehr berühmt die „Mostarda von Cremona", ein süßer Senf mit kandierten Früchten aller Art.

**Sferisterio** s. den Art. Ballspiel.

**Sicherheit,** öffentliche (pubblica sicurezza). Alle großen Städte, insonderheit aber die Hauptstädte, sind in unserer modernen Zeit der Sammelplatz für Glücksritter aller Art, deren Auslese es auch auf einen Messerstich als Nachhilfe nicht ankommt. Die für Italien zu beachtenden Vorsichtsmaßregeln sind übrigens keine anderen als diejenigen, welche für alle Mittelpunkte des Verkehrs zutreffen. Man gehe nicht zu später Stunde in entlegene Viertel oder einsame Straßen, zeige in öffentlichen Häusern nicht wohlgespickte Geldbeutel, lasse auf Bahnhöfen und an anderen Orten des Gedränges nicht seine Wertsachen außer acht und hüte sich, von unbekannten Personen Dienstleistungen anzunehmen.

**Sindacati operai** (Gewerkschaften) s. den Art. Arbeiterorganisation.

**Sindaco** s. den Art. Bürgermeister.

**Sizilien** (Siziliens Erwerbsverhältnisse). Es läßt sich kaum ein größerer Gegensatz denken, als ihn die Fahrt von Messina bis Catania längs der Küste und die von Catania durch das Innere Siziliens nach Pa-

lermo gewährt. Dort durcheilt man ein reichangebautes
Land, eine verschwenderische Üppigkeit der Natur, hier
eine unermeßliche Einsamkeit, ein vielgestaltiges Bergland
mit mäßigen Erhebungen und weiten Talsenkungen. So
weit das Auge blickt, gewahrt es nur Korn, Gras, Klee,
Bohnen u. dgl., keinen Busch und keinen Baum, kein
Haus und keine Hütte, die Berghöhen grau und voll=
ständig kahl, auf ihnen nur selten eine Ortschaft, die sich
aber durch das Grau ihrer Häuser so wenig von den
Felsen abhebt, daß es bisweilen zweifelhaft erscheint, ob
man wirklich eine Stadt vor sich hat. Woher kommt
jener schroffe Gegensatz dicht nebeneinander: die garten=
artige Küste und das trostlose Innere? Antwort: Weil
sich die Küste durchweg in Händen von Kleinbauern be=
findet und das Innere dem Großgrundbesitzer gehört.
Der Abstand der beiden Landwirtschaftsarten läßt sich
als der von Kornbau und von Baumzucht bezeichnen.
In der Baumzone herrscht der kleine oder der mittlere
Besitzer mit $1/2$ bis 10 Hektaren Land. Er sucht seinen
Grund und Boden auszunutzen und ertragsfähig zu halten
und findet durch Eisenbahn und Meer die Möglichkeit
guten und schnellen Absatzes. Den Kleinbesitz bewirt=
schaftet der Bauer selbst mit seinen Söhnen; der mittlere
und der Großgrundbesitzer nehmen je nach Bedürfnis Land=
arbeiter zu Hilfe oder vergeben Stücke an Pächter. Die
wirtschaftliche Lage der Eigentümer war früher recht günstig,
doch ist sie durch die Reblauskrankheit und die ungemeine
Billigkeit der Zitronen und Orangen zurückgegangen, weil
sich namentlich die Kleinbauern nicht widerstandsfähig
genug für die Notlage erwiesen. Sie gerieten vielfach in
Not und Schulden. Dem Landarbeiter gewährt die Baum=
zucht mit ihren zahlreichen Erfordernissen eine ziemliche
Sicherheit des Erwerbes, auch ist der Abstand des Ar=
beiters oder Pächters vom Eigentümer durch die Art des
Betriebes und des Besitzes minder bedeutend.

Ganz anders liegen die Verhältnisse in der Getreide=
zone, wo, wie wir bereits sagten, der Großgrundbesitz fast
ausschließlich herrscht. Dieser beruht auf den Latifundien.
Ist das Latifundium oder ein Teil davon an einen
Pächter (gabellotto feudatario) gegeben, so nutzt er
den Grund und Boden natürlich nach Kräften aus,

entweder durch eigene Wirtschaft mit Tagelöhnern und Aufsehern, oder durch Afterpächter. In diesem Falle pflegt der für den eigentlichen Kornbau bestimmte Teil in Stücken von $1/2$ bis zu 8 Hektaren an Kleinbauern auf ein, zwei oder drei Jahre gegeben zu werden. Fehlt der Großpächter, d. h. bewirtschaftet der Eigentümer sein Gut allein, so treten diese Kleinbauern natürlich direkt zu ihm in Beziehung. Die Großpächter zahlen als Kapitalisten ihren Mietszins in Geld, die Kleinbauern und After=pächter besitzen solches nicht und müssen ihn deshalb in Getreide erlegen. Hier ist ihre Abgabe ungemein hoch, sie steigt bis auf dreiviertel des Ertrages. Aber damit nicht genug, die Kleinbauern werden auch noch auf alle mögliche andere Weise bedrückt: durch Zahlungen an die aufsichtführenden Feldhüter und Privatpolizisten, an die Mafia, an die Kirche und vor allem an die Steuer=behörden. Natürlich können sie es bei solcher Sachlage nie zu etwas bringen. Der Regel nach befinden sie sich in den Händen der Grundeigentümer, die ihnen Vorschüsse oder Stundung gewähren, oder in solchen städtischer Wucherer, von denen sie Darlehen empfingen. Die Zinsen sind geradezu unerschwinglich, sie und das Guthaben sollen bei der Ernte gezahlt werden. So fällt von dieser für den Pächter schon verschwindend wenig ab, und was er bekommt, muß er schleunigst losschlagen, um nicht zu verhungern. Da nun aber Wochenmärkte fehlen und der Verkehr mit Handelsmärkten für den Unglücklichen un=möglich ist, gerät er in die Hände von Kornmaklern, die einen Ring bilden und ihm den niedrigsten Preis für das aufzwingen, was er verkauft, den höchsten für das, was er braucht. Trotz derartiger schreienden Übelstände ist dieses Hungerdasein das Ziel des Strebens für viele.

Die Hauptmasse der Feldarbeiter besteht aus Tagelöh=nern, deren Lohn von 70 Ct. bis 1,85 Lire schwankt, wozu bei niedrigem Satze $1/2$ Liter Wein und abends ein Teller Bohnen zu kommen pflegt. Noch schlechter als im Innern sind die Löhne teilweise im Syrakusanischen. Die Frauen verdienen 50 Ct. mit Verpflegung, 1 Lira ohne Ver=pflegung. Während der Erntezeit können die Löhne auf 3,50, sogar noch höher steigen. Hätten die Leute nun dauernd Arbeit und bekämen sie den Verdienst voll aus=

bezahlt, so würde er als notdürftig auskömmlich er=
scheinen. Man sollte nun meinen, daß das Los des
Latifundienbesitzers ein glänzendes sei. Das ist jedoch
keineswegs der Fall. Auch er leidet schwer unter dem
wirtschaftlichen Tiefstande. Das Kapital wird nicht gewinn=
bringend verwendet, sondern liegt großenteils fest. Der
Mangel an Wegen und wohlhabenden Städten hindert
nicht bloß den wirtschaftlichen Fortschritt, sondern gewährt
auch keine Absatzgebiete. Alles ist erschwert, das meiste
unmöglich, jedes Unternehmen wird durch Furcht und
Mißtrauen erstickt. (Friedländer.) — Vergl. den Art.
Schwefelban.

**Società di mutuo soccorso** s. den Art. Ar=
beiterorganisation.

**Sommer in Italien.** Wüßten die meisten Menschen,
wie schön Italien im Sommer ist, sie würden sich hüten,
im Winter oder gar im März und April hinzugehen,
wenn Winter und Sommer im Kampf liegen und die
Waffen dieser beiden großen Herren den kleinen Menschen,
der mitten drinnen ist, bedenklich mit zerzausen. Nur
gut, daß die meisten Menschen das nicht wissen! Sonst
würden die lieblichen Laute der angelsächsischen Vettern
noch störender hineinfahren in die Musik der bella lingua
del sì, würden Hotels und Eisenbahnen, Kirchen und
Museen, Villen und Parks ebenso voll sein von Genuß=
suchenden, wie sie jetzt leer davon sind. Allein können
wir uns der Freude an all dem Schönen hingeben, das
Kunst und Natur uns bieten, die Fremdenjagd verschlingt
nicht alle Aufmerksamkeit der liebenswürdigen Italiener;
die köstlichen Lichtwirkungen auf Meer und Bergen, bei
Sonnenauf= und =niedergang, die wundervollen Früchte,
die herrlichen Trauben und Feigen, — alles scheint nur für
uns da zu sein. Ja, wer Neapel und seinen Golf, das
fremdenleere Capri, das traubenschwere Cumä nicht im
Sommer kennen lernt, kennt's überhaupt nicht. Was will
denn das bißchen Hitze sagen! Dafür hebt uns abends
die Poesie der Meerbäder völlig hinaus über des Tages
Last, und dann folgen die köstlichen Abende auf den
Terrassen, unter funkelndem Sternenhimmel, um uns
fröhlicher Gesang und Musik des allezeit lebensfrohen
Volkes; sie lassen uns völlig vergessen, daß am Tage

unsere Poren der gesunden Beschäftigung des Schwitzens
sich vielleicht etwas mehr ergeben haben als im Norden.
— Vergl. die Art. Reisezeit in Italien, Winter in
Italien.

**Sommer in Rom.** Durch die modernen Reisebücher
hat sich bei der großen Menge der Italienreisenden
die Anschauung eingebürgert, die beste Zeit für einen
Besuch Roms und des größten Teils Italiens seien die
Wintermonate. Die Wahrheit ist, wie schon manche Kenner
des Landes betont haben, daß man sich zu keiner Zeit in
Rom leichter Erkältungen und damit verbundene Krank=
heiten zuzieht als gerade im Winter, was um so schwerer
ins Gewicht fällt, als eine im nördlichen Klima kaum
beachtenswerte Unpäßlichkeit unter südlichem Himmel von
unangenehmer Dauer sein und manchem Neuling die
Reiselust vergällen kann. Museen und Galerien pflegen
eisig kalt zu sein, die armen vatikanischen Aufsichtsbeamten
wärmen fröstelnd ihre erstarrten Glieder über den Kohlen=
becken, der Gelehrte, welcher in Archiven und Bibliotheken
zu arbeiten hat, fühlt nach kurzer Zeit die Finger klamm
werden; und draußen ist der schönste Sonnenschein, der
es gestattet, gelegentlich im Freien zu frühstücken. Sobald
die Sonne zu sinken beginnt, wird es kühl und kalt, daß
man sogar in Cafés und Restaurationen Hut und Über=
zieher abzulegen sich scheut. Anders im Sommer. Am Morgen
und am Abend herrscht in Rom fast immer eine ange=
nehme Wärme, gegen Mittag oft ein Unterschied von
15 Grad Celsius. Bei Tage wirkt die Sonnenhitze aller=
dings stark, aber verhältnismäßig selten, und mancher Nord=
länder wird beispielsweise die Hundstage in Berlin schlim=
mer empfinden. Auch in Mailand, Florenz und in anderen
Städten ist es in dieser Hinsicht schlechter bestellt, weil
bei geringem Wärmeunterschied der Abend nur selten
erhebliche Frische bringt. Ohne Sonne ist Italien nicht
Italien, und dem Manne, der den Ausspruch getan hat:
„Wer Italien kennen will, muß es im Sommer aufsuchen,“
werden diejenigen Recht geben, die seinem Rate gefolgt
sind. Alles erscheint in ganz anderm Lichte, die Bild=
werke in den Museen wirken viel lebensvoller in dem
strahlenden Lichte des Sommers. Und dazu das beständige
„schöne“ Wetter, über dessen Beständigkeit man sich schließ=

lich gar nicht wundert. Im Sommer lernt der Fremde auch die Bewohner Roms besser kennen als sonst, falls er überhaupt von dem Wunsche beseelt über die Alpen gestiegen ist, Land und Leute, ihr Leben und Treiben mit achtsamen Augen zu verfolgen. Abends strömt alles ins Freie, und es ist eine Fabel, wenn gemeldet wird, Rom sei im Sommer entvölkert. Wie viele auch in Seebäder und in Sommerfrischen eilen, und ob der tägliche Korso auch weniger glänzend ist als in den Wintermonaten, es bleibt immer noch genug römisches Leben zurück, denn Beamte, Kaufleute, Handwerker usw. sind ja an den Aufenthalt in der Hauptstadt gebunden. Merkwürdig ist, daß der Römer im allgemeinen mehr unter der Hitze leidet als der nordische Fremde, der bei gesunder Leibesbeschaffenheit und zweckmäßiger Kost viel aushalten kann, d. h. meist nur bei vorübergehendem Aufenthalt. Die erschlaffende Wirkung des Schirokko verspürt eigentlich nur, wer schon längere Zeit sich in Rom aufgehalten und sich richtig eingelebt hat. Ebensowenig braucht der Fremde sich vor dem Schreckgespenst der Malaria zu ängstigen, wenn auch einige Vorsichtsmaßregeln, z. B. nachts nicht bei offenem Fenster zu schlafen u. a., immer geboten sind. Aber ihre Befolgung ist nicht weiter beschwerlich, und Ausflüge in die Campagna, an die See, in das Albaner= und Sabiner= gebirge brauchen deshalb nicht aufgegeben zu werden. Die, welche von dem tückischen Fieber heimgesucht werden, sind die povera gente der Campagna, welchen die Mittel fehlen, gut zu essen und zu trinken oder sich Chinin zu kaufen. (Jhm.)

**Sorbetto** s. den Art. Gefrorenes.

**Souterrain.** Das zum Teil über, zum Teil unter der Erde liegende Geschoß eines Hauses mit Küchen, Vorratskammern usw. ist il sottosuolo, während il sotterraneo mehr als Bezeichnung eines unterirdischen Gewölbes oder Ganges, auch eines Tunnels dient. Unter dem sottosuolo befindet sich öfters noch der eigentliche Keller.

**Soziale Gegensätze.** Arm und reich, vornehm und niedrig, gebildet und ungebildet: diese Gegensätze, die sich aus dem Wesen der menschlichen Gesellschaft überall ergeben, sind auch in Italien von jeher vorhanden ge=

wesen, aber sie haben sich bis in die neueste Zeit hinein
weniger schroff geltend gemacht als in anderen Ländern
Zunächst äußerlich schon deshalb nicht, weil in Italien die
Unterschiede des Standes, des Besitzes und der Bildung
im Verkehr der verschiedenen Bevölkerungsklassen sich lange
nicht so scharf voneinander abheben als anderwärts.
Die allen Volksschichten gemeinsame Anmut der Erschei=
nung, das allen angeborene Erbe der ungezwungenen
Grazie in Körperhaltung, Gebärde und Sprache verleihen
auch dem Geringsten eine Sicherheit des Auftretens, die
sich von der plumpen Unmanierlichkeit und der blöden
Verlegenheit in anderen Ländern gleich vorteilhaft unter=
scheidet. Das stark entwickelte Selbstgefühl des Italieners
schützt ihn im Verkehr auch mit dem Vornehmsten vor
der unterwürfigen Haltung und vor den Demutsbezeu=
gungen, in denen nach slavischer Sitte der Niedere dem
Höheren seine Ehrfurcht an den Tag zu legen beflissen
ist. Andererseits verbietet dem italienischen Adel seine
alte Kultur, Geringere oder selbst Untergebene mit jener
anmaßenden Überhebung oder auch mit jener bewußten
Herablassung zu behandeln, die anderwärts von manchen
für vornehm gehalten werden. Zwischen Herrschaft und
Gesinde, Vorgesetzten und Untergeordneten, Fahrgast und
Kutscher, ja zwischen Offizier und Burschen nimmt der
Fremde in Italien einen Ton von vertraulicher Gleich=
berechtigung wahr, der zunächst befremdet, bald aber
erfreut, weil er bei näherer Betrachtung auf dem bei allen
Beteiligten gleichmäßig vorhandenenen Schicklichkeitsgefühl
beruht. Selbst die Unterschiede der Bildung treten in
Italien weniger stark in die Erscheinung, weil sie durch die
allen Klassen gemeinsame, natürliche Begabung und das
allen gemeinsame Schönheitsgefühl äußerlich mehr als an=
derswo verwischt werden. Der geringste Italiener empfindet
für künstlerische Leistungen Verständnis, zeigt für die Alter=
tümer und die geschichtlichen Denkwürdigkeiten seiner Heimat
Teilnahme und weiß seinen Gefühlen einen passenden,
nicht selten schwungvollen Ausdruck in beredten Worten
zu geben. Mit den Namen und Zeitangaben, die er bei
solchen Gelegenheiten anführt, darf man freilich nicht
allzustreng ins Gericht gehen.                (Fischer.)

**Sozialismus** s. den Art. Arbeiterbewegung.

**Sparkaſſen.** Die Sparkaſſen haben ſich auch in Italien zu großen, umfaſſenden Kreditanſtalten entwickelt, die nicht bloß in der Anſammlung, ſondern in der volkswirtſchaftlich zweckmäßigen Nutzbarmachung der Spargelder ihre Aufgabe erblicken. Ihr Zuſammenhang mit den Wohltätigkeitsanſtalten hat ſich meiſt gelöſt. Die alten Sparkaſſen ſind jetzt faſt ſämtlich entweder zu Gemeindeanſtalten oder zu Aktiengeſellſchaften geworden. Ihnen haben ſich die im Jahre 1875 ins Leben gerufenen, vom Staate unterhaltenen Poſtſparkaſſen ergänzend angeſchloſſen. Endlich ſind auch mit den meiſten Volksbanken Sparkaſſen verbunden. Nach den letzten Statiſtiken gab es in Italien im Jahre 1901 5474 für den Sparverkehr geöffnete Sparſtellen, 6032950 Sparbücher waren im Umlauf, und das Geſamtſparguthaben belief ſich auf 2385261803 Lire, ein Ergebnis, welches dem Sparſinn des italieniſchen Volkes, namentlich in Anbetracht der ungünſtigen Lage, in welcher ſich weite Volkskreiſe befinden, alle Ehre macht.

**Speiſehäuſer** (ristoranti oder trattorie) werden vorzugsweiſe von Herren beſucht, beſonders zwiſchen 11 und 2 Uhr mittags zum Gabelfrühſtück und von 6 bis 8 Uhr abends zur Hauptmahlzeit. Man ſpeiſt hier nach der Karte; Mahlzeiten zu feſten Preiſen gibt es nur in einzelnen von Ausländern viel beſuchten trattorie. — Vergl. die Art. Mahlzeiten, Reſtaurants, Speiſekarte, Zahlen.

**Speiſekarte** (la carta oder la lista del giorno). Die Speiſekarte der italieniſchen Wirtſchaften iſt ſehr reichhaltig. Der Fremde findet ſich daher bei der Wahl der Gerichte oft in Verlegenheit. Es kann nicht unſere Aufgabe ſein, alle dieſe Namen der verſchiedenen Gerichte, die oft ſehr willkürlich und fremdartig lauten, zu verdeutſchen. Wir wollen vielmehr dem Fremden über den erſten Anlauf hinweghelfen, d. h. ihm die gewöhnlichſten Gerichte nennen, die er zu wählen hätte. Bleibt er dann länger, ſo mag er ſeine Beobachtungen zu Rate ziehen. Zu einem gewöhnlichen Mahle gehören: Suppe, ein bis zwei Gerichte Fleiſch, Gemüſe, das hier meiſt als ſelbſtändiges Gericht auftritt, oder ſtatt deſſen ein Gericht Fiſch, das aber natürlich vor den Fleiſchgerichten genoſſen wird; dann

Land und Leute in Italien. 25

endlich der Nachtiſch. Zum beſſeren Verſtändnis der Speiſe=
karte geben wir hier die Überſetzung der wichtigſten darin
vorkommenden Ausdrücke:

agliata Knoblanchſauce; agnello Lamm; allodole
Lerchen; animelle Kalbsmilch; anguilla Aal; anti-
pasto Zwiſchengericht; arigusta Hummer; arancia
Apfelſinen; arrosto Braten; baccalà Stockfiſch;
beccaccia Schnepfe; beccafichi Grasmücken; bi-
stecca Beefſteak; bollito gekochtes Fleiſch; bottarga
ſ. bſ.; braciuola di manzo Karbonade; broccoli
Spargelkohl; brodo Fleiſchbrühe; burro Butter; cacio
Käſe; calamari Tintenfiſche; cappelletti fleiſchgefüllte
Hütchen in der Suppe; cappone Kapaun; capretto
Zicklein; carcioli Artiſchocken; carote Möhren;
carpione Karpfen; caviale Kaviar; cavolfiore
Blumenkohl; cavolo Kohl; ceci Erbſen; cefalo
Meeräſche; cervello Hirn; cetriolo Gurke; cibreo
Ragout, Hühnerfrikaſſee; cignale Wildſchwein;
cipolle Zwiebeln; colomba Taube; condito an=
gemacht, gewürzt; confettura Konfitüren; consumato (häufiger: consommé) Kraftbrühe; contorno Beilage; coratella Geſchlinge; costoletta
Kotelett; costoletta alla milanese Wiener Schnitzel;
crema Creme; dolce ſüße Speiſe; erba, er-
baggi Gemüſe; fagiano Faſan; fagiolini grüne
Bohnen; fagiuoli weiße Bohnen; fave Saubohnen;
fegatello gebratene Schweinsleber; fegatini (di
pollo) gebratene Leber, Herzen und Magen von
Hühnern; fegato Leber; fidelini Fadennudeln; fi-
letto Filet; finocchio Fenchel; formaggio Käſe;
frittata Eierkuchen; frittata avvolta Omelett(e); frit-
tella (alla fiorentina, di mele, di pere, di riso,
di semolino, di patate uſw.) Pfannengebackenes;
fritto gebacken; fritto misto ſ. bſ.; frittura bianca
gebackenes Hirn nebſt Hoden und Rückenmark; frutti
di mare kleine Seetiere; funghi Pilze; gallinaccio
Truthahn; gamberi Krebſe; gnocchi Knödel; gratella Roſt; guarnizione Garnierung; indivia Endivie;
insalata Salat; insalata cappuccia Kopfſalat; insalata di campo Feldſalat; lampreda Lamprete; lasagne
Bandnudeln; lattuga Lattich; legume Hülſenfrucht,

Gemüſe; lenticchie Linſen; lepre Haſe; lesso ge=
kochtes Fleiſch; lesso di manzo gekochtes Rind=
fleiſch; lingua Zunge; luccio Hecht; maccheroni
Makkaroni (al burro mit Butter und Käſe; al
sugo mit Fleiſchbrühe oder Sauce und Käſe); maiale
Schwein; manzo Rindfleiſch; mela Apfel; melan-
zana Eierpflanze; merluzzo Kabeljau; minestra di
grasso, di magro fette Suppe, Faſtenſuppe; mortadella (di Bologna) Art Mettwurſt; noce Nuß;
oca Gans; ostriche Auſtern; ova Eier; ova affo-
gate verlorene Eier; pappardelle Nudeln in Brühe;
pasta Kuchen; pasta al brodo Fleiſchſuppe mit
Nudeln; pasta frolla mürbe Kuchen; pasta sfoglia
Blätterteig; pasticcio Paſtete; patate Kartoffeln;
peperone ſpaniſcher Pfeffer; pera Birne; pernice
Rebhuhn; pesca Pfirſich; pesce Fiſch; piccione
Taube; piselli Schoten; polenta Polenta; pol-
lastro junges Huhn; pollo Huhn; polpette
Fleiſchklößchen, Klops; pomodoro Paradiesapfel,
Tomate; principii (ſ. dſ.) Vorſpeiſen (nach der
Suppe); prosciutto Schinken; quaglie Wachteln;
radicchio Zichorie; radice Rettich, Radieschen;
ramolaccio Meerrettich; rana Froſch; rigaglie
Hühnerklein; ripieno gefüllt; Füllſel; riso Reis;
risotto gekochter und nach verſchiedener Weiſe ge=
würzter Reis, mit Hühnerleber, Pilzen, Parmeſan=
käſe, Tomaten uſw.; rognoni Nieren; rombo Stein=
butte; rosbiffe Roaſtbeef; salame Salamiwurſt;
salsa Sauce; salsiccia Knackwurſt; sardelle Sar=
dellen; sardine Sardinen; scaloppe Schnitzel;
sedano Sellerie; seppia Tintenfiſch; sogliola
Scholle; spaghetti dünne Makkaroni; sparagi
Spargel; spinaci Spinat; storione Stör; stracotto
gedämpftes Fleiſch; stufato Schmorbraten; sugo
Saft, Sauce; susine Pflaumen; tacchino Truthahn;
tagliatelli, taglierini Bandnudeln; tartufi Trüffeln;
tinca Schleie; tonno Thunfiſch; tordo Droſſel;
tortellini gefüllte Hütchen (in der Suppe); triglia
Seebarbe; trippa Kalbsgekröſe; trota Forelle; ulive
Oliven; uova Eier; uova a bere weiche Eier;
uova sode harte Eier; uva Weintraube; vermi-

25*

celli Fadennudeln; zabaione Chandeau (Eierpunsch);
zampone gefüllter Schweinsfuß; zucca Kürbis;
zuppa Fleischbrühe mit Weißbrotschnittchen.

**Spielhöllen** (bisca). Auch in Italien haben sich
neben den aristokratischen Klubs seit einigen Jahren die
Spielhöllen vermehrt. Das Spiel wird jedoch stets mit
großer Vorsicht, mit der unschuldigsten Miene von der
Welt im Laufe des Abends veranstaltet. Außer baccarat
(Bakkarat) wird besonders auch trenta e quaranta
(Trente et quarante) und roulette (Roulett) gespielt.
Nicht selten wird die eine oder andere dieser Spielhöllen
von der Polizei überrascht und aufgehoben, immerhin
aber noch nicht oft genug.

**Sport** (sport). Die hohen Wellen des italienischen
Sports ziehen die elegante Welt und — die Halbwelt
noch mehr in ihre Kreise. Die verschiedenen, hier in
einzelnen Artikeln behandelten Felder des Sportwesens:
Rudersport, Radfahrsport, Tennis, Fußball usw., bilden
den edleren Teil des Sportwesens, da mit diesen doch
körperliche Ausbildung oder gewerblicher Nutzen verbunden ist.

**Staatsanwalt** s. den Art. Gerichtswesen.

**Staatslotto.** „Es ist ein sozialpolitischer Nonsens,"
schrieb neulich ein deutscher Professor, „daß der Staat,
der zu seiner eigenen Gesundheit und kräftigen Weiter-
entwickelung den Mittelstand dringend braucht und der
ihn mit allen möglichen Gesetzen zu schützen und zu
fördern unternimmt, ihm jahraus, jahrein 67 Millionen
Mark durch Spielverluste entziehen läßt." Aber Nonsens
hin, Nonsens her; die Finanzminister aller Länder denken
darüber ganz anders. Jeder Deutsche verliert jährlich
beim Lotteriespiel durchschnittlich 4,33 Mk.; jeder Italiener verliert beim Lottospiel nicht weniger als 1,72 Mk.
Der deutsche Staat kann auf die Lotterieeinnahmen nicht
verzichten; der italienische Staat braucht die 30 Millionen
Lire, die ihm das Lottospiel jährlich einbringt. Deshalb
hat Italien keine „Lotteriepest", wohl aber die „Staats-
lottopest". In allen großen und kleinen italienischen
Städten gibt es eine oder mehrere Lottobuden (banchi
del lotto), wo die Ärmsten unter den Armen auf einige
Nummern ihre Hoffnung und auch ihr gutes Geld setzen.

Der Spieler kann mit jeder beliebigen Summe — die Lottokasse behält sich allerdings eine Beschränkung vor — eine oder mehrere Nummern zwischen 1 und 90 besetzen. Dabei kann er wetten, daß eine jener Nummern (estratto) bei der Ziehung herauskommt, oder er kann 2 (ambo), 3 (terno), 4 (quaterno) Nummern besetzen und darauf wetten, daß eben diese 2, 3, 4 Nummern zusammen gezogen werden. Kommt sein estratto heraus, dann bekommt er $52^1/_2$mal seinen Einsatz; bei ambo bekommt er 250mal, bei terno 4250, bei quaterno 60 000mal sein Geld zurück. — Die Ziehung findet in Bari, Florenz, Mailand, Neapel, Palermo, Rom, Turin, Venedig jeden Sonnabend um 4 Uhr nachmittags statt. Aus einem Glücksrad oder aus einer Urne, wo sich die Zahlen von 1 bis 90 befinden, werden 5 Nummern gezogen, welche gewinnen, während alle anderen verlieren. Die Wahrscheinlichkeit, zu gewinnen, ist deshalb für einen estratto $= ^5/_{90}$, während man nach der Kombinationslehre aus jenen 90 Zahlen 4005 verschiedene Amben, 117 480 Ternen, 2 555 190 Quaternen zusammensetzen kann. Kein Wunder also, wenn der einzige Gewinner der Staat selbst ist.

**Staatsrat.** Der italienische Staatsrat (Consiglio di Stato) besteht nicht wie in Preußen aus einer unbegrenzten Zahl von hohen Beamten und Notablen, die nur selten zusammenberufen werden, um Gesetzesvorlagen zu begutachten, sondern er bildet wie in Frankreich eine ständige Zentralbehörde mit weitgehenden Verwaltungs- und richterlichen Befugnissen. Der Staatsrat ist ein Kollegium, das aus einem Präsidenten, vier Vizepräsidenten, zweiunddreißig Räten und einer Anzahl Referendaren besteht und in vier Abteilungen geteilt ist. Drei von ihnen (für das Innere, die Justiz und die Finanzen) bilden begutachtende Körperschaften, denen die Prüfung von Gesetzentwürfen zusteht. Die vierte Abteilung waltet seit 1889 als oberster Verwaltungsgerichtshof, indem sie in richterlicher Eigenschaft und in den Formen des gerichtlichen Verfahrens in letzter Instanz über streitige Verwaltungsangelegenheiten entscheidet. Die Mitglieder des Staatsrats werden aus den bewährten Kreisen hoher Beamten und sonst politisch oder wissenschaftlich hervorragender Persönlich-

teiten auf Vorschlag des Ministeriums vom König er=
nannt, sind an Rang und Gehalt den obersten Ministerial=
beamten gleichgestellt, können aber wie Richter nur mit
ihrer Zustimmung in andere Stellungen versetzt und nur
in gesetzlich geordnetem Verfahren aus ihrem Amte ent=
fernt werden.

**Staatsverwaltung.** Die Leitung der Staatsverwal=
tung, also das, was man in Italien il governo nennt,
verkörpert sich in dem Ministerium als höchster Behörde.
Dieses besteht aus: Presidente del consiglio oder
Presidente dei ministri (Ministerpräsident); ministro
degli interni (Minister des Innern); ministro degli
affari esteri (Minister des Äußern); ministro delle
finanze (Finanzminister); ministro del tesoro (Schatz=
minister); ministro della guerra (Kriegsminister);
ministro della marina (Marineminister); ministro
della publica istruzione (Unterrichtsminister); mi=
nistro di grazia e giustizia (Justiz= und Kultus=
minister); ministro d'agricoltura, industria e com=
mercio (Landwirtschafts=, Gewerbe= und Handels=
minister); ministro dei lavori publici (Minister der
öffentlichen Arbeiten); ministro delle poste e tele=
grafi (Postminister). Die Minister sind nach der Ver=
fassung die obersten Räte der Krone; sie tragen staats=
rechtlich die Verantwortlichkeit für alle Regierungshand=
lungen des Monarchen, die erst durch ihre Gegenzeich=
nung rechtlich bindende Kraft erhalten, und sind die
Vermittler zwischen der Krone und der Landesvertretung,
der sie entweder als Senatoren oder als Deputierte an=
zugehören pflegen. Nach der Verfassung ernennt und
entläßt der König die Minister. Während die Ver=
fassung dem Monarchen in der Ausübung dieser höchsten
Regierungstätigkeit keine Schranken gezogen hat, ist die
Krone durch den Parlamentarismus nunmehr gezwungen,
zu Ministern nur Männer zu berufen, von denen anzu=
nehmen ist, daß sie bei allen wichtigen Fragen die
Mehrheit der Deputiertenkammer auf ihrer Seite haben
werden.

**Stadtzoll** s. den Art. Dazio comunale.

**Stazioni enotecniche** s. die Art. Handels=
kammern, Weinausfuhr.

**Stehbierhalle** f. den Art. Bar.

**Steinkohlen.** Hinsichtlich der Betriebskraft ist Italien gegen andere Länder im Nachteil durch den gänzlichen Mangel an Steinkohlen. Die italienische Industrie ist darauf angewiesen, ihren Steinkohlenbedarf aus dem Auslande zu beziehen, was trotz der Billigkeit des See= transports eine Verteuerung von etwa 100 Prozent des Preises am Ursprungsorte nach sich zieht. Ihr aber kommt die Wasserkraft der zahlreichen Ströme zustatten, die jetzt schon in großem Umfang verwertet wird. — Vergl. den Art. Weiße Kohlen.

**Stellenvermittelungsbureau** (ufficio di collocamento). Die privaten für Stellensuchende verlockenden Agenturen genießen im allgemeinen keinen allzu günstigen Ruf. Um eine Stelle zu erlangen, ist es am einfachsten und sichersten, in geeigneten Zeitungen zu inserieren oder sich an die von den Camere del lavoro (s. ds.) und von den Gemeinden gegründeten Bureaus zu wenden.

**Stempelmarken, Stempelpapier.** Für den geschäft= lichen Verkehr ist die Notiz wichtig, daß jede quittierte Rechnung für eine öffentliche Behörde auf Stempelpapier (carta bollata) geschrieben sein muß. Ebenso muß jede Quittung über 10 Lire und mehr eine Stempelmarke (marca da bollo) tragen. Verkaufsstellen für dieselben sind die spacci di tabacco, wo man sich auch über die Höhe der Stempel, die Art ihrer Ungültigmachung usw. unterrichten kann.

**Stempelsteuer** s. den Art. Verkehrssteuern.

**Steuern.** Die reichhaltigsten und ergiebigsten Ein= nahmeposten liefern die Steuern. Der italienische Haus= halt teilt sich in direkte Steuern, Verkehrssteuern (tasse sugli affari) und Konsumsteuern, zu denen die Zölle gerechnet werden. Von den direkten Steuern ist die Grund= und Gebäudesteuer in ihrem Ertrage seit langer Zeit wesentlich unverändert geblieben, nur ist der Anteil der Landgrundstücke allmählich kleiner, derjenige der Ge= bäude größer geworden. Noch ist es nicht gelungen, die großen Ungleichheiten zu beseitigen, die bei der Ver= anlagung der Grundsteuer vorgefunden wurden, als Ita= lien die politische Einheit erlangte. Noch heute erfolgt sowohl die Einschätzung der Grundstücke als ihre Ver=

anlagung in den einzelnen Landesteilen nach sehr ver=
schiedenen Grundsätzen. Es fehlt an einem einheitlichen
Kataster, und die Arbeiten zu seiner Herstellung schreiten
äußerst langsam fort. — Vergl. die Art. Konsumsteuer,
Verkehrssteuern.

Stiftungen s. den Art. Wohltätigkeit.

**Stracchino** (ßträt-ki'nö), lombardischer Sahnenkäse,
meist gelblich, sehr weich, so genannt, weil er aus Milch
von müden (stracco) Kühen gemacht wird. — Vergl. den
Art. Käse.

**Straßenindustrien** (industrie sulla strada pubblica). Man kann behaupten, daß Rom, Neapel, Mailand usw. die lärmendsten Städte in Europa sind. Schuld
daran ist, neben dem gewaltigen Verkehr, die übergroße
Zahl von Industrien der verschiedensten Art, denen man
auf Schritt und Tritt begegnet und deren Inhaber durch
die unablässige Anpreisung ihrer Waren oder Dienste die
Straßen mit lautem Geschrei erfüllen. Es lassen sich
diese Straßenindustriellen einteilen in umherziehende und
in solche mit festem Standorte. Die vornehmsten unter
letzteren sind die Zeitungsverkäufer und =verkäuferinnen
in den zahllosen, neben den Trottoirs der breiten Straßen
angebrachten Kiosken. Von 7 Uhr morgens bis Mitternacht hocken diese Bedauernswerten in einem Raume, der
ihnen kaum gestattet, einen Schritt zu tun, und der nur
geringen Schutz gegen die Sonnenglut oder die Winter=
kälte bietet; gleichwohl sind sie sehr zufrieden, wenn sie
nach einem so beschwerlichen Tage einen Gewinn von
wenigen Lire erzielt haben. Dahin gehören ferner die
Büchertrödler, die meistens ihren Sitz in der Nähe der
Universität haben. Sie stellen ihre Waren auf den Hand=
wagen und gestatten jedem mit größter Gutmütigkeit die
Einsicht ihrer Schätze, ja sogar stundenlange Lektüre. Der
meist in einiger Entfernung von seinem Kram weilende
libraio stört niemand in seiner Lektüre und nähert sich
nur, wenn seine Gegenwart verlangt wird. Die von ihm ge=
forderten Preise sind oft beispiellos billig. — Der Flick=
schuster tritt meist als Nachbar eines Kohlenhändlers auf, in
dessen offenem Laden er sich einen Verschlag in einer Ecke zu=
sammengezimmert hat. Zu seinen Eigentümlichkeiten gehört,
daß er fast immer eine Katze und einen Kanarienvogel zu

seiner Gesellschaft hat. Außerdem gibt es noch zahlreiche
wandernde Flickschuster, die Handwerkszeug, Leder, Sche=
mel usw. in einer Kiepe auf dem Rücken tragen. Sobald
der Flickschuster Arbeit erhalten hat, läßt er sich an einer
Straßenecke, auf einem leeren Bauplatze, unter einer Haus=
türe nieder, um sie sofort zu besorgen. — Zu den
beliebtesten Straßenindustriellen gehört besonders in Neapel
der öffentliche Koch. Man sieht ihn neben seinem eisernen
Kochofen, auf welchem in einer tiefen Pfanne beständig
siedendes Fett brodelt, fleißig Fische backen oder Macche=
roni und Polenta kochen. Ähnlich, jedoch nur im Winter,
ist das Verfahren der Kastanienverkäufer, deren Ware
auch immer warm von der Röstpfanne weggekauft wird.
— Die zweite Gattung der Straßenindustriellen sind il
mercanti ambulanti, die umherziehenden Händler. Die
zahlreichsten sind die Viktualienhändler, welche je nach
der Jahreszeit die von ihnen frühmorgens in den Hallen
aufgekauften Fische, Eier, ebenso Obst, Gemüse usw. lär=
mend ausschreien. Sie schieben einen hohen, kastenförmi=
gen Karren vor sich her, und zwar schweigend, bis sie den
bestimmten, ihnen angewiesenen Bezirk erreicht haben.
Dann aber erfüllen sie die Straßen mit ihrem Geschrei.
Jede angebotene Ware hat ihren besonderen Ruf; ohne
die Worte zu verstehen, hört der Italiener aus dem eigen=
tümlichen Tonfall und Rhythmus heraus, welche Ware
feilgeboten wird. Einen anderen Gesang hat der Kar=
toffel=, einen anderen der Bohnen=, der Obsthändler; der
Makrelenverkäufer ist mit dem Seezungenverkäufer nicht
zu verwechseln. Das Hauptgeschäft machen die Händler
in der Zeit von morgens 8 bis 11 Uhr und nach=
mittags von 3 Uhr ab. — Eine andere Gattung
bildet der limonaro, der Verkäufer von Limonaden,
d. h. einem faden Getränk, das aus Wasser, etwas
Zucker und Zitronensaft zusammengebraut wird. Der auf
Straßen und Plätzen umherziehende limonaro trägt auf
dem Rücken ein blechernes, köcherförmiges Gefäß, auf
dessen glänzende Ausstattung er seinen ganzen Fleiß ver=
wendet; begehrt jemand nach seinem Getränk, so öffnet
er den an seiner fontana angebrachten Hahn und füllt
einen seiner zahlreichen, spiegelblanken Becher mit dem
grünlichgelben Wasser, das trotz der Anpreisung nichts

weniger als frisch ist. — Wenn alle anderen Industrien schweigen, beginnt die Tätigkeit der Lumpen= und Stummelsammler. Von Mitternacht bis Tagesanbruch sieht man dunkle Gestalten, eine Laterne in der Hand und eine Kiepe auf dem Rücken, sich längs den Gassen hin= ziehen, jeden vorgefundenen Gegenstand beleuchten und nach Befund mit dem Eisenhaken in die Kiepe werfen. Auch Frauen betreiben dies beschwerliche Gewerbe. — Vergl. die Art. Mozzonari, Straßenrufe.

**Straßenrufe.** Unter strilloni versteht man im all= gemeinen die Zeitungsverkäufer. Während in Deutsch= land der Händler in den Straßen stillsteht oder im besten Fall einmal an eine Straßenbahn herantrippelt, stürzt in den Städten Italiens der Zeitungshändler wie gehetzt mit einem Pack großer, noch feuchter Blätter im Arm durch die Straßen und brüllt seinen Singsang oder sein scharfes Sera! Tribuna! Avanti!, daß man es drei Straßen weit hört. Und nicht einer allein, nein, oft drei, vier hintereinander, eine ganze Kette von brüllen= den Verkäufern, gejagt, wie vom bösen Geist getrieben. Und die Leute reißen sich um die Blätter. Außer den Zeitungsverkäufern aber begegnet man auf den Straßen der italienischen Städte noch vielen anderen Aus= rufern, von denen hier die wichtigsten aufgeführt sein mögen:

bruscolinaro! (bruß̄töll̄nā'rö), Verkäufer von gerösteten Kürbiskernen (semi — ß̄e'ml oder bruscolini — brūß̄töll̄'nĺ);

carciofario! (tärtschöfā'rĕ) oder carciofolaro! (tär= tschöfōlā'rĕ), Artischockenverkäufer;

caldallesse! (kälдäl-le'ß̄-ß̄ä) oder caldarroste! (kälдár= ro'ß̄tä), gesottene oder gebratene Maronen;

cerase marine! (tschĕrā'ß̄ä märĭ'nä) Meerkirschen! so in Rom, in Florenz dagegen ruft man: corbezzole (torbe'ᵗ-ß̄cĺä);

cerinaro! (tschĕrĭnā'rĕ), Wachsstreichholzverkäufer;

cerini! (tschĕrĭ'nĺ), Wachsstreichhölzchen;

fresca, fresca l'acqua acetosa! (fre'ß̄kä, fre'ß̄kä lā'kwä ätschĕtō'ßä), frisch, frisch der Säuerling! so in Rom, wo im Frühling und Sommer die sauer schmeckende acqua acetosa flaschenweise verkauft wird;

frittelle! (frĭl-te'l-lä), Beignets! (werden namentlich am
19. März, dem Feste des heiligen Joseph, verkauft;
— vergl. den Art. frittellari);
lustrare (lŭstra'rĕ), putzen! so der Stiefelputzer;
maritozzi! (mărĭto't-bĭ), Art Gebäck mit Öl, Rosinen
und Piniolen, sehr beliebt in Florenz und in Rom;
mellonaro! (mel-lena'rĕ), (Wasser-)Melonenverkäufer;
olivaro! (ĕlĭwa'rĕ), Olivenverkäufer;
ostricaio! (oßtrĭkä'ĭĕ), Austernhändler;
pan di ramerino! (păn dĭ rămĕrĭ'nŏ), Rosmarinbrot,
in Rom und Florenz; beliebtes Rosinenbrot, welches
mit Rosmarin gebacken wird;
pulire! oder puli! putzen! so ruft der Stiefelputzer;
ricotta! (rĭco't-tä), Quark!;
robbivech! (rob-bĭwä't), alte Sachen! so in Rom, anderswo ferravecchi (fer-răwä't-tŭ).

**strenne.** Die strenne oder Neujahrsgeschenke entsprechen ziemlich den deutschen Weihnachtsgeschenken. Den
Mitgliedern seiner Familie, Verwandten, Freunden und Bekannten schenkt man natürlich, was und soviel man will;
für die Beschenkung der Untergebenen hat sich eine gewisse
Norm gebildet. Der portinaio (Portier) erhält nach
Verhältnis des gezahlten Mietzinses etwa 5 bis 25 Lire.
Die Dienstboten erhalten 10 bis höchstens 40 Lire. Dem
Briefträger gibt man 1 bis 3 Lire, in Geschäftshäusern
je nach dem Umfange seiner Korrespondenz natürlich
noch mehr; dem Zeitungsboten 1 Lira, den Laufburschen
der Kaufleute 1 Lira, wenn sie öfters etwas bringen.
Außerdem schickt der Buchhändler, der Bäcker, der Drogist
allen Kunden eine strenna.

**Strohflechterei** ist eine Eigentümlichkeit Toskanas, die
früher gut lohnende Nebenbeschäftigung der weiblichen
Landbevölkerung gebildet hat. Seitdem die feinen und
dauerhaften, aber teuren florentinischen Strohhüte, die
aus diesen Geflechten gefertigt werden, durch den Mit-
bewerb amerikanischer und ostasiatischer Hüte aus Pflanzen-
fasern zurückgedrängt worden sind, hat sich der Bedarf
an Strohflechten und der Preis, der dafür bezahlt werden kann, gleich sehr verringert. Infolge dessen hat
sich der Verdienst der toskanischen Strohflechterinnen auf
ganz verschwindende Beträge vermindert. Trotzdem aber

sieht man noch jetzt im Arnotal aufwärts und abwärts von Florenz in den kleinen Städten und auf den Dörfern die Weiber allgemein Stroh flechten; selbst im Gehen bewegen sich die fleißigen Finger. Bringt's auch nicht viel, so ist's doch etwas; Mutter und Töchter, Schwestern und Großmutter sitzen beieinander und versüßen mit Plaudern die mühevolle Arbeit.

**Struscio** s. den Art. Gründonnerstag in Neapel.

**Stundenzählung.** Seit dem Jahre 1893 ist im ganzen Reiche die altitalienische Stundenzählung von 1—24 eingeführt. Während jedoch die alte Stundenrechnung — die auch Goethe in seiner italienischen Reise beschreibt — mit Sonnenuntergang begann, fängt sie jetzt um 1 Uhr nach Mitternacht an. Um 1 Uhr des Nachts ist also l'una, um 2 le due, um 11 vormittags le undici, um zwölf le dodici oder mezzogiorno, um 1 Uhr nachmittags le tredici, um 4 Uhr nachmittags le sedici, um 10 Uhr abends le ventidue, um 11 le ventitre, um 12 le ventiquattro oder mezzanotte.

**Suppe** s. den Art. Zuppa.

**Süßigkeiten.** Was man im Norden im Volke kaum kennt, was aber in Italien die betreffenden Lokale so füllt wie in Deutschland die Bierhäuser und Schenken, das ist das Naschen, die Zuckerbäckerei, die Herstellung von Pasteten, Torten, Kuchen, Speisen von Cremes, Eis und Halbeis, von verzuckerten und gebackenen Früchten, Marmeladen, Fruchtsäften und Sirup. Es ist, als befände man sich unter einem Volke von Kindern: so mannigfaches Naschwerk wird Schritt für Schritt auf der Straße und in Bäckereien, Pasticcerien und Buden feilgeboten. In der Zubereitung von Süßigkeiten (dolci) leisten wirklich die Italiener sehr Erfreuliches. Diese Nuß- und Kirschtorten, diese Marmeladen, Pasteten und Splitterkuchen mit Creme, diese Fladen nach livornischer, genuesischer, Mailänder Weise, vor allem jenes nur in Rom bekannte Präparat zuppa inglese, das seinen Namen daher leitet, daß es weder eine Suppe, noch etwas Englisches ist, haben nicht ihresgleichen. Dann hat man in der Weihnachtszeit die vorzüglichen Striezel, Panettoni genannt; während auf dem Gebiete der Pfefferkuchen Deutschland weit voraus ist. Jedes Fest

und jede Jahreszeit hat ihre besonderen Mehl= und Obst=
speisen, jede Stadt zeichnet sich durch irgendwelche Art von
Brezeln oder Blätterteig aus, und ruhmredige Straßen=
eckenanzeigen verkünden die Niederlagen und die Ankunft
frischer Waren. (Justinus.)

## T.

**Tabaccai.** Der tabaccaio (Tabakhändler) ist auch
so eine Art Vertrauensmann des großen Publikums und
der Regierung. Man findet bei ihm alles, wie in dem
österreichischen Trafik, und das Wappen über seiner Tür
läßt ihn dessen würdig erscheinen. Er verkauft die schlech=
ten und teuren Monopolzigarren ebenso zum vorgesetzten
Preise, wie alle Brief= und Stempelmarken, wie alle gang=
baren Zeitungen, und führt Tabakpfeifen, Wachsstreich=
hölzchen, Briefpapier, Kognak und Likör, Zwirn und
Nadeln, Tinte und Siegellack, hält das Adreßbuch und
alle Fahrpläne, schreibt Ungeübten Postkarten, übernimmt
Geldeinzahlungen und ist sozusagen Mädchen für alles.
Vor seiner Tür befindet sich der Postkasten; seinen Nutzen
bezieht er von der Post, von der Regierung usw.

**Tabakmonopol** s. den Art. Zigarren und Zigaretten.

**Tagelöhne der Landarbeiter.** Der Lohn des ita=
lienischen Landarbeiters hält sich durchschnittlich auf einem
sehr niedrigen Satze; er erreicht an vielen Orten für
Männer im Sommer wenig mehr als 1 Lira, im Winter
bleibt er selbst unter diesem Betrage zurück; Frauen
müssen sich nicht selten mit 50 oder 60 Centesimi als
Tagelohn begnügen. Bei der schweren und ungesunden
Feldarbeit in den Mais= und Reisfeldern der Poebene
stellte sich nach den amtlichen Ermittelungen der Durch=
schnittsverdienst einer Tagelöhnerfamilie auf 450 bis
höchstens 600 Lire jährlich. — Vergl. die Art. Land=
bevölkerung, Siziliens Erwerbsverhältnisse.

**Taler.** Oft wird in deutschen Lehr= und Wörter=
büchern das italienische Wort scudo durch „Taler" über=
setzt. Das entspricht aber nicht mehr der heutigen ita=
lienischen Münzeinteilung. Der Scudo ist 5 Lire = 4 Mark
wert. Das Wort tallero, welches auch im Italienischen
vorkommt, bezeichnet dagegen entweder die deutsche Drei=

markmünze oder das von Italien für seine afrikanische Kolonie Eritrea gemünzte Dreilirestück.

**Tarantella,** ein neapolitanischer Tanz. Es liegt eine hinreißende, bacchantische Wut in den Rhythmen dieser Tanzweise, die den heißblütigen Neapolitaner trotz seiner Trägheit zu den größten Anstrengungen gewaltsam antreibt. Diese Burschen, denen der zehnte Teil solcher Strapazen für das Dreifache der Belohnung zuviel gewesen wäre, wenn es einer anderen Dienstleistung gegolten hätte, erschöpfen das letzte Maß menschlicher Kräfte in diesen bacchantischen, ausgelassenen und doch nie unschönen Touren und Tanzsprüngen ihrer Tarantella. Die Ausdauer wird zur Ehrensache; immer neue Wendungen und Touren wissen sie zu erfinden, und die lauten Bravos verdoppeln ihren Eifer. Die uns begleitenden Bildhauer gerieten in Entzücken über die Fülle von Motiven und Stellungen, die ihnen besonders der Anblick des kleineren unter den Tänzern darbot, der wie ein vom Dämon des Tanzes besessener Satyr erschien. Wenn wir glaubten, daß alle seine Kräfte erschöpft seien, schnellte und wirbelte er sich aufs neue in den Tanz, als gelte es, jetzt erst zu beginnen.                   (Schneider.)

**Tartaglia,** eine italienische Maske, deren Stottern und Stammeln das Motiv zu zahllosen burlesken Auftritten hergab.

**Teilbau** s. den Art. Mezzadria.

**Telegraph.** Die Telegraphie nimmt in Italien nicht die Stellung ein, die ihr im Vaterlande Voltas, Galvanis und Marconis zufallen sollte. Ihre Anlagen bleiben an Zahl der Dienststellen sowie an Länge der Linien und der Leitungen hinter anderen Ländern weit zurück. Zwar ist auch hierin in den Jahren 1894—1897 ein namhafter Fortschritt gemacht worden. Die Zahl der Telegraphendienststellen hat sich in diesen Jahren von 5009 auf 5868, die Länge der Leitungen von 151 000 auf 161 000 km gehoben. Aber noch jetzt entbehren etwa 4000 Gemeinden, fast die Hälfte der Gesamtzahl, einer Telegraphenstelle; der Depeschenverkehr beträgt im ganzen nur 11,5 Millionen. Auch er wird durch die übermäßige Höhe der Tarife gehemmt.

**Telephon** s. den Art. Fernsprecher.

**Tennis** s. den Art. Fußball.

**Teppa.** So nennt man in Mailand das Rowdy=
wesen, und teppista heißt der Rowdy. — Vergl. den Art.
Barabbismo.

**Textilindustrie** siehe die Art. Baumwollenindustrie,
Leinenindustrie, Seidenindustrie, Wollenindustrie.

**Theater.** Viele Theaterbesucher und wohl fast jeder
Italienfahrer haben schon Gelegenheit gehabt, der Auf=
führung eines italienischen Lustspiels oder einer Oper bei=
zuwohnen. Bei dem größten Teil der gebildeten Kreise
Deutschlands ist also eine gewisse Teilnahme für den Gegen=
stand dieser Betrachtung vorhanden. Natürlich kann es
sich hier nur um einige erschaute und erlebte Eindrücke
des neuzeitlichen Theaterbetriebes in Italien handeln.

Zu einer Zeit, als die dramatische Kunst Deutsch=
lands — die schaffende und die nachschaffende — noch in
den Windeln lag, erfreute sich die italienische Bühnen=
kunst schon eines europäischen Rufes, und die Sänger
und Schauspieler der apenninischen Halbinsel spielten in
fast allen Hauptstädten, an allen Höfen Europas. Eine
wandernde Kunst ist sie geblieben, die im Lande selbst
von Stadt zu Stadt zieht und seit der Entwickelung
des neuen Verkehrswesens um die Mitte des vorigen
Jahrhunderts auch wieder fremde Länder bereist. Es
hängt mit der politischen, sozialen und literarischen Ent=
wickelung des Landes zusammen (die ja nicht voneinander
zu trennen sind), daß es Italien, bis auf einen einzigen
Versuch, bislang zu keiner stehenden Bühne und zu keinem
klassischen Dramatiker der Weltliteratur brachte; denn ein
Goldoni, ein Alfieri können doch nur eine rein nationale
Bedeutung beanspruchen. Nur in der Oper blühten ihm
in Rossini, Verdi, Donizetti und Bellini Musikklassiker
auf, und die Oper nimmt denn auch noch heute in der
Vorliebe des Publikums den ersten Rang der italieni=
schen Bühnenkunst ein. Aber das kann man wohl ohne Über=
treibung behaupten: die Schauspielkunst ist neben der
nationalen Oper die feinste Kunstblüte des heutigen
Italiens und steht zweifellos an der Spitze der gesamten
europäischen Bühnenkunst, im Trauerspiel sowohl wie
im Lustspiel und im Unterhaltungsstück. Die Salvini
und Rossi, vor ihnen die Ristori haben einen modernen

tragischen Bühnenstil geschaffen, in dem Größe und mo=
numentale Wucht mit feinster Charakterisierung, mit
Wahrheit und Natürlichkeit sich einten. Sie haben uns
und die ganze Welt gelehrt, wie man Shakespeare spielt.
Frei von alten Überlieferungen, von der lastenden Wucht
des deutschen oder französischen Deklamationsstiles, schau=
ten sie die Riesengestalten Shakespeares mit frischen, un=
verbrauchten Augen an wie jeden beliebigen Dichter der Neu=
zeit. Überlieferung im guten Sinne pflanzten freilich auch
sie fort: die Überlieferung der Natürlichkeit, der Wahrheit,
des vortrefflichen Sprechens. Mit jener im ganzen Volke
vorhandenen mimischen Beredsamkeit ausgestattet, die man
so sehr bewundert, herangebildet von einem hervorragen=
den Lehrer und Vorbild (Modena), durch stärkste schau=
spielerische Einbildungskraft, höchstes Anschauungs= und
Ausdrucksvermögen sich über das Durchschnittskönnen er=
hebend, steigerten sie ihre Leistungen zu jenen von den
Mitteleuropäern angestaunten Kunstgebilden.

Eine ganze Anzahl im Ausland unbekannter oder nur dem
Namen nach bekannter Schauspieler pflanzt diese glänzende
Überlieferung fort, die in Novelli, Zacconi, Maggi, Andò,
der Marini, Virginia Reiter, Clara della Guardia, Tina di
Lorenzo, der Gramatika e tutti quanti neue Blüten treibt
und in der Duse, der Nervenkünstlerin par excellence, das
größte Talent und die stärkste Individualität der modernen
Bühne hervorgebracht hat. Allüberall blüht und sprießt
es im italienischen Bühnengarten. Und es ist nicht ein=
mal wahr, was mir Ernesto Rossi, der Frühverstorbene,
einst bei seinem letzten Berliner Gastspiel auf mein Lob
der italienischen Schauspielkunst erwiderte: „Wir haben
vielleicht die stärksten Einzelspieler, Sie in Deutschland
aber die besten Zusammenspiele." Mag das für eine ge=
wisse äußere Sorgfalt und den Glanz des Bühnenbildes,
der Kostümierung, das Eingreifen der Nebenpersonen usw.
zutreffen, welche Dinge man in Italien nicht immer mit
jener Sorgfalt behandelt wie bei den besten deutschen
Bühnen: für das eigentliche schauspielerische Zusammenspiel
trifft es sicher nicht zu. Das wird, zumal im Lustspiel und
Schauspiel — die Tragödie hohen Stils ist, noch stärker
als in Deutschland, auf den Bühnen Italiens immer mehr
in den Hintergrund getreten — von der Bühnenkunst au=

derer Nationen sicher nicht übertroffen; gewiß nicht von den Gesellschaften unserer deutschen Saisonbühnen, die schon nach wenigen Monaten wieder auseinanderlaufen, kaum daß sich ein wirkliches Zusammenspiel herausgebildet hat. Das Wandertruppensystem hat eben, neben manchen Nachteilen, auch seine Vorzüge, zu denen vor allem die Bildung eines festen und ausgeglichenen Ensembles gehört, das immer wieder dieselben Stücke mit denselben Darstellern zur Aufführung bringt. Diese Truppen gruppieren sich ge= wöhnlich um einen Doppelstern, einen männlichen und einen weiblichen, von denen zumeist der eine (durchaus nicht immer der männliche) die Direktion inne hat, wenn sie nicht von beiden zusammen ausgeübt wird. Doch kommt es auch vor, daß der Direktor nicht spielt und, wie bei uns, nur die Geschäfte besorgt. Dann ist aber einer der Sterne als stiller Kompagnon, nicht nur mit fixer Gage, beteiligt.

Im allgemeinen sind, auch in den größeren Theatern, die Eintrittspreise ziemlich niedrig, wenigstens für das rezitierende Drama. Das Parkett z. B. kostet in den ersten Theatern Genuas, Mailands, Venedigs, Turins zwischen 2 und 5 Lire, je nach dem Range der Gesellschaft und der Lage der Plätze. Merkwürdigerweise sind die ersten Bänke billiger, als die weiter hinten befindlichen. Allerdings liegt das Podium gewöhnlich etwas höher als bei deutschen Bühnen; dazu versperren noch sehr große (mit buntem Samt überzogene, mit den Initialen der Direktion geschmückte und ihr gehörige) Souffleurkasten die Aussicht von den vorderen Plätzen. Schaut man hinter die Kulissen, so fällt einem zunächst auf, daß die Dekorationen durchweg nicht auf Leinwand, sondern auf Papier gemalt sind, um die sonst kaum erschwinglichen Transportkosten zu ermäßigen. Aus dem gleichen Grunde ist das Lattenwerk auf das denkbar kleinste Maß beschränkt. So umfangreiche Versteifungen wie in Deutschland gibt es nicht. Die Dekorationen rollen sich allesamt auf. Im ganzen ist alles einfacher, weniger auf die vollständige Illusion berechnet; es wird auch weniger mit Möbeln und Tapezier= künsten gearbeitet. Das Dekorationspapier ist natürlich ein besonders widerstandsfähiges und zähes, hat aber dennoch nicht so lange Bestand wie Leinwand und muß

Land und Leute in Italien. 26

bereits nach einigen Jahren erneuert werden. Die Ita=
liener halten sich bei der Kostümierung und dekorativen
Ausstattung im ganzen nicht so genau an das historisch
Echte, wie die Deutschen seit den Zeiten der Meininger.
Auch treibt sie ihr Farbensinn mehr auf das Bunte hin;
aber sie wissen außerordentlich geschmackvolle Wirkungen
zu erzielen. Begeistert sich das Publikum für die Aus=
stattung, so ruft es auch die Dekorationsmaler und Kostüm=
zeichner hervor, was ich selbst in Turin bei der Erstauf=
führung eines deutschen Stückes mit ansah.

Bei dieser Gelegenheit konnte ich einige Unterschiede deut=
schen und italienischen Theaterbetriebes so recht deutlich be=
merken. Die Generalprobe fand in der Nacht vor der Pre=
miere, von 12 Uhr bis gegen $1/_2 5$ Uhr des Morgens, statt;
und mit bewunderungswürdiger Geduld, Lust und Liebe
ertrugen die italienischen Mimen diese Störung ihrer Nacht=
ruhe nach und vor einer großen Aufführung. Dagegen
klappte noch lange nicht alles; Kostüme und Dekorations=
stücke fehlten zum Teil, so daß von einem lückenlosen
Bilde, einer Voranführung, wie sie die großen deutschen,
französischen und englischen Bühnen unter einer General=
probe verstehen, keine Rede sein konnte. Man versicherte
mir, so sei es immer und überall. Aber am Abend ginge
dennoch alles glänzend. Je weniger sicher die Mimen
auf der Probe gewesen, desto mehr gäben sie sich Mühe,
und um so sicherer seien sie am Abend. Auch die rück=
ständigen Kostüme usw. würden bestimmt zur Vorstellung da
sein; niemals ließen die Handwerker ein Theater im Stich.
Es klappte ja auch alles am Abend; aber der Schuster
schickte das Schuhwerk für etwa fünfzig bis sechzig Mit=
wirkende erst im allerletzten Moment, zehn Minuten vor
dem angesetzten Beginn der Vorstellung, so daß diese erst
eine halbe Stunde später unter einem wahren Höllenlärm
des ungeduldigen Publikums anfangen konnte. Die
Hauptdarstellerin, zugleich die Frau des Direktors, hatte
ihre vier glänzenden Kostüme weder vorher gesehen, noch
probiert und erwiderte auf meine erstaunte Frage kalt
lächelnd, daß sie sich auf den Zeichner und auf den
Schneider verlassen könne, die sie noch nie schlecht be=
dient oder im Stich gelassen hätten. Jeder Bühnenkenner
weiß, daß all das in einem besseren Theater Deutschlands

ganz unmöglich ist. In ihrem Beifall oder Mißfallen
sind die Italiener lebhafter und leidenschaftlicher als das
Publikum unserer Bühnen. Zu Völkerschlachten zwischen
Zischern und Klatschern kommt es in Berlin oder Wien
doch höchstens bei einem großen literarischen, zu Partei=
kämpfen ausgenützten Ereignis. Und gar das Pfeifen ist
eine nicht gerade oft geübte Kunst in Deutschland. Ein
falscher Ton des Sängers, eine Entgleisung, eine schlecht
gespielte Szene des Schauspielers genügen, um einen
Sturm des Mißfallens zu entfesseln, wahre Pfeif= und
Zischkonzerte, vermischt mit «Basta»=Rufen, die den un=
glücklichen Mimen von der Bühne fegen. Stücke und
Schauspieler, die besonders mißfallen, läßt man einfach
nicht weiterspielen. Aber dafür klatscht man auch nach
dem Aktus mit Wucht und Ausdauer und zwingt ge=
radezu die Darsteller vor den Vorhang, die durchaus nicht
so flink wie bei uns vor die Gardine eilen. Und ein
lang gehaltener, hoher und glänzender Ton, ein aus=
gezeichneter Witz oder ein besonders packendes Wort, eine
hervorragend wirksame und schön gespielte Szene können
einen Applaus bei offener Szene entfesseln, wie man ihn
in Deutschland höchstens in den anziehendsten Erstauf=
führungen der Großstädte hören kann.

Um auf die Schauspielkunst selbst zurückzukommen:
bei meinem jüngsten Aufenthalt in Oberitalien habe
ich mich wieder so recht von dem hohen Stande ita=
lienischer Bühnenkunst überzeugen können. Mit unver=
gleichlicher Glut, Feinheit und Natürlichkeit spielten Maggi
und die della Guardia die Liebesszenen der schon er=
wähnten Turiner Erstaufführung jenes deutschen Stückes.
Im Mailänder Manzonitheater sah ich Goldoni selbst als
Helden auf die Bühne gebracht in einem etwas possen=
haften Intrigenstücke Ferraris. Ich habe leider den
Namen der Gesellschaft und des Sternes, der natürlich
den Goldoni spielte, vergessen. Es war also kein über
die Lande hinaus leuchtender Stern, kein Schauspieler
allerersten Ranges unter ihnen. Aber sie waren fast
allesamt vortrefflich, der Komiker, der einen Theater=
souffleur darstellte, geradezu hervorragend komisch. Der
dritte Akt spielt hinter den Kulissen, während einer Probe,
bei der die Schauspieler nebst dem Souffleur gegen ihren

26*

Direktor Goldoni revoltieren. Sie spielten mit einer
unnachahmlichen Frische und Komik, die trotzdem stets in
den Grenzen der Natürlichkeit blieb, mit glänzender Verve
und Liebe des Zusammenspiels. Das Durcheinander=
sprechen in gewissen Momenten (bei dem, wie in einem
guten Orchester jedes Instrument, dennoch jede Stimme
einzeln vernehmbar blieb und man das Theater einfach
vergaß, so völlig glaubte man, das wirkliche Leben vor
sich zu sehen) habe ich selbst an unseren größten Bühnen
nicht so vollendet dargestellt gesehen, mögen diese an
starken schauspielerischen Individualitäten jene Truppe
auch noch so sehr überragen. Nur der Neid kann es
bestreiten, daß die italienische Theaterkunst noch immer,
wie zu den Zeiten der Ristori, Rossi und Salvini, die
am allermeisten ausgeglichene und harmonische, die viel=
seitigste, die stärkste, wahrste und natürlichste von allen
unter den modernen Kulturvölkern ist. (Robert Misch.)

**Theaterluxus.** Das Theater ist für den Italiener
von jeher ein großes Gesellschaftshaus gewesen. So
mancher geht vor allem hin, um zu schwatzen, Neuigkeiten
auszutauschen und den Damen in den Logen Besuche zu
machen, die Jugend aber, um gelegentlich von Loge zu
Loge, vom Sperrsitz aus in die höheren Ränge durch die
rühmlich bekannte Fächer= und Zeichensprache Liebes=
tändelei zu treiben. Die Herren erscheinen auf den
besseren Plätzen in Frack und weißer Binde. Die Damen
der Logen kommen in großer Toilette. Sie waren vorher
oder gehen nach dem Theater noch in Gesellschaft. Der
Saal mit dem hocheleganten Publikum, mit den langen
Logenreihen, wo die kostbarsten Toiletten, die herrlichsten
Diamanten und Perlen in Diademketten= und Armbänder=
schmuck unser Auge fesseln, bietet dann einen großartigen
Anblick. Hier mehr als anderswo sieht man denn auch
einmal die schöne Welt Italiens beisammen. (Kellner.)

**Theaterplätze.** Außer der Eintrittskarte (biglietto
d'ingresso), die für das Stehparterre (platea) berech=
tigt, löst man für die Sitzplätze noch ein zweites Billett.
Die Sitzplätze heißen poltrone (Orchesterfauteuil und
Erstes Parkett) sowie sedie oder posti distinti (Zweites
Parkett). In größerer Gesellschaft oder mit Damen nimmt
man am besten eine Loge. — Vergl. den Artikel Logen.

**Theaterrufe.** Jede fühlende Seele wird von der Macht eines guten Stückes gepackt und fortgerissen. Es wird daher gut sein, dem Fremden einigen Anhalt zur landesüblichen Gefühlsäußerung zu geben, um nicht etwa durch Germanismen allgemeines Aufsehen zu erregen. Da capo! sagt der Deutsche mit einem Fremdwort, wenn er die Wiederholung eines Vortrages verlangt. Der Italiener ruft sein eigenes: Bis! bis! — Setzen!, so ruft man, wenn rücksichtslose Personen der vorderen Reihen durch Aufstehen den Hinterpersonen die Aussicht nehmen, der Italiener drückt das durch: A sedere! aus. — Ruhe! oder Still da! heißt seltener: Silenzio!, meistens aber St! Ungebührlichkeiten aber, wegen derer man im deutschen Theater Raus! ruft, begegnet man italie= nisch durch: Alla porta! — Fuori! ruft man nur dem Schauspieler als Zeichen des Beifalls zu.

**Theaterzeit.** ‹9 pom.› oder ‹alle 21› heißt: „An= fang der Vorstellung 9 Uhr abends.“ Das ist etwas spät nach deutscher Auffassung, aber die Lebensgewohn= heiten in Italien sind eben total verschieden von den deutschen, und daß 9 Uhr abends die richtige Zeit für den Beginn der Abendunterhaltung ist, folgt schon dar= aus, daß sämtliche Häuser um 9 Uhr beginnen, die große Oper mit ihren dritthalbstündigen Vorstellungen bereits um $8^1/_2$. Nach dem Theater gibt man sich kaum wie in Berlin im Café oder Restaurant ein Rendezvous: das Tagewerk ist mit dem letzten Akte der Vorstellung abgeschlossen. Der Italiener hat vorher, etwa $7^1/_2$ bis $8^1/_2$ Uhr, seine Hauptmahlzeit eingenommen, ehe er den im allgemeinen nicht sehr fernen Weg nach seinem Lieblings= theater antritt. Er kommt mit vollem Magen ins Theater, gesättigt, selbstzufrieden und wohlwollend.

**Thunfisch** (tonno). Eine der beliebtesten Nummern der italienischen Speisekarte. Der Thunfisch gehört der Familie der Makrelen an und bewohnt das Mittelmeer, den Atlantischen Ozean und das Schwarze Meer. Am großartigsten wird jetzt die Thunfischerei an den sizilia= nischen Küsten, in den sogenannten tonnare, getrieben. Man sperrt den Tieren die gewohnten Straßen mit sehr großen Netzen ab und erbeutet Tausende mit einem Male, indem man sie aus einer Kammer des Netzes in die andere

treibt, bis sie sämtlich in der Totenkammer versammelt sind.
Diese wird dann heraufgezogen und der Fisch mit Keulen
erschlagen. Das Fleisch ist sehr verschiedenartig, wird
daher gut sortiert und eingesalzen. Ein vielfach be=
liebtes Nebengericht ist tonno sott' olio gekochter
Thunfisch in Öl eingelegt, den man mit pikanter kalter
Sauce genießt. — Vergl. die Art. Fischerei, principii.

**Tierquälerei** s. den Art. Vogelmord.

**Tierwelt.** Italien gehört in seiner Tierwelt der grö=
ßeren Hälfte nach zur mittelländischen Subregion der palä=
arktischen (gemäßigten) Region; im Norden, in den Alpen
zählt es natürlich Alpentiere zu seinen Bewohnern; hier
findet sich allein noch der Alpensteinbock in den Gebirgs=
zügen zwischen Piemont und Savoyen. In Norditalien
findet das Hermelin seine südliche Verbreitungsgrenze; unter
den Spitzmäusen ist für die Mittelmeerländer, also auch
für Italien, charakteristisch die Wimperspitzmaus, unter
den Mäusen, die viel Schaden anrichtende kurzschwänzige
Erdmaus; verbreitet ist der Siebenschläfer, der bei den
Römern als Leckerbissen galt und gemästet wurde. In
Italien eingeführt ist der gemeine Büffel, der in den
sumpfigen Niederungen ein halbwildes Leben führt; eben=
falls halbwild leben die Dromedare auf dem bekannten
Kamelgestüt zu San Rossore bei Pisa, das schon 1692 er=
wähnt wird; die Tiere schweifen frei in der an die Um=
gebung von Tunis erinnernden Gegend umher und suchen
sich auch ihre Nahrung während des größten Teils
des Jahres selbst. Damwild ist in Italien eingeführt,
Rehe finden sich wild. Der Hirsch kommt auf Sar=
dinien vor; hier lebt auch als einziger wilder Ver=
treter der Schafe in Italien der Mufflon, der hier
sowohl gejagt wie gezähmt wird; als Rasse des Haus=
schafes in Italien ist das Hängeohrschaf Oberitaliens
zu erwähnen. Von sonstigen Säugetieren besitzt Italien
besonders einige eigentümliche Fledermäuse. Von Vögeln
werden in Italien etwa 400 Arten gezählt; zu allgemein
paläarktischen Formen gesellen sich hier einige für die
mittelländische Subregion bezeichnende Arten, beson=
ders aber ist Italien und in erster Linie sein süd=
licher Teil, Sizilien, in der Ornithologie wichtig durch
das Passieren der Zugvögel im Frühjahr und Herbst,

wobei leider eine Unzahl Vögel, besonders Lerchen
und Wachteln, dem Jagdvergnügen zum Opfer fallen.
Von Amphibien beherbergt Italien 10 Gattungen mit 16
Arten. Von den bekannten europäischen Formen fehlt
Italien die Kreuzkröte, dagegen sind ihm eigen der
Brillensalamander, am Westabhang der Apenninen und
auf Sardinien vorkommend, und der braune Höhlen=
salamander, auf dem Festland in weiterem Umfang und
ebenfalls in Sardinien lebend. Der Scheibenzüngler
ist von Sizilien und Sardinien bekannt. Sehr zahlreich
sind in Italien die Reptilien, von denen 24 Gat=
tungen mit etwa 37 Arten gezählt werden; alle in Mittel=
europa sich findenden Formen kommen auch in Italien vor,
zu denen sich dann Typen der mittelländischen Sub=
region gesellen, besonders Haftzeher, deren sich mehrere
Arten im südlichen Italien finden. Eine Art derselben
(Phyllodactylus europaeus) ist allein Sardinien
eigen, gleich einer Gattung der echten Eidechsen (Noto-
pholis), dagegen fehlt auf Sardinien die sonst in ganz
Europa verbreitete Blindschleiche; eine charakteristische
Echsenart Italiens ist auch Seps. Als Giftschlange ist
besonders die allgemein verbreitete Aspisviper gefürchtet.
Die Fische Italiens spielen im Handel eine wichtige Rolle;
von Süßwasserfischen: Forellen, Karpfen, Äsche, Aalraupe,
Barsch, Maifisch; durch die Regierung wurden in ver=
schiedenen Seen eingesetzt: Salm, Saibling, Maräne. Sehr
bedeutend ist die Seefischerei an den Küsten Italiens;
besonders werden gefangen der Thunfisch bei Sizilien und
Sardinien, Meeräschen bei Sardinien, Scholle, Goldbrasse,
Makrele, Muräne, Seeal, Sardellen, Sardinen; für die
Aalfischerei sind von besonderer Wichtigkeit die sogenannten
Valli von Comacchio und Venedig, abgegrenzte, aber mit
dem Meer in Verbindung stehende Wasserbecken, in welchen
die jungen Aale heranwachsen. In der Molluskenfauna
zeigt Italien in seinen Gebirgen einen alpinen, in der
Ebene einen mittelmeerischen Charakter; eigentümlich sind
große, am Fuße der Alpen beginnende Helix=Arten aus
der Sippschaft unserer Weinbergschnecke, besonders die ge=
bänderte Helix aspersa; Süditalien und Sizilien eigen=
tümlich sind die Iberus=Arten, die die hier fehlenden,
in den Küstenländern des Mittelmeeres weit häufigern

Makularien erſetzen; die Inſeln zeigen in ihrer Molluſkenfauna große Ähnlichkeit mit dem Feſtlande, doch deuten zahlreiche eigentümliche Arten auf eine ſchon vor geraumer Zeit ſtattgefundene Trennung hin; ſo hat Sizilien unter 229 Arten 118 eigentümliche. Die Inſektenwelt Italiens trägt den Charakter der Subregion, zu welcher Italien gehört; zwei bekannte Charakterformen ſind z. B. die Gottesanbeterin und der Skorpion. Die Kenntnis der niederen Fauna Italiens iſt in neuerer Zeit beſonders durch die Unterſuchung der oberitalieniſchen Seen gefördert worden, die reich ſind an den im großen und ganzen kosmopolitiſch verbreiteten niederen Süßwaſſerorganismen, Kruſtern, Rädertieren, Protozoen.

(Nach Meyer's Konv.-Lexik.)

**Tiſchwein** ſ. den Art. Wein.

**Titelweſen** (titoli). Die zahlreichen in Deutſchland ſo gewöhnlichen Titel, welche die regierenden Fürſten als ehrende Auszeichnung verleihen, ohne eine Tätigkeit damit zu übertragen, ſind in Italien ganz unbekannt. Kommerzien-, Kommiſſions-, Sanitätsrat würden bei wörtlicher Überſetzung einen geradezu komiſchen Eindruck machen; ſie bleiben daher unüberſetzt. Die Amtstitel der Männer gehen nicht auf die Frauen über. Frau Profeſſor(in) H.; Frau Hofrätin P. ſind nur: la signora H., la signora P. Die Adelstitel dagegen gehen auch auf die Frauen über. — Vergl. die Art. Anrede, Cavaliere.

**Toaſt** ſ. den Art. Brindisi.

**Todesſtrafe.** Das italieniſche bürgerliche Strafgeſetzbuch hat ſeit vielen Jahren die Todesſtrafe abgeſchafft; für das militäriſche Strafgeſetzbuch beſteht dieſelbe jedoch zurzeit noch. Faſt immer aber wird der zu Tode verurteilte Soldat vom König begnadigt.

**Totenmahle.** Ein Überreſt des pantheiſtiſchen Glaubens der Ägypter, Syrer, Phönizier uſw. iſt der treubewahrte Brauch des ſüditalieniſchen Volkes, bei dem in ganz Unteritalien fortbeſtehenden Totenmahl das Ei zu geben, als Sinnbild der Lebensquelle im Schoße des Todes. Bei den genannten Völkern werfen Diener Bohnen hinter die Totenbahre, um die böſen Geiſter zu vertreiben, hier werden am Allerſeelentage Bohnen geſchenkt. Am Vorabend dieſes Tages werden an vielen Orten alle Herd

feuer peinlich gelöscht, kein Fünkchen darf in der Asche
zurückbleiben, denn das Feuer ist das Sinnbild des Lebens,
und morgen soll das Erlöschen des Lebens gefeiert
werden. An demselben Vorabende bleiben die Reste des
Nachtmahls auf dem Tische, am andern Morgen werden
sie den Armen gegeben. Oder man deckt den Nachttisch
eigens für die Abgeschiedenen unter der Annahme, die
Toten kämen zu Gaste und überzeugten sich, daß man
ihrer in sorgender Liebe gedacht hat.       (Raden.)

**Torrone** (Turm) ist eine eigentümliche weiße,
zähe, mit Honig und Eiweiß gleichsam gekittete Mandel=
masse von außerordentlicher Härte und Festigkeit. Diese
Spezialität stammt aus Spanien, und zwar aus der
Stadt Jijona in der Provinz Alicante, deren alter Turm
die erste Veranlassung dazu gegeben hat; sie wird daher
auch mele di Spagna genannt und ist in Madrid eben=
falls zur Weihnachtszeit beliebt.

**Train.** Während in Deutschland der Train eine be=
sondere Waffe mit eigenen Truppenteilen bildet und unter
eigener Oberleitung steht, ist er in Italien zum größten Teil
der Artillerie, zum kleineren dem Genieregiment beigegeben.
Ferner wird ein Teil des Dienstes, der in Deutschland
dem Train zufällt, durch die Sanitätskompagnien besorgt.
Für das militärische Verpflegungswesen besteht eine be=
sondere Truppe, das Kommissariat genannt, mit einem
eigenen Offizierkorps (tenenti, capitani usw. bis zum
colonello del commissariato) und mit zwölf Ver=
pflegungskompagnien, von denen jedem Armeekorps eine
zugewiesen ist.

**Trauer** (il lutto). Trauer anlegen prendere il
lutto. Nach italienischer Sitte trauert eine Witwe um
ihren Mann ein Jahr, die ersten sechs Monate in ganz
tiefer Trauer. Ein Witwer trauert um seine Frau ebenso
ein Jahr. Heiratet eine Witwe vor Ablauf der Trauer=
zeit wieder, so legt sie am Hochzeitstage die Trauer ab,
nimmt sie aber am Tage nach der Hochzeit wieder auf.
Dasselbe tut ein Witwer im gleichen Falle. Um einen
Vater oder eine Mutter trauert man ein Jahr in den
gewöhnlichen Abstufungen. Dasselbe geschieht jetzt bei
dem Todesfalle von Kindern, während früher gar keine
äußere Trauer für dieselben angelegt wurde. Beim Tode

eines Schwiegervaters oder einer Schwiegermutter trauern beide Gatten ein Jahr. Um einen Großvater oder eine Großmutter trauert man ein halbes Jahr, um einen Bruder oder eine Schwester ebensolange, um einen Onkel oder eine Tante drei Monate, um einen Vetter oder eine Kusine zwei Monate. — Die Trauertoilette stimmt mit der in Deutschland üblichen überein.

Trauring (anello matrimoniale oder la fede). Die Männer tragen in Italien meist keinen Trauring, die Frauen tragen ihn an der rechten, zuweilen aber auch an der linken Hand.

Tresett (das) [tre sette, deutsch „drei Sieben"], gewissermaßen das italienische nationale Kartenspiel. Es wird unter Vieren gespielt, von denen die Gegenübersitzenden zusammenspielen. Die Kartenfolge ist stets Drei, Zwei, As, König, Dame, Bube, Sieben, Sechs, Fünf, Vier. Es gelten die Whistregeln, doch gibt es keinen Trumpf, und man spielt nicht um Stiche, sondern um Punkte. Jedes As in den Stichen zählt 1, Coeursieben zählt ebenfalls 1; je drei Figuren (Drei bis Bube) zählen 1 (zwei überbleibende nichts), der letzte Stich 2. Zum Spielen gesellt sich das Ansagen, das vor dem ersten Stich nur der Vorhand erlaubt ist. Drei Dreien, drei Zweien oder drei As gelten 3; vier Dreien, vier Zweien oder vier As gelten 4; Drei, Zwei und As von denselben Farben gelten ebenfalls 3 und heißen la napoletana. 21 oder 51, 61 usw. machen eine Partie.

Tribunal s. den Art. Gerichtswesen.

Trinkgeld. Der Reisende, der die Italiener fortwährend braucht und tagtäglich mit tausend dienenden Geistern zusammenkommt, hat den Eingeborenen tagtäglich tausendmal die „milde Hand" zu geben. La buona mano, die gute, die milde Hand, so nennt man hier das Trinkgeld. Aber das Trinkgeldunwesen ist sowohl in Deutschland und in Österreich eingerissen wie anderswo; in Berlin allein werden jährlich 13 Millionen Mark, in Wien allein jährlich 8 Millionen Kronen an Trinkgeldern gegeben und vertan. Wien galt bisher für die klassische Stadt der Trinkgelder, was sie nicht mehr ist. Auch Rußland bezeichnet man mitunter als das klassische Land des Trinkgeldes; das andere Mal heißt es wieder, die „Trinkpfenge", die Drickspengar blühen nirgends so üppig wie in Schweden. Das Kleingeld ist am Ende nirgends zu entbehren, natürlich auch in Italien nicht. Italien hat nur einen verhängnisvollen Vorzug vor anderen Ländern, der eben mit seiner Schönheit und dem starken Fremdenbesuche zusammenhängt. Die Italiener bekommen und nehmen ihre Trinkgelder von den Fremden. Die Fremden geben in Italien mehr Trinkgeld als anderwärts. Untereinander schenken sich die Italiener nicht mehr und nicht reichlicher, als die Deutschen in ihrer Heimat. Die Fremden aber haben den Italiener verdorben, und nun nutzt er sie aus; nach seiner Meinung sind alle Fremden Milordi, deren Besuch auch wirklich für das Land von der größten wirtschaftlichen Bedeutung ist. Alle Häuser, die von den Fremden noch nicht angesteckt sind, pflegen sich durch eine gewisse Anspruchslosigkeit auszuzeichnen, sogar die übelberüchtigten; man kann geradezu sagen, daß die armen Italiener durch die Fremden verdorben werden. Die Fremden, und nicht zuletzt die reisenden Deutschen und Österreicher, haben viele Fehler und Schwächen des Volkes auf ihrem Gewissen. (Kleinpaul.)

**Trinkgeld für die Dienstboten.** Über das Trinkgeld — diese Plage nicht nur Italiens, sondern der ganzen Welt — ist schon in einem besonderen Abschnitt gesprochen worden. An dieser Stelle jedoch sei besonders folgendes hervorgehoben: in Deutschland glaubt man sich verpflichtet, wenn man ein Haus verläßt, wo man zu einem Diner usw. eingeladen war, dem Dienstboten ein Trinkgeld zu geben. In Italien würde dies von den Gastgebern fast als verletzend betrachtet werden. Dagegen pflegt man auch in Italien den Dienstboten ein Trinkgeld zu geben, wenn man einige Tage hintereinander bei ihrer Herrschaft zu Gaste war.

**Trunkenheit** s. den Art. Betrunkene.

**Turnen.** Das Turnen (ginnastica) wird schon seit 1878 als vorgeschriebener Unterrichtsgegenstand der Volksschule behandelt. In den größeren Städten wird dieser Unterricht vielfach durch eigene Fachlehrer erteilt; dort hat man Turnplätze, auf denen man auch das Turnen am Gerät übt. In den meisten Schulen aber begnügt man sich mit einer

geregelten Anweisung zu Freiübungen, Marschbewegungen,
Reigen u. dgl., die nach militärisch geordnetem Kommando
ausgeführt werden. Häufig wird, namentlich im Winter, der
Unterricht durch die Vornahme einiger derartiger Übungen
wie: Armstreckungen, Beugungen, Aufderstelletreten, Lauf=
schritt, unterbrochen, um die Aufmerksamkeit der Kinder
wieder zu beleben und um sie in den oft ungeheizten
Räumen zu erwärmen. Als ein vorzügliches Mittel zur
Kräftigung der Kinder und zu ihrer Gewöhnung an gute
Sitte haben sich die neuerdings eingeführten Turnfahrten
(passaggiate ginnastiche) bewährt, bei denen anfangs,
namentlich auf dem Lande, manche Vorurteile der Eltern
zu überwinden waren. An einzelnen Orten fängt man an,
diese Turnfahrten in größerem Umfange zu gymnastisch=
militärischen Zwecken einzurichten.

## II.

**Universitäten.** Für den höheren Unterricht bestehen
in Italien 17 staatliche und 4 freie Universitäten, 11 voll=
ständige mit den vier Fakultäten (Jura, Medizin, Natur=
wissenschaften und Mathematik, Philosophie und Philo=
logie): in Bologna, Catania, Genua, Messina, Neapel,
Padua, Palermo, Pavia, Pisa, Rom und Turin; 3 mit drei
Fakultäten (keine philologisch=philosophische) in Cagliari,
Modena und Parma; 2 mit zwei Fakultäten (Jurisprudenz
und Medizin) in Sassari und Siena und 1 mit einer Fakul=
tät (Jurisprudenz) in Macerata. Von den 4 freien Uni=
versitäten ist keine ganz vollständig. Diese 21 Universitäten
zählten 1900/1901 23425 Studierende. Am stärksten be=
sucht sind die Universitäten von Neapel, Turin und Rom.
Mit den Universitäten stehen Schulen für Pharmazie, für
Prokuratoren und Notare, Hebammen usw. in Verbin=
dung. Mit solchen Kursen sind auch die Lyzeen in Aquila,
Bari und Catanzaro versehen.

Als Hochschulen mit Universitätsrang sind weiter an=
zusehen: das königliche höhere Studieninstitut in Florenz,
die wissenschaftlich=literarische Akademie in Mailand, die
königlichen Ingenieurschulen in Bologna, Neapel, Rom,
Turin, die Tierarzneischulen in Mailand, Neapel und
Turin und die höhere Normalschule zu Pisa.

Höhere Fachſchulen ſind: die Schule für Sozialwiſſen-
ſchaften in Florenz, die höheren Ackerbauſchulen in Mailand, Perugia und Portici, das Forſtinſtitut zu Vallom-
broſa, das Induſtriemuſeum zu Turin, die höheren Han-
delsſchulen zu Bari, Genua, Venedig und Mailand, die
höhere nautiſche Schule in Genua und die höheren
Lehrerinnenſeminare zu Florenz und Rom.

Endlich beſteht eine große Zahl von Fach- und Spezial-
lehranſtalten, und zwar 32 für Landwirtſchaft, 4 für
Bergbau, 172 für Handel und Gewerbe, 15 für ſchöne
Künſte, 6 für Muſik uſw.

Von den vier Fakultäten umfaßt die juriſtiſche, die
einzige, die an ſämtlichen Univerſitäten vorhanden iſt, in
Italien auch die ſtaatswiſſenſchaftlichen Lehrfächer, wie
Nationalökonomie, Finanzwiſſenſchaft, Statiſtik und Ver-
waltungslehre. Die mediziniſch-chirurgiſche Fakultät überläßt dagegen Lehrſtühle, die in Deutſchland zu ihrem Haupt-
beſtande gehören, wie vergleichende Anatomie und allgemeine Phyſiologie, der naturwiſſenſchaftlichen Fakultät,
während die mathematiſche Fakultät Diſziplinen in ſich
begreift, die in Deutſchland lediglich an techniſchen Hoch-
ſchulen gelehrt zu werden pflegen, wie Baukunſt, Ma-
ſchinenlehre, Eiſenbahnkunde u. dgl. Die vierte Fakultät,
die philoſophiſch-literariſche, umfaßt die philoſophiſchen,
hiſtoriſchen und philologiſchen Wiſſenſchaften. Theologiſche
Fakultäten beſtehen nirgends mehr. Nur an einigen Univerſitäten wird die Geſchichte des Chriſtentums geleſen, an
vielen fehlt ſogar der Lehrſtuhl für Religionsphiloſophie.

**Univerſitätsprofeſſoren.** Das Lehrerkollegium der
italieniſchen Univerſitäten beſteht wie in Deutſchland aus
ordentlichen und außerordentlichen Profeſſoren ſowie aus
Privatdozenten (liberi docenti). Daneben ſind, ab-
weichend von der Einrichtung in Deutſchland, in der
Regel einige Dozenten mit der Abhaltung beſtimmter
Vorleſungen gegen feſte Vergütung aus Staatsmitteln
beauftragt (incaricati), nicht ſelten Profeſſoren, die neben
ihrem Hauptfach noch andere Kurſe auf ſolche Weiſe übernehmen, oder Privatdozenten, die dadurch zu einem wenngleich geringen Einkommen gelangen. Derartige Aufträge
werden entweder auf die Dauer oder vorübergehend, z. B.
zur Vertretung zeitweiſe verhinderter Profeſſoren, erteilt.

# V.

**Vegetation.** Mit der steigenden Kraft des Lichtes und der Wärme nimmt jenseits der Apenninen auch die Vegetation eine andere Art und Gestalt an und gebietet über reichere organische Mittel. Was den Wanderer aus Norden zunächst in Erstaunen setzt, ist die mit jedem Schritt nach Süden sich mehrende Zahl immergrüner Gewächse. Die Villen in und um Rom z. B. glänzen um Weihnachten oder zu Neujahr in ihrem frischesten grünen Schmuck. Außer den Gewächsen, die einst der Mensch aus anderen Zonen hierher versetzt hat, besonders aus den syrisch-aramäischen Wüstengebieten und aus Armenien und Medien, auch aus Griechenland: der der Pomeranze und Zitrone, der Zypresse und Pinie, dem Lorbeer und der Myrte, dem Granat- und Johannis- brotbaum, der Olive, der aus Amerika stammenden Magnolie, — außer diesen und anderen Zier- und Kultur- gewächsen, die die Kraft, den Winter grünend zu über- dauern, aus ihrer wärmeren Heimat mitgebracht haben, ist auch die wilde einheimische Flora so reich an immer- grünen Bäumen und Sträuchern, daß das Jahr sich hier nicht in eine lebendige und in eine völlig tote Zeit, vielmehr nur in eine des glühenden und eine des gedämpften Lebens teilt und daß gerade im Winter die Natur ein wohl- tuendes Ansehen milder, stiller Heiterkeit trägt. Immer- grün sind die dunklen Laubmassen der Eiche, der echten und falschen Korkeiche, die meisten der zahlreichen Büsche und baumartigen Sträucher auf den Bergflächen und an den Abhängen der Felsgebirge, der liebliche Erdbeerbaum mit dem dunklen Laube und den roten Früchten, der Laurusti'n(us) oder Steinlorbeer, der Buchsbaum, die verkrüppelte Kermeseiche, der stachlige Mäusedorn, der immergrüne Kreuzdorn, der den Bächen folgende hoch- blühende Oleander und die immergrüne Rose usw. Nur wo die Ulmen und Pappeln, die Reben und Kastanien vorherrschen, da raschelt zur Winterszeit dürres Laub am Boden, wie im Norden, die Sonnenlichter spielen allzufrei durch die Kronen und Zweige der Bäume, wie im Ulmenhain bei Ariccia im Albaner-

gebirge, und der Frühling bringt eine zauberische Ver=
wandlung. Aber auch dort bekleidet wenigstens dunkel=
grüner Efeu in dichtem Überzug die Stämme der ent=
laubten Bäume, zwischen denen man wie in einer Halle
grüner Säulen wandelt.

Eine andere Folge des wärmeren Klimas ist der
größere Reichtum an Arten, der die Pflanzenwelt Ita=
liens im Gegensatz zu den Ländern nördlich der Alpen
auszeichnet. Zu den belebenden Wirkungen der süd=
lichen Breite kommt in dieser Hinsicht noch die Halb=
inselgestalt des Landes, der Wechsel von Berg und
Tal, die Mannigfaltigkeit des Bodens, der Lage und
des Neigungswinkels, auch der uralte Handelsverkehr,
die Einführung von Unkräutern mit den Samen der
Kulturpflanzen usw. Wir überlassen es den Botanikern,
die Ziffer der Familien und Arten, um welche die Flora
am südlichen Fuß der Alpen die Flora Süd= und Nord=
deutschlands übertrifft, genau festzustellen, sowie die in
Norditalien fehlenden und jenseits der Apenninen auf=
tretenden neuen Gattungen und Arten aufzuzählen, aber
auch schon dem bloßen Naturfreunde, dem aufmerksamen
Reisenden fällt die Mannigfaltigkeit herrlicher Blumen,
wechselnder Kräuter und Gesträuche, die bunte Fülle immer
neuer Pflanzengestalten auf. Was er zu Hause nur in
e i n e r Art kannte, tritt ihm hier mehrfach und vielfach
entgegen; was er nur in Gewächshäusern gesehen, erscheint
hier zuerst einzeln im Freien, um noch weiter gegen den
Äquator sich in einer Menge Arten freudig auszubreiten.
Besonders reich ist in Italien das unübersehbare Heer
der Schmetterlingsblumen; aber auch die Familien der
Liliazeen, Amaryllideen, Orchideen, der Zichoriazeen,
Sileneen, Antirrhineen, Ranunkulazeen, der Malven,
Geranien, Konvolvulazeen usw. wuchern üppig in Arten
und Formen. Dabei färben sich die Blumen mit einem
Glanz, den ihre Schwestern im Norden entfernt nicht er=
reichen; besonders ein leuchtendes Goldgelb herrscht vor.
Wie die Zahl der Arten gestiegen ist, die Farben der
Blumen deutlicher und entschiedener geworden sind, so
ist auch der Duft der Pflanzen in Italien von ganz
anderer Kraft als in Mittel= und Nordeuropa. Es gibt
Zeiten im Jahre und Gegenden in Italien, wo alles in

Duft schwebt und jeder Atemzug bei Tag und bei Nacht mit balsamischen Wohlgerüchen geschwängert ist. Fast jede Pflanze, die man berührt, fast jedes Blatt, das man zerreibt, hinterläßt an der Hand einen würzigen, lange haftenden Duft. (Hehn.) — Vergl. die Art. Kulturbäume, Klima in Rom.

**Veglioni.** In den Theatern werden hin und wieder eine oder zwei Stunden nach beendeter Vorstellung öffentliche Maskenbälle (veglioni) abgehalten. Früher waren sie von der vornehmen Gesellschaft besucht. Jetzt soll, wenn überhaupt noch veglioni zustande kommen, die Gesellschaft eine gemischtere sein, in der wohl kaum noch Damen der großen, viel eher die der Halbwelt anzutreffen sein dürften.

**Velozipedfahren** s. Radfahrsport.

**Verbrecherverbindungen** s. die Art. Camorra, Mafia, mala vita.

**Verkehrssteuern.** Die zweite Steuergruppe, die tasse sugli affari, umfaßt sehr verschiedenartige Abgaben, darunter solche, die, wie die Erbschaftssteuer und die Steuer der toten Hand, anderwärts zu den direkten Steuern gerechnet zu werden pflegen. Ihr Rückgrat bilden die Registrierungs- und die Stempelsteuern (registro und bollo), welche auf französischer Grundlage in Italien durch fiskalische Findigkeit zu einer unglaublichen Mannigfaltigkeit ausgebildet worden sind. Jede geschäftliche Transaktion unterliegt dem Stempel, den man auf jeder quittierten Gasthofsrechnung, auf jeder Konzertanzeige wahrnimmt. Schriftstücke, von denen irgendwie gerichtlicher Gebrauch in Aussicht steht, unterliegen überdies dem registro, der sich vielfach nach dem Quadratzentimeter des beschriebenen Papiers berechnet. Eine der unangenehmsten dieser Verkehrssteuern, die Eisenbahntransportsteuer, die von jedem Fahrschein erhoben wird, ist mehrfach erhöht worden, um das in den Pensionskassen für das Eisenbahnpersonal vorhandene Defizit decken zu helfen. Im ganzen brachten die tasse sugli affari 1900/1901 224 Millionen, darunter die Erbschaftssteuer 39,6, der registro 58,4, bollo 67, die Transportsteuer 22,1 Millionen.

**Vermut** s. Wermut.

**Biehzucht.** Die italienische Viehzucht bleibt, was Pferde und Rinder anbelangt, sowohl in der Kopfzahl als in der Beschaffenheit weit hinter anderen Ländern zurück; sie wird nach beiden Richtungen starke Anstrengungen zu machen haben, um die für die Landwirtschaft daraus entstandenen Schäden zu heilen. Die letzte wirklich vorgenommene Zählung ergab 657544 Pferde und 4783232 Rinder, was im Verhältnis zur Einwohnerzahl 23 Pferde und 178 Rinder auf je 1000 Einwohner beträgt. Dies Verhältnis, das sich in Italien inzwischen kaum geändert haben wird, stellt sich in Deutschland auf 74 Pferde und 335 Rinder pro 1000 Einwohner. Stärker entwickelt ist die Schafzucht, deren Bestand bei der Zählung des Jahres 1881 auf 8,5 Millionen Köpfe ermittelt wurde; das Annuario von 1898 schätzt ihn gegenwärtig bedeutend geringer, auf 6,9 Millionen. Das stimmt mit den Wahrnehmungen überein, die man jetzt in der römischen Campagna machen kann, wo der Auftrieb der aus den Abruzzen zur Winterweide kommenden Schafherden früher ein viel stärkerer war. Nicht zum Segen gereicht der Landwirtschaft Italiens die starke Ziegenzucht (an 2 Millionen), da der Zahn der nimmersatten Kletterer den Baumwuchs des Buschwaldes unter scharfer Schere hält und den spärlichen Aufforstungsversuchen der Bergabhänge die größten Hemmnisse bereitet. Ein anspruchsloser, arbeitsamer und williger Freund des italienischen Landmannes ist dagegen der Esel (etwa 1 Million), der nicht nur als Reittier und zum Tragen und Ziehen ganz bedeutender Lasten, sondern auch bei der Ackerbestellung stark benutzt wird. Ein hochgeschätzter Hausgenosse endlich des kleinen Landmannes ist das Schwein (kaum 2 Millionen gegen 16,7 in Deutschland), das dem Flurstückbesitzer und dem Tagelöhner die einzige und noch dazu recht seltene Fleischnahrung gewährt und dessen Aufzucht in viel stärkerem Umfange betrieben werden sollte. Als der erfreulichste Teil der italienischen Viehzucht ist endlich die Geflügelzucht zu erwähnen, die namentlich in der Hühnerzucht eine sehr beträchtliche Höhe erreicht hat und sich in steigendem Aufschwunge befindet. Die Ausfuhr von totem und lebendem Geflügel hat im Jahre 1899 die Höhe von 103000 Doppelzentnern er=

Land und Leute in Italien.                                   27

reicht, die der Eier, die anfangs der siebziger Jahre
etwa 40 000 Doppelzentner betrug, ist im Jahre 1899
auf 337 000 Doppelzentner im Werte von 40 Millionen
Lire gestiegen und stellt einen namhaften Ausfuhrgegen=
stand der italienischen Handelseinnahmen dar. (Fischer.)

**Vögel.** Italien ist ein großes Durchzugsland für die
Wandervögel; manche, die in anderen Ländern nur
Sommergäste sind, fassen in Süditalien schon festen
Stand; der Reichtum an Insekten, an Beeren und
Früchten, an Kulturpflanzen gibt allen reichliche Nahrung.
Wie oft sieht der Wanderer in Italien Raubvögel am
blauen Himmel unbeweglich schweben oder ihre Kreise
ziehen, den Seeadler spähend über den Uferfelsen, an
denen er horstet, Geier, Weihen, Falken, Sperber, Habichte
usw. ihre Beute verfolgend. Besonders groß ist der
Reichtum der Halbinsel an Tauben: die Feldtauben, in
den Höhlen der Berge, der Meeresfelsen oder in zer=
fallenem Mauerwerk nistend, oft in schöner Flucht aus
den alten Ufertürmen sich aufschwingend; die scheuen,
waldbewohnenden, von Eicheln, Bohnen usw. sich näh=
renden Ringeltauben; die im Frühling aus Afrika kom=
menden und im Herbst wieder dahin ziehenden Holztauben;
die wegen ihrer Treue gepriesenen geschwinden, lieblichen,
gleichfalls in Afrika überwinternden Turteltauben, — alle
viel gefangen und oft auf der Tafel erscheinend. Unter
den zahlreichen Hühnern ist der echte Vogel des Mittel=
ländischen Meeres, der Frankolin — so genannt, weil
das Gesetz ihm angeblich einen Freibrief gegen Tötung
gewährt —, nicht bloß in Süditalien, sondern auch in
Smyrna, Cypern und der ganzen Levante als köstliches
Wildbret berühmt.

Im Herbst kommen in Scharen die Drosseln (Wein=
drosseln, Singdrosseln usw.), wenn gerade die Beeren
des Wacholders, des Erdbeerbaums, des Mastixbaums
sowie Trauben, Oliven und Feigen reif geworden,
ungeduldig erwartet, listig umgarnt und während des
Winters in Masse verspeist; ebenso die fetten, schwer=
fliegenden, unendlich zahlreichen Wachteln, die bei ihrer
Reise nach Afrika jeden Ruhepunkt auf Inseln und an
Vorgebirgen aufsuchen und dann den Habichten und
Falken und bei nächtlicher Weile den Netzen und Lock=

vögeln der Menschen als Beute verfallen. Zu den wasserreichen Niederungen an der Mündung der Po-arme und wo sonst in Italien stockende Flüsse Sümpfe und Lagunen gebildet haben, da wimmelt es von Enten, Tauchern usw., und zu gewissen Zeiten knallen die Büchsen auf den stillen Wassern von allen Seiten, und die Kähne füllen sich mit leichter Jagdbeute. Von den kleineren Singvögeln, den spielenden, hüpfenden Bewohnern der Hecken, Bäume und Dächer wimmelt in Italien überall ein großes Heer. Die liebliche Lerche wirbelt schon bei Rom in der Campagna den ganzen Winter über (leider wird sie viel weggeschossen, da ihr Fleisch für einen Lecker-bissen gilt); zu Anfang des Sommers schmettern in den paradiesischen Tälern die Nachtigallenchöre noch ebenso süß, wie einst im Hain von Kolonos; Grasmücken, Amseln, Hänflinge, Finken und eine Menge anderer Arten beleben zwitschernd mit mannigfachen Stimmen die Saatfelder, das Gebüsch und die Kronen der Fruchtbäume. Nur einige größere Vögel sind selten oder fehlen ganz, wie der Storch, der Schwan, die Trappe, die Gans. · (Hehn.)

**Vogelfang.** Der Vogelfang ist in Italien eine natio-nale Leidenschaft. Besonders im Herbst, wenn die Zug-vögel, im Norden durch reichliche Nahrung fett geworden und vermehrt, ihren Weg zurück nach Süden nehmen, da fallen sie zu Hunderttausenden den Netzen und Schlingen, den Leimruten, Pfeifen, geblendeten Lockvögeln und dem tödlichen Rohr zum Opfer. Die Jäger scheuen die Um-ständlichkeit der Verrichtung, die lange Weile des Lauerns und Wartens nicht und erwerben in den nötigen Hand-griffen oft eine unglaubliche Geschicklichkeit. Und fast alle Vögel dienen zur Nahrung; die mit gröberem Fleisch würzen die Polenta der Armen und des Volkes, die feineren und zarteren füllen die Pasteten auf dem Tisch der Vornehmen.

**Vogelmord und Tierquälerei.** Die sittliche Entrüstung deutscher Reisenden über die Vogeljagden in Italien ist ein altes Erbstück einer gewissen Art von Reiselite-ratur. Wer die italienischen Verhältnisse kennt, macht sich seine eigenen Gedanken über diese etwas stark ein-seitige sittliche Entrüstung. Es ist ganz richtig, daß die Vogeljagd, wie sie in Italien ausgeübt wird, vom volks-

27*

wirtschaftlichen Standpunkt aus durchaus verderblich und
verwerflich ist. Auch vom ästhetischen Standpunkt aus ist
sie höchst widerwärtig. Zwei Formen hat man zu unter=
scheiden. Einmal werden die Zugvögel, welche über das
Mittelländische Meer nach Norden ziehen, wenn sie er=
mattet an der Küste Italiens niederfallen, und auch sonst
die Vögel im Lande zu Tausenden mit Netzen gefangen
und getötet, um verkauft oder gebraten zu werden. Die
andere Form ist, daß mit der Flinte auf die kleinen
Vögel Jagd gemacht wird, wie bei uns in Deutschland
auf Hasen, Feldhühner, Rehe und anderes Wild. Es
macht in der Tat auf den Deutschen einen überaus un=
angenehmen Eindruck, wenn man über die öden, meist
völlig waldlosen Höhen Italiens Jäger mit der Flinte
streifen sieht, die überhaupt gar kein anderes Wild an=
treffen können als einzelne Vöglein. Recht sonderbar
macht es sich auch, wenn man auf Gebirgen, wo meilen=
weit nichts wächst als einige dürre Grashälmchen und
niemals ein im deutschen Sinne jagdbares Wild sich er=
nähren kann, einen einsamen Pfahl antrifft mit der Auf=
schrift: Proprietà e caccia riservata, zu deutsch:
Eigentum und Jagd (Vogeljagd) ist hier vorbehalten.

Beide Formen der Vogeljagd werden teils zum Ver=
gnügen, teils zum Erwerb ausgeübt — gerade wie in Deutsch=
land auch die Jagd aller Art. Man muß bedenken, daß es
in Italien einen eigentlichen Wildstand kaum mehr gibt.
Jeder Quadratfuß ertragsfähigen Bodens ist für Ackerbau
oder Gartenbau ausgenutzt. Die Gebirge sind fast völlig ent=
waldet und bergen keinerlei Getier. Außer einigen geringen
Strecken der Apenninen, welche einen kleinen Rehbestand
haben, außer einigen Alpengegenden, wo noch spärlich
Gemsen vorkommen — von den wenigen Steinböcken im Val
de Cogne am Stock des Grand Paradiso ganz zu schwei=
gen — und einigen wilden oder verwilderten Schweinen
und Sumpfvögeln in den Maremmen gibt es in ganz
Italien kaum eine andere Jagd als die auf Vögel.
Hasen und Feldhühner kommen zwar vor, Rehe und
Hirsche aber sind fast ausgerottet. Nun hat aber Italien
gerade so viele Jagdliebhaber wie Deutschland. Wer
dort auf die Jagd gehen will, dem bleibt nichts anderes
übrig, als auf die Vogeljagd zu gehen. Es ist auch zu=

zugeben, daß vom Standpunkte des Jagdsports aus die Jagd auf Vögel mit Netz oder Flinte keineswegs eine besonders vornehme Jagdart ist. Aber warum will man denn vom moralischen Standpunkte aus diese Jagd anders beurteilen als die Jagd auf Hasen und Hühner in anderen Ländern? Auch in Deutschland z. B. werden die Krammets= vögel in Schlingen und Netzen zu Tausenden gefangen, um verkauft zu werden, und mit ihnen Tausende an= derer Vögel aller Art. Warum will man das moralisch anders beurteilen als den Fang von Lerchen und anderen Zug= und Singvögeln in Italien? Wenn in anderen Ländern Hasen eingekreist und jeder im Kessel befindliche Hase niedergeschossen wird, oder wenn auf einer Treibjagd die Fasanen und Rehe zu Hunderten und Tausenden nieder= geschossen werden, warum will man das anstandslos hingehen lassen, während man die Jagd auf Vögel in Italien mit der höchsten sittlichen Entrüstung verurteilt? Wenn man sich über den „scheußlichen Vogelmord" in Italien entrüstet, dann kann man sich gerade so gut über den „scheußlichen Hasen= und Feldhühnermord" und über die „abscheuliche Ermordung und Auffressung" so vieler als Krammetsvögel verkauften Vöglein in anderen Län= dern entrüsten. Wir müssen gestehen, daß wir immer ein gutes Stück hochmütigen Pharisäertums in dieser Ent= rüstung von Reisenden über den Vogelmord in Italien gefunden haben.          („Kölnische Volkszeitung.")

Vollständig recht hat man dagegen, wenn man gegen die Schinderei von Zugtieren in Italien seine Stimme erhebt. Mit Recht schreibt Dr. Th. Zell: „Unwillkürlich drängt sich uns dabei die Frage auf: Woher kommt es, daß ein so hochgebildetes Volk wie die Italiener, deren Vorfahren wir einen großen Teil unserer Kultur verdanken, in bezug auf Behandlung der Tiere eine der tiefsten Stufen einnimmt? Wenn man diese Frage gerecht beantworten will, so muß man zugunsten des italienischen Volkes zugeben, daß die Italiener wie alle Romanen — man denke nur an ihre Vorliebe für Hahnenkämpfe und Stiergefechte — tatsächlich das Tier nur vom Nützlichkeitsstandpunkte aus betrachten. Wie sollte es auch anders sein? Das römische Recht sah bereits in den Sklaven große Sachen, woher sollte da ein Mitgefühl für die Tiere kommen? Für die innige und rührende Liebe, welche der Engländer, der Deutsche, der Russe zu seinen Haustieren nicht bloß, sondern zu den Tieren überhaupt hat, und die sich in ihren zahllosen Tiersagen und Märchen und in tausend kleinen Zügen von Freundlichkeit und Zärtlichkeit (welche selbst die Erwachsenen am Weihnachtstisch der Tiere nicht vergessen läßt) immer und immer wieder ausspricht, hat die ungeheure Mehrheit der Italiener (rühmliche Ausnahmen vorbehalten) nicht das geringste Verständnis. Eben deshalb muß ich aber den Vorwurf der schändlichsten Grausamkeit, welcher den Italienern in bezug auf die Tiere so häufig gemacht wird, in einem Sinne abwehren. Der Italiener, es ist wahr, nützt die Tiere auf die raffinierteste Weise nur für seinen Vorteil aus, aber er begreift nicht, warum er nicht so tun solle. Den Einwand, daß das Tier ein Geschöpf so gut wie der Mensch sei, daß es Freude und Schmerz so wie er empfinde, daß es eine Seele nicht weniger wie er besitze, vermag man jenseits der Alpen einfach nicht zu fassen. Dergleichen erscheint sentimental, wenn nicht albern, ja die ungeheure Mehrzahl hört dergleichen Gedanken niemals verlautbaren, vermag also nicht einmal über dieselben nachzudenken."

**Volksbanken.** Den deutschen Kreditgenossenschaften entsprechen in Italien die Volksbanken (banche popolari). Die italienischen Volksbanken unterscheiden sich jedoch von ihrem deutschen Vorbilde in ihrer rechtlichen Grundlage nicht unwesentlich dadurch, daß sie von vornherein als Genossenschaften mit beschränkter Haftpflicht errichtet worden sind. Während ferner die deutschen Vorschußvereine ursprünglich wesentlich auf den Bedarf des städtischen kleinen Geschäftsmannes und des Handwerkers zugeschnitten waren, haben die banche popolari sich gleich von Anfang an die wechselseitige Aushilfe des ländlichen und städtischen Kreditbedürfnisses, die Verbindung industriellen und agrarischen Kredits zur Aufgabe gestellt. Es ist ihnen gelungen, innerhalb ihrer Wirkungskreise namentlich den Wucher auf dem Lande erfolgreich zu bekämpfen. Durch ihre Wirksamkeit ist der Zinsfuß für ländliche Darlehen von dem regelmäßigen Satz von 11 und 12 Prozent auf 5 Prozent ermäßigt worden. Hierbei dienen den Volks-

banken die ländlichen Kreditgenossenschaften, casse
rurali, vielfach als Hilfsstellen, die dem Genossen=
schaftswesen bis in die Dörfer hinein Eingang und ein
fruchtbares Feld für seine Tätigkeit verschaffen. Diesen
rein wirtschaftliche und soziale Ziele verfolgenden Kredit=
genossenschaften hat sich seit einigen Jahren eine Be=
wegung auf kirchlicher Grundlage gegenübergestellt in
den auf Anregung der Katholikenkongresse ins Leben ge=
rufenen casse rurali cattoliche, die namentlich in
Oberitalien eine sehr starke Verbreitung gefunden haben.
Diese katholischen Landbanken, deren Zahl sich auf
über 700 belaufen soll, bilden nur einen Teil der
großen Organisation, mit welcher die Katholikenpartei seit
kurzem auf allen Gebieten des öffentlichen Lebens sich
zusammenzuschließen und neue Anhänger zu erwerben
strebt. Dieser Parteicharakter der katholischen Kredit=
genossenschaften, die im wesentlichen wie die Wollen=
bergschen auf Raiffeisenschen Grundlagen beruhen, hat
die Aufmerksamkeit der italienischen Regierung wachgerufen
und wiederholt zu Schließungen einzelner Vereine oder
Vereinsgruppen Anlaß gegeben.

**Volkssänger in Sizilien.** Eine der hervorstechendsten
und volkstümlichsten Figuren in Sizilien ist der can=
tastorie, der Geschichten= oder Rolandsänger. Sein Eintritt
in die Geschichte des Volkes ist in Dunkel gehüllt. Jeden=
falls haben wir es auf Sizilien mit einer Schöpfung der
Urbevölkerung zu tun, wenn auch die zumeist behandelten
Sagenstoffe dem frühen Mittelalter angehören. Wie alle
primitiven Völker die Taten ihrer Helden in Epen ver=
herrlichten und durch den Mund ihrer Sänger den kom=
menden Geschlechtern überlieferten, wie die Gesänge des
Homer, des Ossian, die Lieder und Heldengesänge der
Germanen, die Sagas der Skandinavier und die Volks=
gesänge der Spanier unter Begleitung von Musikinstru=
menten gesungen wurden, so geschah das auch bei den
Sikulern. Der Name cantastorie ist dafür ein sprechender
Beweis. Man besang zum Klange der Leier, der Zither
und der Gitarre, aber auch der bescheidenen Sackpfeife
die Heldentaten der Vorfahren und das stille Glück der
Liebenden. In unserer alles gleichmachenden Zeit ist auch
diese eigentümliche Volksfigur dem Untergange geweiht.

Die Klänge der Leier sind längst verstummt, geblieben ist
nur die mündliche Erzählung wunderbarer Taten, Be-
zauberungen, übernatürlicher Geschehnisse. In allen diesen
Erzählungen wuchert die Einbildungskraft und überwiegt die Leidenschaft die Überlegung. In der Phantasie der späteren Geschlechter nehmen die ruhmreichen
Taten der Vorfahren übertriebene Verhältnisse an; die
Helden werden Riesen, die Sagenkreise werden erweitert,
und wo sich Lücken zeigen, hilft die Erfindung nach.
Personenverwechselungen und Zeitverstöße machen dem
cantastorie keine Sorge. Im Eifer des Erzählens ver-
wechselt er die Personen des karolingischen mit denen des
bretonischen Kreises, setzt er uns in Erstaunen durch die
Fabel von dem siebenköpfigen Drachen, von dem mit
einer hundert Zentner schweren Keule bewaffneten Riesen.
Das kleine Volk aber nimmt alles gläubig und andächtig
auf; es hängt an den Lippen des Erzählers, gerät in
Entzücken über den Sieg seines Lieblingshelden, trauert
über dessen Niederlage, zittert, wenn eine schwere Gefahr, ein Hinterhalt ihn bedroht. Wehe dem Übel-
beratenen, der sich aus bloßer Neugierde naht und den
dichtgedrängten Kreis der Zuhörerschaft zu stören wagt:
Murren des Mißfallens oder gar unheildrohende Fäuste
verscheuchen den Eindringling. Volkserzähler gibt es
noch in Palermo, Catania und Messina. In den Provinzen Girgenti, Trapani, Syrakus und Caltanisetta trifft
man sie nur noch selten. Es ist mir aufgefallen, daß
die cantastorie zur Ausübung ihres Berufs die Vesper-
stunden bevorzugen, und daß sie ihre Sitzungen auf offenen
Plätzen und fast immer in der Nähe des Meeres abhalten.
Das letztere erklärt sich wohl daraus, daß im allgemeinen
Hafenarbeiter und Seeleute den Hauptanteil der Zuhörer
bilden. Nur bei großen festlichen Gelegenheiten verlassen die
cantastorie zeitweise ihre gewohnten Posten, um sich in der
Hoffnung auf verlockenden reichlichen Gewinn dorthin zu
begeben, wo die Bevölkerung zusammenströmt. An diesen
großen Tagen werden vielversprechende Programme verkündet: „Reise Astolfs auf dem Hippogryph! Zweikampf
zwischen Argant und Tankred! Seltsamer Wettstreit
zwischen den Vettern Roland und Rinald um die Liebe
der Angelika!" In Palermo, Messina und Syrakus sitzen

am Meeresufer auf Barken, Planken oder Steinen oder
rittlings auf rohgezimmerten Bänken zahlreiche Seeleute,
Kalfaterer, Brettschneider und Straßenjungen um den
cantastorie herum. Der erzählt ihnen mit feierlichem
Nachdruck von dem Verrat des Pinabello von Magonza,
von den Zaubereien der Fee Melissa, von der fabelhaften
Stärke des durch ein Haar der Madonna unüberwindlich
gemachten Rolandschwertes Durlindan. Zu Füßen des
Erzählers steht ein Tonkrug oder eine Blechschale, in die
jeder nach Vermögen sein Scherflein hineinwirft, vom
Centesimo des Straßenjungen bis zum Doppelsoldo des
Arbeiters. Der dabei abfallende Gewinn ist allerdings
sehr bescheiden, in der Regel nicht mehr als 30 Soldi
pro Sitzung. In den Augen des niederen Volkes ist der
Erzähler eine gelehrte Persönlichkeit, die gebührend ge=
achtet wird. Der cantastorie seinerseits ist sich seiner Be=
deutung als Künstler und Professor voll bewußt. Die
ganze Stufenleiter der Empfindungen und Gefühle steht
ihm zu Gebote. Wie abwechslungsfähig fließt seine Rede!
Rauh und stark ertönt die Stimme des Riesen Faragu,
zart und lieblich die der Angelika. Seht, wie er in Be=
geisterung gerät, wie er mit den Armen die Luft durch=
schneidet, wie er die Aufmerksamkeit der Zuhörer festzu=
halten weiß, wie er sie bald in Erstaunen, bald in Schrecken
versetzt, so daß sie kaum zu atmen wagen und ihr Bei=
fallsbedürfnis zügeln, um den Erzähler ja nicht zu stören!
Ab und zu, wenn die Erzählung sich in einem ruhigeren
Fahrwasser bewegt, enthülst und knabbert man zum Zeit=
vertreib (spassatiempo) die beliebten gesalzenen Lupinen=
kerne und die gerösteten Kürbissamen. Und nun —
gerade mitten in der spannenden Erzählung, wenn alle
mit Ungeduld das Niederfallen eines tödlichen Keulen=
schlages oder den Ausgang eines einem Lieblingsritter
gelegten Hinterhalts erwarten, in demselben Augenblick,
wo sogar die Kinnbacken ihre Arbeit einstellen, unterbricht
der Erzähler mit kluger Berechnung seinen Vortrag, indem
er sich den perlenden Schweiß von der Stirn wischt.
Die erfahrenen Zuhörer wissen ganz genau, was sie zu
tun haben: sie ziehen ihren Geldbeutel und lassen von
neuem ihre Zweicentesimistücke in die Schale regnen.
Wehe, wenn man sich stellte, als ob man „kein Latein

verstünde", wie es im Italienischen heißt! Der cantastorie
steigt plötzlich von seinem hohen Kothurn herab und schließt
seine Erzählung ohne Begeisterung, im ruhigsten Erzähler=
ton und ohne den dramatischen Knalleffekt zum besten zu
geben. Wenn dagegen das Geld in der Schale klingt,
so kann man sicher sein, daß die Sitzung sich verlängert
und daß man ganz erstaunliche, unerhörte Dinge zu
hören bekommt. In Catania ist die Schale nicht in
Gebrauch. Mitten im Vortrag erhebt sich hier der Be=
jahrteste der Gesellschaft und macht mit der Mütze in
der Hand die Runde, um den pflichtmäßigen Beitrag des
„Parketts" und den freigestellten des „Parterres" einzu=
kassieren. Bisweilen stundet der cantastorie auch einen
Soldo irgendeinem Kunden, in der sicheren Erwartung,
am nächsten Tage den doppelten Betrag zu erhalten.

(Dr. Ernesto Sciascia im „Berl. Tageblatt".)

**Volksschule** s. den Art. Elementarunterricht.

**Vorspeise** (antipasti). Als Vorspeisen werden in
Italien Sardinen, Sardellen, Thunfisch, Oliven, Kapern,
Austern, Kaviar, Salami, Schinken u. dgl. gereicht. —
Vergl. den Art. Principii.

**Vuole?** Geht man durch die Straßen Roms, so
hört man auf Schritt und Tritt ein vertraulich geflüstertes
‹vuole?› (das heißt: wünschen Sie vielleicht?) über
sich. Es sind die cocchieri (tot-t'ä'ri — die Kutscher),
die uns ihre botte (Droschke) anbieten und uns nun
gleich nachfahren, bis wir einsteigen oder bis wir mit
Hilfe des wiederholten Verneinungszeichens, dem langsam
hin und her bewegten Zeigefinger, ihrer Begleitung ledig
werden. Die italienischen cocchieri tragen nicht in jeder
Stadt eine Livree, sie sind ungemein geschäftseifrig, lesen,
während sie auf dem Bock sitzen, den Messaggero, den
römischen Lokalanzeiger, lassen aber auch ihre Augen weit
im Kreise herumgehen, und wenn ein vermutlicher Fahr=
gast in Sicht kommt, so ist auch schon ein Duo oder Trio
von Wagen zur Stelle, und da ertönt das dringliche
‹vuole?› Bei Regenwetter tragen sie wasserdichte Mäntel,
und neben dem Sitz erhebt sich dann in der Größe eines
Himmeldaches ein riesenhafter Schirm, dessen Stock vor
dem Kutschersitz befestigt ist und ihm also die Hände frei
läßt. — Vergl. den Art. Droschke.

# W.

**Waffenschein** (porto d'armi). Nur wer im Besitz eines solchen ist, darf in Italien Waffen (selbst lange Messer) bei sich tragen. Das mögen besonders die Fremden beachten, da sie sich sonst leicht Unannehmlichkeiten aussetzen können.

**Wahlrecht.** Das politische aktive Wahlrecht kommt dem allgemeinen Stimmrecht ziemlich nahe; auf keinen Fall kann ihm plutokratische Beschränkung vorgeworfen werden. Die Wahlberechtigung beginnt mit Vollendung des einundzwanzigsten Lebensjahres. Zutritt zum politischen Wahlakt hat jeder Bürger, der 19,50 Lire an direkten Abgaben bezahlt und jeder Bürger, der, selbst ohne irgendeine Steuer zu bezahlen, die beiden untersten Klassen der Elementarschule besucht hat. — Das passive Wahlrecht ist einigen Beschränkungen unterworfen. Ausgeschlossen sind zunächst alle Geistlichen. Sodann ist die Wählbarkeit der Beamten in hohem Maße beschränkt, so daß im ganzen nicht mehr als vierzig Beamte gewählt werden dürfen. Dagegen können Generale und Stabsoffiziere ohne weiteres zu Deputierten gewählt werden. Die passive Wahlberechtigung beginnt mit Vollendung des dreißigsten Lebensjahres.

**Wahlsitten.** Ben Akiba hatte wirklich recht. Es gibt nichts Neues unter der Sonne. Lesen wir einen alten lateinischen Geschichtschreiber oder eine moderne Zeitung, eine Inschrift aus Pompeji oder einen Maueranschlag aus der Via Nazionale des heutigen Roms: es sind immer noch dieselben Wahlsitten, immer noch dieselbe Bescheidenheit und Tüchtigkeit vonseiten der Kandidaten, immer noch dieselbe — Herzensgüte vonseiten der Wähler. Der einzige Unterschied besteht darin, daß die hochklingenden Verheißungen der alten Römer nicht gedruckt wurden, und daß der heutige Kandidat nicht gezwungen ist, wenigstens äußerlich — candidus zu sein. Denn Kandidat ist, wie alle wissen, nichts anderes als das Wort candidus = weiß. Wer sich heutzutage den Wählern als Kandidaten vorstellt und in seinem Äußern ein übriges tun will, der zieht einen schwarzen Bratenrock an und

ſetzt ſich, wenn er ganz pitfein iſt, noch eine feine Angſt=
röhre auf. Andere dagegen ziehen es vor, bei der jetzt
wehenden demokratiſchen Luft ſich noch demokratiſcher
zu vermummen, als ſie ſonſt gewöhnt ſind. Die
Römer aber hatten in ihrer Wahltracht keine große Aus=
wahl. Derjenige, der ſich um Ehrenſtellen bewarb, wurde
candidatus (Kandidat) benannt, eben deshalb, weil er
ſich durch eine glänzend weiße Toga (Toga candida)
bemerklich machen mußte; und die Toga candida war
nicht ſo unwichtig, wie es uns auch erſcheinen könnte.
Jahrelang bildete ſie ſogar den Gegenſtand eines gewal=
tigen Streites zwiſchen Patriziern und Plebejern. Schon
im Jahre 432 v. Chr. hatten die Volkstribunen in der
Volksverſammlung den Antrag eingebracht, es ſolle in der
Zukunft niemandem mehr erlaubt ſein, zur Wahlbewegung
ſein Gewand weiß zu färben. Die Wortführer des letz=
teren glaubten nämlich, in der Abſtellung des Gebrauches,
daß die Kandidaten äußerlich kenntlich gemacht würden,
ein Mittel gegen die Wahlbeeinfluſſung gefunden zu
haben, die von der Ariſtokratie ſtändig getrieben wurde —
ganz wie bei uns. Gerade um der immer dreiſteren, maſſenhafteren
Wahlbeeinfluſſung entgegenzutreten, wurde im zweiten
Jahrhundert v. Chr. die geheime Abſtimmung einge=
führt. Das nützte aber nicht viel. Jetzt kann man
eine ſicher geheime Abſtimmung abgeben. Ein Stück
Papier, ein geſchloſſener Briefumſchlag, Wahlzellen, das
alles ſind gewiſſermaßen gute Bürgſchaften für das Wahl=
geheimnis. Damals aber mußte der Name des Kandi=
daten auf ein Holztäfelchen geſtochen werden, das in einen
offenen Korb geworfen wurde. Das Wahlverfahren war
alſo nicht ſo einfach, und die Wahlbeeinfluſſung konnte
deshalb noch immer getrieben werden. Ja, die Sache
ging manchmal ſo weit, daß zeitweilig der Stimmenkauf mit
dem Tode beſtraft wurde — oder werden ſollte. Wahl=
beeinfluſſungen und Stimmenkauf ſtehen aber noch immer
auf der Tagesordnung. Der Fabrikbeſitzer überwacht ſeine
Arbeiter und ſucht mit allen Mitteln ihnen eine Abſtimmung
für ſich ſelbſt oder für ſeinen Lieblingskandidaten zu ent=
reißen. Der Präfekt mahnt die Beamten ſeiner Provinz,
für den Kandidaten der Regierung zu ſtimmen. Die Re=

gierung verspricht Brücken und Garnisonen, verteilt Orden und versetzt Beamte. Der Kandidat selbst verspricht goldene Berge und verteilt oft goldene Münzen. Bei jeder Wahl sind die Fälle von Wahlbestechung nicht allzu selten. Das Einfachste, was der Kandidat oder sein Wahlagitator machen kann, ist, die kleineren Wähler in die Osteria einzuladen und sie glänzend zu bewirten. Zwar wird auch das einfache Traktieren als ein Stimmenkauf bestraft, aber — wer könnte den ersten Stein werfen? Das unschuldige Vergehen ist deshalb zur Gewohnheit geworden. Manchmal jedoch findet wirklich geradezu Stimmenhandel statt. Es ist schon vorgekommen, daß die Wähler die Hälfte eines Bankscheines vor der Wahl bekommen. Bei der Stimmenabgabe werden sie dann sehr streng überwacht. Wenn sie nun wirklich für den Käufer gestimmt haben, dann kriegen sie die andere Hälfte des Scheines. Andere Kandidaten können oder wollen kein Geld bezahlen, verschaffen aber den großen und den kleinen Wählern große und kleine Ämter. Andere end= lich — nein, alle Kandidaten endlich versprechen alles mögliche.

Es ist wieder das alte Lied. Die alten Römer versprachen Bäder oder öffentliche Vergnügungen, die neuen Römer versprechen eine neue Kaserne oder eine neue Bahnverbindung. Die alten Kandidaten ließen ihre Versprechungen in roten oder blauen Buchstaben auf ge= weißten Mauerabschnitten ausschreiben, die ihnen eigens vorbehalten worden waren; die heutigen lassen tausend und abertausend Anschläge in allen möglichen Größen und Farben drucken. Die Aufschriften der alten römischen Kandidaten überschritten aber fast immer die ihnen zu= gewiesene Grenze, dehnten sich schnell auf den dem Publi= kum vorbehaltenen Teil der Mauer aus, ja, sie nahmen sogar die Mauern der Privatgebäude in Anspruch und schonten weder die Tempel der Götter noch den Mar= mor der Grabdenkmäler. Die jetzigen Kandidaten sind ihrer Vorahnen nicht unwürdig. Das divieto d'affis= sione, das Verbot des Anschlages, hat während der Wahlagitation keine Gültigkeit mehr. Acht, zehn Tage vor den Hauptwahlen, ebenso wie vier, fünf Tage vor den Stichwahlen sind die Mauern aller Häuser, aller

Schulen wie aller Kirchen buchſtäblich tapeziert mit Wahl=
anſchlägen. Beſonders in den drei letzten Tagen wird
der Wahlkampf zu einem Papierkampf. Jeder Zettel=
ankleber — er hat ja auch eine politiſche Geſinnung —
will ſeinen Kollegen und politiſchen Gegner überwinden.
Oſt ſogar artet der lobenswerte Wettſtreit in eine wüſte
Prügelei aus. Auf der Mauer, auf den Denkmälern,
auf den Säulen glänzen aber an der Sonne die wunder=
lichſten Anſchläge, die das Programm des Kandidaten
ankünden, Reformen in Ausſicht ſtellen, einen beſſern
Zuſtand verſprechen, vor allem aber Lobeserhebungen auf
den Kandidaten und grobe Angriffe auf den Gegner ent=
halten, — gerade wie bei den alten Römern. Die in
Pompeji angeſtellten Ausgrabungen liefern uns darüber
zahlreiche wertvolle Belehrungen. Man hat noch Auf=
ſchriften von Kandidaten gefunden wie: „Viata, ein aus=
gezeichneter Mann,“ „Photinius, ein wackerer Burſche,“
„Proclinius, ein makelloſer Mann.“ Ein Maueranſchlag
war ſo abgefaßt: „Vorübergehender, ſtimme heute für Pro=
clinius, und er wird morgen für dich ſtimmen.“ Dabei
fehlte auch nicht die Karikatur. Auf einer Mauer Pom=
pejis hat man ein köſtliches Plakat gefunden mit den,
ſagen wir, Porträts der drei Kandidaten: Photinius
fett und kurz, Proclinius lang und mager, Viata mit
dem Kopfe eines Ochſen — und Viata wird ſicherlich
geſiegt haben. Iſt es heute vielleicht anders?

**Wald.** Gibt es in Italien Wälder im eigentlichen
Sinne des Wortes? Mancherlei Urſachen ſcheinen ihr
Vorkommen unmöglich zu machen. Jene zwiſchen Wald
und Wüſte die Mitte haltende Strauchvegetation kann
ſich ſchon deshalb nicht zu höherem Wuchs erheben,
weil ſie von den Ziegen gleichſam ewig unter der Schere
gehalten wird; von Zeit zu Zeit greifen auch die Feuer
der Hirten um ſich, oder die Heiden werden abſichtlich in
Brand geſteckt, um nach dem Winterregen kräftiges Gras
zu geben. In beiderlei Hinſicht alſo ſind es die Weide=
gewohnheiten der Bevölkerung, die dem Waldwuchs ent=
gegenſtehen. Dazu kamen bis jetzt die Beſitzverhältniſſe,
die jede Schonung und Pflege des Waldes erſchwerten.
Ein Wald, der mit Holz= und Weideverbindlichkeiten belaſtet
iſt und der immer ſorgloſen toten Hand: Klöſtern, Kirchen,

frommen Stiftungen usw. gehört, kann nicht gedeihen
und verwandelt sich allmählich in Gesträpp und Heide.
Gemeindeforsten sind in der Vorstellung der Umwohnenden
ein allgemeines Gut, an dem jeder teil hat, eine Wildnis,
in der die Schafe und Ziegen weiden und die Schweine
Eichelmast suchen, und aus der Stecken und Hölzer aller
Art und zu allem Gebrauche geholt werden. Ein Verbot
würde hier schwer ausführbar sein und als der Gipfel
der Unbilligkeit und Bedrückung erscheinen. Dazu das
geringere Holzbedürfnis in einem warmen Klima und die
Eigentümlichkeit der sich selbst genügenden Bodenbebauung.
Die Abfälle fast aller Anbauarten, die Schalen der Kastanien und Nüsse, die Rindenteile des Hanfes, die Mais-
stengel, die Reste der Ölpressen, die beim Schneiden der
Fruchtbäume, z. B. der Olive oder der Rebe, zur Seite
fallenden Äste usw. dienen zur Feuerung; Kastanienklötze
geben Holzwerk aller Art, z. B. Weinfässer; der Boden
wird endlich auch direkt auf Holz bepflanzt; angepflanzte
Weiden, Ulmen und Pappeln säumen die Äcker oder stehen
mitten im Weizenfelde, weite hochwogende Felder vom
italienischen Rohr liefern Stützen für die Reben, für Bekleidung der Wände, Nahrung für Herd und Kamin usw.
Da so der Ackerbau sich selbst sein Holz schafft, da das
Bedürfnis vielleicht halb so groß ist wie in Deutschland,
so wird die Abwesenheit des Waldes natürlich nicht so
schmerzlich empfunden. Bei alledem ist es Tatsache, daß
Italien noch schöne, herrliche Wälder besitzt, die allerdings
nur der sieht, der die gewöhnliche Heerstraße der Reisenden meidet. Die toskanischen Maremmen, einst durch
Malaria geschützt, bilden jetzt einen weiten, von Kanälen
durchschnittenen und sachgemäß behandelten Forst, der, durch
die Eisenbahn erschlossen, Bau- und Schiffsholz, Dauben,
Faßstäbe, Bahnschwellen usw. nach Livorno liefert. Selten
von Reisenden besucht, aber wenigstens dem Namen nach
bekannt sind die zusammenhängenden Wälder der Abruzzen, der Kalkgebirgsmasse des Gargano, des finsteren,
granitenen, in der neusten Geschichte berühmt gewordenen
Aspromonte, des Monte Pollino am Meerbusen von Tarent usw. Die Gesetzgebung der letzten Zeiten hat sich
eifrig bemüht, diese Forsten teils zu erhalten und nutzbar
zu machen, teils zu lichten und durch Wege zu öffnen;

strenge Strafen drohen dem Waldfrevler, an Verordnungen
fehlt es nicht; der Erfolg freilich ist fraglich. (Hehn.)

**Waldenserkirche.** Diese aus Südfrankreich im Beginn
des 13. Jahrhunderts nach den Tälern der kottischen
Alpen gekommene, im Gegensatz zur römischen Kirche
stehende Sekte erklärte sich auf der Synode in Cianforan
1532 zu den Grundsätzen der schweizerischen, namentlich
der Genfer Reformation. Durch schwere Verfolgungen
hindurch erhielt sie sich, bis ihr die Verfassung des König=
reiches Sardinien (17. Februar 1848) Religionsfreiheit,
ja sogar im Staatshaushalt eine Unterstützungssumme
von jährlich 6462 Lire brachte. Sie zählte damals
15 Gemeinden. Hierzu sind nach 1848 die Gemeinden
in der Kreisstadt Pinerolo und der Provinzialhauptstadt
Turin gekommen. Diese 17 Gemeinden „der Täler"
werden gegenwärtig von 22 Geistlichen versorgt und
zählen zirka 13000 Seelen mit 4571 Elementarschülern
und 3520 Sonntagsschülern. Das 1835 in Torre Pellice
gegründete, 1898 den staatlichen Anstalten gleichgestellte
Gymnasium hat 8 Lehrkräfte und zirka 70 Schüler. Ein
Proggmnasium mit 5 Lehrern und 35 Schülerinnen be=
findet sich in Pomaretto, eine höhere Töchterschule mit
10 Lehrern und 35 Schülerinnen in Torre Pellice. Außer=
dem bestehen je ein Waisenhaus in Torre Pellice, Poma=
retto und Turin, ein Siechenhaus in S. Germano. Die
1855 in Torre Pellice gegründete „Theologische Schule"
(zur Ausbildung der Geistlichen, welche früher in Genf
und Lausanne ihre theologischen Studien betrieben) wurde
der italienischen Sprache wegen 1860 nach Florenz ver=
legt. Neben den alten Gemeinden in den Tälern sind
durch das seit fünfzig Jahren betriebene Evangelisations=
werk durch ganz Italien hin neue Waldensergemeinden
entstanden. Diese, 48 an der Zahl, mit 47 Stationen
(Filialgemeinden), umfassen 5600 erwachsene Glieder
(comunicanti), die von 44 Geistlichen und 18 Evan=
gelisten versorgt werden. Die mit diesen Gemeinden
verbundenen Elementarschulen haben 2771 Schüler mit
66 Lehrern und Lehrerinnen. In den Sonntagsschulen
sind 3561 Schüler. Die gesamte Waldenserkirche wird
von einer Verwaltungs= und Aufsichtsbehörde, der „Tafel",
geleitet, die aus fünf von der jährlich im September zu

Torre Pellice tagenden Synode gewählten Mitgliedern unter dem Vorsitz des „Moderatore" besteht. Seit 1861 wird das Evangelisationsgebiet mit seinen neuen Gemeinden von einem ebenfalls durch die Synode jährlich gewählten „Evangelisationskomitee" (8 Mitglieder) verwaltet.

**Wasserkraft** s. den Art. Weiße Kohlen.

**Wasserstraßen** s. den Art. Binnenwasserstraßen.

**Wehrpflicht.** Die Dienstpflicht für das italienische Landheer beginnt mit dem Jahre, in welchem der junge Mann das 20. Lebensjahr vollendet, und sie dauert bis zum Beginn des Jahres, in welchem er 39 Jahre alt wird. Diese neunzehnjährige Dienstzeit verteilt sich auf die drei Aufstellungen, in welche das Heer sich gliedert: das stehende Heer, die Mobilmiliz und die Territorialmiliz, im allgemeinen so, daß 8 Jahre auf den Dienst im stehenden Heer (einschließlich der Zeit als beurlaubter Reservist), 4 Jahre auf die der Landwehr ersten Aufgebots vergleichbare Mobilmiliz und 7 Jahre auf die Territorialmiliz, etwa gleich der Landwehr zweiten Aufgebots, entfallen. Diese Regel wird aber durch vielfache Ausnahmen gekreuzt, die teils in den Besonderheiten einiger Waffengattungen, teils darin ihren Grund haben, daß ein sehr erheblicher Teil der Gestellungspflichtigen sogleich bei der Aushebung wegen gesetzlicher Befreiungsgründe der Territorialmiliz überwiesen wird (s. den Art. Befreiung vom Militärdienst). Da ferner bei der Aushebung die zur Deckung des jährlichen Rekrutenbestandes erforderliche Mannschaft durch das Los ermittelt wird und die Überzähligen alsbald der Ersatzreserve zugeteilt werden, so ergeben sich für die Ableistung der allgemeinen Wehrpflicht drei Aufstellungen, die sich mit den drei Gruppen des Heeres zwar berühren, aber nicht mit ihnen decken. Die erste Gruppe umfaßt die zum stehenden Heere unter Einreihung in die ständige Truppe Ausgehobenen. Ihre Dienstzeit unter den Waffen dauert bei der Infanterie durchweg 2—3, bei der Kavallerie und der reitenden Artillerie durchweg 3, bei den Carabinieri 5 Jahre. Nach Ableistung derselben treten sie mit unbestimmtem Urlaub zur Reserve, der sie bis zur Vollendung des acht=, bei Kavalleristen und Carabinieri neun=

Land und Leute in Italien.                    28

jährigen Dienstes im stehenden Heere angehören. Dann treten Infanteristen, Artilleristen und Geniesoldaten zur Mobilmiliz und nach 4 Jahren für den Rest ihrer Gesamtdienstzeit zur Territorialmiliz über. Die Kavalleristen und Carabinieri, für welche in der Mobilmiliz keine Formationen bestehen, treten nach neunjährigem Dienst im stehenden Heere sofort zur Territorialmiliz über, der sie 10 Jahre angehören. Die zweite Kategorie, die Überzähligen, wurden bis 1892 auf 8 Jahre der Ersatzreserve des stehenden Heeres überwiesen, traten dann auf 4 Jahre zur Mobilmiliz und vollendeten den Rest ihrer Dienstzeit mit 7 Jahren in der Territorialmiliz. Die dritte Kategorie endlich, die gesetzlich Befreiten, kommen von vornherein zur Territorialmiliz und gehören ihr 19 Jahre lang an. Seit 1892 kommt die zweite Kategorie in Wegfall, weil seit diesem Jahre sämtliche Gestellpflichtigen, soweit sie tauglich befunden und nicht befreit sind, in die ständige Truppe eingereiht werden. (Fischer.) — Vergl. auch den Art. Befreiung vom Militärdienst.

**Weiden** s. den Art. Ackerbau.

**Weihnachten und Weihnachtsbaum.** Wenn das deutsch-italienische Wörterbuch neben das deutsche Weihnachten das italienische Natale stellt, so geht daraus keineswegs hervor, daß diese beiden Begriffe sich decken. Unser Weihnachtskinderfest, inmitten von Schnee und Eis, in den kürzesten Wintertagen, gefeiert in der traulich geheizten Stube, wochenlang vorbereitet von schenkenslustigen Eltern und sehnsüchtig herangewünscht von empfangslustiger Jugend, ein Stück Poesie des nordischen, in weiter Ferne unter Schnee begrabenen Waldes in sein Heim hineingezaubert, kennt der Italiener eigentlich nicht. Fehlen ihm ja auch alle Vorbedingungen dieser aus dem Lande der Mitternachtsonne eingewanderten und heimisch gewordenen Julfeier: die Stürme, die Dunkelheit, der Frost, der Schnee, alles in allem die Sehnsucht nach dem bei uns noch in unendlicher Ferne liegenden Sommer, der dortzulande eigentlich nur ein kurzes Schläfchen macht, um morgen, übermorgen von neuem zu erwachen; fehlt doch die warme Anhänglichkeit an die vier Wände, die das Haus bilden, in einem Lande, wo der Schwerpunkt des Lebens vielmehr in den Straßen und Plätzen, in den Restaurants und Cafés, vor allem in den Kirchen und Theatern zu liegen scheint.

Trotzdem aber fängt man jetzt auch in Italien an, das Weihnachtsfest nach berühmtem deutschem Muster zu feiern. „Andere Länder, andere Sitten," heißt es. Gefällt uns aber etwas beim Nachbar, so machen wir es ihm gern nach. Ebenso geht es bei den Nationen. Sie eignen sich fremde Gebräuche an, die ihnen besonders gefallen. Wem in Süddeutschland wäre es vor etwa fünfundzwanzig Jahren eingefallen, nach englischem Muster um Weihnachten die jetzt so beliebten Glückwunschkarten an die ganze Freundschaft zu versenden, oder nach „welscher Praktik" zum Jahreswechsel die Bekanntenwelt mit Visitenkarten zu überschwemmen? Wer aber vor fünfundzwanzig Jahren ein Tannenbäumchen in Neapel suchte, der bemühte sich vergeblich. Einzelne deutsche Familien hatten sich wohl hin und wieder einmal eins aus der Heimat verschrieben, pflegten es den Sommer hindurch auf der Terrasse im großen Topfe und an schattiger Stelle, wie man im Norden sich einen Gummibaum groß zieht. In der deutschen Schule, deren Schülerzahl zur Hälfte aus Italienern besteht, im deutschen Klub, wohin sie gern zu Gast gehen, und in deutschen Familien haben sie unsere Art der Weihnachtsfeier kennen und schätzen gelernt. Heute stehen die Tannenbäumchen schon zu Dutzenden bei den Handelsgärtnern zum Verkaufe. Sie kommen aus Oberitalien oder werden rechtzeitig aus Bremen und Hamburg mit den schnellen deutschen Postdampfern hergeschickt, selbstverständlich nur lebende Bäume mit Wurzeln und mit der heimatlichen Erde, in große Kübel eingesetzt. Je nach Größe und Schönheit schwanken die Preise von 5 bis zu 30 Lire. Ein schön geputzter Weihnachtsbaum im Schaufenster größerer Läden, das ist eine sehr beliebte Reklame geworden. Da stehen jung und alt, hoch und niedrig dichtgedrängt davor in lauter Bewunderung. Glänzender Flittertand in hellem Lichterschmuck, das gefällt dem farbenfrohen Südländer. Die reicheren unter den Leuten gehen nach Hause und versuchen auch wohl einmal die schöne Neuheit nachzumachen. Seitdem im Quirinal bei der königlichen Bescherung der Christbaum leuchtet, werden viele Wohltätigkeitsfeste, die in den Dezember und

28*

Januar fallen, nach deutschem Vorbilde gefeiert. Meist aber tritt der Lorbeer an die Stelle der Tanne. Den Hauptschmuck bilden dann die Goldorangen, die „im dunklen Laube glühen". So führt sich mit der deutschen Ware vielleicht nach und nach auch eine schöne deutsche Sitte einmal hier ein. Niemals freilich wird sie auch in deutschem Geiste aufgefaßt und begriffen werden, wie empfänglich das Volk unter diesem blauen Himmel auch für poetische Empfindung sein mag. Gerade für die am Weihnachtsabend ein deutsches Gemüt erfüllende Poesie hat der Südländer kein Verständnis. (Nach Justinus und Keller.) — Vergl. auch die Art. Ceppo di Natale, Presepe.

**Weihnachtsbescherung** s. den Art. strenne.

**Wein.** Was trinkt man in Italien? Im allgemeinen stets die Weine des Aufenthaltsortes, der Umgegend, des nächsten Weindistriktes. Ist der Ort so von Bacchus verlassen, wie Mailand und Genua, so flüchtet man sich zu dem piemontesischen Flaschenwein und zu toskanischen Fiaschi (Chianti — wenn er nicht gepantscht ist), oder wohl auch zum Bier, dem in ganz Norditalien in fast germanischer Weise gehuldigt wird. Achtung vor den Weinsorten Süditaliens und Siziliens, allein sie sind keine Kneipweine! Nur schade, daß die Warnung gewöhnlich nichts nützt, da vier Fünftel alles italienischen Weins — auch im Norden — mit der „Tinte" Baris gemischt ist. Das Wasser — garstiges Wort! — benutzt der Fremdling am besten nur zum Ausspülen der Gläser. In Rom, Neapel und anderen Orten soll es ja als ‹H₂O› vortrefflich sein; aber wie stimmt auf einer Italienreise der farblose Trank zum Gesamtbilde? — Wo man kneipt? Die vielbesungene ‹Osteria› existiert eigentlich nur in Mittel= und Süditalien. In Piemont trinkt man (der Italiener, zumal der ‹Signore›, kneipt überhaupt nur selten in unserem Sinne) in den Honoratiorenstuben der Hotels; in der Lombardei, Ligurien usw. in der Fiaschetteria und Bottiglieria, in Florenz im Restaurant oder beim Pizzicagnolo (Delikatessenhändler), nur in Rom und weiter abwärts in der Osteria. Sehr häufig aber gilt die Regel: je feiner und eleganter der Ort, desto zweifelhafter der Wein, — am meisten darum vorzuziehen die einfachen, wenn auch nicht durch peinliche Sauberkeit glänzenden Lokale. Sehnt sich das Herz nach Sekt, so kann geholfen werden. Italien weist Schaumweine auf, die zum Teil neben französischen Marken bestehen, mit den deutschen es aber zweifellos aufnehmen können. Asti spumante (sprudelnder Landwein) geht ein wie Honig; die Flasche 1—2 Lire. Feiner sind andere piemontesische und sizilianische Sorten (3—3,50 Lire); ganz an den französischen Champagner erinnert die Marke einer Firma in Canelli (4—6 Lire). Alle diese Weine dürften dem an Mosel= und Kaisersekt gewöhnten deutschen Gaumen trefflich behagen.      (H. Barth, „Est, Est, Est.")

**Weinbau.** Unter allen Zweigen des landwirtschaftlichen Betriebes ist keiner, der sich in Italien einer gleichen Beliebtheit und einer so allgemeinen Verbreitung erfreut wie der Weinbau, der in allen 69 Provinzen, wenn auch natürlich nicht in allen gleich stark, gepflegt wird. Er reicht von dem Abhange der Alpen bis an die Südküste Siziliens und verleiht durch die Verschiedenheit seiner Anbauformen dem Landschaftsbilde Italiens einen seiner charakteristischen Züge, seiner Landwirtschaft einen ihrer größten Reichtümer. Nächst Frankreich ist Italien das größte Weinland der Welt. Seine Produktion, die in mittleren Jahren 30 Millionen, in guten 36 und 38 Millionen Hektoliter beträgt, übersteigt diejenige Deutschlands um das Zehnfache. Ihr Wert wird im neuesten Annuario, als Durchschnitt der Jahre 1896—1898, auf 742 Millionen Lire angegeben und kommt unter allen Erzeugnissen der italienischen Landwirtschaft dem Wert des für den gleichen Zeitraum auf 859 Millionen Lire geschätzten Weizens am meisten nahe.

Unter dieser riesigen Produktion gibt es fast in jeder Gegend Italiens Weine, die durch ihre Güte und durch hervorragende Eigenschaften sich auszeichnen und die über die Grenzen des Landes hinaus sich Freunde erworben haben. Wer in Piemont gereist ist, wird sich mit Vergnügen an die gehaltvollen und kräftigen dunklen Rotweine erinnern, die ihm dort als Barbera, Barolo, Grignolino vorgesetzt worden sind, nicht minder an den rötlich schäumenden, angenehm anregenden Nebbiolo. Die weitaus größte Menge der piemontesischen Weine wächst auf dem ganz in Reben eingehüllten Hügellande der Astigiana, das sich aus der Poebene bis zum Nordabhange der Seealpen hinanzieht und dessen fast unermeßlichem Weinreichtum die Provinz Alessandria es zu verdanken hat, daß sie mit einer Produktion von mehr als 2¹/₂ Millionen Hektoliter an der Spitze des Weinbaues von ganz Italien steht. Unter den Astiweinen hat namentlich der champagnerartig perlende Muskateller, ein natürlicher Schaumwein von lieblichem Aroma und feinem Obstgeschmack, einen europäischen Ruf erlangt. Unter den Weinen der Lombardei stehen an Stärke und Feuer die pulsstürmenden Veltliner obenan. Auch in den Tälern der Bergamasker und Brescianer Alpen wachsen kraftvolle Weine, namentlich in der reichgesegneten Valle Camonica, die den Lauf des Oglio bis zu seinem Eintritt in den See von Iseo begleitet. Unter den venetianischen Weinen sei nur des Valpolicella und des feurigen Coneglianer dankbar gedacht. Uralt und wohlverdient ist der Ruf der etrurischen Weine, die nicht bloß Landeskinder, wie den Aretiner Francesco Redi in seinem noch jetzt gern gelesenen Gedicht «Bacco in Toscana», sondern auch Ausländer — es sei nur an des Deutschen Kopisch Gedicht auf den „Est-Est von Montefiascone" erinnert — zu poetischen Huldigungen begeistert haben. Zu den Verehrern des toskanischen Bacchus ist auch Friedrich der Große zu zählen, auf dessen Tafel der Verdua von Arcetri, ein feiner, duftiger, etwas herber Weißwein, eine bevorzugte Stelle einnahm. Früher stritten sich namentlich zwei etrurische Weine um den Vorrang, der würzige und milde Montepulciano und die dunkle Feuerflut des Aleatico, dem Ludwig Tieck mit nicht geringerer Bestimmtheit und ausführlicher Begründung die gleiche Stelle zuweist. Beides, ohne Zweifel noch heut, wenn echt, ganz hervorragende Getränke, aber beide in Italien wie im Auslande in den Schatten gestellt durch den Chianti, an den gegenwärtig zunächst jeder in erster Linie denkt, wenn von italienischem Wein die Rede ist. Durch seine Bekömmlichkeit und Dauer hat sich der Chianti von allen Trinkweinen Italiens den stärksten Anhang im Auslande verschafft; er findet in steigendem Maße in Deutschland, in der Schweiz, in Skandinavien und in England Eingang, und er sucht

sich diese Vorliebe durch die Sorgfalt zu erhalten, die
von den Weingutsbesitzern des Chiantiländchens, das sich
im Süden von Florenz bis nach Siena hinzieht, auf die
Pflanzung ihrer Reben wie auf die Bereitung und Kelte=
rung ihrer Weine verwendet wird. Von den Weinen des
ehemaligen Kirchenstaates ist eines der edelsten und be=
kanntesten, des „Est=Est von Montefiascone", schon vor=
her flüchtig gedacht worden, weil er im alten Etrurien
wächst. (Vergl. den Art. Est—Est—Est.) Wer es sich
nicht verdrießen läßt, diesen herrlichen Wein in seiner
Heimat „auf des Flaschenberges Höh" aufzusuchen, wird
für die kleine Abweichung von der üblichen Heer=
straße durch die sehr interessante Landschaft und durch
die wundervolle Aussicht vom Burgfelsen weit über
Land und Meer, endlich aber dicht beim Grabe des
Dominus Fuggerus durch einen ungewöhnlich guten
Tropfen belohnt werden. Unterwegs erzählt ihm dann
wohl der Vetturin, daß in S. Flaviano ein Kardinal
begraben liegt, der sich an dem Wein von Montefiascone
zu Tode getrunken hat, und daß zu seinem Gedächtnis
an seinem Todestage alljährlich ein Fäßlein des besten
„Est=Est" von den Weinbauern der Umgegend an die
Kirche gestiftet wird. Dem Montefiascone verwandt, süß
und lieblich wie er, aber nicht so schwer, ist der Weiß=
wein von Orvieto, der mit dem Wunderbau des Domes
und Signorellis Wandgemälden wetteifert, den Ruhm
der hoch über dem Pagliatale prangenden Bergstadt in
alle Welt auszubreiten. Aber nirgends im Kirchenstaat
hat Bacchus eine so ausschließliche Herrschaft erlangt wie
in dem freundlichen Kranze von Weinorten, der die Ab=
hänge und die Höhen der albanesischen Berge schmückt.
Man darf ihre Namen nur nennen: Frascati, Grotta=
ferrata, Marino, Albano, Ariccia und Genzano, Vel=
letri und Città di Lavinia, um in jedem einigermaßen
weinverständigen Besucher der Ewigen Stadt eine Reihe
der freundlichsten Erinnerungen zu erwecken. Nach dem
antiken Namen des Falerners hin wird von campanischen
Weinfabrikanten manches gesündigt, was angesichts der
Gewächse, die auf diesem weingesegneten Boden mühelos
gedeihen, schwer zu verzeihen ist. Ebenso haben sie die
Weine von Capri neuerdings vielfach durch ungehörige

Zusätze in ihrem guten Rufe geschädigt. Auch als Lacrimä Christi wird an Unkundige manches verzapft, was mehr an die Tränen Petri erinnert. Je weiter wir nach Süden kommen, desto feuriger, likörartiger wird der Wein. Von der Masse alkoholreicher Getränke, die im Westen Siziliens erzeugt werden und die man unter dem Sammelnamen des Marsala einzubegreifen sich gewöhnt hat, geht ein nicht geringes Quantum unter der Flagge beliebter Früh=stücks= und Dessertweine, namentlich als Madeira, in den ausländischen Verbrauch. Die fast grenzenlose Quantität schweren Rotweins, die an den Abhängen der Nordküste und im Osten wächst, sucht sich neuerdings mit steigendem Erfolge ebenfalls im Auslande feste Absatzgebiete zu er=werben. Die köstlichen Muskatweine, die an den Abhängen der Feuerberge von Lipari, Vulcano und Stromboli ge=deihen, wetteifern ebenso wie der Amareno von Syrakus an Kraft und Süße mit den besten Gewächsen der He=gyalia. Endlich soll nicht unerwähnt bleiben, daß auch Sardinien eine stattliche Zahl von namhaften, gern ge=trunkenen Weinen hervorbringt, darunter den auch mit Malaga verwechselten Vernaccia. Trotz dieser Heerschar edler Gewächse ist Italiens Wein im Auslande nicht an=nähernd in dem Grade beliebt, wie er es nach der Be=schaffenheit seiner Trauben und den Vorzügen seines Wachstums verdient. Der Grund dieser auffallenden Erscheinung liegt vorzugsweise in den Mängeln der Be=reitung und der Aufbewahrung. Seit lange predigen Italiens Freunde den Italienern, daß in der Verbesse=rung ihres Weines das wirtschaftliche Heilmittel für manche schwere Schäden ihrer Landwirtschaft liegt. Auch läßt sich nicht verkennen, daß die landwirtschaftliche Ver=waltung diese Einsicht zu verbreiten und zur Abstellung der größten Übelstände anzuregen bemüht ist. Die Re=gierung hat ferner Weinbauschulen eingerichtet, in welchen nicht nur praktische Landwirte mit den besten Methoden des Weinbaues, der Weinbereitung und der Weinlagerung vertraut gemacht, sondern auch Wanderlehrer erzogen werden, um diese Verbesserungen in die Weinbaudistrikte hineinzutragen und sie unter den Weinbauern einzubür=gern. Sie regt durch Ausstellungen und Prämiierung zu Fortschritten in der Weinkultur an und sucht die Auf=

zucht guter und gesunder Reben durch Errichtung eines
Zentral= und mehrerer Provinzialkomitees für Rebenzucht
zu fördern. Auch die Privattätigkeit wendet sich diesem
Gebiete in steigendem Maße zu. Ein Haupthindernis für
den Aufschwung des italienischen Weinexports besteht
endlich in dem Mangel fester, im Auslande eingeführter
Typen, die den Charakter der einmal bekannt gewordenen
Sorten festhalten und allmählich vervollkommnen. Gerade
hier erschließt sich den in Italien seit kurzem ins Leben
gerufenen Weinbaugenossenschaften ein besonders frucht=
bares Gebiet für ihre reformatorische Wirksamkeit.
(Fischer.)

**Weinsorten.** Die bekanntesten italienischen Weinsorten
sind: chianti, barbera, barolo, grignolino, freisa,
Lacrimae Christi, barbaresco, nebbiolo, Falerno,
Valpolicella, Lambrusco, Gattinara, Valtellina,
Capri, Orvieto, aleatico, malvasia, marsala. — In
Rom liest man in jeder Osteria: ‹Vini delli castelli
romani›, d. h. Weine aus den sogenannten ‹castelli
romani› (s. d.) Frascati, Marino usw. Vino asciutto
heißt herber Wein, vino pastoso süßer Wein.

**Weiße Kohlen.** Der italienischen Industrie kommt
die Wasserkraft der zahlreichen Ströme zustatten, die noch
nicht entfernt in ihrem vollen Umfange verwertet wird.
Man schätzt die Triebkraft der Wasserläufe Italiens auf
3 Millionen Pferdekräfte, von denen bereits vor zwanzig
Jahren 250 000 Pferdekräfte benutzt wurden, um Mühlwerke
aller Art, Spinnereien, Eisenwerke, Papierfabriken, Ger=
bereien usw. zu treiben. Demzufolge drängen sich in den
Alpentälern des Cervo, der Sesia, der Sessera, des Serio
sowie an den größeren nördlichen Nebenflüssen des Po,
besonders am Ticino und an der Adda, gewerbliche An=
lagen mit Wasserbetrieb der verschiedensten Industrie=
zweige dicht aneinander. Nicht minder ist dies in den
kurzen Tälern der Fall, die von der Kette der Seealpen
zur ligurischen Küste hinabsteigen. Gegenwärtig ist die
Verwendung der Wasserkraft durch ihre Umwandlung in
elektrische Betriebskraft in einer sehr erheblichen und un=
gemein rasch fortschreitenden Steigerung begriffen. Schon
seit einer Reihe von Jahren befanden sich in Italien
einige elektrische Anlagen im Betriebe, bei denen Wasser=

fälle, die seit Jahrhunderten zu den landschaftlichen Schön=
heiten des Landes zählen, die Betriebskraft hergeben,
ohne an ihrem malerischen Reiz Einbuße zu erleiden. Die
weltbekannten Wasserfälle des Anio bei Tivoli liefern die
Kraft für die Erzeugung der elektrischen Beleuchtung von
Rom. Der von Byron besungene Wasserfall des Velino
bei Terni gewährt für die zahlreichen Industrieanlagen,
die im letzten Jahrzehnt in der Geburtsstadt des Tacitus
entstanden sind, einen wesentlichen Teil der Betriebskraft.
Diesen und anderen, bis vor wenigen Jahren vereinzelt
dastehenden Umwandlungen der Wasserkraft in elektrische
Betriebskraft haben sich in den letzten Jahren zahl=
reiche, zum Teil ungemein großartige Anlagen angereiht.
Eine hervorragende Stelle unter ihnen nimmt das Elek=
trizitätswerk in Paderno ein, welches durch Verwendung
der Stromschnellen der Adda nicht nur Mailand mit dem
für seine 100000 Glühlampen und 1400 Bogenlampen
erforderlichen Strom versorgt, sondern auch für eine Reihe
von industriellen Anlagen die erforderliche Betriebskraft
hergibt. In Schio, Brescia, Bergamo, Bussoleno, Son=
drio, Vigevano wird Wasserkraft für Industriezwecke in
elektrischen Strom verwandelt. Die im Jahre 1897 als
Aktiengesellschaft begründete Società lombarda per la
distribuzione di energia elettrica in Mailand hat
bei Vizzola am Ticino ein Werk errichtet, das einen Teil
der Wasserkraft dieses Stromes, ohne seine Benutzung für
die Bewässerung der Lombardei zu beeinträchtigen, in elek=
trische Triebkraft von 24000 Pferdekräften umzuwandeln
bestimmt ist.                                    (Fischer.)

**Weizen** s. den Art. Ackerbau.

**Wermut.** Man würde irren, wenn man glaubte, die
mäßigen Italiener und die noch mäßigeren Griechen
könnten des Appetitschnapses ganz entraten; in den großen
Städten ist es allgemein Sitte, vor Tisch bei einem Li=
quorista einzutreten und ein Gläschen Vermut con
China oder in der Apotheke von Santa Maria Novella
einen Alchermes einzunehmen. — Vergl. den Art. Früh=
schoppen.

**Wesleyaner.** Die (englischen) Wesleyaner evan=
gelisieren seit 1861 in Italien und zählen gegenwärtig
1616 Kommunikanten in 52 Gemeinden und Stationen,

welche eingeteilt sind: a) in den Nordbezirk mit 12 Geistlichen
und 10 Evangelisten und 27 Gemeinden und Stationen;
b) in den Südbezirk mit 11 Geistlichen und 9 Evan=
gelisten in 25 Gemeinden und Stationen. Im ganzen
werden 892 Elementarschüler und 1150 Sonntagsschüler
von den Wesleyanern gezählt. In Intra haben sie ein
Waisenhaus.

**Wiesen** s. den Art. Ackerbau.

**Wild.** Daß in einem alten Kulturlande wie Italien,
das seinem größten Teile nach mit Pflanzungen, Gärten
und Städten bedeckt ist, die Tiere der Wildnis selten oder
ganz verschwunden sind, kann nicht Wunder nehmen;
ebensowenig, daß der nervöse, stadtbewohnende, durch eine
seit vielen Jahrhunderten von Geschlecht zu Geschlecht
überlieferte Bildung humanisierte, an Pflege der Pflanzen
und des Haustiers gewöhnte Italiener keine besondere
Neigung zu den groben Freuden der Jagd und der
Muskelanstrengung und Strapazen empfindet. Es fällt
dem italienischen Grundherrn nicht leicht ein, sein Gehege
eifersüchtig zu bewachen. Jagdgerechtigkeiten existieren kaum
oder werden nicht beachtet. Es gibt wohl noch hin und
wieder Wildparks, in denen fürstliche Personen und reiche
Barone mit Bequemlichkeit Hirsche und Eber erlegen; doch
das ist Kunstjagd, Luxus der Vornehmen, nicht Volkslust.
Zwar gibt es in den Gebirgen und Gebirgswäldern,
besonders der Abruzzen, auf Sardinien usw. noch genug
Wölfe, gegen welche die Schafherden von gewaltigen
Hunden geschützt werden, aber der Bär, der plumpe
Traubendieb, sowie der Dachs, der Verwüster der Mais=
felder, ist selten; in der Region der Gesträuche wohnen
noch hier und da Rehe und Wildschweine, der Hirsch aber
ist mit Ausnahme von wenigen sardinischen Gegenden aus=
gerottet. Die Mufflons auf Sardinien sind immer seltener
geworden, besonders seitdem das weittreffende gezogene
Gewehr erfunden wurde; die vor dem Menschen fliehenden
Tiere, der den Kohl benagende Hase, der Marder, das Iltis
und das Wiesel, der die Häuser und Hühnerställe umschlei=
chende Fuchs sind häufig; in den Kastanienwäldern klettern
die flinken Eichhörnchen auf und ab und springen von Baum
zu Baum; in manchen Gegenden werden die rasch sich
mehrenden Kaninchen zur Plage, — aber alles dies ver=

hält sich zu der Masse der Haus= und Kulturtiere wie
der freie Wald zu den weiten Strecken angebauten, von
einer dichten Bevölkerung bewohnten und betretenen Erd=
bodens. (Hehn.)

**Winter in Italien.** Während der Römer nur an weni=
gen Tagen des Jahres Schnee fallen und an den Fontänen
der brunnenreichen Stadt Eiszapfen sieht, die Eigenschaften
des Winters also nur oberflächlich kennt; während Neapoli=
taner und Sizilianer des Winters Freuden gar nicht ahnen,
besitzt der Norditaliener ein ausgebildetes Wintervokabu=
larium. Der Lombarde und der Piemontese sind wie wir
Schnee und Eis gewöhnt. Am Wintermorgen darf er beim
Anblicke des weißen Mannas, das bei Nacht gefallen, in den
Freudenruf ausbrechen: ‹Oggi si può andare in slitta!›
(Man kann heute Schlitten fahren!) Der Römer macht
nur seine gita in carrozza (Wagenfahrt), der Nea=
politaner auch hier und da durch seinen blauen Golf
einen gita in vapore (Dampferfahrt) — Lombarde
und Piemontese dürfen sich auch einen corso in slitta
(Schlittenfahrt) gönnen! Noch mehr, in Mailand und
Turin gehört es sogar zum guten Ton, in Winterszeit den
Pattino (Schlittschuh) an den Fuß zu schnallen und mit=
zutun, wenn ein lustiges Völklein sein ballo sul ghiaccio
(Schlittschuhlaufen) abhält. — Schweizer und Deutsche,
die hier sehr zahlreich sind, haben die Mailänder und
die Turiner die zweierlei Nutzanwendungen des Eises
gelehrt: 1. Das Eis ist da, um das Bier zu konser=
vieren (es sei nämlich hier nebenbei erwähnt, daß in
keiner Stadt Italiens so viel Bier vertilgt wird, wie in
Mailand und in Turin); 2. das Eis ist da, um von
Schlittschuhen befahren zu werden. — Vergl. den Art.
Kälte. (Münz.)

**Wohltätigkeit.** Zur Wohltätigkeit wird in Italien
vieles gezählt, was bei uns unter den Begriff der Armen=
pflege und der öffentlichen Gesundheitspflege fällt; so die
den Provinzen obliegende Fürsorge für Geisteskranke und
die Veranstaltungen der Gemeinden für hilflose Kinder
und für Einrichtung eines Sanitätsdienstes. Im engeren
Sinne werden unter beneficenza alle jene zahlreichen
öffentlichen oder privaten Stiftungen zusammengefaßt, die
sich die Erleichterung des Loses der Armen und Hilfs=

bedürftigen zur Aufgabe stellen. Diese Stiftungen, die opere pie, stellen eine riesige Leistung des italienischen Wohltätigkeitssinnes dar. Ihre Zahl belief sich nach der Statistik von 1880 auf 21866 mit einem Gesamtvermögen von 1897 Millionen; inzwischen ist ein Zuwachs von etwa 295 Millionen hinzugekommen. Die Einkünfte aus diesem Vermögen belaufen sich auf 96 Millionen; dazu kommen die Zuschüsse der Provinzen und der Gemeinden, der Ertrag von Sammlungen sowie Geschenke und vorübergehende Zuwendungen mit 45 Millionen. Nach Abzug der auf dem Stiftungsvermögen ruhenden Lasten, Abgaben, Verwaltungs= und Kultusausgaben bleiben jährlich 88 Millionen für Wohltätigkeitszwecke übrig. Von dieser Summe werden etwa 17 Millionen stiftungsmäßig zur Verteilung von Almosen verwendet; die Zahl der damit Bedachten belief sich im Jahre 1887 auf nicht weniger als 770000. Der Rest von 71$\frac{1}{2}$ Millionen deckt die Ausgaben der Stiftungen, welche Krankenhäuser und Hospize für Alte und Arbeitsunfähige oder Waisenhäuser unterhalten. Die Verwaltung der opere pie ist in Betonung ihres öffentlichen Charakters durch Gesetz vom 17. Juli 1890 nach übereinstimmenden Grundsätzen geordnet und mit den Einrichtungen der gesetzlichen Armenpflege in zweckmäßigen Zusammenhang gebracht worden. Es verdient hervorgehoben zu werden, daß in diesem Gesetz zum ersten Male umfassende Bestimmungen über den Unterstützungswohnsitz getroffen worden sind.

**Wollindustrie.** Sowohl an Alter als an räumlicher Ausdehnung wird die Seidenindustrie von der Wollindustrie übertroffen, denn sie ist nicht nur in der Lombardei stark vertreten, sondern erstreckt sich über einen großen Teil von Italien. Neben ihrem Hauptsitz in Piemont und im Venetianischen ist Toskana mit namhaften Betrieben, namentlich in der Umgegend von Florenz, zu erwähnen; auch in Umbrien und in den neapolitanischen Provinzen Caserta und Salerno ist diese Industrie mit einigen größeren Anlagen vertreten. Sie umfaßt sämtliche Zweige, Wollwäscherei und Spinnerei, ferner Weberei und Färberei. Es ist für die Stufe, auf welcher der Gewerbetrieb sich in Italien befindet, bezeichnend, daß in der Mehrzahl von Fabriken das Gesetz der Arbeitsteilung noch nicht eingehalten wird, sondern Spinnerei und Weberei, nicht selten auch noch Färberei in demselben Betriebe vereinigt sind. Zur Verarbeitung gelangt in den Spinnereien neben der heimischen Wolle, die beim Rückgang der Schafzucht den Bedarf nicht mehr deckt, in steigendem Maße Wolle aus Amerika, Afrika und Australien; namentlich wird die argentinische Wolle bevorzugt. In den Webereien werden fast ausschließlich inländische Gespinste verwendet. Im ganzen waren (1895) 489 Betriebe der Wollindustrie vorhanden, in denen 30000 Arbeiter beschäftigt wurden. Der Wert ihrer Produkte wird auf 100 Millionen angegeben. Einer der ältesten und zugleich noch jetzt hervorragendsten Sitze der Wollindustrie ist die allen Alpinisten als Hauptstation des Club alpino italiano wohlbekannte Stadt Biella, in der piemontesischen Provinz Novara, am Abhang der von der Monte-Rosa-Gruppe südwärts ziehenden Alpenkette gelegen. Ein zweiter Hauptsitz der Wollindustrie ist Schio, in der Provinz Vicenza, an den Abhängen der lessinischen Berge. Hier und in den Nachbarorten Torre, Pieve Rocchetta und Piovene befinden sich die von Alessandro Rossi ins Leben gerufenen Spinnereien, Webereien und Färbereien, in denen ein großer Teil der Militärtuche für die italienische Armee hergestellt wird.

**Wüstenflora.** Jenseits der Olivenregion beginnt die Wüstenflora, die holzige, stachlichte Strauchvegetation, die sogenannten macchie, die z. B. den größten Teil der Inseln Sardinien und Korsika bedecken und die eigentlich charakteristische Vegetationsform für diese Länder bilden. Hier zeigt die Pflanzenwelt deutlich die Wirkungen eines trockenen Klimas. Struppige Kräuter, die dem Brande der Sonne widerstehen, starren pfriemenartig, immergrün, gewürzhaft duftend an den Stirnen und Abhängen der Felsen; die Bäume, am Aufstreben gehindert, breiten sich als dornige, astige, von Schlingpflanzen dicht durchzogene Büsche und Sträucher aus. Den unvorsichtigen Wanderer, der sich mit nackten Füßen oder bloßen Händen durch das Dickicht schlagen will, verwunden von allen Seiten die zu glatten scharfen Nadeln verhärteten Haar- und Blattorgane dieser südlichen Heidepflanzen, die außerdem noch oft mit klebrigem Saft gegen die Berührung gewaffnet sind.

# 3.

**Zahlen im Restaurant.** Es gibt in Italien keinen
Zahlkellner, auf den der Gast, wenn er gehen will, halbe
Stunden lang warten muß, weil dieser an irgendeinem
entgegengesetzten Winkel beschäftigt ist, und man hat
nicht notwendig, seinen Kopf darüber zu zerbrechen, „was
man gehabt hat". Der Kellner, der den Gast bedient und
dem immer noch einige Piccoli zum Auflegen neuer Teller,
Messer und Gabeln und zum Aufräumen zur Seite sind,
vermerkt alles und stellt zum Schluß nach seinen eigenen
Aufzeichnungen die Rechnung zusammen, oder er bringt
sie, wenn man sie erbittet, fix und fertig von dem Pulte
des Wirtes auf einem Teller herbei; auf diesen nämlichen
Teller legt man dann gewöhnlich einen runden Betrag,
nachdem man in aller Ruhe und Behaglichkeit, weil nie=
mand darauf wartet, die Rechnung geprüft und mit der
Karte verglichen, auch auf die übrigens sehr seltenen Irr=
tümer aufmerksam gemacht hat. Der Kellner nimmt diesen
Betrag mit und stellt eine kleine Schale mit dem heraus=
zugebenden Gelde auf den Tisch. In dieser läßt man
dann einige Soldi liegen, aber nicht mehr als den zehnten
Teil der genossenen Zeche.

**Zeitung** (il giornale). Das als allgemeine Be=
zeichnung fast veraltete Wort ‹la gazzetta› kommt nur
noch als Eigenname einzelner Zeitungen vor, z. B. la
Gazzetta del Popolo, la Gazzetta di Venezia usw.
Manche Journalisten übersetzen außerdem durch gazzetta
die Namen von einigen deutschen Zeitungen, z. B. la
Gazzetta di Francoforte, la Gazzetta di Colonia
usw. Sonst aber heißt die Zeitung il giornale. Man
abonniert auf eine Zeitung bei der Geschäftsstelle der=
selben, jetzt auch bei der Post. Die meisten Italiener
aber ziehen es vor, dieselbe in den allerorten vorhandenen
Zeitungskiosken oder von den Händlern und Händlerinnen
zu kaufen, die in Hausfluren, in Buden, an Straßenecken
usw. (s. den Art. Straßenrufe) ihren Standort auf=
geschlagen haben. Dadurch haben die Leser den Vorteil,
in der Wahl der Zeitung abwechseln zu können und nur
dann zu kaufen und zu zahlen, wenn sie zur Lektüre der

Zeitung wirklich Lust und Zeit haben. Vom Kellner
fordert man nur in Cafés und Birrerie eine Zeitung;
hier sind dieselben zahlreich zur Auslage gebracht. In
allen Lokalitäten dagegen, die mehr zur Art der Speise=
häuser hinneigen, ist es üblich, seine eigene Zeitung
mitzubringen. Die italienischen Zeitungen erscheinen alle
nur einmal täglich, die einen des Morgens, andere nach=
mittags, andere abends. Nichts aber merkt man von
allen den vielbogigen Handels=, Finanz= und Literatur=
beilagen, deren sich die gelesensten deutschen Zeitungen
erfreuen. Im allgemeinen besteht die italienische Zeitung
aus vier Seiten in großem Format; seit einigen Jahren
haben indessen die verbreitetsten Zeitungen, wie der Mai=
länder Secolo, der Neapler Mattino usw., angefangen,
in sechs Seiten zu erscheinen. Der Preis einer Nummer
ist immer nur 5 Ct. Außer den täglichen Zeitungen
erscheinen auch wöchentliche, monatliche und vierteljährliche
Zeitschriften, die den deutschen, französischen usw. würdig
zur Seite gestellt werden können. Nachstehend lassen wir
eine Liste der gelesensten Zeitungen und Zeitschriften
nebst kurzer Charakteristik derselben folgen, mit dem Vor=
behalt, daß diese Notizen keinen Anspruch auf dauernde
Gültigkeit machen, da in der heutigen schnellebigen Zeit
alles, und namentlich die Zeitungspresse, rascher und
häufiger Veränderung ausgesetzt ist. — Vergl. auch den
Art. Evangelische Presse.

Zeitungen. Bari: Corriere delle Puglie (lib.);
Bologna: Avvenire (kler.), Resto del Carlino (lib.);
Brescia: La Provincia di Brescia (lib.); Cagliari:
L'Avvenire di Sardegna (lib.); Como: Provincia di
Como (konf.); Florenz: La Nazione (konf.), Fiera-
mosca (lib.), Marzocco (literarisch); Genua: Il Se-
colo XIX (lib.), Il Caffaro (lib.), Il Cittadino (kler.),
Il Lavoro (soz.); Livorno: Corriere Toscano (lib.),
Gazzetta di Livorno (lib.); Mailand: Secolo (republ.),
Tempo (soz.), Corriere della sera (konf.), Perse-
veranza (konf.), Lombardia (lib.), Sera (lib.), Osser-
vatore cattolico (kler.); Neapel: Il Mattino (lib.), Il
Roma (rad.), Il Giorno (lib.), Il Don Marzio (lib.);
Palermo: l'Ora (lib.), Giornale di Sicilia (lib.);
Rom: Popolo Romano (konf.), Tribuna (lib.), Ca-

pitale (lib.), Messaggero (rad.), Giornale d'Italia
(toni.), Avanti! (foz.), Osservatore romano (fler.),
Italie (in französischer Sprache, tonf.); Turin: Gazzetta
del Popolo (lib.), Stampa (lib.), Gazzetta di Torino
(lib.), Momento (fler.), Unità cattolica (fler.), Grido
del Popolo (foz.); Venedig: Gazzetta di Venezia
(tonf.), Adriatico (lib.), Gazzettino (rad.), Giorna-
letto (foz.).

Wöchentliche Zeitschriften. Mailand: Illustrazione italiana, Illustrazione popolare, Domenica
del corriere; Turin: Popolo della Domenica;
Rom: Avanti della Domenica, Tribuna illustrata.

Halbmonatliche Zeitschriften: Nuova Anto-
logia.

Monatliche Zeitschriften. Rom: Rivista d'Italia,
La Nuova Parola; Florenz: Rassegna Nazionale,
Civiltà cattolica; Bergamo: Emporium; Mailand:
Lettura, Varietas, Secolo XX.

Zeitungsverkäufer f. den Art. Straßenrufe.

Zigarren und Zigaretten. Italien erfreut sich ebenso wie
Österreich des staatlichen Tabaksmonopols. Dieses, in
der Not der sechziger Jahre an eine Privatgesellschaft
verpachtet, wird seit 1884 vom Staate in eigener Regie
betrieben. Ein zahlreiches Beamtenheer besorgt die Aus=
wahl und den Ankauf des Tabaks, die Herstellung der
Zigarren und Zigaretten, des Rauch=, Kau= und Schnupf=
tabaks, sowie die Lagerung und den Großverkauf dieser Er=
zeugnisse, deren Absatz im kleinen meist durch Privathändler,
vielfach in Verbindung mit Salz (sale e tabacchi ist
eine der gewöhnlichsten Aufschriften italienischer Verkaufs=
läden) bewirkt wird. Über die Beschaffenheit der italie=
nischen Regiezigarren wird es einem Deutschen schwer,
sich in parlamentarisch zulässiger Redeweise auszusprechen.
Der Italiener jedoch, der an so starke Zigarren gewöhnt
ist, beklagt sich über die deutschen Zigarren ebenso wie
der Deutsche über die italienischen, und niemand ist glück=
licher als ein italienischer Raucher, wenn er im Norden einen
Toskano oder eine Virginia bekommen kann. Toscani,
Virginia (die lange, mit Strohhalm versehene Zigarre),
Napoletani, Cavour und Minghetti vertreten die besten
und beliebtesten Zigarrensorten. Außerdem gibt es in

Land und Leute in Italien.                        29

den großen Städten importierte Havanazigarren sowie in=
und ausländische Zigaretten.

**Ziege.** Das den gebirgigen Landschaften Italiens
und Griechenlands eigentümliche Tier ist neben dem
Schaf die kletternde, knappernde Ziege. Sie bedarf
nicht des saftigen, feuchten Wiesengrases, sondern nährt
sich, auf= und abspringend, von dem Grün der Sträucher
und den harten, würzigen Kräutern, die an den heißen
Bergwänden sprossen, am liebsten von dem immergrünen
Arbutus. Überaus malerisch hängen diese Ziegenherden
weidend über den Felsabstürzen; abends geht der Hirt,
in struppiges Ziegenfell gekleidet und selbst einem auf=
rechtstehenden Bock nicht unähnlich, blasend mit der Tuba
voran, und seiner ländlichen Musik drängt sich blökend und
meckernd von allen Seiten die Schaf= und Ziegenherde
nach, um in der Hürde gemolken zu werden. In den
kleineren Ortschaften des Südens bekommt der Reisende
zu seinem Kaffee nicht leicht andere als Ziegenmilch, die
ihm anfangs nicht behagt, an deren würzigem Wohl=
geschmack er später aber um so größeres Vergnügen findet.
In den bergigen, waldlosen Gegenden des Südens ist
die Ziege in der Tat das durch die Umstände angezeigte
Haus= und Herdentier des Landmanns, das ihn kleidet
und nährt (drei Ziegen sollen dem Ertrage nach wie
eine Kuh sein, fordern aber viel weniger Wartung und
Aufwand); sie selbst aber ist wiederum schuld, daß kein
Wald wieder aufkommen kann; besonders nach den jungen
Sprossen der aufschießenden Bäumchen lüstern, tötet sie
den Baumwuchs im Entstehen.

**Ziegenzucht** s. den Art. Viehzucht.

**Zitronenbaum.** Wie Apfel und Birne zusammen
gehören und immer in einem Atemzuge miteinander ge=
nannt werden, so gehört zur Orange die Zitrone. Der
Zitronenbaum gleicht seinem Vetter sehr. Wenn man
von der Frucht absieht, muß man schon Einzelheiten er=
wähnen, um die Unterschiede der beiden Orangengewächse
zu bezeichnen. Die Früchte des Zitronenbaumes sind
so straff, lederartig, glänzend, länglich eirund und
immergrün wie die des Orangenbaumes. Beim ersteren
sind die Blüten meist weiß mit roten Außenseiten;
eine seltsame Eigentümlichkeit des Zitronenbaumes ist

466

es auch, daß er faſt das ganze Jahr hindurch blüht. Demgemäß reifen auch ſeine Früchte nicht alle zu der= ſelben Zeit. Man unterſcheidet drei Ernten. Die erſte Blüte des Jahres liefert die beſten Zitronen, dieſe werden vom September an bis zum Dezember geerntet. Die zweite Ernte wird von Januar bis Mai vorgenommen, und die Zitronen der dritten Blüte werden erſt im Sommer bis zum Dezember verkaufsfähig. Die Früchte des Zitronenbaumes ſind länglichrund und im Gegenſatz zu den Orangen an den Enden nicht vertieft, ſondern buckelartig ausgezogen. Was wir Zitronenbaum nennen, iſt übrigens nur eine Sorte des Zitronenbaumes, aller= dings die bekannteſte und wertvollſte. Allein außer den Zitronen gibt es auch Zedraten, Limetten, Adamsäpfel mit ihren verſchiedenen Formen. So liefert eine Unter= ſorte der Zedrate ſehr große, bis 5 Pfund ſchwere, kernloſe Früchte, welche in Stücke geſchnitten werden, um unter Zuſatz von Zucker zu Zitronat verarbeitet zu werden. Die Zitronen enthalten in ihrem Saft Zitronenſäure, die eine erfriſchende, entfiebernde, durſtlöſchende und appetit= anregende Wirkung beſitzt. Der Zitronenbaum erfordert dieſelbe Pflege wie ſein Verwandter. Auch er iſt ja ur= ſprünglich im heißen Aſien heimiſch. Hier wird er ſogar ein ſehr ſtattlicher Baum, der eine Höhe von 20 Metern erreicht. In Italien bleibt er freilich bedeutend nie= driger. Trotzdem kann er auch ſo ſeine ſtolze Schön= heit entfalten. Der Glanz der Blätter, das edle Aus= ſehen der Früchte werden dieſen Baum, der ſchon über achtzehnhundert Jahre in Italien angebaut wird, ebenſo wie den Orangenbaum immer in die Reihe der ſchönſten italieniſchen Bäume ſtellen. (Grottewitz.)

**Zollreviſion.** Die Zolldurchſuchung wird an den italieniſchen Grenzbahnhöfen und an den Dampfer= ſtationen auf großes Gepäck wie auf Handgepäck aus= gedehnt und richtet ſich vorzugsweiſe auf Tabak und Zigarren, von denen nur ſechs Stück zollfrei ſind (ſ. den Art. Zigarren und Zigaretten), ſowie auf Spielkarten und Zündhölzer. Einſt wegen ihrer Rückſichtsloſigkeit berüch= tigt, ſind ſeit einigen Jahren die italieniſchen Zollbeamten den Fremden gegenüber ſehr liebenswürdig. Zwar ſcheuen ſie ſich nicht, manchmal ſogar die Bruſt= und Hintertaſchen

29*

der reisenden Herren zu untersuchen; auch verdächtig er=
scheinende Damen werden von eigens dazu angestellten
Frauen untersucht. Wer Steuerbares bei sich führt, tut
deshalb am besten, um widrigen Ungelegenheiten zu
entgehen, alles ohne Rückhalt anzugeben. Der Eintritt in
Italien ist aber jetzt für denjenigen, der dieses Land früher
schon bereist hat, im allgemeinen eine wohltuende Über=
raschung, wie kürzlich ein bekannter deutscher Journalist
schrieb. Die wegen ihrer Schikane früher gefürchtete
Zollrevision ist jetzt im Handumdrehen erledigt. Ohne
nachzuprüfen, begnügt sich der Beamte mit unserer Ver=
sicherung. Es tritt fast wie absichtlich der Wunsch hervor,
zu zeigen, daß die Zeiten der alten Kleinlichkeiten für
Italien vorüber sind und eine neue Ära begonnen hat.
— Vergl. die Art. Ausfuhr von Kunstgegenständen,
Dazio comunale.

**Zuckerfabrikation.** Während Italien für seinen Zucker=
bedarf bis vor wenigen Jahren fast ausschließlich auf die
Einfuhr fremdländischer Erzeugnisse angewiesen war und
die italienische Landwirtschaft der tiefgreifenden Ver=
besserungen entbehrte, welche andere Länder dem Zucker=
rübenbau verdanken, ist in den letzten Jahren ein starker
Anlauf genommen worden, um die Rübenkultur und die
Zuckerfabrikation auch in Italien einzubürgern. Die Zahl
der Zuckerfabriken, die sich seit Eröffnung der ersten
Fabrik in Rieti (1886) nur sehr langsam vergrößert hatte,
ist in den beiden letzten Jahren sprungweise bis auf acht=
undzwanzig gestiegen, von denen sich die Mehrzahl in
der Emilia und der Romagna befindet; auch die Provinz
Rom hat zwei bedeutende Fabriken aufzuweisen, die eine
bei Monterotondo, garibaldinischen Andenkens, die andere
auf dem ausgetrockneten Fuciner See, dessen Boden
15000 Hektar trefflichen Rübenackers hergegeben hat.
Demzufolge hat sich die inländische Zuckerproduktion, die
noch 1897/98 mit 38770 Doppelzentnern kaum ein
Zwanzigstel, 1898/99 mit 59724 Doppelzentnern etwa
ein Vierzehntel des Gesamtbedarfs darstellte, im Jahre
1899/1900 auf 231158 Doppelzentner, also mehr als
ein Viertel des Gesamtbedarfs gehoben, und sie deckt im
Jahre 1900/1901 volle zwei Drittel derselben mit einer
Produktion von rund 600000 Doppelzentnern. Kenner

der italienischen Industrie nehmen an, daß im nächsten
Jahre die Zuckereinfuhr in Italien, die schon im jetzt ab-
gelaufenen Jahre nur noch 300 000 Doppelzentner betragen hat, ganz aufhören und Italien in der Lage sein
wird, sich ausschließlich an den im Lande erzeugten Zucker
zu halten.

**Zuckerrübe.** Neben Hanf, Weizen und Wein ist die
Zuckerrübe die herrschende Frucht geworden. Auf mittel-
großen, bis 400 Hektar umfassenden Gütern baut sie der
Landmann, der contadino, und erzielt Rüben, die bis
zu 17 Prozent Zuckergehalt aufweisen. Die Zuckerausfuhr
ist ja Italien durch die Brüsseler Beschlüsse abgeschnitten,
aber in kurzem wird das Land in der Lage sein, den
eigenen Zuckerbedarf ganz allein zu decken. In Co-
logna Vineta, S. Bonifacio, bei Rovigo, Udine, Ferrara,
Bologna, Pontelagoscuro sind Fabriken emporgeschossen,
die größte von ihnen verarbeitet bereits 30 000 Zentner
das Jahr. Die Direktoren, die Chemiker sind meistens
Deutsche, als Lehrmeister für einige Jahre angestellt; die
Aktionäre sind in der Regel Italiener, zum Teil auch die
Besitzer der Rübenfelder, die Arbeiter stets, und es ist
erstaunlich, mit welcher Anschlägigkeit sie sich in die ihnen
neue Tätigkeit hineingefunden haben. Die größte Zucker-
fabrik Italiens ist in Vicenza vor der Stadt errichtet. In
einem palastartigen Landhause der Renaissance, das einem
der alten Nobili gehört haben mag, und dessen Treppen noch
die fast frischen Fresken schmücken, wohnt jetzt der Direktor, und neben dem Palazzino irgendeines Bentivoglio
ragen die hohen Essen, die Kühlhallen und Siedehäuser
auf. Aber schon droht der jungen Industrie das Verderben, und bitter erschallt die Klage der Fabrikanten
über den Fiskalismus. Man glaube nicht, daß dieses
Ungeheuer von Fiskus unter dem südlichen Himmel ein mil-
deres Gesicht macht als in Deutschland. Er bleibt sich überall gleich. Der Staat, der die Einführung der Industrie
ermunterte, strebt jetzt, kaum daß sie groß geworden, danach, sie durch fürchterliche Steuern zu erwürgen. Die
Steuer, die bisher vom Rübensaft bezahlt wurde, ist von
nun an auf das fertige Erzeugnis gelegt. Dadurch wird
es unmöglich, durch ausgiebige Behandlung wie bisher
mittels Herauswirtschaftens großer Mengen die Steuer

zu verteilen, und man glaubt, daß einige kleinere Fabriken genötigt sein werden, die Waffen zu strecken.

(Conrad Alberti.)

**Zuhälter** (mantenuti) sind die erbärmlichen Subjekte, welche eine feile Dirne berufsmäßig ausbeuten und vom „Verdienst" einer solchen Verworfenen leben. Wie das Gesetz heute steht, ist die Gesellschaft gegen diese entsetzliche Sorte von Elenden völlig wehrlos; sie wissen es und machen sich über Polizei und Richter in frecher Weise lustig. Ihre Zahl ist in Italien eine große, und sie rühmen sich ihres Gewerbes, das ihnen gestattet, den Tag im Bette und die Nacht bei fröhlichem Zechen in einer Diebeskneipe zu verlottern. Solange der Plan nicht verwirklicht wird, dem Strafgesetz einen Artikel anzufügen, der das Geschäft der Zuhälter als ein Verbrechen bezeichnet, wird es auch nicht gelingen, Italien von einem Schandfleck zu säubern, der in den letzten Jahren in schreckenerregender Weise gewachsen ist.

**Zuppa** s. den Art. Minestra.

**Zuppa inglese,** eine in Rom sehr beliebte Speise, die aus Creme und in Rum getauchten Biskuits besteht.

---

# Anhang

# Viaggio a Roma.

## Reise nach Rom.

### Preparativi. Vorbereitungen.

*Paolo.* Ebbene, Giacomo, si fa notte, e ci resta ancor poco tempo; facciamo subito i nostri bauli.

**Paul.** Nun, Jakob, der Tag neigt sich; es bleibt uns nur (noch) wenig Zeit; wir wollen gleich unsere Koffer packen.

*Giacomo.* Va bene, amico mio; ma per non dimenticar nulla, consultiamo dapprima la lista degli oggetti, che prenderemo con noi.

**Jakob.** Mir ist's recht, mein Freund; — aber, um nichts zu vergessen, wollen wir zuerst die Liste der Sachen, welche wir mit [uns] nehmen werden, nachsehen.

*P.* Eccola; mentre tu leggi, io porrò nei bauli gli oggetti che nominerai. Io m'incarico anche del tuo baule.

**P.** Da ist sie; während Du liest, werde ich die Gegenstände, welche Du aufrufst, in die Koffer legen. Ich werde Deinen (Koffer) auch mit besorgen.

*G.* Va bene; cominciamo dalla biancheria:

6 camice da giorno.
2 camice da notte.
12 fazzoletti.
1 fazzoletto di seta.
12 paia di calze.
1 pettina.
1 maglia di lana.
12 colletti.
10 polsini.
4 paia di mutande.

**J.** Schön! laß uns mit der Wäsche beginnen:

6 Oberhemden.
2 Nachthemden.
12 Taschentücher.
1 seidenes (Taschen=)Tuch.
12 Paar Strümpfe.
1 Vorhemd.
1 wollene Unterjacke.
12 Kragen.
10 Manschetten.
4 Paar Unterhosen.

Land und Leute in Italien.                                1

## Vestiario.    Kleidungsſtücke.

| | |
|---|---|
| 1 cappello (di paglia). | 1 (Stroh=)Hut. |
| 1 berretto. | 1 Mütze. |
| 1 scialle. | 1 (Herren=)Schal. |
| 3 fazzoletti da collo. | 3 Halstücher. |
| 2 panciotti. | 2 Westen. |
| 2 giacchette. | 2 Jacken. |
| 2 paia di calzoni. | 2 Paar Hosen. |
| bretelle. | Hosenträger. |
| le ghette. | Gamaschen. |
| 1 paio di scarpe. | 1 Paar Schuhe. |
| 1 paio di stivali. | 1 Paar Stiefel. |
| 1 paio di stivaletti. | 1 Paar Halbstiefel. |
| 1 paio di soprascarpe. | 1 Paar Überschuhe.    [toffeln. |
| 1 paio di pantofole. | 1 Paar Morgenschuhe ob. Pan= |
| 1 paio di scarpe di gomma. | 1 Paar Gummischuhe. |
| 1 cappotto. | 1 (Über=)Rock. |
| 1 soprabito. | 1 Überzieher. |
| 1 marsina. | 1 Frack. |
| 1 mantello. | 1 Mantel. |
| 1 veste da camera | 1 Schlafrock. |
| 1 Havelock | 1 Havelock. |
| 1 Plaid. | 1 (Reise=)Plaid. |

## Oggetti diversi.    Verschiedene Dinge.

| | |
|---|---|
| 1 revolver. | 1 Revolver. |
| cartucce. | Patronen. |
| 1 ombrello. | 1 Regenschirm. |
| 1 ombrellino. | 1 Sonnenschirm. |
| 1 bastone. | 1 Spazierstock. |
| 1 borsa da viaggio. | die Reisetasche (zum Tragen in der |
| 1 cappelliera. | 1 Hutschachtel.    [Hand). |
| aghi (da cucire). | (Näh=)Nadel. |
| filo. | Zwirn. |
| 1 guarnitura di bottoni. | 1 Satz Knöpfe. |
| la coperta da viaggio. | die (Reise=)Decke. |

P. Vediamo ora se il nostro astuccio da viaggio è completo. Esso contiene:

P. Jetzt wollen wir sehen, ob unser Reisebesteck vollständig ist. Es enthält:

| | |
|---|---|
| 1 pettine rado. | 1 (weiten) Kamm. |
| 1 pettine fitto. | 1 (engen) Kamm. |
| 1 spazzola da vestiti. | 1 (Kleider=)Bürste. |
| 1 spazzolino pei denti. | 1 Zahnbürste. |
| 1 spazzola per capelli. | 1 Hutbürste. |
| 1 spazzolino per unghie. | 1 Nagelbürste. |
| 1 paio di forbici da unghie. | 1 Nagelschere. |

| | |
|---|---|
| 1 spazzola da capelli. | 1 Haarbürfte. |
| 1 tagliacalli. | 1 Hühneraugenmeffer. |
| dei profumi. | einige wohlriechende Effenzen. |
| del sapone. | Seife. |
| borsetta pel sapone. | 1 Seifenbeutel |
| 1 vaso per la saponetta. | 1 Seifenbofe. |
| 1 rasoio. | 1 Rafiermeffer. |
| 1 cuoio da rasoio. | 1 Streichriemen. |

*G.* E la nostra tasca a tra-.olla; che cosa ci mettiamo là dentro?

Z. Und unfere Umhängetafchen! was legen wir da hinein?

*P.* Lo vedrai subito.

P. Das wirft Du gleich fehen.

| | |
|---|---|
| 1 portasigari. | 1 Zigarrentafche. |
| 1 bocchino da sigari. | 1 Zigarrenfpize. |
| 1 tagliasigari. | 1 Zigarrenabfchneider. |
| 1 cavatappi. | 1 Korfzieher. |
| 1 piccolo cannocchiale. | 1 kleines Fernrohr. |
| 1 binoccolo. | 1 Opernglas. |
| le lenti. | 1 Nafenkneifer. |
| gli occhiali. | 1 Brille. |

*G.* Tu metti però tutto nelle valige; non sarebbe meglio tenere qualcosa in tasca?

Z. Du legft ja alles zum Hand= gepäck; wäre es nicht beffer, etwas bei uns zu behalten?

*P.* Per le tasche ho serbato ancora alcuni oggetti, come per esempio:

P. Zu diefem Zwecke (ob. Dazu) habe ich (noch) viele Dinge zurück= behalten; zum Beifpiel:

| | |
|---|---|
| il portamonete. | das Portemonnaie. |
| il portafogli. | die Brieftafche. |
| il taccuino. | das Notizbuch. |
| il temperino. | das Tafchenmeffer. |
| la guida. | den Führer, das Reifebuch. |

## La partenza.    Die Abreife.

*G.* Ebbene, Paolo, son già so-nate le cinque e tu non sei an-cora alzato!

Z. Nun, Paul, es hat foeben 5 Uhr gefchlagen, und Du bift noch nicht aufgeftanden!

*P.* Non credo che saremo in ritardo. Il treno non parte che alle sei.

P. Ich glaube nicht, daß wir uns verfpätet haben. Der Zug geht erft um 6 Uhr ab.

*F.* Questo è vero, ma io ho ordinato una vettura per le cin-que e mezzo. Affrettati dunque!

Z. Das ift wohl wahr, aber ich habe eine Drofchke auf 5½ Uhr beftellt. Beeile Dich alfo.

*P.* Oh, non ci vorrà molto; tra un quarto d'ora sarò pron-

P. O, das foll nicht lange dauern, — in einer Viertelftunde

1*

475

to. — Tu intanto guarda se le valige son ben chiuse.

G. Quanto a ciò non darti pensiero. Ma ecco che vien la vettura, e tu non sei ancor vestito.

P. Sono appena le cinque e un quarto; che aspetti un poco.

Del resto, questi esercizi di lingua italiana, che devo già far ora, mi riescono molto difficili.

P. Se fosse tanto facile, ogni stupido lo saprebbe. Coraggio, vecchio amico!

P. Sia pure! se ti fa piacere di sentirmi biascicare in italiano! Ma dimmi come faremo a pagare la vettura e i nostri biglietti ... se abbiamo chiuso il nostro denaro nel baule?

G. E' vero, hai ragione! non ci avevo pensato.

P. E i nostri passaporti? Dobbiamo aver anche quelli, per poterci legittimare negli uffici postali.

G. Non è un gran male. Toglieremo dalla valigia denaro e passaporti e tutto sarà in ordine.

P. Ecco fatto. Hai messo tutto nella borsa da viaggio.

G. Sì, credo di non aver dimenticato niente. Ora suona, affinché Luigi venga ad aiutarci a portar giù i bauli.

Luigi. Hanno suonato. Che desiderano i signori?

P. Prenda questi bauli e li porti nella vettura che è ferma

werbe ich bereit sein. — Unterdessen sieh (mal) nach, ob die Koffer gut verschlossen sind.

Z. Was das betrifft, so sei außer Sorge. Sieh! da ist die Droschke, und Du, Du bist noch nicht angekleidet.

P. Es ist erst 5¼ Uhr; sie mag (Imper.) ein wenig warten.

Übrigens wird mir diese Übung der italienischen Sprache, die ich schon jetzt machen muß, sehr sauer.

Z. Wenn dies so leicht wäre, würde es der erste beste Schafskopf können. Mut, altes Haus!

P. Meinetwegen! wenn es Dir Vergnügen macht, mich das Italienische radebrechen zu hören. Aber, sage mal, womit sollen wir die Droschke und unsere Fahrkarten bezahlen, — da wir unser Geld in unsere Koffer eingeschlossen haben?

Z. Meiner Treu, Du hast recht! Daran hatte ich nicht gedacht.

P. Und unsere Pässe? Wir müssen sie auch bei uns haben, um uns auf den Postämtern ausweisen zu können.

Z. Das ist kein großes Übel. Wir werden das Geld sowie die Pässe aus unseren Koffern herausnehmen, und alles wird in bester Ordnung sein.

P. Damit bin ich fertig. Hast Du alles Nötige in unsere Reisetasche gepackt?

Z. Ja, ich glaube, daß nichts vergessen worden ist. Jetzt klingele, damit Louis komme, (um) uns die Koffer hinabbringen zu helfen.

Louis. Es (Man) hat geklingelt. Was wünschen die Herren?

P. Nehmen Sie diese Koffer und tragen Sie dieselben in die

davanti al portone. Tu, Giacomo, puoi prender le cappelliere, ed io m'incarico della borsa e dei soprabiti.

*Il vetturino.* Dove devo condurre i signori?

*G.* Alla stazione; ma trottate bene, altrimenti si potrebbe perder la corsa.

## Alla stazione.

*Vetturino.* Eccoci alla stazione, signori.

*G.* Ehi, facchino! venite qua!

*Facchino.* Subito, signori, ai Loro comandi.

*P.* Scaricate presto il nostro bagaglio e consegnatelo. Vetturino, eccovi per la corsa.

*Facchino.* Non posso consegnarlo prima d'avere i Loro biglietti.

*P.* Bene, portateli alla spedizione bagagli, io vi raggiungo subito.

*Facchino.* Come comanda.

*P.* (Allo sportello.) Due biglietti di seconda classe per Venezia.

*Bigliettinaio.* Faccio osservare ai Signori che il treno in partenza non è proprio diretto fino a Venezia.

*P.* Peccato; ma del resto noi non abbiamo neppure gran fretta di arrivarci.

*G.* Non sarebbe meglio se ci fermassimo un po' a Trento.

*P.* No, ci fermeremo a Verona? Dunque La prego di darci due biglietti di seconda per Venezia.

Droschke, die vor der Tür hält. Du, Jakob, kannst die Hutschachteln nehmen, und ich, ich übernehme die Reisetasche und die Paletots.

Der Kutscher. Wohin soll ich die Herren fahren?

J. Nach dem Bahnhofe, aber fahren Sie gut zu, sonst könnten wir den Zug verfehlen.

## Auf dem Bahnhofe.

Kutscher. Hier sind wir auf dem Bahnhofe, meine Herren.

J. Heda! Gepäckträger, (kommen Sie) hierher!

Gepäckträger. Augenblicklich stehe ich Ihnen zu Diensten, meine Herren.

P. Laden Sie geschwind unsere Sachen ab und geben Sie dieselben auf. Kutscher, hier für Ihre Fahrt.

Gepäcktr. Ich kann sie nicht aufgeben, bevor ich (nicht) Ihre Fahrkarten habe.

P. Nun, (so) bringen Sie unsere Sachen nach der Gepäckannahme, ich treffe Sie dort sogleich wieder.

Gepäcktr. Wie Sie befehlen.

P. (Am Schalter.) Zwei (Fahrkarten) zweiter (Klasse), — (nach) Venedig.

Billetteur. Ich mache Sie darauf aufmerksam, meine Herren, daß der jetzt abgehende Zug nicht direkt bis nach Venedig fährt.

P. Schade; anderseits aber, wir haben keine große Eile, dort anzukommen.

J. Würde es nicht besser sein, wenn wir uns ein wenig in Trient aufhielten?

P. Nein; wir werden uns in Verona aufhalten. Also — geben Sie uns gefälligst zwei Fahrkarten zweiter Klasse nach Rom.

*Bigliettinaio.* Eccoli, signore.

**Billetteur.** Hier [sind sie], mein Herr!

*P.* Quanto fa?

**P.** Sie kosten? oder: Wieviel macht es?

*Bigliettinaio.* 104 marchi.

**Billetteur.** 104 Mark.

*P.* Eccoli. Ora, Giacomo, vogliamo dare al facchino i nostri biglietti, acciocchè possa consegnare il bagaglio.

**P.** Da! Jetzt, Jakob, wollen wir unsere Fahrkarten dem Gepäckträger geben, damit er unser Gepäck aufgeben kann.

*G.* Senti! In questo punto hanno sonato! Sbrighiamoci!

**J.** Höre nur! Es hat soeben geläutet; laß uns eilen!

*Facchino.* Mi diano i biglietti, signori, e si affrettino a prendere i Loro posti. Quanto alle Loro cose, me ne incarico io.

**Gepäckträger.** Geben Sie mir Ihre Fahrkarten, meine Herren, und beeilen Sie sich, Ihre Plätze einzunehmen. Was Ihre Sachen betrifft, dafür stehe ich ein (od. Für Ihre Sachen stehe ich ein).

*G.* Conduttore! Due posti di seconda classe nel vagone diretto per Verona.

**J.** Schaffner! Zwei Plätze zweiter Klasse in den durchgehenden Wagen nach Verona.

*Conduttore.* Qui, signori, in questo vagone! esso non è ancora occupato. Potranno scegliere i posti a Loro piacere.

**Schaffner.** Hier(her), meine Herren, in diesen Wagen! er ist noch nicht besetzt. Sie können darin nach [Ihrer] Bequemlichkeit Platz nehmen.

*P.* Ah che fortuna! Si comincia bene.

**P.** Ach, welches Glück! der Anfang wäre gut (oder: ist gut).

*G.* Benissimo; possiamo avere dei posti d'angolo.

**J.** Ja, das ist herrlich [glücklich]; wir bekommen [werden haben] Eckplätze.

*Facchino.* Ecco i Loro biglietti, signori. Hanno per otto marchi di soprappeso.

**Gepäckträger.** Hier [sind] Ihre Fahrkarten, meine Herren! Sie haben (für) acht Mark Mehrgewicht (Überfracht).

*P.* Otto marchi! Non l'avrei creduto. Eccoli qua; e questo per i vostri servizi.

**P.** Acht Mark! Das hätte ich nicht gedacht. Hier sind sie, und da(s) für Ihre Bemühung.

*Facchino.* Mille grazie, signori.

**Gepäcktr.** Ich danke Ihnen bestens, meine Herren.

## In ferrovia.     Auf der Eisenbahn.

*G.* Ebbene, mio caro, si sta abbastanza comodi, n'è vero?

**J.** Nun, mein Lieber, man sitzt ganz bequem, nicht wahr?

*P.* Certamente stiamo benissimo... ma non mi dispiacerebbe

**P.** Gewiß sitzen wir sehr gut, ... aber ich würde (gar) nicht böse

punto se avessimo ancora qualche compagno di viaggio.

G. Hai ragione; ci può esser qualcosa di più noioso di due amici che viaggiano soli in uno scompartimento?

P. Come lo dici! Parrebbe proprio che tu ti senta offeso!

G. Io offeso? ... Ma niente affatto! L'ho detto per ridere ... Ma ecco che viene qualcuno. Due belle signore, che vogliono entrar qui; apri lo sportello.

*Una signora.* Scusino, signori, il conduttore ci ha detto che qui c'è ancor posto.

P. Salgano, signore. Ad eccezione dei due posti occupati da me e dal mio amico, tutto il compartimento sta a Loro disposizione.

*La signora.* Obbligatissima, Signori. Vieni, Eugenia, sediamoci nei posti di mezzo.

P. Ecco il segnale della partenza. Il treno si mette già in movimento ... si parte.

G. (a bassa voce a Paolo). Hai proprio fortuna! Non appena esprimi un desiderio, che ti vien subito soddisfatto.

P. (piano a Giacomo). Ti fa meraviglia? Un po' prima, o un po' dopo bisognava pure che avessimo dei compagni di viaggio.

G. (piano a Paolo). Vorrei sapere chi sono queste signore.

P. (piano). Nulla di più facile! Non hai che da attaccar discorso con esse, e lo saprai

sein, wenn wir noch einige Reisegefährten hätten.

J. Du hast recht, mein Lieber. Gibt es etwas Langweiligeres als zwei Freunde, die in einem Eisenbahnwagen allein reisen?

P. Wie Du das (nur) sagst! Sollte man nicht meinen, daß Du Dich verletzt fühlst?

J. Ich verletzt? ... durchaus nicht. Ich habe das (ja nur) zum Scherz gesagt ... Doch da ist (oder kommt) jemand. Zwei schöne Damen, welche herein wollen; öffne die (Wagen-)Tür.

Eine Dame. Verzeihung, meine Herren, der Schaffner hat uns gesagt, hier wäre noch Platz.

P. Steigen Sie ein, meine Damen. Außer den beiden, von mir und meinem Freunde besetzten Plätzen steht Ihnen der ganze Abteil zur Verfügung.

Die Dame. Sehr verbunden, meine Herren! Komm, Eugenie, wir wollen uns in die Mitte setzen.

P. Das ist das Signal zur Abfahrt ... Der Zug setzt sich schon in Bewegung ... wir fahren ab.

J. (leise zu Paul). Na, Du hast aber viel Glück! Kaum hast Du (Dir) einen Wunsch [gebildet], so geht er in Erfüllung.

P. (leise zu Jakob). Das wundert Dich? Ein wenig früher oder später mußten wir (doch) wohl Reisegefährten bekommen.

J. (leise zu Paul). Ich möchte wohl wissen, wer diese Damen sind.

P. (leise). Nichts leichter (als das)! Du brauchst nur eine Unterhaltung mit ihnen anzuknüpfen,

subito; scommetto che sono delle attrici.

G. (piano). Sei (molto) strano. Prendi per attrici tutte le signore che viaggiano sole.

P. (piano). Bene, lo vedremo subito. (forte). Le signore parlano italiano; senza dubbio vanno anche Loro, come noi, a Roma, se la domanda è lecita.

La *signora*. Infatti, signore, noi ritorniamo a Roma, donde siamo assenti da un anno.

G. Dunque Loro sono romane? Siamo lietissimi (d'aver l'onore), di fare la Loro conoscenza.

La *signora*. Troppo lusinghiero per noi, signore. Sì, noi siamo di Roma. Abbiamo forse la fortuna di trovar, per caso, dei compatrioti?

P. No, signora, noi siamo tedeschi.

La *signora*. Loro sono tedeschi? ... Ma allora hanno vissuto molto tempo a Roma, perché parlano benissimo l'italiano.

P. Sensi, signora, finora non siamo stati non solo a Roma, ma memmeno in Italia.

G. Dobbiamo anzi confessarle che finora non abbiamo avuto mai occasione di parlare la Sua lingua con degli Italiani.

La *signora*. Io sono sempre più sorpresa. La Loro pronuncia è così chiara, la Loro locu-

und Du wirst es bald erfahren. Ich wette, daß es Schauspielerinnen sind.

Z. (leise). Du bist (recht) sonderbar, [Du] ... Alle alleinreisenden Damen hältst Du für Schauspielerinnen.

P. (leise). Nun! wir wollen gleich (mal) sehen. (Laut.) Die Damen, die italienisch sprechen, fahren wohl gewiß wie wir nach Rom? wenn es nicht unbescheiden ist, so zu fragen.

Die Dame. In der Tat, mein Herr, kehren wir nach Rom zurück, von wo wir seit einem Jahre abwesend sind.

Z. Dann sind Sie (wohl) Römerinnen? Wir sind sehr erfreut, daß wir die Ehre haben, Ihre Bekanntschaft zu machen.

Die Dame. Sehr schmeichelhaft mein Herr; ja wir sind aus Rom. Sollten wir (etwa) zufällig das Glück haben, Landsleute zu treffen?

P. Nein, gnädige Frau, wir sind Deutsche.

Die Dame. Sie sind Deutsche? ... Aber dann haben Sie sich lange in Italien aufgehalten, denn Sie sprechen sehr gut italienisch.

P. Verzeihen Sie, gnädige Frau, wir waren bis jetzt weder in Rom, noch auch nur in Italien.

Z. Wir müssen Ihnen sogar gestehen, daß wir noch keine [noch nicht die] Gelegenheit gehabt haben, Ihre Sprache mit Italienern zu reden.

Die Dame. Ich bin immer mehr erstaunt. Ihre Aussprache ist so rein, Ihre Redewendungen

zione così corretta, e si esprimono con tale facilità, che proprio devono aver avuto dei maestri eccellenti.

*P.* Lei non più immaginarsi, signora, quanto siamo felici di codesto Suo giudizio. Finora dubitavamo di noi stessi; temevamo di non venir compresi dagli Italiani e di non comprender neppur loro, perchè abbiamo imparato la Sua lingua senza maestro.

*La signora.* Come! ... Hanno imparato l'italiano senza l'aiuto d'un maestro? Veramente, loro pungono proprio al vivo la mia curiosità. Favoriscano dunque dirmi, come hanno fatto a raggiungere tale grado di perfezione; perchè più li ascolto, e più son tentata di credere che scherzano.

*G.* Oh, sia persuasa, signora, che parlo sul serio. Circa due anni fa non sapevamo, per così dire, una parola d'italiano, quando, un giorno, il mio amico mi portò un opuscolo, che il suo libraio gli aveva mandato proprio allora.

*La signora.* Un opuscolo, dice? Ma non avranno già imparato la lingua italiana con l'aiuto di un opuscolo?

*G.* Certamento no! Quell'opuscolo conteneva soltanto la splogazione dettagliata di un metodo, in forma di lettere, per istudiare la lingua italiana senza maestro.

*La signora.* Un metodo in forma di lettere per istudiare senza maestro? ... Abbia la compiacenza di spiegarmi ...

sind so richtig, und Sie drücken sich mit solcher Leichtigkeit [so leicht] aus. Sie müssen ausgezeichnete Lehrer gehabt haben.

B. Sie können kaum glauben, gnädige Frau, wie glücklich wir über Ihr Urteil sind. Bisher zweifelten wir an uns selbst; wir fürchteten, von [den] Italienern nicht verstanden zu werden, und sie ebensowenig (selbst) zu verstehen; denn wir haben Ihre Sprache ohne Lehrer erlernt.

Die Dame. Wie! ... Sie haben das Italienische ohne [die] Hülfe eines Lehrers erlernt? Wahrlich! Sie reizen meine Neugierde lebhaft. Sagen Sie mir doch gefälligst, wie Sie zu diesem Grade der Vollkommenheit gelangen konnten? Denn je länger ich Sie höre, desto mehr bin ich versucht zu glauben, daß Sie scherzen.

Z. O, seien Sie überzeugt, gnädige Frau, daß ich im Ernst spreche. Vor ungefähr zwei Jahren konnten wir, so zu sagen, (noch) kein Wort Italienisch, als eines Tages mein Freund hier mir eine Broschüre brachte, welche sein Buchhändler ihm soeben gesandt hatte.

Die Dame. Eine Broschüre, sagen Sie? Sie haben die italienische Sprache doch nicht etwa vermittels einer Broschüre erlernt?

Z. Gewiß nicht! Diese Broschüre enthielt nur die ausführliche Darstellung einer Methode in Briefform zur Erlernung der italienischen Sprache ohne Lehrer.

Die Dame. Eine Methode in Briefform, zur Erlernung ohne Lehrer? ... Bitte, erklären Sie mir (doch) das ...

*G.* Volontieri. Signora. Sono delle lettere stampate, da 16 a 24 pagine l'una, in grande formato ottavo. Ci si abbona e si ricevono ad intervalli di 10 o 15 giorni. Bisogna studiarle bene, attenendosi esattamente alle indicazioni date.

*La signora.* E Lei ordinò queste lettere?

*G.* Sissignora. Il mio amico ed io vi ci siamo abbonati. Le abbiamo studiate insieme, e dopo pochi mesi cominciavamo già a parlare, o meglio a biascicare l'italiano. Dopo 15 mesi conoscevamo già a sufficenza la lingua, per poter leggero e capire con facilità i classici italiani.

*La signora.* E ad esprimersi con una facilità sorprendente. Questo è strano davvero! ... Come si chiama l'autore?

*P.* Gli autori sono due, signora.

*La signora.* Ebbene quale è il loro nome?

*P.* (I signori) Sabersky e Sacerdote.

*La signora.* Un Tedesco e un Italiano, rappresentanti ognuno la sua lingua; capisco ... Però c'è ancor una cosa che non so spiegarmi, ed è in che modo abbiano potuto acquistare quest'eccellente pronuncia e specialmente questo perfetto accento italiano.

*P.* Gli autori di queste lettere hanno inventato un sistema figurato di pronuncia, che riproduce esattamente ogni suono italiano

G. Gern, gnädige Frau. Es sind gedruckte Briefe, jeder zu 16 oder 24 Seiten Großoktavformat. Man abonniert darauf und erhält sie in Zwischenräumen von zehn bis vierzehn Tagen. Man muß sie studieren und genau den darin gegebenen Vorschriften folgen.

Die Dame. Und Sie bestellten diese Briefe?

J. Ja, gnädige Frau! Mein Freund und ich, wir abonnierten darauf; wir haben sie zusammen studiert, und nach einigen Monaten fingen wir schon an, italienisch zu sprechen, oder vielmehr zu radebrechen. Nach Verlauf von Fünfvierteljahren beherrschten wir die Sprache genügend, um die italienischen Klassiker mit Leichtigkeit zu lesen und zu verstehen.

Die Dame. Und sich mit überraschender Leichtigkeit auszudrücken ... Das ist (wirklich) sehr merkwürdig. Wie heißt der Verfasser?

P. Es sind deren zwei, gnädige Frau.

Die Dame. Nun, wie heißen die Verfasser?

P. [Die Herren] Sabersky und Sacerdote.

Die Dame. Wohl ein Italiener und ein Deutscher? Zwei Nationalitäten, jede ihre Sprache vertretend; ich verstehe. Indessen bleibt noch eins, was ich mir nicht erkläre(n kann): nämlich wie Sie die ausgezeichnete Aussprache und besonders den italienischen Akzent erlangen konnten, den Sie haben?

P. Die Verfasser dieser Briefe haben eine bildliche Aussprache (·Darstellung) ersonnen, die genau jeden italienischen Laut in deut-

con caretteri tedeschi. Quanto ai suoni italiani, per i quali la nostra lingua non ha delle lettere, li hanno indicati per mezzo di segni, il cui valore è esattamente spiegato.

In tal modo un Tedesco, che parli bene la sua lingua materna, può pronunciare con facilità ogni parola italiana.

*La signora.* A quanto Ella mi dice, queste lettere devono essere di grandissima utilità ai Suoi connazionali.

*P.* E lo sono infatti, signora, a giudicare dagli elogi che Ella, poco fa, si è compiaciuta di farci.

*G.* Oh! siamo già passati davanti a molte stazioni, ma stavolta ci fermeremo. Conduttore, quanti minuti di fermata?

*Conduttore.* Circa tre minuti, signore.

*G.* Non abbiamo tempo di prender nulla; aspettiamo ancora.

*P.* Se non m'inganno, la terza volta ci si ferma un po' più a lungo.

*G.* I tre minuti non hanno durato molto. Eccoci nuovamente partiti.

*La signora.* Cos' è questo? Siamo (a un tratto) all' oscuro.

*P.* Si attraversa una galleria.

*La signora.* È lunga?

*P.* Non molto, ne saremo presto fuori. Nei nostri paesi piani non ci sono lunghe gallerie.

ſchen Buchſtaben wiedergibt. Was die italieniſchen Laute betrifft, für die unſere (Schrift-)Sprache keine Buchſtaben hat, ſo ſind ſie durch Zeichen angedeutet, deren Bedeutung ſorgfältig erklärt iſt.

Auf dieſe Weiſe kann der Deutſche, der ſeine Mutterſprache gut ſpricht, mit Leichtigkeit jedes italieniſche Wort ausſprechen.

Die Dame. Nach (allem), was Sie mir (da) ſagen, müſſen dieſe Briefe Ihren Landsleuten von ſehr großem Nutzen ſein.

P. Sie ſind es in der Tat, gnädige Frau, nach dem Lobe zu urteilen, das Sie uns ſoeben [dafür] geſpendet haben.

3. Ah! wir ſind ſchon an vielen Haltepunkten vorübergefahren, aber diesmal werden wir anhalten. Schaffner! wie lange [wieviel] Aufenthalt?

Schaffner. Etwa drei Minuten [, mein Herr].

3. Wir haben nicht Zeit, hier etwas (zu uns) zu nehmen; wir (müſſen alſo ſchon) warten.

P. Wenn ich nicht irre, wird beim dritten Male etwas länger angehalten.

3. Die drei Minuten haben nicht lange gedauert. Da ſind wir (ſchon) wieder abgefahren.

Die Dame. Was iſt (denn) das? Wir ſind ja (auf einmal) im Dunkeln.

P. Weil wir durch einen Tunnel fahren.

Die Dame. Iſt derſelbe lang?

P. Nicht ſehr [lang], gnädige Frau; wir werden bald [aus ihm] hinaus ſein. In unſeren flachen Gegenden gibt es keine langen Tunnels.

*La signora.* Grazie a Dio! Eccoci fuori di quella tomba. Sento un fremito, ogni qualvolta passo per un tal sotterraneo. Penso sempre che la montagna potrebbe crollare e seppellirci vivi.

*G.* Signora mia, non credo che si abbia a temere un simile evento, perchè le gallerie vengono costruite colla massima solidità.

*La signora.* E' vero che non si è ancor mai udito di un tale accidente, ma queste gallerie sono costruite di fresco; tra un mezzo secolo non sarà più la stessa cosa.

*P.* Ella può aver ragione; possono succedere delle gravi disgrazie, se le amministrazioni ferroviarie non prendono le misure necessarie per iscongiurarle.

*La signora.* Dove siamo ora? Parrebbe di esser sospesi nell'aria.

*P.* Passiamo sopra un viadotto, che pare essere ad enorme altezza. Vuol guardare fuori del finestrino?

*La signora.* Oh no, signore! temo che mi vengano le vertigini, se guardo da quest' altezza.

*P.* Ora viene la seconda stazione, dove dobbiamo fermarci.

*G.* Eccoci fermi; ma il conduttore non vien neppure ad aprire lo sportello.

*P.* Perché si riparte subito.

*G.* Veramente; il treno si metto di nuovo in movimento.

---

Die Dame. Gott sei Dank! Da sind wir außerhalb dieses Grabes. Es ergreift mich allemal ein Schauer, wenn ich durch einen solchen Schacht fahre. Ich denke immer, [daß] der Berg wird einstürzen, und [daß] wir bei lebendigem Leibe begraben werden.

J. Ich glaube nicht, gnädige Frau, daß man ein derartiges Vorkommnis jemals zu befürchten hat, denn die Tunnels werden mit der größten Solidität gebaut.

Die Dame. Freilich hat man noch nicht (davon) [sagen] gehört, daß ein solcher Unglücksfall vorgekommen wäre [sei]; aber diese Tunnels sind erst neu erbaut; in einem halben Jahrhundert wird es nicht mehr so damit stehen.

P. Sie mögen wohl recht haben. Möglich ist es, daß viel Unglück geschieht, wenn die Eisenbahnverwaltungen nicht die Maßregeln ergreifen, (die) nötig (sind), um diese Gefahren abzuwenden.

Die Dame. Wo befinden wir uns jetzt? Man sollte meinen, wir schweben in der Luft.

P. Wir fahren über einen Viadukt, der von ungeheurer Höhe zu sein scheint. Wollen Sie aus der Wagentür(e) sehen?

Die Dame. O nein! [mein Herr], ich fürchte, (ich würde) schwindelig (zu) werden, wenn ich von solcher Höhe hinabblickte.

P. Hier ist die zweite Station, bei der wir anhalten müssen.

J. Da halten wir; aber der Schaffner macht nicht einmal die Tür(e) auf.

P. Wir werden nämlich im Augenblick wieder abfahren.

J. Meiner Treu, ja! Der Zug setzt sich wieder in Bewegung.

In ferrovia. 13

*La signora.* Scusino se li interrompo, signori. Potrebbero dirmi quando arriviamo a Monaco.

*P.* Stassera verso le 10, signora.

*La signora.* Grazie, ora son rassicurata; temevo che fossimo obbligate a viaggiare di notte.

*P.* Difatti è molto faticoso il passar la notte in ferrovia.

*La signora.* Non è soltanto per questo, signore; ma io temo gli accidenti ferroviari; mi sembra che abbiano ad esser ancor più frequenti di notte che di giorno.

*P.* È un'idea la Sua, signora. Del resto gli accidenti ferroviari son molto rari, qui da noi. Le nostre amministrazioni ferroviarie hanno gran cura della sicurezza dei viaggiatori. Perciò si va più lentamente, per esempio, in Germania che in Inghilterra.

*La signora.* È vero; anche in Russia si viaggia più presto.

*P.* Ha viaggiato in Russia, Signora?

*La signora.* Sì, veniamo appunto da Pietroburgo, mia nipote ed io.

*G.* Eccoci giunti finalmente alla terza stazione.

*Conduttore.* X. ... (nome della stazione) cinque minuti di fermata!

*P.* Se le Signore vogliono approfittarne, come noi? Qui di solito si fa colazione.

Die Dame. (Ich bitte um) Verzeihung, wenn ich Sie unterbreche, meine Herren. Würden Sie mir (wohl) sagen können, wann wir in München ankommen [werden]?

P. Heute abend gegen 10 Uhr, gnädige Frau!

Die Dame. Ich danke Ihnen; nun bin ich beruhigt. Ich fürchtete, wir würden genötigt sein, nachts zu reisen.

P. Es ist allerdings sehr ermüdend, die Nacht in der Eisenbahn zuzubringen.

Die Dame. [Es ist] nicht allein deswegen [, mein Herr]; aber ich habe Furcht vor Unfällen; es scheint mir, als müßten diese nachts noch häufiger sein als am Tage.

P. Das scheint Ihnen nur so, gnädige Frau! Übrigens sind [die] Unfälle sehr selten bei uns. Die Eisenbahnverwaltungen sind für die Sicherheit der Reisenden sehr besorgt. Deshalb fährt man auch beispielsweise in Deutschland viel langsamer als in England.

Die Dame. Das ist sehr wahr; in Rußland fährt man ebenfalls schneller.

P. Sie sind in Rußland gereist, gnädige Frau?

Die Dame. Ja; wir kommen gerade von St. Petersburg zurück, meine Nichte und ich.

S. Da wären wir endlich auf der dritten Station angelangt.

Schaffner. X... (Stationsname), fünf Minuten Aufenthalt!

P. Wenn die Damen die Gelegenheit benutzen woll(t)en wie wir? — hier wird gewöhnlich gefrühstückt.

485

*La signora.* Certamente; anche noi discenderemo. Eugenia, prendiamo qualcosa per riscaldarci, perchè stamattina l'aria è fresca.

*Un cameriere.* Che desiderano i signori; cosa comandano le signore?

*P.* (a G.) Noi prendiamo il caffè, non è vero?

*G.* Vada per il caffè!

*La signora.* Per noi, due tazze di cioccolata.

*G.* Oh, suonano già! Non si ha neppure tempo di finir di prender il caffè.

*P.* Caro mio, sulla ferrovia tutto va a vapore.

*La signora.* (Consegnando una moneta). Cameriere pagatevi. (A sua nipote.) Ora affrettiamoci a raggiungere il nostro vagone.

*G.* Presto, cameriere, datemi il resto; noi saremo gli ultimi! — Oh! è una fortuna che non abbiamo finito nello stesso tempo che le signore; hanno dimenticato qui la loro borsetta.

*Il conduttore.* Presto, signori, in vettura!

*G.* Questa piccola borsa appartiene a Loro, signore; non è vero?

*La signora.* Dio mio, Eugenia! I nostri gioielli che avevamo dimenticati!

*P.* Siamo felicissimi di riportarglieli.

*La signorina.* Quanta riconoscenza devo Loro, signori! È colpa mia se mia zia ha di-

Die Dame. Gewiß, wir wollen auch aussteigen. Komm, Eugenie, (und) laß uns etwas genießen, um uns zu erwärmen; denn die Luft ist heute morgen frisch.

Ein Kellner. Was wünschen Sie, meine Herren; was befehlen die Damen?

P. (zu G.) Wir trinken Kaffee, nicht wahr?

G. Schön; meinetwegen Kaffee.

Die Dame. Für uns zwei Tassen Schokolade.

G. Ei, da läutet es schon! Man hat nicht einmal Zeit, seine Tasse auszutrinken.

P. Das macht, weil auf der Eisenbahn alles mit Dampf geht [geschieht].

Die Dame (indem sie ein Geldstück hingibt). Kellner! machen Sie sich bezahlt. — (Zu ihrer Nichte.) Nun wollen wir eilen, unsern Wagen wieder zu erreichen.

G. Schnell, Kellner, geben Sie mir heraus; wir werden die letzten sein! — Oh! es ist ein Glück, daß wir nicht zugleich mit den Damen fertig gewesen sind; sie haben ihr Täschchen vergessen.

Der Schaffner. Nur zu! Einsteigen, meine Herren!

G. Dieses Täschchen gehört doch Ihnen, nicht wahr, gnädige Frau?

Die Dame. Mein Gott! Eugenie! Unsere Schmucksachen, die wir vergessen haben!

P. Wir sind ungemein erfreut [zu glücklich], sie Ihnen wiederzubringen.

Das Fräulein. Wie vielen Dank bin ich Ihnen schuldig, meine Herren; (denn) ich bin (daran)

...enticato all'ultimo momento la sua borsa.

*La signora.* Non potremo ringraziarli mai abbastanza per l'immenso servizio che ci hanno reso.

*G.* Oh! Signora, non c'è proprio gran merito da parte nostra, e noi siam compensati già ad usura dal piacere di poter viaggiare nell' amabile Loro compagnia.

*La signora.* A questo ci si espone sulle ferrovie, dove non si ha nemmeno tempo di voltarsi indietro. Ma ora mi sembra che si corra conuna straordinaria velocità.

*P.* Probabilmente si discende. Lasciami guardare fuori del finestrino ... Sì, è così! Ci troviamo in discesa.

*La signora.* Vede un po'a destra quella nuvola di fumo?

*G.* Sissignora, la vedo; è probabilmente un treno col quale c'incontreremo.

*La signora.* Come! Non è possibile. A giudicare dal fumo, si direbbe piuttosto ch' esso passerà davanti al nostro da destra a sinistra.

*G.* Le sembra così, signora, perchè la linea fa qui una gran curva.

*La signora.* Ah! allora è un altro paio di maniche. Che treno è questo?

*G.* Lo vedremo subito, perchè io lo scorgo già.

schuld, daß meine Tante ihre Reisetasche im letzten Augenblick hat liegen lassen.

Die Dame. Wir werden Ihnen nie genug für den unendlichen Dienst danken können, den Sie uns erweisen.

J. (Du) mein Gott, gnädige Frau, da ist kein großes Verdienst unsererseits dabei; und wir sind bereits überreichlich durch das Vergnügen belohnt, in Ihrer liebenswürdigen Gesellschaft zu reisen.

Die Dame. Dem setzt man sich aus auf den Eisenbahnen, wo man nicht Zeit hat, sich umzusehen. Aber jetzt scheint es mir, [daß] wir fahren mit außerordentlicher Geschwindigkeit.

P. Wahrscheinlich geht es bergab. Laß mich (mal) aus der Wagentür(e) sehen ... Ja, so ist es! Wir befinden uns auf einem Abhange.

Die Dame. Sehen Sie, etwas rechts [, mein Herr], diese Rauchwolke?

J. Jawohl, gnädige Frau, ich sehe sie; das ist wahrscheinlich ein Zug, mit dem wir uns kreuzen werden.

Die Dame. Wie! Das ist (ja) nicht möglich. Nach dem Rauch zu schließen, möchte man eher annehmen, [daß] er werde vor dem unsrigen von rechts nach links vorbeifahren.

J. Das kommt Ihnen (nur) so vor, gnädige Frau, weil die Bahn hier einen großen Bogen beschreibt.

Die Dame. Ah (jo)! Das ist etwas anderes. Was ist (denn) das für ein Zug?

J. Das wird sich gleich zeigen, denn ich sehe ihn schon.

*La signora.* Eccolo che passa. È un treno merci, a quanto pare.

G. Perdono, signora, è un treno misto.

*La signora.* Lei ha ragione. Io non vedeva dapprima che i vagoni merci.

G. Ora siamo su una gran pianura che si estende, a sinistra, a perdita d'occhio. Ma guardino a destra, signore. A un miglio circa di distanza si levano ridenti colline, una parte delle quali è coperta di viti, le altre di campi di grano dorato. Più in là, dietro a quelle colline, si vedono delle alture isolate e boscose. Guardino sul fianco della montagna le rovine di qualche castello feudale.

*La signora.* Sì, davvero! Sembrano messi là, come nidi d'aquila. È molto pittoresco; peccato che non si possa osservar ogni cosa con calma. Ecco già tutte quelle meraviglie della natura e della mano dell'uomo molto dietro a noi.

P. Ed eccoci trasportati, come per incanto, in un folto bosco ...

G. ... da dove, spero, usciremo presto.

P. Non tanto, mio caro. Esso ha una lunghezza di più di tre leghe, e ci vuole un quarto d'ora almeno per traversarlo.

G. È abbastanza noioso l'esser condannati a non vedere che dei tronchi d'albero.

Die Dame. Da fährt er vorüber! Es ist ein Güterzug, dem Anschein nach.

Z. (Bitte um) Verzeihung, gnädige Frau, es ist ein gemischter Zug.

Die Dame. Sie haben recht [, mein Herr]. Ich sah zuerst nur die Güterwagen.

Z. Jetzt befinden wir uns auf einer großen Ebene, die sich nach links hin unabsehbar ausdehnt. Blicken Sie aber gefälligst nach rechts, meine Damen. In (einer Entfernung von) ungefähr einer Wegstunde erheben sich liebliche Hügel, von denen die einen mit Weingärten bedeckt sind, die anderen mit goldigen Kornfeldern (sg.). Weiter weg, hinter diesen Hügeln, sieht man vereinzelte waldgekrönte Anhöhen. Sehen Sie (nur) auf dem Seitenabhang jenes Berges die Trümmer irgendeiner Ritterburg.

Die Dame. Ja, wahrhaftig! Wie ein Adlerhorst scheinen sie dort angeheftet. Das ist sehr malerisch. Wie schade, daß man das alles nicht mit Muße betrachten kann. Da sind bereits alle diese Wunder der Natur und der Menschenhand weit hinter uns.

P. Und wir hier wie durch Zauberei in einen dichten Wald versetzt ...

Z. ... aus dem wir hoffentlich bald heraus kommen werden.

P. Keineswegs, mein Lieber. Er ist mehr als drei Meilen lang, und man braucht wenigstens eine Viertelstunde, um hindurch zu fahren.

Z. Das ist ziemlich langweilig, daß man auf diese Weise dazu verurteilt ist, nur Baumstämme zu sehen.

P. Vi è un rimedio, ed è quello di non guardar fuori del finestrino; nessuno ti ci obbliga. Del resto un quarto d'ora è presto passato. Guarda, son già passati cinque minuti.

*La signora.* Mi dica, per favore, che ora fa il suo orologio, perché il mio si è fermato; ieri devo aver dimenticato di caricarlo.

P. Sono le undici e mezzo, signora.

*La signora.* Possibile? Già quasi mezzogiorno! Come passa il tempo, quando si viaggia in compagnia.

G. A noi specialmente passa presto; e noi siamo oltremodo lieti d'aver fatto un sì gradito incontro sin dal principio del nostro viaggio.

*La signora.* Vanno più avanti di Roma!

G. No, signora! Roma è la nostra ultima mèta.

*La signora.* Quando saranno a Roma devono farci il piacere di venirci a trovare. Sarò lieta di poter contraccambiar Loro qualche servigio.

G. Troppo onore, signora. Lei ci confonde davvero. Ella non sa neppuro chi noi siamo.

*La signora.* Prima di tutto non dimenticherò mai quanto devo Loro, e poi vedo benissimo che sono dei giovani istruiti, e ciò mi basta.

P. Dagegen gibt es ein Mittel, nämlich nicht aus dem Wagen hinauszublicken; es zwingt Dich (ja) nichts dazu. Übrigens ist eine Viertelstunde halb vorbei. Sieh nur, da sind bereits fünf Minuten verstrichen.

Die Dame. Sagen Sie mir (doch) gefälligst [mein Herr], wieviel Ihre Uhr zeigt, denn die mein(ig)e ist stehen geblieben; ich habe gewiß vergessen, sie gestern aufzuziehen.

P. Es ist 11½ Uhr, gnädige Frau.

Die Dame. Ist es möglich! Schon nahe an 12 Uhr! Wie die Zeit schnell vergeht, wenn man in Gesellschaft reist.

Z. Uns besonders kommt sie kurz vor; und wir sind außerordentlich erfreut, gleich beim Beginn unserer Reise ein so angenehmes Zusammentreffen erlebt [gemacht] zu haben.

Die Dame. Fahren Sie denn nur bis (oder: nicht weiter als bis nach) Rom?

Z. Ja (nein), gnädige Frau! Rom ist unser letztes Ziel.

Die Dame. Wenn Sie in Rom sein werden, müssen sie uns das Vergnügen machen uns zu besuchen. Es soll mich freuen, Ihnen Gegendienste erweisen zu können.

Z. Das ist zu viel Ehre, gnädige Frau. Sie machen uns wirklich verlegen. Sie wissen nicht einmal, wer wir sind.

Die Dame. Erstlich werde ich nie vergessen, was ich Ihnen schuldig bin, und dann sehe ich recht gut, meine Herren, daß Sie gebildete junge Leute sind; und das genügt mir.

Land und Leute in Italien.
2

*G. e P.* Ecco i nostri biglietti.

*La signora* (a Eugenia). Ah, il signor Giacomo Rohrbach, ingegnere meccanico, e il signor Paul von der Hagen dottore in legge; grazie, signori. — Ecco il mio indirizzo di Roma, Signora Ramella via Torino 12. Loro accettano la mia proposta, non è vero? e noi ci rivediamo a Roma. Resta convenuto?

*P.* Noi accettiamo col massimo piacere quest' offerta gentile, e appena arrivati a Roma, ci faremo l'onore di presentarle i nostri rispetti. —

*G.* Grazie a Dio, finalmente si esce da questo bosco.

*P.* E io mi rallegro che presto si potrà pranzare, perchè comincio a sentir appetito. Ah, ecco che il treno rallenta già la corsa.

*Il conduttore.* 30 minuti di fermata per il pranzo. Per X... si cambia!

*P.* Permettano, signore, che io Le aiuti a discendere.

*La signora.* Grazie, signore.

*G.* Qui è il ristorante. Le signore desiderano mangiare alla tavola rotonda, o alla carta?

*La signora.* Importa poco, purchè possiamo ricever qualcosa da farci passar la fame. Nel ristorante di una piccola stazione non si deve esser troppo esigenti e non c'è gran scelta.

---

J. u. P. Hier unsere Karten

Die Dame (zu Eugenie). Ah! Herr Jakob Rohrbach, Maschineningenieur, und Herr Paul von der Hagen, Doktor der Rechte. — Ich danke Ihnen, meine Herren. — Hier ist meine Adresse in Rom: Frau Ramella, Via Torino 12. Sie nehmen meinen Vorschlag an, nicht wahr, und wir sehen uns in Rom wieder. Abgemacht?

P. Wir nehmen Ihr (uns zu Dank) verpflichtendes Anerbieten gern an; und gleich nach unserer Ankunft in Rom werden wir die Ehre haben, Ihnen unsere Aufwartung zu machen. —

J. Gott sei Dank! endlich sind wir aus diesem Walde heraus.

P. Und ich freue mich, daß es nun bald Mittagessen gibt, denn ich fange an Appetit zu bekommen. Sieh da! der Zug mäßigt bereits seine Gangart.

Der Schaffner. 30 Minuten Aufenthalt zum Mittagessen. Die Passagiere nach X... umsteigen!

P. Wenn Sie mir gütigst erlauben wollen, m. D., Ihnen beim Aussteigen behilflich zu sein ...

Die Dame. Sehr gern [, m. H.].

J. Hier ist die Restauration. Wünschen die Damen an der Wirtstafel zu speisen oder nach der Karte?

Fr. R. Darauf kommt (mir) wenig an, wenn wir nur (etwas) bekommen, um unsern Hunger zu stillen. In der Restauration einer kleinen Station darf man keine hohen Ansprüche machen und hat man keine große Auswahl.

*P.* Lei ha ragione, signora; però ci sono delle eccezioni. Mettiamoci alla tavola rotonda, e vediamo che cosa ci daranno.

*G.* Ecco innanzi tutto del brodo che ha un bel colore.

*La signora.* Veramente non è cattivo.

*P.* Che ci portate ora, cameriere?

*Cameriere.* Del bollito con cetrioli, e dello spezzatino di vitello; poi c'e coscetta di montone e arrosto di vitello.

*La signora.* Ecco, mia cara, prendi e facciamo presto, perchè si serve già l'arrosto.

*P.* Come trova lo spezzatino, signorina?

*Eugenia.* Non è fatto proprio all'italiana; però lo trovo buono.

*G.* Signore, mi permetto di raccomandar Loro la coscetta di montone.

*La signora.* Tante grazie, tutt'e due mangiamo volontieri del montone.

*Eugenia.* Come! della composta coll'arrosto?

*P.* Così si usa in Germania, signorina; però ha davanti a Lei un piattino, dove ella può mettere la Sua composta per mangiarla dopo.

*La signora.* E ora, che avremo al dessert? Soltanto burro e formaggio?

*G.* Così si usa in Germania, signora.

ℭ. Sie haben vollkommen recht, gnädige Frau; indessen findet man (oder: gibt es) auch Ausnahmen. Lassen Sie uns an der Wirtstafel Platz nehmen und abwarten, was man uns auftragen wird.

ℨ. Hier kommt zunächst eine sehr gut aussehende Bouillon.

Fr. R. Sie ist nicht schlecht, das muß man sagen.

ℭ. Was bringen Sie uns denn da, Kellner?

Der Kellner. Rindfleisch mit Gurken und Kalbsragout; nachher gibt es Hammelkeule und Kalbsbraten.

Fr. R. Hier nimm, meine Liebe; und sputen wir uns, denn da wird schon der Braten herumgereicht.

ℭ. Wie finden Sie das Ragout, gnädiges Fräulein?

Eugenie. Es ist eigentlich nicht nach italienischer Manier zubereitet; indessen finde ich es dennoch gut.

ℨ. Meine Damen, ich erlaube mir, Ihnen die Hammelkeule zu empfehlen.

Fr. R. Besten Dank [, mein Herr], wir essen [sie] alle beide gern (Hammelkeule).

Eugenie. Wie! Kompott zum Braten?

ℭ. So ist es in Deutschland Sitte, gnädiges Fräulein; jedoch haben Sie einen kleinen Teller vor sich, auf den Sie es tun können, um es hinterher zu essen.

Fr. R. Und nun, was gibt es zum Dessert? Bloß Butter und Käse?

ℨ. Das ist in Deutschland allgemein Brauch, gnädige Frau.

2*

*La signora.* Infatti in ogni luogo dove abbiamo pranzato ci hanno servite sempre così. Ma siccome tanto mia nipote quanto io ci teniamo poco, prenderemo il caffè.

*P.* Abbiamo ancor dieci minuti di tempo, mio caro; approfitto di questo momento per uscire e accendermi un sigaro.

*G.* Va bene; e mentre le signore prendono il loro caffè, io starò attento che nessuno ci tolga i posti.

*'La signora.* Ella non prende caffè?

*P.* No, signora; noi non siamo abituati a prendere il caffè subito dopo il pranzo.

*La signora.* Ode questo scampanellio? Che significa?

*P.* È il primo segnale, signora. Veda come tutti si affrettano; ma Loro possono attenpere tranquillamente fino al secondo segnale; il mio amico ci riserva i posti.

*La signora.* Tanto meglio; così non ci troveremo nel serra serra.

*P.* Ecco che suonano per la seconda volta, dobbiamo pensare a raggiungere i nostri posti. Sono pronte, signore?

*La signora.* Sissignore.

*P.* Per bacco, il treno ha cambiato posto! Dov' è il nostro vagone? Ah! Ecco là il mio amico che ci fa segno.

*G.* (prega le signore di salire). Dopo di Loro, Signore.

Fr. R. In der Tat ist uns überall, wo wir zu Mittag gespeist haben, fast nur dies vorgesetzt worden. Da aber meine Nichte und ich uns nichts daraus machen, so werden wir Kaffee trinken.

P. Wir haben noch zehn Minuten übrig, mein Lieber; ich benutze diesen Augenblick, um hinauszugehen und mir eine Zigarre anzuzünden.

Z. Schön! Und bis die Damen ihren Kaffee getrunken haben [werden], will ich aufpassen, daß sich niemand unserer Plätze bemächtigt.

Fr. R. Sie trinken keinen Kaffee [, mein Herr]?

P. Nein, gnädige Frau, wir sind nicht daran gewöhnt, gleich nach Tische welchen zu trinken.

Fr. R. Hören Sie das Läuten? Was bedeutet das?

P. Es ist das erste Signal, gnädige Frau. Sehen Sie (nur), wie sich die Leute alle beeilen; aber Sie können ruhig bis zum zweiten Signal warten; mein Freund hütet unsere Plätze.

Fr. R. Um so besser; so werden wir nicht ins Gedränge kommen.

P. Da läutet es zum zweitenmal. Wir müssen daran denken, wieder zu unseren Plätzen zu gelangen. Sind Sie soweit, meine Damen?

Fr. R. Ja [, mein Herr]!

P. Ei der tausend! der Zug hat seinen Platz gewechselt! wo ist denn unser Wagen? Ah! da ist mein Freund, er winkt uns.

Z. (bittet die Damen einzusteigen). Nach Ihnen, meine Damen!

*La signora e Eugenia.* Permetta (o: scusi).

*P. e G.* Prego, signore.

*P.* Da dove viene questo fischio? Non già dal nostro treno (dopo aver guardato fuori del finestrino:) Ah! è un treno che arriva. Ora capisco perchè noi non si parte, quantunque l'ora sia già passata; aspettiamo questo treno che ci porta dei passeggieri, e che è in ritardo.

*G.* È vero; molte persone ne discendono, ed eccone parecchie che vengono da questa parte. Questo è molto seccante. Oltre allo star seduti malcomodi, non potremo più chiacchierare come prima.

*La signora.* E' veramente spiacevole: ma mia nipote ed io saremo almeno scusate, se facciamo un po' di siesta; siamo già da parecchi giorni in viaggio, e durante questo tempo non abbiamo dormito quasi niente.

*G.* Ma certo, signora! Loro sono completamente scusate; anche noi faremo probabilmente lo stesso.

*Il conduttore* (ai viaggiatori). Prego, signori, un po' più presto; siamo già molto in ritardo. Salgano in un vagone qualsiasi; qui, in questo vagone proprio in faccia a Loro.

*I passeggieri.* Ci dispiace di dover disturbare; ma non abbiamo tempo da cercar altrove.

Frau M. u. Eugenie. Sie erlauben [, mein Herr] (oder: Sie verzeihen [, mein Herr]).

P. u. E. Bitte, meine Damen!

P. Woher kommt dieser Pfiff? Er rührt doch nicht von unserem Zuge her. (Nachdem er aus dem Wagenfenster gesehen:) Ah! es ist ein ankommender Zug. Jetzt begreife ich, warum wir nicht abfahren, obwohl die Zeit vorüber ist; wir warten auf diesen Zug, der uns (noch) Passagiere zuführt und sich verspätet hat.

E. In der Tat; es steigen viele Leute aus, und da kommen (auch) mehrere Personen hierher. Das ist recht widerwärtig. Abgesehen davon, daß wir unbequem sitzen werden, können wir uns nicht mehr so unterhalten wie zuvor.

Fr. M. Das ist allerdings verdrießlich; aber wenigstens werden meine Nichte und ich Entschuldigung finden, wenn wir (etwas) Mittagsruhe halten; wir sind jetzt bereits mehrere Tage unterwegs und haben während dieser ganzen Zeit fast gar nicht geschlafen.

E. Aber ich bitte, gnädige Frau! Sie sind vollständig entschuldigt. Wir selbst werden es wahrscheinlich ebenso machen.

Der Schaffner (zu den Ankommenden). Etwas flink, wenn ich bitten darf, meine Herren und Damen; wir haben uns stark verspätet; steigen Sie ein, gleichviel wo; hier, in diesen Abteil, gerade vor Ihnen.

Die Passagiere. Tut uns sehr leid, stören zu müssen; aber wir haben keine Zeit, uns anderweitig umzusehen.

*G. e P. e le signore.* Si capisce, non fa niente; salgano presto; — il treno si mette già in moto.

*La signora (a G. e P.).* Suppongo almeno che sino a Monaco non abbiamo da cambiar treno.

*G.* No, signora, siamo in un treno diretto.

*Il conduttore.* Favoriscano i biglietti, signori.

*La signora.* Eccone due.

*Il conduttore.* Loro scendono a Monaco. Li ritengo. perchè Loro sono arrivate alla mèta. — I Loro, signori!

*P.* Eccoli; noi andiamo sino a Venezia.

*Il conduttore.* Va bene; possono ritenerli.

*La signora.* Come! Siamo già a Monaco? Il tempo non mi è sembrato lungo.

*G.* Abbiamo anche dormito una gran parte del tempo, e ci siamo appena accorti della sparizione dei nostri vicini.

*G.* Noi non siamo così fortunati come Loro, signore: perché viaggeremo ancora tutta la notte.

*La signora.* Io li compiango sinceramente, e auguro Loro buon viaggio.

*P. e G.* Obbligatissimi, signora.

*P.* L'uscita è da questa parte, signore. Ci permetta di accompagnarle sin là.

*La signora.* Sono troppo amabili; ma Loro hanno bisogno di prender qualche cosa

З., P. u. bie Damen. Versteht sich. Hat nichts zu sagen. Steigen Sie schnell ein; — der Zug setzt sich schon in Gang!

Fr. R. (zu Z. u. P.). Vermutlich brauchen wir wenigstens bis München nicht umzusteigen.

З. Nein, gnädige Frau, wir fahren mit dem Schnellzuge.

Der Schaffner. Ihre Fahrkarten, bitte!

Fr. R. Hier sind zwei.

Der Schaffner. (Sie steigen aus in) Monaco. Ich behalte sie, denn Sie sind am Ziel. — Die Ihrigen, meine Herren!

P. Hier. Wir fahren bis Venedig.

Der Schaffner. Schön; behalten Sie sie!

Fr. R. Wie! Wir sind bereits in Monaco? Die (Fahr-)Zeit ist mir nicht lang vorgekommen.

З. Wir haben (aber) auch einen großen Teil des Weges geschlafen, und kaum, daß wir das Verschwinden unserer Nachbarn gewahr geworden sind.

З. Wir sind nicht so glücklich wie Sie, meine Damen; denn wir werden die ganze Nacht hindurch weiterfahren.

Fr. R. Ich bedaure Sie aufrichtig und wünsche Ihnen eine glückliche Reise.

P. und З. Sehr verbunden, gnädige Frau.

P. Der Ausgang ist auf dieser Seite, meine Damen; erlauben Sie uns, Sie bis dahin zu begleiten.

Fr. R. Sie sind zu gütig, m. H.; aber Sie müssen (doch) etwas genießen, ehe Sie weiter-

avanti di rimettersi in viaggio, e forse non avrebbero più tempo.

*P.* Avremo ancor sempre abbastanza tempo. Conosce qui un albergo?

*La signora.* Mi hanno indicato l'albergo „Bristol".

*G.* Lo conosco; è uno dei primi e meglio situati. — (A un facchino.) Riservate due posti nell' omnibus dell' albergo „Bristol"; la signora vi darà lo scontrino del bagaglio.

*La signora.* Non ho che a rinnovar Loro i miei ringraziamenti e pregarli di volersi ricordare della Loro promessa, appena giunti a Roma.

*G.* Non mancheremo di farlo, signora.

*Il facchino.* La vettura è ferma davanti alla porta, signore. Non hanno che a salire, io vengo subito col bagaglio.

*La signora.* Eccoci arrivate. Abbiamo abusato abbastanza del Loro tempo. Auguro Loro buon viaggio.

*P.* Altrettanto a Loro signore!
*G.* A rivederle!

*La signora e Eugenia.* A rivederci.

*G.* Ebbene, caro Paolo? Hai ancor sempre la stessa opinione di quelle signore?

*P.* Devo convenire, caro amico, ch' esse hanno fatto su di me un' ottima impressione, e che ho cambiato idea sul loro conto. Nondimeno faremo bene a stare

reisen, und Sie würden dazu vielleicht nicht mehr Zeit haben.

B. Es wird uns immer noch (Zeit) genug übrigbleiben. Kennen Sie hier einen Gasthof?

Fr. R. Man hat mir das „Hotel Bristol" angegeben.

S. Das kenne ich; es ist eins der ersten und bestgelegenen. — (Zu einem Gepäckträger:) Belegen Sie für diese Damen zwei Plätze in dem Omnibus des „Hotel Bristol"; die gnädige Frau wird Ihnen ihren Gepäckschein geben.

Fr. R. Ich habe Ihnen jetzt nur noch von neuem zu danken und Sie zu bitten, daß Sie sich gefälligt, sobald Sie in Rom sind, Ihres Versprechens erinnern.

S. Wir werden nicht verfehlen, gnädige Frau.

Der Gepäckträger. Der Wagen hält dort, meine Damen, vor der Tür; Sie brauchen nur einzusteigen; ich komme sogleich mit dem Gepäck.

Fr. R. Da sind wir zur Stelle. Nun haben wir (aber) Ihre Zeit genug in Anspruch genommen. Ich wünsche Ihnen glückliche Reise.

B. Gleichfalls, meine Damen.
S. Auf Wiedersehen!

Fr. R. u. Eugenie. Leben Sie wohl!

S. Nun, lieber Paul? hast Du noch dieselbe Meinung von den Damen?

B. Ich muß gestehen, lieber Freund, daß sie einen guten Eindruck auf mich gemacht haben und daß ich von meiner Ansicht über sie zurückgekommen bin. Nichts-

in guardia e ad informarci su di loro, al nostro arrivo a Roma.

G. Sei dunque scettico?

P. Niente affatto; sono prudente, e null' altro. Ma pensiamo ora alla nostra cena; ritorneremo su ciò un' altra volta.

G. Hai ragione; io ho un grand' appetito. Entriamo nella sala.

P. Ecco qui ancora due coperti; sediamoci a questa tavola. Cameriere, serviteci quel che avete di pronto e portateci una bottiglia di vino del Reno.

Cameriere. Subito, signori.

P. Ora che ci siamo ristorati, andiamo a prendere i nostri posti nel treno di Verona.

G. Sì, sì, l'ora si avvicina e si dà già il segnale.

P. Saliamo in questo scompartimento, non c'è nessuno dentro.

G. Tanto meglio, e poichè di notte non possiamo far nulla di meglio, procuriamo di continuare a dormire.

P. Oh! Siamo già in movimento; possiamo dunque distenderci comodamente.

G. Magnificamente. Stai bene così?

P. Benissimo. E tu?

G. Io pure, e non tarderò ad addormentarmi.

P. Allora, buona notte! ...

destoweniger werden wir gut tun, auf unserer Hut zu sein und Erkundigungen einzuziehen, wenn wir in Rom sind.

Z. Du bist also Skeptiker?

P. Nicht im geringsten: ich bin vorsichtig, weiter nichts! Aber (nun) laß uns an unser Abendbrot denken; sprechen wir ein andermal mehr darüber.

Z. Du hast recht; ich merke, daß ich gehörigen Appetit habe. Wir wollen in den Saal gehen.

P. Da sind noch zwei Gedecke; setzen wir uns an diesen Tisch. — Kellner! Tragen Sie auf, was Sie bereit haben, und bringen Sie uns eine Flasche Rheinwein.

Kellner. Sogleich, meine Herren. —

P. Nun, da wir uns gestärkt haben, wollen wir unsere Plätze in dem Zuge nach Verona belegen.

Z. Meinetwegen; die Zeit [Stunde] rückt heran, und da wird (ja auch) das Zeichen gegeben.

P. Da, laß uns in diesen Abteil steigen; es ist niemand drin.

Z. Um so besser, und da wir die Nacht nichts Besseres tun können, wollen wir gleich weiter schlafen.

P. Ei! da sind wir ja schon abgefahren! Wir können uns also nach Bequemlichkeit hinlegen.

Z. Ganz recht. Liegst Du bequem?

P. Vorzüglich. Und Du?

Z. Ich auch, und es wird nicht lange dauern, bis ich einschlafe.

P. Dann gute Nacht! ...

*Il conduttore.* Signori, si sveglino, si scende!

*P.* Cosa c'è? Dove siamo?

*Il conduttore.* Siamo a Kufstein. Devono discendere e prender tutto il Loro bagaglio per la visita doganale.

*P.* Andiamo, Giacomo. Prendi la tua valigia e seguiamo la folla.

*G.* I nostri bauli son già scaricati; eccoli all' altra estremità della sala.

*Un impiegato doganale.* Favoriscano aprire i Loro bauli — Hanno qualcosa da daziare?

*P. e G.* No; guardi, non abbiamo che effetti da viaggio.

*Impiegato doganale.* Va bene, possono chiudere.

*Un impiegato.* Per di qua, signori, nella sala d'aspetto.

*G.* È molto noioso l'essere svegliati così, di notte. — Dov'è ora il nostro treno.

*G.* Guardalo, ora è su un altro binario. Ma il nostro vagone è ancor sempre là. Saliamo, così avremo di nuovo i nostri buoni posti. È veramente molto comodo il poter andar da Berlino a Palermo nello stesso treno.

*P.* Per noi, è però la stessa cosa, poichè non andiamo a Palermo e in ogni caso dobbiamo cambiar treno a Verona.

*G.* Certamente, ma tu dimentichi che dobbiamo passare ancora una volta la visita doganale, e allora forse sarebbe ...

*Der Schaffner.* Meine Herren, wachen Sie doch auf. Alles aussteigen!

*P.* Was gibt's? Wo sind wir denn?

*Schaffner.* Sie sind in Kufstein. Sie müssen mit allem [Ihrem] Gepäck aussteigen zur Zollrevision.

*P.* Wohlan! komm, Jakob. Nimm Deinen Koffer und laß uns der Menge folgen.

*J.* Unsere Koffer sind bereits ausgeladen; da stehen sie am andern Ende des Saales.

*Ein Zollbeamter.* Öffnen Sie gefälligst Ihre Koffer, meine Herren. — Haben Sie etwas Zollpflichtiges?

*P. u. J.* Nein; sehen Sie nach, wir haben nur Reiseeffekten.

*Zollbeamter.* Schön. Sie können (wieder) zuschließen.

*Ein Beamter.* Hier, meine Herren, geht es nach dem Wartesaal.

*J.* Es ist recht verdrießlich, so mitten in der Nacht geweckt zu werden. — Wo ist nun unser Zug?

*J.* Sieh da; er steht jetzt auf einem andern Geleise. Unser Wagen ist aber noch immer da. Wollen wir einsteigen. Da haben wir unsere schönen Plätze wieder. Es ist doch sehr bequem, daß man von Berlin bis Palermo nicht umzusteigen braucht.

*P.* Für uns ist es aber gleichgültig, da wir nicht nach Palermo fahren wollen und jedenfalls in Verona umsteigen müssen.

*J.* Allerdings, aber du vergißt wohl, daß wir noch einmal zur Zollrevision müssen, und da wäre wirklich ...

497

*P.* Cosa? Ancora una volta la visita doganale?

*G.* Sì, mio carissimo; al confine italiano. Là anzi i nostri bauli saranno sottoposti ad una visita molto più rigorosa, che non a Kufstein. Veramente, anche i doganieri austriaci son molto severi; ma siccome sanno che noi siamo qui soltanto di passaggio, sono abbastanza corrivi. Al confine italiano invece si è molto severi.

*P.* Io lessi però ultimamente in un giornale berlinese, che anche gli impiegati doganali italiani si son fatti da qualche tempo molto mansueti, che anzi talvolta sono molto più amabili dei nostri impiegati tedeschi.

*G.* Infatti, negli ultimi anni, il ministero delle finanze ha ordinato ripetutamente di non esser troppo severi verso gli stranieri. Il governo italiano sa benissimo, quanto devano le finanze al movimento degli stranieri. Contuttociò avviene spesso che si visitino pezzo per pezzo tutti gli effetti da viaggio. Questo piacere lo hanno specialmente i viaggiatori che fumano. L'Italia ha, come l'Austria, il monopolio del tabacco; perciò vuol difendersi contro i contrabbandieri ...

## Arrivo a Verona.

*P.* Su, Giacomo! non hai ancor finito di dormire? Eccoci arrivati a Verona.

*G.* Che dici? a Verona? Tu scherzi ... mi sembra di aver lasciato Ala dieci minuti fa.

---

**P.** Was! Noch einmal zur Zollrevision?

**J.** Ja, mein Liebster; an der italienischen Grenze. Dort werden sogar unsere Koffer viel genauer untersucht werden als hier in Kufstein. Die österreichischen Zollbeamten sind zwar auch sehr streng; aber da sie wissen, daß wir hier nur auf der Durchreise sind, so sind sie ziemlich kulant. An der italienischen Grenze wird man aber viel strenger beobachtet.

**P.** Ich las aber neulich in einer Berliner Zeitung, daß auch die italienischen Zollbeamten seit einiger Zeit sehr zahm geworden, ja daß sie oft viel liebenswürdiger als unsere deutschen Zollwächter sind.

**J.** In der Tat hat in den letzten Jahren das italienische Finanzministerium wiederholt befohlen, den Ausländern gegenüber nicht allzustreng vorzugehen. Die italienische Regierung weiß ganz genau, wieviel ihre Finanzen dem Fremdenverkehr verdanken. Trotzdem aber werden sehr oft die Reiseeffekten Stück für Stück untersucht. Das Vergnügen haben besonders diejenigen Reisenden, die Raucher sind. Italien hat ebenso wie Österreich ein Tabakmonopol; deshalb will es sich gegen die Schmuggler verteidigen ...

## Ankunft in Verona.

**P.** Du! Jakob, hast Du noch nicht ausgeschlafen? Wir sind bereits in Verona angekommen.

**J.** Was sagst Du? in Verona! Du machst wohl Spaß ... mich (auch: mir) deucht, wir haben Ala erst vor zehn Minuten verlassen.

*P.* Son tre buone ore che russi che è un piacere. Non vedi che fa giorno? Guarda un po' il tuo orologio.

*G.* Proprio, son già le quattro e mezzo; quasi non ci si crede-reche.

*P.* Ora entriamo nella sta-zione. Sai che abbiamo tre ore da aspettare. Ci sveglieremo del tutto, facendo un giro in città.

*G.* Conduttore! A che ora parte il treno per Venezia?

*Il conduttore.* Alle sette e venti.

*G.* Bene, prendiamo presto una tazza di caffè e poi andia-mo a dare un' occhiata a questa bella città. Tu hai letto tanto su Verona, che mi farai da guida.

*P.* Bisognerà però fare un po' di toaletta; dopo una notte passata in ferrovia, non si è molto freschi (e puliti).

*G.* Cameriere, non c'è qui un gabinetto da toaletta?

*Il cameriere.* Sicuro, signori; abbiano la compiacenza di seguirmi; qui troveranno tutto l'occorrente per la toaletta. La-vamano, sapone, asciugamani, pettine ecc.

*G.* Oh, come fa bene a rin-frescarsi la faccia!

*P.* Infatti; ci si sente meno stanchi.

*P.* Vetturino! Vi prendiamo a ora; fateci vedere le princi-pali curiosità di questa città; ma badate che al più tardi, dobbi-amo esserci nuovo qui, alle sette.

**P.** Es sind gut und gern drei Stunden, daß Du schnarchst. Siehst Du nicht, daß es Tag ist? Sieh nur mal nach Deiner Uhr.

**J.** Wahrhaftig! Halb fünf; es ist fast unglaublich.

**P.** Jetzt fahren wir in den Bahnhof ein. (Wie) Du weißt, haben wir nahe an drei Stunden zu warten; wir werden uns voll-ständig ermuntern, wenn wir einen Rundgang durch die Stadt machen.

**J.** Schaffner! Um welche Zeit geht der Zug nach Venedig?

**Der Schaffner.** Sieben Uhr zwanzig.

**J.** Nun, so laß uns schnell eine Tasse Kaffee trinken, und dann wollen wir uns aufmachen und einen Blick auf diese hübsche Stadt werfen. Du hast darüber so viel gelesen, daß Du mein Führer sein kannst.

**P.** Ein bißchen Toilette werden wir auch wohl machen müssen; nach einer auf der Eisenbahn ver-brachten Nacht ist man nicht be-sonders frisch (und sauber).

**J.** Kellner! ist hier nicht ein Toilettenzimmer?

**Der Kellner.** Gewiß, meine Herren; wollen Sie mir gefälligst folgen, Sie werden hier alles zur Toilette Nötige finden: Waschtische, Seife, Handtücher, Kämme usw.

**J.** O wie einem das wohltut, sich das Gesicht waschen zu können.

**P.** In der Tat, man fühlt sich weniger müde.

**J.** Kutscher! Sie sollen uns nach der Zeit zu den Hauptsehens-würdigkeiten der Stadt fahren; aber wir müssen spätestens um 7 Uhr wieder hier sein.

*Il vetturino.* Va bene, non si diano pensiero.

P. (a G.) Ora siamo nella magnifica Piazza dei Signori.

G. Che edifizio è questo? un museo o un tempio?

P. No, è la Prefettura, originariamente un castello degli Scaligeri.

G. Che superbo edifizio!

P. Ora fa attenzione; passiamo davanti al Municipio vecchio, il così detto Palazzo del Consiglio.

G. Com' è bello!

P. Non ne abbiamo molti in Germania, che possano uguagliarlo. E che dici di questa chiesa?

G. Questo è di certo S. Zeno Maggiore. Ho già udito lodare questa chiesa, ma essa supera ancora ogni mia aspettativa. Ma di' non si potrebbe visitare anche la famosa tomba di Giulietta e Romeo?

P. Tu intendi parlare della tomba di Giulietta. I due poveri innamorati non sono stati sepolti insieme. Ma anche la tomba di Giulietta non offre nulla di straordinario. Nello antico convento dei Francescani vien mostrato, in una cappella semplicissima, un sarcofago ancor più semplice; La tomba di Giulietta. Ma l'ambiente e la tomba stessa lasciano però alquanto delusa anche l'animo più sentimentale. Anche la casa di Giulietta, che ancor oggi qui si mostra, non

---

Der Kutscher. Gut, seien Sie unbesorgt.

P. (zu G.). Hier sind wir in der prachtvollen Piazza dei Signori.

G. Was für ein Gebäude ist dies? (ist es) ein Museum oder ein Tempel?

P. Nein, es ist das Regierungs= gebäude ursprünglich ein Schloß der Scaligeri.

G. Das ist ein stolzes Bauwerk!

P. Jetzt paß' mal auf; hier kommt das alte Rathaus, der so= genannte Palazzo del Consiglio.

G. O, wie wunderschön!

P. Wir haben in Deutschland nicht viele, die ihm gleichkommen. Und was sagst Du zu dieser Kirche?

G. Das ist gewiß S. Zeno Mag= giore. Ich habe diese Kirche be= reits rühmen hören, aber ihr An= blick übertrifft noch die Vorstellung, die ich mir davon gemacht hatte. Aber sage mal, könnte man nicht auch das berühmte Grab von Ro= meo und Julia sehen?

P. Du meinst wohl das Grab der Julia. Die beiden bedauerns= werten Verliebten sind doch nicht zusammen begraben worden. Aber auch das Grab Julias bietet nichts besonderes dar. In dem ehemaligen Franziskanerkloster wird in einer ganz einfachen Kapelle ein noch einfacherer Sarkophag, „der Sarg Julias", gezeigt; Umgebung und Gegenstand sind aber geeignet, selbst die schwärmerischste Seele zu ent= täuschen. Eine Enttäuschung wäre auch das Haus der Julia, das heute noch gezeigt wird. Am besten tun wir also, wenn wir nach der

sarebbe che una delusione. Il meglio che possiamo quindi fare, è di farci condurre nella rinomata *Arena* ... Vetturino, è ancor molto lontana l'Arena?

*Il vetturino.* No, signore, non è lontana; ma non credo avranno tempo d'entrarvi; altrimenti perdono la corsa.

P. Va bene, allora ci porti piuttosto subito alla stazione.

G. Confesso che questa passeggiata per Verona basta per darmi della città la migliore opinione.

P. Ecco qui la *Piazza delle Erbe*, il vecchio Forum, una delle piazze più pittoresche d'Italia. Ora siam subito alla stazione; io pagherò il vetturino, e tu intanto puoi consegnare il bagaglio.

berühmten Arena fahren ... Kutscher, ist die Arena sehr weit?

Der Kutscher. Nein, mein Herr; weit ist sie nicht. Sie werden aber kaum Zeit haben hineinzugehen, sonst verpassen Sie ben Zug.

P. Gut, dann fahren Sie uns lieber gleich nach dem Bahnhof.

Z. Ich gestehe, diese Spazierfahrt durch Verona reicht hin, um mir von dieser Stadt die beste Meinung beizubringen.

P. Das hier ist die Piazza delle Erbe, das alte Forum, einer der malerischsten Plätze Italiens. Wir sind nun bald am Bahnhofe; ich will das Fahrgeld berichtigen, und Du kannst unser Gepäck aufgeben.

## Partenza da Verona.

G. Ebbene! Ci hai messo un bel po'a venire! Il bagaglio è consegnato.

P. Dappria il vetturino mi ha fatto aspettare. Io non avevo sufficente moneta spicciola e lui nemmeno; ho dovuto quindi attendere ch'egli ne andasse a prendere. Poi mi sono recato da un libraio, dove ho comprato due Baedeker, l'uno per l'alta Italia, l'altro per l'Italia centrale.

G. Questa è una buona idea. Per via, quando avremo un momento libero, sfoglieremo un po' ognuno il suo, e così all'arrivo saremo meno imbarazzati.

## Abreise von Verona.

Z. Nun, das hat (ja) lange mit Dir gedauert. Unser Gepäck ist aufgegeben.

P. Zuerst hat mich der Kutscher warten lassen; ich hatte nicht genug kleines Geld und er auch nicht; ich habe warten müssen, bis er welches holte, und dann habe ich mich bei einem Buchhändlerstand aufgehalten, wo ich zwei „Bädeker" gekauft habe, einen für Oberitalien und einen für Mittelitalien.

Z. Das ist ein sehr guter Gedanke. Unterwegs, wenn wir einen Augenblick frei haben, können wir darin blättern, jeder in dem seinen, und (so) werden wir bei unserer Ankunft etwas weniger in Verlegenheit sein.

P. Ma è già l'ora della partenza; andiamo a prendere i nostri posti.

G. Di qua. Ecco il treno per Venezia.

P. Saliamo in questo scompartimento, dove siedono soltanto due persone.

Il conduttore (ad altri viaggiattori). Qui, signori, c'è ancor posto in questo vagone.

Un signore. Peccato che i posti d'angolo sian tutti presi. Non c'è nulla di più spiacevole, che star seduto nel mezzo di di uno scompartimento. È come se si fosse in prigione.

G. Se posso renderle un servigio, signore, prenda il mio posto.

Il signore. Se non La disturba, accetto volontieri la Sua offerta e gliene sono oltremodo obbligato. Io sono un po' grasso, come Ella vede, e soffro molto il caldo se non ho abbastanza aria.

G. Infatti la giornata minaccia di esser molto calda.

P. (a G.). Eccoci già fuori di Verona.

G. Abbiamo due ore fino a Venezia. Passami il Bädeker per l'alta Italia. Voglio fare un po' la conoscenza di questa città.

P. Eccolo; io voglio rinnovar la conoscenza dell' italiano, perchè resta convenuto che noi parleremo italiano durante tutto il nostro soggiorno in Italia.

G. Fra breve saremo finalmente a Venezia.

P. Aber es ist ja schon Zeit zur Abfahrt, laß uns unsere Plätze einnehmen!

Z. Hier (entlang)! Da steht der Zug nach Venedig.

P. Laß uns in diesen Abteil einsteigen, in dem erst zwei Personen sitzen!

Der Schaffner (zu anderen Passagieren). Hierher, meine Herren; es ist noch Platz in diesem Wagen.

Ein Herr. Schade, daß die Plätze an den Türen alle besetzt sind. Ich finde nichts widerwärtiger, als mitten in einem Abteil zu sitzen. Es ist, als wenn man in einem Gefängnis eingesperrt wäre.

Z. Wenn ich Ihnen gefällig sein kann [, mein Herr], so nehmen Sie meinen Platz!

Der Herr. Wenn es Ihnen nicht zu viel Umstände macht nehme ich Ihr Anerbieten gern an und bin Ihnen außerordentlich verbunden. Ich bin etwas dickleibig, wie Sie sehen, und ich stehe viel von der Hitze aus, wenn ich nicht genug Luft habe.

Z. Es droht in der Tat ein recht heißer Tag zu werden.

P. (zu Z.). Jetzt sind wir bereits außerhalb Veronas.

Z. Wir haben zwei Stunden bis Venedig zu fahren. Reiche mir den Bädeker für Oberitalien her, damit ich mich mit dieser Stadt etwas bekannt mache(n kann).

P. Da; ich will die Bekanntschaft mit dem Italienischen erneuern, denn es bleibt doch dabei, daß wir (während) der ganzen Zeit in Italien italienisch sprechen.

Z. Nun sind wir endlich bald in Venedig

P. Alla lunga il viaggiare diventa veramente uno strapazzo; specialmente quando si ha un compagno di viaggio come quel signore grasso che è disceso a Padova.

G. Che ciarla! Che orribile chiacchierone! e poi parlava tanto presto, e mangiava le parole. Io lo capivo appena.

P. Naturalmente non aveva la pronuncia elegante e melodiosa della nostra romana. Però, per poter dare un giudizio competente su questo punto, dobbiamo aspettare di essere a Roma.

G. Io non oso erigermi a giudice in una lingua, di cui non conosco ancora tutte le finezze; ma converrai che la pronuncia e la cadenza dei veneziani differiscono molto dalla pronuncia e dalla cadenza che abbiamo imparato noi e che la baronessa Ramella ha trovato così belle.

P. Quel che stai dicendo è giusto, ma queste discussioni non possono portarci a nessun risultato; rimettiamola dunque a un'epoca, in cui noi saremo veramente convinti che la signora non ci ha adulati.

## Da Venezia ad Ancona.

P. È stata veramente una meravigliosa idea di far questo breve viaggio per mare. Facciamo un lungo giro, è vero, ma fa sempre piacere andare in battello.

P. Auf die Dauer wird das Reisen wirklich eine Strapaze; zumal wenn man einen Reisegefährten hat wie diesen dicken Herrn, der in Padua ausgestiegen ist.

J. Welch ein Gewäsch! Welch ein (widerlicher) Schwätzer! Und dabei sprach er so schnell, er verschluckte (förmlich) die Wörter. Kaum, daß ich ihn verstehen konnte.

P. Freilich hatte er nicht die feine und klangvolle Aussprache unserer Römerinnen, indessen, um über diesen Punkt ein sachkundiges Urteil zu fällen, müssen wir warten, bis wir in Rom gewesen sind.

J. Auch ich maße mir nicht an, mich zum Richter über eine Sprache aufzuwerfen, deren sämtliche Eigenheiten wir noch nicht kennen; aber Du wirst zugeben, daß die Aussprache und der Tonfall der Venezianer sich bedeutend von dem Tonfall und der Aussprache unterscheiden, wie wir sie gelernt haben und wie sie die Baronin Ramella so schön gefunden hat.

P. Was Du da sagst, ist (ganz) recht; aber diese Erörterungen können uns zu keinem Ergebnis führen; verschieben wir sie also auf eine Zeit, wo wir wirklich überzeugt sein werden, daß die Dame uns nicht geschmeichelt hat.

## Von Venedig nach Ancona.

P. Es war wirklich eine prachtvolle Idee, diese kurze Seereise zu unternehmen. Zwar machen wir einen Umweg. Aber es macht wohl immer Vergnügen, mit dem Dampfschiff zu fahren.

*G.* Sì, quando non si ha il mal di mare, naturalmente ... Vieni qui a poppa, dalla parte sinistra ...

*G.* A babordo, mio caro, a babordo! In mare si deve parlare la lingua dei marinai, specialmente quando si viaggia su un battello come questo.

*G.* Sì, è uno magnifico vapore ad elice.

*P.* Guarda, ora si sciolgono le funi e si leva l'àncora; partiamo già.

*G.* Veramente; il timoniere e il pilota stanno già al loro posto.

*G.* Guarda laggiù una nave a vela.

*P.* E da questa parte un altro battello che va a tutto vapore.

*G.* Entriamo in alto mare; il battello rulla che è un piacere, e a fatica ci si tiene diritti.

*P.* Per questo si deve avere gambe da marinaio.

*.G.* Che sarebbe se il mare fosse cattivo o (anche) soltanto agitato!

*P.* Oh! allora il nostro stomaco sarebbe tanto poco forte quanto le nostre gambe.

*G.* Capisco. Faremo però bene, per tentar di premunirci contro questo maledetto mal di mare che ci guasterebbe la traversata, di scendere nel salone e farci servire qualcosa. È già molto tempo che abbiam fatto colazione, e l'aria di mare mette appetito.

---

3. Ja, wenn man nicht seekrant wird, natürlich ... Komm hierher aufs Vorderteil, nach der linken Seite ...

P. Auf Backbord, mein Lieber, auf Backbord! Auf See muß man die Sprache der Seeleute reden, zumal wenn man auf einem Dampfer wie diesem fährt.

3. Ja, das ist ein prächtiger Schraubendampfer.

P. Sieh, da werden die Taue losgemacht und der Anker gelichtet; wir fahren bereits ab.

3. In der Tat, der Steuermann und der Lotse stehen schon auf ihren Plätzen.

3. Sieh nur dahinten ein Segelschiff!

P. Und auf dieser Seite ein anderes (Schiff), das mit vollem Dampfe fährt.

3. Wir nähern uns der offenen See, das Boot schlingert stark und man hat Mühe, sich aufrecht zu halten.

P. Dazu muß man Seemannsbeine haben.

3. Was würde es erst geben, wenn die See stürmisch oder (auch) nur unruhig wäre!

P. O weh! Dann würde unser Magen ebensowenig seefest sein wie unsere Beine.

3. Ich verstehe. Es wird sogar, um [uns zu bemühen,] uns gegen diese vermaledeite Seekrankheit, die uns die Überfahrt verderben würde, zu schützen, geraten sein, in den Passagiersalon hinabzugehen und uns etwas geben zu lassen. Es ist schon lange her, daß wir gefrühstückt haben, und die Seeluft macht Appetit.

*P.* Benissimo. Ordiniamoci ognuno una buona bistecca all' inglese, e un punce per fortificar lo stomaco. Ho udito da persone, che hanno molto viaggiato per mare, che non c'è un rimedio migliore contro il mal di mare.

*G.* Quelle persone avranno ragione. Uno stomaco vuoto non può sopportar nulla.

*G.* Ora che abbiamo fatto una buona colazione, andiamo un po' sopra coperta per vedere se siamo molto distanti dalla terra.

*P.* Sì, andiamo a respirar un po' d'aria fresca sopra coperta, tanto più che qui fa molto caldo.

*G.* Ora siamo proprio in alto mare. Non si scorge più che qualche punto della costa; ancor qualche istante, e tutto sarà sparito.

*P.* Pare che andiamo molto presto.

*G.* Invero, non so se si possa andare più presto. Rivolgiamoci al timoniere. Avvisi, che vietino di parlare con lui, non ce ne sono.

*P.* (al timoniere). Vuol aver la cortesia di dirci quanti nodi facciamo all' ora?

*Il timoniere.* Essendo adesso mare mosso, facciamo circa 12 nodi all' ora.

*P.* È questa la massima velocità?

*Il timoniere.* Con un battello piccolo come questo non si può

Land und Leute in Italien.

*P.* Ganz recht. Wir wollen uns jeder ein gutes englisches Beefsteak und einen Grog zur Stärkung des Magens bestellen. Ich habe oft von Leuten, die zur See gereist sind, gehört, daß es kein besseres Mittel gegen Seekrankheit gäbe.

*J.* Jene Leute können recht haben: „Ein nüchterner Magen kann nichts vertragen."

*J.* Jetzt, nachdem wir gehörig gefrühstückt haben, wollen wir etwas aufs Verdeck gehen, um zu sehen, ob wir schon sehr weit vom Lande entfernt sind.

*P.* Ja, laß uns auf Deck frische Luft schöpfen, zumal es hier zu heiß ist.

*J.* Nun sind wir wirklich auf offener See. Man kann nur noch etliche Punkte der Küste sehen; noch einige Augenblicke, und alles wird verschwunden sein.

*P.* Es scheint, wir fahren sehr schnell.

*J.* Meiner Treu! ich weiß nicht, ob man (noch) schneller fahren könnte. Wir wollen uns an den Steuermann wenden. Ein Verbot, mit ihm zu sprechen, ist (ja) nicht angeschlagen.

*P.* (zu dem Steuermann). Wollen Sie uns gefälligst sagen, wieviel Knoten wir in der Stunde zurücklegen?

*Der Steuermann.* Da die Flut stark ist, machen wir beinahe 12 Knoten in der Stunde.

*P.* Ist das die größte Geschwindigkeit?

*Der Steuermann.* Mit einem kleinen Boot wie dem da

3

andar più presto; ma ora saremo forzati a rallentare la
corsa.

*G. F.* perchè, se la domanda
è lecita?

*Il timoniere.* Perchè quanto
più ci si inoltra nel mare, tanto
più forti sono le onde; e per
poco che si abbia il vento contrario, come è il caso d'oggi,
esse sono di ostacolo e rallen-
tano di molto la corsa del battello.

*G.* Allora la traversata dura
più che quando si ha il vento
favorevole?

*Il timoniere.* Certamente, perchè col buon vento le onde
spingono il battello, e poi si
possono anche sciogliere le vele.

*G.* Davvero? E io ho sempre
creduto che i venti contrari non
avessero alcuna influenza sulla
velocità delle navi a vapore.

*Il timoniere.* Ella era in er-
rore, signore. Succede persino
che, durante una burrasca, i battelli a vapore vengono gettati
qua e là come i battelli a vela;
perchè nessuna forza inven-
tata dall'uomo può lottare contro gli elementi.

*P.* Ora non si vede più che
cielo e mare.

*G.* Questo è bello, è grandio-
so, specialmente quando si
vede per la prima volta ... Ora
scendiamo di nuovo nel salone.

*P.* Io preferisco restar qui;
amo quest'imponente spettacolo dell'immensità e delle
gigantesche onde, che s'infran-
gono contro i fianchi della nave.

kann man wohl nicht schneller
fahren; bald werden wir jedoch
notgedrungen langsamer werden.

3. Und warum das, wenn ich
fragen darf?

Der Steuermann. Weil,
je weiter man in (die) See (hin=
aus)kommt, die Wellen desto stärker
werden und (einem), wenn man
nur einigermaßen widrigen Wind
hat, wie das heute der Fall ist,
hinderlich sind und die Fahrt des
Schiffes bedeutend verlangsamen.

3. Es dauert alsdann die Über=
fahrt länger, als wenn der Wind
günstig ist?

Der Steuermann. Gewiß,
denn bei gutem Winde treiben die
Wellen das Fahrzeug, und ferner
kann man (dann) d.e Segel auf=
hissen.

3. Ei, was Sie sagen! Ich habe
immer geglaubt, widrige Winde
hätten auf die Fahrt der Dampf=
schiffe gar keinen Einfluß.

Der Steuermann. (Da)
waren Sie im Irrtum [, mein
Herr]. Es kommt sogar vor, daß
während eines Sturmes die Dampf=
schiffe hin und her geschleudert
werden wie die Segelschiffe; denn
keine von Menschen ersonnene
Kraft vermag gegen die wütenden
Elemente anzukämpfen.

P. Jetzt sieht man nichts mehr
als Himmel und Wasser.

3. Das ist schön, das ist groß=
artig, besonders wenn man es zum
erstenmal sieht ... Jetzt laß uns
wieder in den Salon hinabgehen.

P. Ich bleibe lieber hier. Ich
habe dieses erhabene Schauspiel
der Unermeßlichkeit und der riesen=
haften Wellen, die an den Flanken
des Schiffes sich brechen, (so) gern.

G. A me fa un' impressione troppo forte; a rivederci.

P. Ebbene, Giacomo! non vuoi venire un po' sopra coperta?

G. Sì, ti seguo subito.

P. Meraviglioso — vedi i battelli che corrono maestosi in tutte le direzioni.

G. Ma questo è splendido, è un vero panorama!

P. Vedi laggiù una specie di nube nell' orizzonte?

G. Ci sono molti battelli che prendono la stessa direzione del nostro.

P. Questa qui è una goletta inglese, la riconosco alla bandiera; quello è, credo, un vascello a tre alberi, francese.

G. No, caro amico; salutiamo la nostra bandiera nazionale; non vedi che vi è il nero e non l'azzurro.

P. È vero. — Il mare è proprio la gran strada delle nazioni; tutte le nazionalità ci si incontrano; gli interessi più svariati vi stanno in lotta.

P. Ma si fa già notte; sopra coperta non si può veder più nulla. Scendiamo nel salone a metter brevemente in iscritto i nostri ricordi di Venezia? — Guarda, qui staremo molto bene.

G. Tu sei un viaggiatore coscienzioso; a quel che vedo, vuoi farti un giornale del tuo viaggio.

J. Mir, für meine Person, ist die Wirkung zu stark; auf Wiedersehen!

P. Nun, Jakob! willst Du nicht wieder ein wenig auf Deck kommen?

J. Ach, wahrhaftig! Ich folge Dir augenblicklich.

P. Bewunderungswürdig — siehe diese Schiffe, welche nach allen Richtungen majestätisch dahingleiten.

J. Ah! das ist wundervoll, das ist ein wahres Panorama.

P. Siehst Du dahinten so etwas wie ein Gewölf am Horizont?

J. Da sind mehrere Fahrzeuge, welche dieselbe Richtung einschlagen wie wir.

P. Dieses hier ist ein englischer Schoner; ich erkenne es an seiner Flagge. Das da ist, glaube ich, ein französischer Dreimaster.

J. Nein, lieber Freund; laß uns unsere (die) Nationalflagge begrüßen; Du siehst wohl nicht, daß Schwarz darin ist und nicht Blau.

P. Richtig. — Das Meer ist so recht die große Landstraße der Nationen; alle Nationalitäten begegnen sich auf ihr; die verschiedensten Interessen liegen dort (miteinander) in Wettstreit.

P. Aber es wird schon dunkel; auf Deck kann man nichts oder so gut wie nichts sehen. Wollen wir nicht in den Salon hinuntergehen und unsere Benediger Erinnerungen in aller Kürze zu Papier bringen? — Sieh, hier werden wir sehr gut aufgehoben sein.

J. Du bist ein gewissenhafter Reisender; Du willst, wie ich sehe, ein Reisetagebuch abfassen.

3*

*P.* Ma che! Qualche appunto soltanto, perchè ho poca memoria.

*G.* Del resto non può nuocere, perchè abbiamo fatto tutto tanto in fretta, e abbiamo veduto tante cose, che probabilmente c'è già ora un po' di confusione nella nostra mente.

*P.* Comincio dunque senza tanti preamboli: „Arrivati nel dopopranzo a Venezia, abbiamo dedicato il resto della giornata a farci un' idea generale di questa meravigliosa città, facendo un giro in gondola nelle parti principali, specialmente nel Canal Grande. dove c'è gran movimento a tutte le ore del giorno, ma la sera in modo speciale."

*G.* Non dimenticare almeno un' osservazione generale sul modo di vivere degli Italiani, di cui avemmo subito un' idea, che in seguito ci venne confermata.

*P.* Oh, quanto a ciò, non lo dimenticherò di certo; ma questa è questione di gusti, e poi io non ho l'intenzione di entrare in tali particolari.

*G.* Benedett'Iddio! Quanto abbiam dovuto cercare in quella città per trovare una birreria, mentre in altri luoghi se ne trovano anche troppe! — Ma continua il tuo riassunto.

*P.* „Al secondo giorno cominciammo a visitare le principali rarità del luogo, partendo dalla Piazza S. Marco, che produsse su di noi grande impressione di meraviglia. Tutt' intorno un allegro

$\mathfrak{P}$. Bewahre! Bloß ein paar Notizen, weil ich ein schwaches Gedächtnis habe.

$\mathfrak{Z}$. Schaden kann es übrigens nicht, denn wir sind so hastig zu Werke gegangen und haben so vielerlei gesehen, daß wahrscheinlich schon jetzt einige Verwirrung in unseren Erinnerungen herrscht.

$\mathfrak{P}$. Ich beginne also ohne weitere Umschweife: — „Am Nachmittag in Venedig eingetroffen, verwendeten wir den Tagesrest dazu, uns eine allgemeine Vorstellung von dieser wunderbaren Stadt dadurch zu verschaffen, daß wir die Hauptteile auf der Gondel durchstreiften; besonders aber auf dem Canal Grande, welcher zu allen Tageszeiten, abends aber ganz außerordentlich belebt ist."

$\mathfrak{Z}$. Vergiß wenigstens nicht eine allgemeine Bemerkung über die Lebensweise der Italiener, von welcher wir sofort einen Begriff bekamen, den die Folge lediglich bestätigt hat.

$\mathfrak{P}$. Oh! was das betrifft, vergessen werde ich es nicht; aber das ist Geschmackssache, und ich habe im übrigen nicht die Absicht, mich in solche Einzelheiten einzulassen.

$\mathfrak{Z}$. Himmel! haben wir in jener Stadt nach einem Bierhaus herumgesucht, wie es deren an jedem andern Orte (nur) zu viele gibt! — Doch fahre in Deiner Übersicht fort.

$\mathfrak{P}$. „Am zweiten Tage begannen wir die Hauptsehenswürdigkeiten der Stadt zu besuchen, indem wir von der Piazza S. Marco, die in uns einen großartigen Eindruck des Staunens hervorrief, ausgingen.

brulichio di gente sotto le Procuratie, quei larghi portici, in cui si trovano negozi d'ogni genere ed i più bei caffè di Venezia. A sinistra la chiesa di S. Marco, quel magnifico edifizio in istile bizantino, che forma la maggior fierezza dei Veneziani.

*G.* E che tesori d'arte ci sono là dentro! Peccato dovvero che non abbiamo avuto tempo sufficiente per esaminarne tutti i particolari. E poi ti ricordi ancora della bella vista che si godeva di là sopra, dove ci sono i cavalli di bronzo?

*P.* Sì, io ho ancor sempre dinnanzi a me il meraviglioso quadro. — Nello stesso giorno visitammo il Palazzo dei Dogi...

*G.* Non dimenticare di far menzione del Ponte dei Sospiri, per cui andammo alle prigioni ed ai terribili Pozzi, dove ci mostrarono la camera della tortura ed il luogo dove venivano giustiziati i condannati politici.

*P.* Dopo quel triste spettacolo ci rallegrammo tanto più, quando ci trovammo a passeggiare nella piazza di S. Marco, in mezzo ad un' allegra folla che si godeva l'aria fresca al suono della musica.

*G.* E la sera, sul Canal Grande, al chiaro di luna, nella comoda gondola non era incantevole? Ti ricordi ancora i nomi dei molti palazzi, dinnanzi a cui guizzavamo colla gondola?

*P.* Non è tanto facile, amico mio. Preferisco perciò passare alle passeggiate della se-

Rings herum ein fröhliches Gewimmel unter den Prokuratien, jenen breiten Bogengängen, in denen sich Kaufläden aller Art und die schönsten Kaffeehäuser Venedigs befinden. Links die Markuskirche, jener prachtvolle Bau in byzantinischem Stil, Venedigs größter Stolz.

3. Was für Kunstschätze sind da zu finden! Schade, daß wir nicht genug Zeit hatten, um jede Einzelheit eingehend zu betrachten! Und dann, weißt Du noch den schönen Anblick, den man von oben, wo die bronzenen Pferde sind, genießt?

P. Ja, ich sehe noch immer das wunderschöne Bild vor mir. — Am selben Tage besuchten wir noch den Dogenpalast ...

3. Vergiß ja nicht ein Wort der Erinnerung für die „Seufzerbrücke" durch die wir zu den Gefängnissen und zu den schrecklichen Pozzi gelangten, wo man uns die Folterkammer und den Hinrichtungsplatz für politische Verbrecher zeigte.

P. Nach jenem traurigen Anblick freuten wir uns um so mehr, als wir später auf dem schönen Markusplatz spazierten, mitten in einer lustigen Menge, die bei den Klängen der Musik frische Luft schöpfte.

3. Und abends, auf dem Canal Grande, bei hellem Mondschein, in der bequemen Gondel, war's noch entzückender. Weißt Du noch die Namen der vielen Paläste an denen wir ruhig vorbeihuschten?

P. Das ist nicht so einfach, mein Lieber. Ich komme deshalb zu unseren Wanderungen des zweiten

conda giornata. La mattina la dedicammo alla visita della città interna. Dapprima rivolgemmo i nostri passi verso le Mercerie, la strada più frequentata di Venezia; poi arrivammo, per strade strettissime e per minuscoli ponti, al magnifico Ponte di Rialto.

G. E che facemmo il dopopranzo del secondo giorno?

P. Come, hai dimenticato la gita al Lido?

G. Oh! questo non sarebbe possibile ... Ma, tienti breve, amico mio; a me pare che si stia per toccar terra.

P. Bene, scendiamo e andiamo a prendere il nostro bagaglio; il battello ha già rallentato la corsa.

G. E così siamo arrivati a destino dopo una traversata straordinariamente tranquilla. Ora non abbiamo più a temere del mal di mare.

P. Scendiamo presto a terra, che abbiamo almeno tempo di prendere una tazza di caffè.

G. (ad un cameriere). Due tazze di caffè, con latte, pane e burro!

Il cameriere. — Eccoli serviti, signori.

P. Grazie. — Pagatevi.

## Da Ancona a Roma.

G. Questo caffè è eccellente.

P. Sì, ma non abbiamo quasi tempo di centellinarlo con piacere. Chiamano già per Roma.

---

Tages. Der Morgen wurde dem Besuche der inneren Stadt gewidmet. Zuerst lenkten wir unsere Schritte nach den Mercerie, der wichtigsten Verkehrsstraße der Stadt, dann gelangten wir durch enge Straßen und winzige Brücken zur großartigen Rialtobrücke.

F. Was taten wir am Nachmittag des zweiten Tages?

P. Ist Dir die Fahrt nach dem Lido schon aus dem Gedächtniß entflohen?

F. Oh, das wäre nicht gut möglich ... Aber, fasse Dich kurz, mein lieber Freund; mir kommt es nämlich vor, als würden wir bald landen.

P. Gut, wir wollen hinunter gehen und (uns) unsere Reisesäcke holen; das Schiff hat bereits seine Fahrt verlangsamt.

F. So sind wir denn nach einer außerordentlich ruhigen Überfahrt angelangt; jetzt haben wir die Seekrankheit nicht mehr zu fürchten.

P. Laß uns schnell an Land gehen, damit wir Zeit haben, eine Tasse Kaffee zu trinken!

F. (zu einem Kellner). Zwei Tassen Kaffee mit Milch, Brot und Butter.

Der Kellner. Hier, meine Herren.

P. Danke. — Hier, machen Sie sich sofort bezahlt.

## Von Ancona nach Rom.

F. Dieser Kaffee ist ausgezeichnet.

P. Ja, aber wir haben kaum Zeit, ihn mit Genuß zu schlürfen; denn es werden bereits die Passagiere nach Rom gerufen.

*G.* Io ho finito, bevi tu il tuo e procuriamo di non avere dei posti troppo brutti.

P. Oh! su questa linea non c'è molto da vedere.

*G.* Ma io vorrei dormire un poco.

P. Decisamente il mio orologio è in ritardo; esso non fa che le sei e tre quarti, e già si parte.

*G.* Conduttore, dove siamo?

*Il conduttore.* — Siamo a Foligno ed abbiamo cinque minuti di fermata.

*G.* Paolo, svegliati, che scendiamo alcuni minuti per isgranchirci un po' le gambe. Siamo già a Foligno.

P. Peccato, che non ci si possa fermare, per visitare la città.

*G.* Purtroppo non abbiamo tempo: e del resto non si può veder tutto. Approfittiamo almeno di questa fermata per prender qualcosa al ristorante.

## A Roma.

P. Ehi! siamo arrivati.

*G.* To', siamo proprio a Roma.

P. Scendiamo. L'uscita è qua a sinistra, dove — a quanto vedo — si consegnano i biglietti passando.

*G.* E il bagaglio?

P. Chiamiamo un facchino.

*G.* (ad un facchino). Portate questo bagaglio in una vettura.

---

Z. Ich bin fertig; trinke Deine Tasse aus, und (dann) wollen wir uns bemühen, nicht zu schlechte Plätze zu bekommen!

P. Oh! es gibt unterwegs nicht viel zu sehen.

Z. Ich möchte aber ein wenig schlafen.

P. Entschieden geht meine Uhr nach, denn sie zeigt noch nicht ein Viertel auf sieben, und doch fahren wir bereits ab.

Z. Schaffner, wo sind wir?

Der Schaffner. Dies ist Foligno. Fünf Minuten Aufenthalt!

Z. Paul, wache auf! Wir wollen ein bißchen aussteigen, um uns die Beine wieder etwas gelenkig zu machen; wir sind in Foligno.

P. Schade, daß wir uns nicht aufhalten können, um die Stadt zu besehen.

Z. Wir haben leider zu wenig Zeit; wir können nicht alles sehen. Laß uns wenigstens diesen Augenblick Aufenthalt benutzen, um in der Restauration etwas zu genießen.

## In Rom.

P. Du! wir sind angekommen.

Z. Richtig! wir sind wirklich in Rom.

P. Steigen wir aus! Der Ausgang ist hier links entlang, wo man, wie ich sehe, die [seine] Fahrkarten im Vorbeigehen abgibt.

Z. Und das Gepäck?

P. Rufen wir einen Gepäckträger.

Z. (zu einem Gepäckträger). Tragen Sie mir gefälligst diese Gepäckstücke nach der Droschke.

511

| | |
|---|---|
| *Il facchino.* Subito, signore. | Der Gepäckträger. Sofort, mein Herr. |
| *G.* (al cocchiere). Albergo Minerva. | 3. (zum Kutscher). Hotel Minerva. |
| *P.* Guarda come è grandiosa l' entrata in Roma. | P. Sieh doch, wie großartig der Einzug in Rom. |
| *G.* Non si sa proprio dove volgere lo sguardo. | 3. Da weiß man wirklich nicht, wohin man blicken soll. |
| *P.* Ah! siamo alla nostra mèta. | P. Ah! wir sind am Ziel. |
| *G.* Scendo prima io; tu puoi porgermi le valige. | 3. Ich steige zuerst aus; Du kannst mir die Taschen zureichen. |
| *P.* (al portinaio). Ci può dare una camera con due letti? | P. (zum Portier.) Können Sie uns ein Zimmer mit zwei Betten geben? |
| *Il portinaio.* Certamente, signore. — (Ad un cameriere.) Conduci i signori al numero 15. | Der Portier. Jawohl [mein Herr]. — (Zu einem Kellner.) Führen Sie die Herren nach Nummer 15! |
| *G.* Vuole avere la bontà di pagare per noi il cocchiere? | 3. Wollen Sie nicht so gut sein, den Kutscher für uns zu bezahlen? |
| *Il portinaio.* Volontieri; ecco fatto. | Der Portier. Sehr gern, ich werde es besorgen. |

## Visita.    Besuch.

| | |
|---|---|
| *P.* Eccoci dunque in un comodo albergo nel centro di Roma. Dove vogliamo recarci prima, per soddisfare la nostra curiosità? Credo che non abbiamo nulla di meglio a fare, che passeggiare un po' pel Corso dove, a quest' ora, c'è il gran giro delle carrozze. | P. Nun, da wären wir also jetzt in einem behaglichen Gasthofe im Mittelpunkte von Rom. Wohin gehen wir nun zunächst zur Befriedigung unserer Neugierde? Ich glaube, wir haben nichts Besseres zu tun, als auf dem Pincio zu lustwandeln, wo gerade zu dieser Zeit der große Wagenkorso stattfindet. |
| *G.* E' vero, ma per far ciò abbiamo tempo anche più tardi; abbiamo promesso alla baronessa Ramella di farle una visita, appena ginuti a Roma. Andiamo dunque da lei; ci potrà dare qualche consiglio. | 3. Freilich; indessen haben wir dazu auch hernach noch Zeit; wir haben der Baronin Ramella versprochen, ihr einen Besuch zu machen, sobald wir in Rom sein würden; dahin laß uns gehen! sie kann uns wenigstens irgendeinen Rat geben. |

P. Va bene. Qui c'è una stazione delle vetture; prendiamo questa qui! — Cocchiere! Via Nazionale, 18.

G. Non è lontano di qui, a quanto ho veduto sulla pianta.

P. Ora attraverseremo di nuovo il Corso. — Dio. che animazione, che folla!

G. Oh, questa è già la nostra strada ... siam giunti. Cocchiere, a voi.

P. (al portinaio). Abita qui la baronessa Ramella?

Il portinaio. Sissignore, al primo piano, a desira.

P. (a un servo). La signora baronessa riceve?

Il servo. Sissignori. Si accomodino. Chi ho l'onore di annunciare?

P. Ecco i nostri biglietti di visita.

G. La baronessa, caro Paolo, è decisamente una signora distinta, a giudicare dall' eleganza dell' abitazione e dalla livrea del servo.

P. Comincio quasi a crederlo anch' io.

Il servo. Abbiano la bontà di accomodarsi, signori! La signora baronessa li aspetta.

G. e P. (salutando). Abbiamo l' onore, signora, di presentarle i nostri omaggi.

La baronessa. Siano i benvenuti, signori. Quanto mi rallegro di vederli! Favoriscano accomodarsi.

G. Ella è troppo gentile, signora. Arriviamo proprio ora

P. Gut. Hier ist eine Droschkenhalteplatz: laß uns diese hier nehmen! — Kutscher! Via Nazionale 18.

Z. Es ist nicht weit von hier, wie ich auf dem Plan gesehen habe.

P. Wir kommen sogleich noch einmal quer über den Korso. — Himmel! was für ein Leben! was für ein Gedränge!

Z. Eh! hier ist schon unsere Straße ... wir sind am Ziel. — Hier, Kutscher, für die Fahrt.

P. (zum Portier). Hier wohnt Frau Baronin Ramella?

Der Portier. Jawohl, gnädiger Herr, eine Treppe, rechts.

P. (zu einem Diener). Ist Frau Baronin Ramella zu sprechen?

Der Diener. Jawohl, meine Herren. Treten Sie gefälligst ein! Wen habe ich die Ehre zu melden?

P. Hier sind unsere Karten.

Z. Die Baronin, lieber Paul, ist entschieden eine vornehme Dame, nach dem feinen Zuschnitt der Wohnung und nach der Livree der Dienerschaft zu urteilen.

P. Ich glaube es beinahe (auch).

Der Diener. Haben Sie die Güte, näher zu treten, meine Herren! Frau Baronin lassen bitten!

Z. und P. (grüßend). Gnädige Frau, wir haben die Ehre, Ihnen unsere Aufwartung zu machen.

Fr. R. Ah! seien Sie willkommen, meine Herren! Wie bin ich erfreut, Sie zu sehen. Nehmen Sie gefälligst Platz!

Z. Sie sind zu gütig, gnädige Frau. Wir kommen soeben erst

da Ancona, e abbiamo voluto venir subito a chieder notizie della Sua salute e di quella della signorina.

*La baronessa.* Quanto a me, sto benone; ma mia nipote è un po' indisposta; ella non si è ancora rimessa dagli strapazzi del viaggio.

*P.* Allora non avremo il piacere di vederla?

*La baronessa.* Per il momento è impossibile; il medico le ha proibito di lasciar la camera; ma spero che, fra qualche giorno, sarà del tutto ristabilita.

*P.* Voglia assicurarla del nostro vivo interesse, e dirle che le auguriamo una pronta guarigione.

*La baronessa.* Non mancherò, ed ella sarà molto lieta, del Loro interessamento per la sua salute. — Ma ora mi raccontino del Loro viaggio. È andato tutto bene? Sono soddisfatti del Loro soggiorno a Venezia!

*P.* Il nostro viaggio è stato straordinariamente favorito dalla fortuna. Quanto a Venezia, noi ne siamo incantati. La bellezza di quella città, unica nel suo genere, ha superato ogni nostra aspettativa. In quei pochi giorni che abbiamo passato là, abbiam veduto molto, perchè eravamo tutto il giorno in giro, e inoltre il tempo era magnifico. Anche le maniere gentili e alla buona dei Veneziani ci piacquero molto; poi ci divertimmo un mondo ad ascoltare il loro dialetto, che però qualche volta non riuscivamo a capire.

von Ancona (hier) an und wollten uns alsbald nach Ihrem und Ihrer Fräulein Nichte Befinden erkundigen.

Fr. R. Ich für mein Teil bin ganz wohl; aber meine Nichte ist etwas unpäßlich; sie hat sich noch nicht von den Strapazen der Reise erholt.

P. Dann werden wir nicht das Vergnügen haben, sie zu sehen?

Fr. R. Für den Augenblick geht das nicht an; der Arzt hat ihr verboten, das Zimmer zu verlassen, aber ich hoffe, sie wird in einigen Tagen vollständig hergestellt sein.

P. Haben Sie die Güte, ihr unsere Teilnahme auszusprechen und ihr zu sagen, daß wir ihr baldige Genesung wünschen!

Fr. R. Ich will es bestellen, und sie wird von dem Anteil, den Sie an ihrer Gesundheit nehmen, sehr angenehm berührt sein. — Jetzt (aber) erzählen Sie mir von ihrer Reise! ist dieselbe glücklich verlaufen? (wie) sind Sie von Ihrem Aufenthalt in Venedig befriedigt?

P. Was Venedig anbelangt, so sind wir davon ganz entzückt. Die Schönheit jener Stadt, die so einzig in ihrer Art dasteht, hat alle unsere Erwartungen übertroffen. In den wenigen Tagen, die wir dort verbrachten, haben wir recht viel gesehen, da wir den ganzen Tag auf den Beinen waren und außerdem das Wetter wunderbar schön war. Auch die nette, freundliche Art der Venezianer gefiel uns sehr, und es machte uns großen Spaß, ihren Dialekt zu hören, den wir manchmal allerdings kaum verstehen konnten.

*La baronessa.* Spero che ora anche la nostra antica e bella capitale desterà in loro grande ammirazione, e farò quanto starà in me, perchè non isfugga Loro nessuna delle tante rarità, di cui questa città va fiera.

*Il servo.* Il cavaliere Mazzoni.

*La baronessa.* Fate entrare.

*Il signor Mazzoni.* Buon giorno, cara cugina; buon giorno, signori. Ma io disturbo forse?

*La baronessa.* No, al contrario, vieni proprio a proposito; ho l'onore di presentarti i signori von der Hagen e Rohrbach, che vengono da Berlino. — Mio cugino, il cavalier Giulio Mazzoni.

*G. e P.* (s'inchinano). Fortunatissimo.

*Il signor M.* (s'inchina). Il piacere è mio. Ah, ora mi ricordo; i signori sono i compagni di viaggio dei quali m'hai parlato: siano i benvenuti, signori!

*G. e P.* Le siamo molto obbligati dell' amabile Sua accoglienza.

*La baronessa.* Se ciò può riuscir Loro gradito, Signori, mio cugino mi ha promesso di mettersi a Loro disposizione per far Loro da cicerone.

*P.* Questa è invero troppa bontà; noi temiamo di abusarne.

*Il signor M.* Per nulla, signori: al contrario mi fo un piacere di mostrar Loro la nostra capitale, senza contare che, nello stesso tempo, rendo un servizio a mia cugina.

Fr. R. Ich hoffe, unsere alte schöne Hauptstadt, wird nun auch viel Begeisterung bei Ihnen hervorrufen, und ich werde nach Kräften dazu beitragen, damit Ihnen keine von den vielen Sehenswürdigkeiten, auf die diese Stadt stolz ist, entgehe.

Der Diener (meldend). Herr Ritter Mazzoni.

Fr. R. Ich lasse bitten.

Herr M. Guten Tag, liebe Cousine; guten Tag, meine Herren. Aber ich störe vielleicht.

Fr. R. Nein, im Gegenteil; Du kommst gerade gelegen; ich habe die Ehre, Dir Herrn von der Hagen und Herrn Rohrbach vorzustellen, die von Berlin kommen. — Meine Herren! mein Vetter Julius Mazzoni.

H. u. P. (sich verbeugend). Sehr angenehm.

Herr M. (desgleichen). Habe die Ehre. — Ah! jetzt erinnere ich mich; die Herren sind die Reisegefährten, von denen Du mir gesprochen hast: seien Sie willkommen, meine Herren!

H. u. P. Wir sind Ihnen für Ihren liebenswürdigen Empfang sehr verbunden, mein Herr.

Fr. R. Wenn es Ihnen angenehm sein möchte, meine Herren, so hat mein Vetter mir versprochen, sich Ihnen zur Verfügung zu stellen, um Ihnen als Führer zu dienen.

P. Das ist wirklich zu gütig; [und] wir fürchten lästig zu werden.

Herr M. Durchaus nicht, meine Herren; im Gegenteil mache ich mir ein Vergnügen daraus, Ihnen unsere Hauptstadt zu zeigen, und überdies erweise ich damit gleichzeitig meiner Cousine eine Gefälligkeit.

G. Ebbene, signore, accettiamo la sua offerta, ma soltanto per una passeggiata attraverso la città.

*Il signor M.* Va bene, non voglio impedir di seguire il Loro gusto e di fermarsi dove vogliono. Si fa tardi, e io suppongo cho stasera Loro avranno piuttosto voglia di riposare.

*P.* In realtà, signor cavaliere, noi ci siamo alquanto stancati a Venezia, e l'ultima notte l'abbiamo passata in viaggio.

*Il signor M.* Allora, verrò domattina a prenderli all'albergo, se vogliono aver la compiacenza di darmi il Loro indirizzo.

*P.* Come! Ma signor cavaliere ...

*Il signor M.* No, no, io abito lontano di qui, e ho la mia carrozza; è molto più semplice se li vengo a prendere.

*P.* Come crede, signore; Le saremo ancor più obbligati. Noi siamo scesi all'albergo Minerva.

*G.* Ella ci permetterà, signora, di venir di nuovo a riverirla.

*La baronessa.* Come, signori, di già? Un' altra volta non avranno la stessa scusa e noi li tratterremo più a lungo.

*Il signor M.* A domani, signori.

*P.* e *G.* Lietissimi di aver fatta la Sua conoscenza. Abbiamo l'onore di riverirla, signora.

*La baronessa.* Arrivederci, signori.

Z. Nun denn, geehrter Herr, so nehmen wir (Ihr freundliches Anerbieten) an, — jedoch bloß für eine Promenade durch die Stadt.

Herr M. Gut, ich will Sie nicht hindern, hernach Ihrem Geschmack zu folgen und sich aufzuhalten, wo es Ihnen am besten gefällt. Es wird spät, und ich vermute, Sie haben heute Abend eher Lust sich auszuruhen.

P. In der Tat, Herr M.; wir haben uns in Venedig sehr angestrengt und die letzte Nacht teilweise unterwegs zugebracht.

Herr M. Dann werde ich Sie morgen in Ihrem Hotel abholen, wenn Sie die Güte haben wollen, mir Ihre Adresse zu geben.

P. Wie! Herr Mazzoni, aber...

Herr M. Nein, nein; ich wohne weit von hier und habe meine Equipage; es ist weit einfacher, Sie abzuholen.

P. Wie es Ihnen recht ist; wir werden Ihnen nur desto mehr zu Dant verpflichtet sein. Abgestiegen sind wir im Hotel Minerva.

Z. Sie wollen uns gestatten, gnädige Frau, unsere Aufwartung (ein andermal) zu wiederholen.

Fr. M. Wie, meine Herren, schon? Ein andermal dürfen Sie nicht wieder dieselben Entschuldigungsgründe haben, und wir werden Sie länger zurückhalten.

Herr M. Auf morgen, meine Herren.

P. u. Z. Sehr erfreut, Ihre Bekanntschaft gemacht zu haben. Wir haben die Ehre, gnädige Frau, uns Ihnen zu empfehlen.

Fr. M. Auf Wiedersehen, meine Herren.

# Notizen

# Notizen

# Notizen

# Notizen

Bezugsbedingungen: Jede Sprache umfasst 2 Kurse à 18 Mark. (Bei Einzelbezug der Briefe auch in Raten à 3 Mark Posteinzahlung.) Kursus I u. II einer Sprache zusammen (auf einmal) bezogen statt 36 nur 27 Mark. ☛ Probebriefe aller Sprachen senden wir à 1 Mark portofrei zur Ansicht.

Da das Studium jedes Briefes bei täglich ca. ein- bis zwei-stündiger Arbeit 14 Tage, jeder Kursus also etwa 9 Monate beansprucht, so beträgt das Honorar für den Unterricht pro Stunde nur einige Pfennige. Eine billigere Art und Weise, sich eine fremde Sprache gut und gründlich anzueignen, existiert nicht!

## Eigentümlichkeiten dieses Unterrichts:

1. Es wird dem Schüler keine jener grossen trockenen Gram-matiken in die Hand gegeben, deren Anblick allein manchen entmutigt, — sondern der Lehrstoff wird ihm in kleinen Quantitäten, aber stets in grosser Mannigfaltigkeit geboten.
2. Ein sittenreiner Roman oder kürzere Novellen dienen dem Unterrichte zur Grundlage und machen das ganze Studium spannend und unterhaltend.
3. Der Schwerpunkt liegt in der Angabe der Aussprache nach dem T.-L.schen System, das für die Sprache das ist, was die Notenschrift für die Musik. Jeder, der richtig deutsch lesen kann, vermag danach auch die fremde Sprache zu sprechen.
4. Der Vortrag ist allgemein verständlich.
5. Sprechen, Lesen und Schreiben der fremden Sprache von der ersten Stunde an.
6. Jeder Brief bringt die Lösungen der Aufgaben des vorigen.
7. Vervollkommnung auch im Deutschen. — Vorkenntnisse oder besondere Fähigkeiten werden nicht vorausgesetzt. — Auch Geübteren Vervollkommnung.

## Erfolge der Methode Toussaint-Langenscheidt.

Die Verfasser können mit Genugtuung feststellen, dass der von ihnen vertretenen Sache die denkbar grössten An-erkennungen zu teil geworden sind:

von seiten des Staates und von allerhöchster und höchster Stelle aus wurden dem (vom Königl. Preuss. Unterr.-Ministerium zum Professor ernannten) Begründer der Methode vielfache Auszeichnungen verliehen;

von der Jury der Ausstellung deutscher Unterrichts-mittel wurde die Meth. ausgez.: Wien 1873 „Verdienst-Med." — Altona 1869 „ehrenv. Anerk." — Dresden 1879 „1. Preis" — Berlin 1879 „Ehrendipl." — Brüssel 1888 „Gold. Med." — Paris 1900 „Goldene Medaille" — St. Louis 1905 „Grand prix".

von seiten der fachwissenschaftlichen Kritik und des
studierenden Publikums endlich hat die Meth. T.-L. sowie das
Aussprache-Bezeichnungssystem derselben eine Anerkennung
erfahren, die wir wohl als noch nie vorgekommen bezeichnen
dürfen.

## Bestandene Examina.

Wie der gratis zur Verfügung stehende Prospekt durch
Namensangabe nachweist, machen alljährlich viele das Examen
als **Lehrer des Englischen** oder **Französischen** lediglich auf
Grund des durch das Studium unserer Unterrichts-Briefe hierin
erworbenen Wissens und Könnens.

## Allgemeine Urteile über die Methode.

Herr Geheimrat Dr. Feodor Wehl im Feuilleton der „Dresd.
Kons. Ztg.":

„Hier ist es der Erfolg, der für die Sache spricht,
und wenn wir eine Beifügung uns zu machen erlauben, so ist
es nur die, dass wir unsere Bewunderung aussprechen über die
Art und Weise, mit welcher die Sprachlehre gewissermassen in
den Geist der Zeit aufgegangen ist und sich da mit impo-
nierendem Geschick die Intelligenz zu eigen gemacht hat, die in
der heutigen Welt Gemeingut der Menschen geworden ist.
Auf sie basierend, handhabt diese Meth. die Regeln der Grammatik und Aussprache mit einer in Erstaunen setzenden Leichtigkeit, ja, wir möchten sagen, mit einer gewissen Anmut des
Geistes, derart, dass alles Steife und Verknöcherte der Sprachlehre daraus verloren geht, und diese einem jung und frisch,
gleichsam lebenquellend, entgegentritt etc. Die Lehrmethode
T.-L. tritt ohne viel Gepäck wie ein Weltmann und Reisender
bei uns ein. Sie hat einen leichten Umgangston und gefällige
Manieren. Sie spricht einfach, kurz und schlicht, aber immer
so, dass der Geist dadurch angeregt wird und man gewissermassen bei dem Sprechenlernen auch zugleich denken lernen
kann. Das Organisatorische und Gymnastische der Methode
hebt sie über viele hinaus und gibt ihr jenes gehobene geistige
Leben, das sie vor vielen andern auszeichnet und ihr die grossen
Erfolge verschafft, die sie hatte und noch haben wird."

„Diese Briefe verdienen die Empfehlung vollständig, welche
ihnen von Prof. Dr. **Büchmann.** Sem.-Dir. Dr. **Diesterweg.** Prof.
Dr. **Herrig.** Staatsminister Dr. v. **Lutz,** Exz., Staatssekr. Dr. **von
Stephan,** Exz. u. and. Autoritäten geworden ist." (Lehrer-Ztg.)

„Wer, ohne Geld wegzuwerfen, wirklich zum Ziele gelangen
will, bediene sich nur dieser Original-Unterrichtsbr." (N. Fr. Pr.)

„Über das in Ihren Briefen eingehaltene Unterrichtsverfahren muß ich meine vollste Anerkennung aussprechen. Die Anordnung und Darbietung des Stoffes, die Verbindung der Theorie mit der Anwendung, die vielseitige und stets anregende Einübung der Wiederholung, die an passenden Stellen eingestreuten Aufmunterungen zum Lernen, die Winke und Belehrungen, wie das Studium anzupacken ist, vornehmlich die peinlich genau erfolgende Einführung in die Aussprache, der feine und dabei herzliche Verkehr mit dem Lernenden, kurz gesagt, die Anlage des gesamten Werkes ist so glücklich getroffen, daß jeder, der sich an die Vorschriften hält und das Studium ernst nimmt, zum Ziele gelangen muß."     Alois W . . ., Oberlehrer, Fischau.

„Ich habe die ersten italienischen Unterrichtsbriefe durchgesehen und mich davon überzeugt, daß sie ebenso zuverlässig nach ihrem Inhalte sind als praktisch angelegt in ihrer Form. Die Aussprache ist mit großer Genauigkeit angegeben und dabei sehr gut durch Anknüpfung an die deutsche Aussprache verständlich gemacht."     Prof. Dr. Suchier an der Univ. Halle a. S.

„Nach 18wöchigem Studium Ihrer französischen Briefe — ohne vorherigen Unterricht — habe soeben die Berechtigung zum Einj.-Freiw.-Dienst erhalten. Meine mündlichen Leistungen in der Aussprache etc. setzten alle in Erstaunen."     R. W . . ., Techniker in Nürnberg.

„Ihr System, die russische Sprache durch Selbstunterricht zu erlernen, ist nach meinem Ermessen das beste, was gedacht werden kann. Ich bin namentlich erstaunt darüber, mit wie großer Gewissenhaftigkeit man ganz subtile Feinheiten der Aussprache treffend wiederzugeben verstanden hat."     P. J . . ., Hannover.

„Obwohl erst kurze Zeit im Besitze Ihrer Unterrichtsbriefe, habe ich schon soviel Freude an ihnen gehabt, daß die geringe Mühe sich schon durch die Hebung des Selbstbewußtseins bezahlt gemacht hat und ich nun nicht mehr zweifle, daß so lange vergebens erstrebte Ziel endlich zu erreichen, nachdem ich mich jahrelang mit elendem Stückwerk behelfen mußte."     Dr. Emil L . . . an der Univ. Wien.

Herr Lehrer Bäge zu Göritz bei Coswig i. A. schreibt an Prof. G. Langenscheidt:

„Hochgeehrter Herr! Ich habe Ihre Unterrichtsbriefe auf meinem einsamen Dorfe in aller Stille studiert. Ohne auch nur eine englische Unterrichtsstunde genommen, ja, ohne auch nur einmal aus einem anderen Munde englische Worte gehört zu haben, unterwarf ich mich in der vorigen Woche der Mittelschullehrerprüfung in beiden Sprachen. Etwas ängstlich hinsichtlich meiner englischen Aussprache trat ich in den Prüfungssaal. Doch, mich fest an die gelernte Aussprache bindend, las ich etwa eine halbe Seite des mir vorgelegten Stückes von M. cau ay. Wie erfreut war ich, als der Examinierende, Herr Prof. Fischer meine Aussprache für „gut" erklärte und mich fragte, wo ich dieselbe erlernt hätte. — Gern gab ich ihm natürlich Bescheid."

„Ein wirklich einwandfreies, ja geradezu vollkommenes System der Aussprachebezeichnung und der ganzen Lehrmethode weisen die Toussaint-Langenscheidtschen Unterrichtsbriefe auf. Deshalb stehen sie auch gegenüber den zahlreichen andern Selbstunterrichtswerken, die mehr oder weniger Nachahmungen dieser Original-Methode sind, unerreicht da. Wir glauben daher, die Methode Toussaint-Langenscheidt, zumal sie die erste und vorzüglichste ist, mit vollem Recht als die Fundamentmethode zur Erlangung gediegener Sprachkenntnisse bezeichnen zu dürfen."

Liter. Beil. d. Lehrer-Ztg. für Ost- und Westpreussen
(11. X. 1903).

„Am vorteilhaftesten wird eine Methode bleiben, die eine möglichst sorgfältige Ausbildung in der lebenden Sprache, insbesondere durch genaueste Aussprachebezeichnungen mit einer umfassenden grammatischen Durchbildung verbindet: sie wird freilich an den Lernenden Ansprüche stellen, die jene der landesüblichen marktschreierischen Lehrbücher weit übersteigen, sie wird sich nicht anheischig machen, „in 14 Tagen" oder „per Dampf" in die Kenntnis der Sprache einzuführen, sondern jene Ausdauer verlangen, die eine Grundbedingung aller echten und soliden Arbeit ist. Eine solche Methode ist nun die weltbekannte Unterrichtsweise nach „Toussaint-Langenscheidt". Es hiesse Eulen nach Athen tragen, wollte man sie preisen, die das Lob der einsichtigsten Kenner aus allen Kreise geerntet hat. Staatsmänner und Gelehrte ersten Ranges verdanken diesen Briefen ihre sprachliche Ausbildung und haben das, wie z. B. die Minister v. Stephan und v. Lutz oder Prof. Harnack, dankbar und willig anerkannt; grosse Kaufleute führen einen bedeutenden Teil ihrer Geschäftserfolge auf den vorzüglichen Unterricht der Methode zurück, und so mancher, durch seinen gediegenen Unterricht bekannte Sprachlehrer hat seine Kenntnis auf diesem Wege gewonnen."

Robert Petsch, Dozent a. d. Univ. Würzburg.
(Bad. Schul-Ztg. v. 28. Mai 1904.)

„Ich bin mit Engländern in Berührung gekommen, welche sich wunderten, wie es überhaupt möglich ist, dass ein Deutscher so genau den englischen Akzent wiedergeben könne, ohne jemals einen Engländer sprechen gehört zu haben."

Paul Kr . . . , Jena.

Ich hoffe, mit den italienischen Unterrichtsbriefen zu demselben schönen Resultat zu kommen wie vor sieben Jahren mit den englischen Briefen, die mir in England selbst viel Lob wegen der guten Aussprache eintrugen, die ich mir damit angeeignet hatte und mich in den Stand setzten, mehrere Jahre hindurch englischen Unterricht bis zur Prima hinauf zu erteilen.

Prof. Dr M . . . . . ,
Mitglied der Kommission f. d. Oberlehrerinnenpfrg. in Königsberg i. Pr.
(17. Febr. 1905.)

„Mein Interesse für die Publikationen Ihres Verlages ist das allerlebendigste, nachdem ich in den langen Jahren meiner Tätigkeit als Mitglied der Kgl. wissenschaftl. Prüfungskommission wiederholt an Kandidaten gesehen habe, was sich durch Benutzung Ihrer Unterrichtsbriefe erreichen läßt. In Erinnerung ist mir besonders ein Fall, da ein Kandidat aus Danzig mich durch seine gute Aussprache des Französischen überraschte, die er, wie er sagte, sich lediglich durch das Studium Ihrer Unterrichtsbriefe erworben hatte."

Prof. Dr. Alfons Kissner, an der Univ. Königsberg.

„Es war für mich äusserst interessant und lehrreich, mich aufs neue davon zu überzeugen, daß nicht nur Anfänger, sondern auch tüchtige Kenner der Sprache viel aus den Unterrichtsbriefen lernen können."  Prof. Dr. Stimming, an der Univ. Kiel.

„Eine umgehende Durchsicht der in Ihrem Verlage erschienenen italienischen, spanischen und schwedischen Unterrichtsbriefe hat mich die Überzeugung gewinnen lassen, daß dieselben ein ebenso vortreffliches Hilfsmittel für die Erlernung der betreffenden Fremdsprachen sind, wie die schon seit langen Jahren rühmlichst bekannten und in weitesten Kreisen mit bestem Erfolge gebrauchten französischen und englischen Unterrichtsbriefe."  Geh. Reg.-Rat Dr. phil. G. Körting,

o. ö. Prof. der roman. Philologie an der Univ. Kiel.

„Wie ich Ihnen früher schon schrieb, halte ich die hier eingeschlagene Methode für das Selbststudium der italienischen Sprache für vorzüglich geeignet; ich habe auch meinen Hörern die spanischen Unterrichtsbriefe im spanischen Kolleg empfohlen."  Prof. Dr. Vordysch, an der Univ. Tübingen.

„Lediglich den Toussaint-Langenscheidtschen Briefen verdanke ich es, daß ich seit kurzer Zeit eine sehr gut honorierte Stelle bei einer hiesigen Aktiengesellschaft einnehme."

Otto R . . . in Bremerhaven.

## Deutsch für Deutsche.

**Deutsche Sprachbriefe** von Prof. Dr. *Daniel Sanders*. (1905 mit Berücksichtigung der neuesten Rechtschreibung vollständig neu bearbeitet von Dr. J. Dumcke.) Ein Kursus von 20 Briefen zu je 16 bis 24 S. Nebst Geschichte der deutschen Sprache und Literatur (bis zur neuesten Zeit), Wörterbuch der Zeitwörter und Register. ca. 700 S., gr. 8°. Nur komplett in Mappe 20 M. (Einrichtung etc. wie die der englischen, französischen etc. Orig.-Unterrichtsbriefe.) Einzelne Briefe werden — ausgenommen Brief 1 zur Probe à 1 M. — nicht abgegeben.

„Wer sich 6—9 Monate täglich eine Stunde mit Ausdauer und Gewissenhaftigkeit dem Studium der Deutschen Sprachbriefe widmet, wird als Preis seiner Mühe die Fähigkeit erlangen, die Meisterwerke unserer Literatur mit größerem Verständnis und mit größerem Genuß zu lesen und seine eigenen Gedanken in klarer und anregender Form auszudrücken."  (Daheim, Leipzig.)

# Langenscheidts Sprachführer

mit Anwendung des Grammophons
für den Sprech-Selbstunterricht ✧

# Der kleine Toussaint-Langenscheidt

Mit Angabe der Aussprache
nach dem phonetischen System der Methode Toussaint-Langenscheidt

Zur schnellsten Aneignung der Umgangssprache durch

## Selbstunterricht

Reisesprachführer, Konversationsbuch, Grammatik und Wörterbuch,
Reisegespräche auch zur Anwendung für Sprechmaschinen

| ENGLISCH | ITALIENISCH |
|---|---|
| Bearbeitet von | Verfaßt von |
| **Dr. Heinrich Baumann** | **Amalia Sacerdote** |
| M. A. of London University | Kl. 8°, XVI, 210 und 350 S. Mit |
| Taschenform., LXXX, 484 S. m. | einer Karte und einer Münz- |
| einer Karte u. einer Münztafel. | tafel. 1906. |
| Ganzleinwandband 3 Mark | Ganzleinenband 3 Mark |

Ein Grammophon-Apparat „Trompetenarm Monarch-Junior"
nebst 29 Sprachplatten, welche die in dem Buche enthaltenen

25 Reisegespräche reproduzieren, kostet 200 Mark. ✳ ✳ ✳ ✳

☙

Die hier dargebotenen Werkchen können auch ohne Gram-
mophon mit Nutzen gebraucht werden. Sie sollen zunächst als
erste Grundlage zur Erwerbung von Sprachkenntnissen dienen.
Sie enthalten eine kurzgedrängte, aber vollständige Grammatik;
eine Sammlung von Gesprächen, die teils als Muster dienen,
teils das heutige englische und italienische Leben nach allen möglichen Richtungen hin beleuchten sollen; ferner ein kürzeres
Wörterbuch. Das Ganze ist so zusammengestellt und ineinander
gefügt, daß es nicht nur dem Anfänger als Sprachführer dienen,
sondern auch dem, der die Welt aus eigener Anschauung kennen zu lernen wünscht, als nützlicher Wegweiser und Reisebe-
gleiter auf Schritt und Tritt Hilfe gewähren kann. Die Aussprache
der Wörter ist mit ganz besonderer Sorgfalt nach dem Toussaint-
Langenscheidtschen System behandelt worden.

☞ Gleiche Werkchen für Französisch, Russisch,
Schwedisch, Spanisch, Dänisch-Norwegisch, Pol-
nisch etc. befinden sich in Vorbereitung.

## 2. Wörterbücher.
# Sachs-Villatte
Enzyklopädisches Wörterbuch der französischen und
deutschen Sprache.

**A. Grosse Ausgabe**, ca. 4000 Seiten gr. Lexikon-Format.
Teil I (Französisch-deutsch), Teil II (Deutsch-französisch). 2 Bände
in elegantem Halbfranz geb. à 42 M.

**B. Hand- und Schul-Ausgabe** (1900 ganz neu bearbeitet), ca. 2000 Seiten gr. Lexikon-Format. Teil I (Französisch-deutsch), Teil II (Deutsch-französisch). Jeder Teil geb. à 8 M.
Beide Teile in einen Band geb. 15 M.

# Muret-Sanders
Enzyklopädisches Wörterbuch der englischen und
deutschen Sprache.

**A. Grosse Ausgabe** (1901 vollständig geworden), ca. 5000
Seiten gr. Lexikon-Format. Teil I (Englisch-deutsch), Teil II
(Deutsch-englisch). 4 Bände in elegantem Halbfranz geb. à 21 M.
**B. Hand- und Schul-Ausgabe,** ca. 1700 Seiten gr.
Lexikon-Format. Teil I (Englisch-deutsch), Teil II (Deutsch-
englisch). Jeder Teil geb. à 8 M. Beide Teile in einen Band
geb. 15 M.

## Sachs-Villatte und Muret-Sanders
sind unter allen ähnlichen Werken die neuesten, reichhaltigsten
und vollständigsten. Sie sind die einzigen, die bei jedem Worte
angeben: **1. Aussprache, 2. Gross- und Kleinschreibung, 3. Konjugation und Deklination.
4. Stellung der Adjektive, 5. Etymologie** etc.
Herr Prof. Ferd. Ginzel, Wien, schreibt im „Gaudeamus": „...
**Sachs-Villatte und Muret-Sanders** sind die bestgedruckten aller Wörterbücher; sie sind das Vollkommenste, das von irgendeiner Nation auf diesem Gebiete geleistet worden ist, sie haben ihre Vorgänger einfach tot gemacht."

Ausführliche Prospekte und Probeseiten gratis und franko.

# Menges Schulwörterbücher
mit besonderer Berücksichtigung der Etymologie

| Griechisch-deutsch | Lateinisch-deutsch |
|---|---|
| XII, 635 S. Gr.-Lexikonformat | XVI, 800 S. Gr.-Lexikonformat |
| geb. 8 M. | geb. 8 M. |

# Langenscheidts Taschenwörterbücher

für

### Reise, Lektüre, Konversation
### und den Schulgebrauch ✧ ✧ ✦

Mit Angabe der Aussprache nach dem phonetischen System der
Methode Toussaint-Langenscheidt

**Englisch  Französisch  Italienisch  Neugriechisch**

**Portugiesisch  Russisch  Dänisch  Schwedisch**

**Spanisch  Hebräisch  Lateinisch  Griechisch**

☛ Weitere Sprachen befinden sich in Vorbereitung
Jede Sprache 2 Teile.

Preis in elegantem Leinenband mit mehrfarbiger Prägung:
Jeder Teil geb 2 M., ausgenommen Neugriechisch
und Russisch à 3.50 M.
Teil I u. II der übrigen Sprachen in einen Bd. geb. 3,50. M

# Langenscheidts Sachwörterbücher

**Land und Leute in Amerika.** Von Geheimrat C. Naubert
und H. Kuerschner. (Mit einem Anhang: Englisch-deutsches
Ergänzungswörterbuch von Felix Baumann.) 10.—11. Tausend. XIV, 511 S. und VIII, 64 S. Eleg. Ganzleinenband 3 M

**Land und Leute in England.** Von Geheimrat C. Naubert.
(1906 völlig neu bearbeitet von Dr. E. Oswald.) 17.—18
Tausend. 640 S. Eleg. Ganzleinenband 3 M.

**Land und Leute in Frankreich.** Von Prof. Dr. C. Villatte.
(1905 völlig neu bearbeitet von Prof. Dr. R. Scherflig.)
13.—15. Tausend. XX, 532 S. Eleg. Ganzleinenband 3 M

**Land und Leute in Italien.** Von Amalia Sacerdote, geb
Leipziger-Consolo. XVI, 500 S. Eleg. Ganzleinenband 3 M

In Vorbereitung befinden sich:

**Land und Leute in Russland.   Land und Leute in Spanien.**

Wer ein fremdes Land besucht, will nicht nur verstehen
was er hört, und sagen können, was er denkt, sondern er will
auch Land und Leute insoweit kennen, als dies notwendig
ist, um von seinem Aufenthalt dort den richtigen Nutzen zu
ziehen, Verstösse gegen Sitte und Gepflogenheiten zu vermeiden,
und um in sprachlicher Beziehung jene Eigenarten des Landes
berücksichtigen zu können, deren Kenntnis zum Verständnis und
zur richtigen Anwendung sehr vieler Ausdrücke etc. unbedingt
notwendig ist.

**Wörterbuch der Hauptschwierigkeiten** in der deutschen Sprache. Von Prof. Dr. D. Sanders. 425 S., 8°. 4 M.

**Rechtschreibung** der naturwissenschaftlichen u. technischen Fremdwörter. Von Dr. Hubert Jansen. XXXII, 122 S., 8°. Geb. 1 M. 75 Pf.

**Parisismen.** Sammlung eigenartiger Pariser Ausdrucksweisen mit deutscher Übersetzung. Von Prof. Dr. C. Villatte. 322 S., 8°. 5 M., geb. 5 M. 60 Pf.

**Londinismen.** Ein Wörterbuch der Londoner bezw. englischen Volkssprache. Von Dir. H. Baumann. 2. stark vermehrte Auflage. 430 Seiten, 8°. 5 M., geb. 5 M. 60 Pf.

**Deutsches Nachschlagebuch.** Ausführliches grammatikalisches und orthographisches Nachschlagebuch der deutschen Sprache mit Einschluss der gebräuchlicheren Fremdwörter und Angabe der schwierigeren Silbentrennung und der Interpunktionsregeln. Von Dr. A. Vogel. (33.—50. Tausend.) 525 S., 8°, eleg. geb. 2 M. 80 Pf.

## 3. Literaturgeschichten.

**Grundriss** der Geschichte der englischen Sprache u. Literatur. Von Prof. Dr. C. van Dalen. 40 S., gr. 8°. 75 Pf.

**Coup d'œil** sur le développement de la langue et de la littérature françaises. 16 S., gr. 8°. 75 Pf.
Beide Werkchen bringen vom Wichtigen das Wichtigste.

**Leitfaden** der Geschichte der englischen Literatur von A. Brooke, M. A. Deutsch von Dr. A. Matthias. 120 S., gr. 8°. 1 M. 50 Pf.

**Geschichte** der deutschen Sprache und Literatur von Prof. Dr. D. Sanders, fortgeführt bis zur Neuzeit von Dr. Jul. Dumcke. 177 S., gr. 8°, geb. 2 M. 50 Pf.

## 4. Vokabularien.

**Phraseologie** der franz. Sprache. Nebst Vocabulaire systématique. Von Prof. Dr. Bernh. Schmitz. 2 M. 50 Pf., geb. 3 M.

**Phraseologie** der engl Sprache. Nebst Systematic Vocabulary. Von Dr. H. Löwe. (Seitenstück z. Obigem.) 2 M. 50 Pf., geb. 3 M.
Beide Werke geben die zum geläufigen Sprechen unentbehrlichen Redefiguren in leicht erlernbarer Weise.

**English Vocabulary. By Charles van Dalen, Dr.** — Thoroughly revised. 360 S. Taschenformat. — Geb. 1 M. 50 Pf.

**Petit Vocabulaire français. Par G. van Muyden.** docteur ès lettres. En deux parties: 1re partie: 170 S. Taschenformat. Geb. 1 M.; 2e partie: 170 S. Taschenformat. Geb. 1 M.

## 5. Schulgrammatiken.

**L**ehrbuch der französischen Sprache. Nur für Schulen. Von Toussaint und Langenscheidt. In 3 Abteilungen. Kursus I: 1 M. 50 Pf.; Kursus II: 2 M.; Kursus III: 3 M.

**L**ehrbuch der englischen Sprache. Nur für Schulen. Von Prof. Dr. A. Hoppe. 352 Seiten. 2 M. 40 Pf., geb. 2 M. 90 Pf.

**L**ehrbuch der deutschen Sprache. Nur für Schulen. Von Prof. Dr. Daniel Sanders. 3 Stufen: 1. Stufe, 45 S., kart. 40 Pf.; 2. Stufe, 100 S., kart. 80 Pf.; 3. Stufe, 65 S., kart. 50 Pf.

**L**eitfaden für den Unterricht in der russischen Sprache. Von A. Garbell. Teil I (Fibel), kart. 75 Pf.; Teil II (Elemente), geb. 2 M. 30 Pf.

---

## 6. Diverse sonstige Hilfsmittel.

**T**he Cricket on the Hearth. A Fairy Tale of Home by CHARLES DICKENS. Von Prof. Dr. A. Hoppe. 134 S., 8°. 1 M. 20 Pf.

**M**osaïque française, ou Extraits des prosateurs et des poètes français, par A. dela Fontaine. 288 S., 8°. 2 M., gb. 2 M. 50 Pf.

**R**épertoire dramatique des écoles et des pensionnats de demoiselles, par M^me C. Dræger. 164 S. 1 M. 50 Pf. — Enthält 13 Lustspiele, d. sich z. Aufführung in Familien etc. eignen.

**R**ecueil de Poésies Françaises. Für den Schulgebrauch zusammengestellt von M. Scheibe. Unterstufe, VIII, 44 S., geb. 75 Pf.; Mittelstufe, VIII, 60 S., geb. 75 Pf.; Oberstufe ca. 150 S., geb. 1 M. 50 Pf.

**E**nglisch für Kaufleute. Von Prof. Dr. C. van Dalen. 106 Seiten, gr. 8°. 2 M., geb. 2 M. 50 Pf.

**F**ranzösisch für Kaufleute. Von Toussaint u. Langenscheidt. 96 Seiten, gr. 8°. 2 M., geb. 2 M. 50 Pf.

**S**chwierige Übungsstücke zum Übersetzen aus dem Deutschen ins Franz. Von A. Weil, Oberlehrer. 8°. 144 S. 2 M., geb. 2 M. 50 Pf. Schlüssel hierzu: (82 S.) 1 M. 50 Pf., geb. 1 M. 90 Pf.

**K**onjugationsmuster für alle Verba der französischen Sprache. regelmässige wie unregelmässige. Von Prof. G. Langenscheidt. Mit Angabe der Aussprache jeder aufgeführten Zeitform und Person. 56 S., gr. 8°. Preis 1 M., geb. 1 M. 40 Pf.

**D**as russische Zeitwort (Konjugation, Betonung u. Rektion). Von A. Garbell. (XVI, 205 S.) gr. 8°. geb. 4 M. 50 Pf.

**O**den und Epoden des Horaz. Von Prof. Dr. H. Menge. 3., durch erklärende Anmerkungen vermehrte Aufl. X, 505 und 74 Seiten 8°. Preis eleg. geb. 9 M.

---

## Erschienen sind folgende 65 Klassiker:

Lfrgn.

Äschylos. v. Prof. Dr. Donner 10
Aso'p. von Prof. Dr. Binder 2
Ann'kreon. v. Prof. Dr. Mörike 3
Anthologie, gr., v. Dr. Regis 6
Aristo'phanes, von Prof. Dr.
 Minckwitz u. Dr. Wessely 38
Aristo'teles. v. Karsch, Prof.
 Dr. Stahr u. Prof. Dr. Bender 79
Arria'n. v, Prof. Dr. Cless 13
Cae'sar. v. Prof. Dr. Köchly
 u. Oberst Rüstow 11
Catu'll. v. Rektor Dr. Pressel 3
Cl'cero. von Prof. Dr. Mezger,
 Kühner, Prof. Dr. Siebelis,
 Geh. Hofrat Bähr, Wendt,
 Prof. Dr. Binder, Sommer-
 brodt u Prof. Dr. Köchly 160
Corn. Nepos. Prf. Dr. Siebelis 2
Cu'rtius Rufus. do. 9
Demo'sthenes. von Prof. Dr.
 Westermann 12
Dlodo'r. v, Pr. Dr. Wahrmund 13
Epikte't. von Prof. Dr. Conz 2
Euri'pides. v. Prof. Dr. Minck-
 witz u. Prof. Dr. Binder 52
Eutro'pius. v. Konrektor Dr.
 Forbiger 3
Hellodo'r. von Dr. Fischer 6
Herodia'n. v. Prof. Dr. Stahr 5
Herodo't. v. Geh Hofrat Bähr 24
Hesio'd. von Prof. Dr. Eyth 2
Home'r. v. Prof. Dr. Donner 20
Hora'z. v. Prof. Dr. Binder 7
Iso'krates. v. Prof. Dr. Flathe
 u. Prof. Dr. Binder 4
Justl'nus. von Dr. Forbiger 12
Juvena'lis. von Dr. Berg 10
Li'vius. v. Prof. Dr. Gerlach 57
Luca'nus. von Prof. Krais 7
Lucla'n von Dr. Fischer 21
Lucre'tius, v. Prof. Dr. Binder 6
Lyku'rgos. v. Prof. Dr. Bender 2
Ly'sias. v. Prof. Dr. Wester-
 mann u. Prof. Dr. Binder 5
Mark Aure'l, v. Pr. Dr. Cless 5

Lfrgn.

Martia'lis, von Dr. Berg 16
Ovi'd. v. Prf. Dr. Suchier, Prf.
 Dr. Klussmann u. Dr. Berg 33
Pausa'nias. v. Dr. Schubart 21
Pe'rsius. v. Prof. Dr. Binder 3
Phä'drus. v. Prof. Dr. Siebelis 2
Pi'ndar. v. Prof. Dr. Schnitzer 9
Pla'to von Prof. Dr. Prantl,
 Prof. Dr. Eyth, Prof. Dr.
 Conz, Planck u. Gaupp 39
Plau'tus. v. Prof. Dr. Binder 46
Pli'nius. von Prof. Dr. Kluss-
 mann u. Prof. Dr. Binder 9
Pluta'rch. v. Prof. Dr. Eyth 60
Poly'bios, v. Prof. Dr. Haakh
 u. Kraz 29
Prope'rtius. v. Prof. Dr. Jacob
 u. Prof. Dr. Binder 6
Quintilia'nus. von Prof. Dr.
 Bender 2
Qui'ntus. v. Prof. Dr. Donner 9
Sallu'stius Crispus. v. Prof.
 Dr. Cless 10
Se'neca, von Dr. Forbiger 18
So'phokles. v. Prof. Dr. Schöll 33
Sta'tius. von Prof. Bindewald 6
Stra'bo. von Dr. Forbiger 34
Sueto'n. von Prof Dr. Stahr 12
Ta'citus. von Prof. Dr. Roth 25
Tere'ntius. v. Prof. Dr. Herbst 12
Theo'gnis. v. Prof. Dr. Binder 2
Theokri't. v. Prof. Dr. Mörike
 u. Notter 6
Theophra'st. v. Prf. Dr. Binder 2
Thuky'dides von Prof. Dr.
 Wahrmund. 13
Tibu'llus. v. Prof. Dr. Binder 3
Velle'jus Pate'rculus, von
 Prof Dr. Eyssenhardt 3
Vl'etor. Aurel. v. Dr. Forbiger 5
Virgl'lius v. Prof. Dr. Binder 10
Vitru'vius v. Prof. Dr. Reber 10
Xe'nophon. v. Prof. Dr. Zei-
 sing, Rieckher, Konrektor
 Dr. Forbiger u. Dörner 36

## Als Ergänzungsschriften* erschienen:

**Abriss der Geschichte der antiken Literatur von Dr. Erwin Rex.** Mit besonderer Berücksichtigung d. Langenscheidtschen Bibliothek sämtlicher griechischen u. römischen Klassiker etc. (☞ Als ein kaum entbehrliches Hilfsmittel für Kenntnis und Kunde der antiken Schriftsteller und ihrer Werke, sowie als Führer bei der Wahl und Lektüre letzterer ganz besonders zu empfehlen.)  40 Pf.: geb. 65 Pf.

**Gerlach.** Die Geschichtschreiber der Römer, 1 M. 75 Pf.

**Gerlach.** Marcus Porcius Cato der Censor, 70 Pf.

**Minckwitz.** Vorschule zum Homer, 2 M. 80 Pf.

**Prantl.** Übersicht d. griechisch-römisch. Philosophie, 1 M. 40 Pf.

**Sommerbrodt.** Das altgriechische Theater, 1 M. 5 Pf.

**Wahrmund.** Die Geschichtschreibung der Griechen, 1 M. 5 Pf.

\* Die Ergänzungsschriften sind nicht in der gebundenen Ausgabe enthalten, daher apart zu verlangen.

## Bezugsbedingungen der Langenscheidtschen Klassiker-Bibliothek.[1]

### I. Einzelne Bestandteile nach Auswahl

**A. Broschiert,** 1166 Lfrgn. à 35 Pf.

**B. Gebunden,** 110 höchst solide Halbfranzbände[1] mit echter Rückenvergoldung[2] à Band 4 M., bei 15 Banden auf einmal 3 M. 50 Pf., bei 25 Bänden auf einmal 3 M., bei 50 Bänden ausserdem 5 Bände unberechnet.

Bei **Subskription**[3] auf mindest. 40 ausgewählte Bände, wöchentlich ein Band à 4 M., die letzten 10 Bände unberechnet.

### II. Bezug der vollständigen Bibliothek.

**A.** Bei **Subskription**[3]: 110 Halbfranzbände à 3 M., wöchentlich 1 Band, die letzten 5 Bände unberechnet.

**B.** Bei **Entnahme auf einmal:** Broschiert 1166 Lieferungen für 250 M. (statt 408 M. 10 Pf.); gebunden 110 Halbfranzbände für 285 M. (statt 440 M.).

☞ Die elegant und solide gebundene Bandausgabe (Probeband in jeder Buchhandlung) oder Teile davon sehr geeignet als Geschenk. ☜

1. Freibleibend und ohne Verbindlichkeit für Differenzen in der Färbung etc. des Papiers, da die Herstellung der Bibliothek ca. drei Jahrzehnte erforderte. — 2. Jeder Band den Inhalt von 10—15 Lieferungen umfassend. — 3. Bei der Subskription behält die Verlagshandlung sich die Reihenfolge der zu expedierenden Bände vor.

☞ Ausführliche Kataloge gratis. ☜

# Abriſs der Geschichte ✷ ✷ der antiken Literatur

Mit besonderer Berücksichtigung der Langenscheidtschen Bibliothek sämtlicher griechischen
und römischen Klassiker in neueren deutschen
Muster-Übersetzungen

von

## Dr. Erwin Rex

$8^{1}/_{2}$ Bogen $8^{0}$, 40 Pfg., geb. 65 Pfg.

Der Verfasser entwickelt in der mit wohltuender Wärme
geschriebenen Einleitung die Bedeutung der antiken Literatur gegenüber den Strömungen der Neuzeit, indem er nachweist, wie Wissenschaft und Kunst, wie auch die deutsche
Poesie in ihren Heroen auf jener antiken Welt fußen und
neue Anregung und Förderung aus ihr gewinnen. Sodann
bietet er eine kompendiöse, aber zuverlässige und wohlorien-
tierte Charakteristik der antiken Autoren, schildert die Zeit
und Ziele ihres Wirkens und den Inhalt ihrer Schriften.
Endlich begegnen wir am Schlusse des „Abrisses" einem in

seiner Art durchaus neuen
und einzig dastehenden
Sachregister, das eine bedeutende Anzahl Notizen alphabe-
tisch vorführt, d. h. eine sicherlich zur Überraschung manches
Lehrers gereichende Übersicht
vieler Forschungen, Versuche und
Ansichten, die bereits das Altertum mit unseren heutigen Bestrebungen gemeinsam hatte.

TORQUATO TASSO

# Jahrbuch

der

# Deutschen Shakespeare-Gesellschaft

## Band 35 u. ff.

Herausgegeben von

## Dr. phil. A. Brandl und Dr. phil. W. Keller

ord. Univers.-Prof.                    ord. Univers.-Prof.

Jeder Band umfasst ca. 400 Seiten 8° und kostet
gebunden 12 M., brosch. 11 M.

Das Jahrbuch ist im Laufe der Jahre zum Centrum der
Shakespeare-Studien in Deutschland geworden und daher das
unentbehrlichste Organ für jeden Shakespeare-Freund, -Darsteller und -Forscher. Es erfreut sich der höchsten Anerkennung
im ganzen Kreise der deutschen, englischen und amerikanischen
Shakespearianer und wird von den Unterrichtsministerien den
Schulen zur Anschaffung empfohlen.

Niemals hat eine der verschiedenen neben und nacheinander entstandenen englischen Shakespeare-Vereinigungen
ein so wohlgeordnetes, neben neuen selbständigen Arbeiten
zugleich eine vortreffliche Übersicht über den jeweiligen Stand
der Shakespeare-Forschung bietendes Werk zu stande gebracht.
Es gibt keine zweite Fundgrube von solcher Mannigfaltigkeit,
von solchem Reichtum auf allen Gebieten der Shakespeare-Forschung, wie das Jahrbuch, an dem jeder irgendwie um
Shakespeare Beflissene einmal mitgearbeitet hat. Wer sich
niemals eingehender mit Shakespeare beschäftigt hat, mag vielleicht die Frage aufwerfen: was denn solche Jahrbücher überhaupt noch nützen können; es sei doch schon alles, was man
von Shakespeare wissen kann, längst erforscht und festgestellt.
Ein halbes Stündchen Blätterns in irgend einem Bande des
Jahrbuchs wird auch den Zweifelsüchtigsten belehren und ihn
in Erstaunen setzen über die unabsehbare Fülle dessen, was
sich bei dem tieferen Studium Shakespeares an Fragen von
höchstem literarischen Reiz aufdrängt: Fragen, die keineswegs
nur den Fachmann angehen, sondern fast in alle Gebiete
menschlicher Bildung übergreifen und daher auch jeden allgemein
Gebildeten aufs lebhafteste fesseln müssen. --

Inhaltsverzeichnis der einzelnen Bände gratis und franko
durch jede Buchhandlung oder vom Verlag.

# Langenscheidts * *
# Sachwörterbücher.

**1. Land und Leute in Amerika.**
Von Geheimrat Naubert und H. Kuerschner.
1905 vermehrt durch einen Anhang: Englisch-
deutsches Ergänzungswörterbuch von Felix
Baumann. 10.—11. Tausend, XIV, 511 S.
und VIII, 64 S. Preis geb. 3 M.

**2. Land und Leute in England.**
Von Geheimrat C. Naubert. (1906 völlig neu
bearbeitet von Dr. E. Oswald.) 17.—18. Tausend,
XXII, 615 S. Preis geb. 3 M.

**3. Land und Leute in Frankreich.**
Von Prof. Dr. C. Villatte. (1905 völlig neu be-
arbeitet v. Prof. Dr. R. Scherffig.) 13.—15. Taus.,
XX, 532 S. Preis geb. 3 M.

**4. Land und Leute in Italien.**
Von A. Sacerdote. XVI, 498 S. Preis geb. 3 M.

### In Vorbereitung befinden sich:
Land und Leute in Rufsland. Land und Leute
in Spanien.

Wer ein fremdes Land besucht, will nicht
nur verstehen, was er hört, und sagen
können, was er denkt, sondern er will auch
Land und Leute insoweit kennen, als dies
notwendig ist, um von seinem Aufenthalt dort den
richtigen Nutzen zu ziehen, Verstöße gegen Sitte
und Gepflogenheiten zu vermeiden und um in
sprachlicher Beziehung jene Eigenarten des
Landes berücksichtigen zu können, deren Kenntnis zum Verständnis und zur richtigen Anwendung sehr vieler Ausdrücke etc. unbedingt
notwendig ist. Diesem Erfordernis dienen die
obigen, gleichfalls in Taschenformat und
lexikalischer Form erschienenen Werkchen.

# Urteile

## über Langenscheidts Sachwörterbücher.

Herr Prof. Dr. Tobler, ord. Prof. für neuere Philologie an der Universität Berlin, Mitglied der Königl. Akademie der Wissenschaften: „Hier ist ein vorzüglicher Gedanke trefflich ausgeführt, dem Publikum ein aller Anerkennung werter Dienst erwiesen. Mit Vergnügen habe ich in dem Frankreich betreffenden Te le geblättert, der Fülle guter Auskunft mich gefreut und für künftige Reisen mir manches gemerkt, das nicht früher gewußt zu haben ich jetzt bedaure."

Herr Prof. Dr. H. Heim, Darmstadt: „Ich habe das Buch „Land und Leute in Frankreich" in seiner neuen Bearbeitung durchgesehen und mehrere der interessantesten Artikel geprüft und muß sagen, daß es eine in jeder Hinsicht tüchtige, höchst gewissenhafte und durchaus zuverlässige Arbeit ist, die Neuphilologen sowohl als auch Laien nicht nur als Führer nach Frankreich, sondern auch als bequemes Nachschlagebuch zu Hause aufs beste empfohlen werden kann."

Londoner Zeitung: „Die Herausgeber hätten die Sammlung viel richtiger Auskunftsbücher über Land und Sitten, Gebräuche und Sprache nennen können, denn ein solches sind sie im vollsten Sinne des Wortes. Von A bis Z bringen sie in alphabetischer Reihenfolge in gedrängter Kürze Informationen über alle nur erdenklichen Gegenstände, und dabei ist ein jeder einzelne Artikel mit einer Gründlichkeit und Sachkenntnis geschrieben, die wahrhaft erstaunlich ist. Nur wer längere Zeit in dem bezeichneten Lande gewesen ist und Volk, Sitten und Sprache des Landes kennt, wird den Wert eines solchen Werkes in seinem vollen Umfange zu würdigen wissen; denn in fast jeder Zeile wird er dort kurz geschildert finden, was auch er beobachtet hat, neben gar manchem, was ihm noch ganz neu ist."

Blätter für das bayrische Gymnasialwesen, München: „Die Verlagshandlung, welche schon soviel Rühmliches für die Verbreitung und Erweiterung der Kenntnis der neueren Sprachen geleistet, hat sich durch Herausgabe auch dieser Werke alle nach Frankreich (bzw. England oder Amerika) reisenden Deutschen zu Dank verpflichtet."

Illustrierte Chronik der Zeit, Stuttgart: „Das von sachverständiger Seite mit großer Geschicklichkeit zusammengestellte Buch ist ein wahrer Schatz für den deutschen Amerikareisenden."

Herr Dr. Francis A. Neyret, Dozent an der Kgl. Kriegsakademie, Berlin: „Das Buch „Land und Leute in Frankreich" ist ganz vortrefflich, der Inhalt sehr interessant und die Auswahl des Stoffes für den französischen Unterricht außerordentlich nützlich.